JN165529

ALL OF DOWN SYNDROME (TRISOMY 21)

ダウン症のすべて

編著●諏訪まゆみ
静岡県立こども病院麻酔科

中外医学社

執筆者（執筆順）

石切山　敏　静岡県立こども病院遺伝染色体科前科長

西口富三　静岡県立こども病院周産期センター 副院長兼周産期センター長

満下紀恵　静岡県立こども病院循環器科

小林繁一　静岡県立こども病院発達小児科

清水健司　静岡県立こども病院遺伝染色体科

田中靖彦　静岡県立こども病院循環器センター 副院長兼循環器センター長

金　成海　静岡県立こども病院循環器科

村田眞哉　山梨大学医学部附属病院第二外科 助教

芳本　潤　静岡県立こども病院循環器科

新居正基　静岡県立こども病院循環器科

平野博史　国際医療福祉大学病院麻酔科 医長

大崎真樹　東京都立小児総合医療センター集中治療科

濱本奈央　静岡県立こども病院 CCU

杵塚美知　静岡県立こども病院看護部 集中ケア認定看護師

岩城秀平　静岡県立こども病院臨床工学室 主任臨床工学技士

福澤宏明　姫路赤十字病院小児外科 部長

森田圭一　兵庫県立こども病院小児外科 医長

諏訪まゆみ　静岡県立こども病院麻酔科 医長

小林　匡　北九州市立八幡病院小児救急・小児総合医療センター

川崎達也　静岡県立こども病院小児集中治療科 小児集中治療センター長

福本弘二　静岡県立こども病院小児外科 小児外科医長

西村香澄　上野眼科

橋本亜矢子　静岡県立こども病院耳鼻咽喉科

北村祐司　松戸市立総合医療センター麻酔科 部長

滝川一晴　静岡県立こども病院整形外科

藤本　陽　静岡県立こども病院整形外科
堀越泰雄　静岡県立こども病院血液腫瘍科 医長
上松あゆ美　静岡県立こども病院内分泌代謝科 科長
渡邉誠司　伊豆医療福祉センター 施設長
加持秀明　静岡県立こども病院形成外科
渡邉桂太　静岡県立こども病院歯科
竹下育男　すずかけセントラル病院歯科
加古裕美　あいち小児保健医療総合センター麻酔科 医長
作田和代　静岡県立こども病院 CLS
村田夏子　認定 NPO 法人シャイン・オン・キッズ　Ph.D.
鈴木恵子　静岡県立こども病院　認定 NPO 法人シャイン・オン・キッズ
ファシリティドッグ・ハンドラー　看護師
古賀里恵　静岡県立こども病院看護部，手術室 手術看護認定看護師
伴　由布子　国際医療福祉大学医学部小児科学 講師
稲員恵美　静岡県立こども病院診療支援部リハビリテーション室
鴨下賢一　リハビリ発達支援ルームかもん
北野市子　シドニー Macquarie 大学
鈴木　藍　静岡県立こども病院診療支援部リハビリテーション室
塚田薫代　静岡県立こども病院図書室 医学司書
勝山真弓　特定非営利活動法人ヒューマン・ケア支援機構 音楽療法担当
山本和子　元 静岡県立こども病院 認定医療保育専門士
貞森保秀　静岡県立藤枝特別支援学校 焼津分校
徳増五郎　静岡県立藤枝特別支援学校
池上千穂　静岡県立沼津聴覚特別支援学校
大西庸子　北里大学病院産婦人科 診療講師
城戸貴史　静岡県立こども病院地域医療連携室 医療ソーシャルワーカー

『ダウン症のすべて』の発刊に添えて

まさに『ダウン症のすべて』.

この本は，ダウン症候群と向き合う医療関係者にとって“2018年：ダウン症百科事典”の役割を担ってくれる可能性を秘めている．私がドラフト版を最初に捲らせていただいたときに抱いた印象だ．

私は，先天性心疾患に対する手術一筋で生きてきた静岡県立こども病院の心臓外科医で，昨年から院長を兼任している．当院麻酔科医長 諏訪まゆみ先生から「ダウン症の本を作りたいと思って，こども病院の先生みんなに協力をお願いしています．ご支援よろしくお願いします」と声を掛けられたのは，ちょうど去年の今頃だった．1冊の本を仕上げるのが容易でない．それがわかっているので，前向きな諏訪先生の笑顔に応えて「そうか，本を作るのか．頑張れよ！」と答えてその場を離れた．

それから1年，諏訪先生から再び声が掛かった．「昨年話した本の目処が立ちました．ドラフト原稿を送ってもらいますので，推薦文，よろしくお願いします」．「できたのか！　もちろん書かせてもらうよ」と即答したものの，内心では『本当？　どんな本にまとまったのかな』と“親心的心配”がなかったといえば嘘になる．原稿が届く前に私がまず行ったのは情報収集，“ダウン症×本”をキーワードにしたインターネット検索である．予想した通り，ダウン症には多くの方々が関わっていることを裏づけるようにたくさんの本がヒットした．その結果を確認して私が抱いた疑問は「これだけ多くの本が出ているなかで，今回出す本の意義は何で……誰のために出す本なのだろう」であった．

その疑問は，原稿が届いて1時間後には解消した．目次と中身のほんの一部を確認しただけで，この本が他の本とは違う目的をもって作られていることを確信したからである．そのときの気持ちを表したのが文頭の文章である．諏訪先生が先導し，静岡県立こども病院スタッフ全員が総力を注入したこの本は，ダウン症のこども達の治療（QOL改善に向けた肉体的・精神的ケアを含む）に携わる医療関係者（自分たち）のために書かれ，我々自身の向上を通してダウン症治療の質向上に寄与することで患者と家族の貢献につなげる，という明確なスタンスがある．私は，小児医療に携わるひとりの医師として自信をもってこの本を勧めることができるのが嬉しい．そして，それが静岡県立こども病院からの発信であることに感激している．

『諏訪先生，良くやった！』

2018年7月

独立行政法人静岡県立病院機構 静岡県立こども病院 院長

坂本喜三郎

2版の序

初版「ダウン症のすべて」が2018年8月に発刊され，1年と少し経った頃，出版社からメールをいただきました．それは，初版本の在庫が少なくなってきたため増刷が必要だという嬉しいご連絡でした．まだ出版されて間もないのでそのまま増刷でよいかとも悩みましたが，追加したい内容も出てきたため，新たに項目を加え，第2版として全体を見直すこととしました．

初版からの項目は，一部内容の追加や更新を行いました．
新たに加えた項目は，
①成人期の特徴や外来の成人移行，そしてダウン症研究の歴史や最前線情報
②側弯症について
③「形成外科分野」を追加し，内眼角贅皮，睫毛内反，口唇口蓋裂などに対する機能的な治療に加えて，整容的治療やその適応などについて
④ダウン症の成長過程でとても重要な「摂食」を含む歯科分野
⑤患児およびご家族を含めた心のサポートやケアを目的とする，CLS（child life specialists）やファシリティドッグの活動内容の紹介
です．新しくスペシャリストの方々に執筆していただき，ダウン症のちびっこの生活に直結する問題点を知りその対応やサポートについて理解する大切な内容となりました．

初版以来，「とても濃い内容で診療に役立ちました」，「循環器の先生にお勧めしました」「（ご家族から）図書館で読みました」など，多くの方々に声をかけていただきました．また大先輩の先生方に「こういう本を作りたかった」とか，いかに新生児医療が発達してきたかについてなど熱いお手紙をいただいたこともありました．2020年は新型コロナの世界的パンデミックにより，医療の臨床の現場でとても大きな影響を受けましたが，それと同時に，医学の学術の世界でも学会・研究会・セミナーなどの学術活動が縮小や中止に追い込まれました．そのように新しい研究発表・学習・情報交換の場が少ないなか，この「ダウン症のすべて」は本当に多くの方々に手に取っていただけているんだなと実感でき，とても感激し励まされました．その書籍に，新たに最新の情報を付け加えることができ，さらに内容を充実させることができましたこと，お忙しい中執筆をしてくださった著者の方々への感謝に堪えません．

この本を一歩ずつ前進させ，その先にはダウン症のみんな，そしてその家族，まわりの方々が，よりよい環境でより健康で幸せに生活できるように，その一助となる百科事典となったら嬉しいです．

2021年3月

独立行政法人静岡県立病院機構 静岡県立こども病院 麻酔科 医長
諏訪まゆみ

初版の序

もともと小児科医であった私は，病棟やNICU，外来などで，いろんな内科疾患のダウン症のちびっこに出会いました．その後，小児麻酔の分野で手術の麻酔だけでなく，検査や処置の鎮静・鎮痛にも携わるようになり，今度はさまざまな外科疾患のダウン症のちびっこに出会いました．21トリソミーのこどもは，とても特徴的な疾患や症状をもって生まれてくるため，診断や治療・療養・生活全般においてある程度の予測ができるのです．そのため，生まれる前からあるいは生まれてすぐから，しっかりと医療面や生活面でサポートしてあげれば，元気にすくすく育ってくれることがとても期待できるような疾患なのです．そのためには，医療従事者はもちろんのこと，家族・学校の先生・周りの人々が，この疾患についてよく知ることがとても重要だと思い，この本を作りたいと長年あたためてきました．

前半は，21トリソミーの診断や並存疾患の診断・治療について，各分野のエキスパートの先生に，ポイントをあげて，図表なども使ってわかりやすく，かつマニアックに最新の情報や治療法なども盛り込んで書いてもらいました．

私の専門分野でもあります小児麻酔に関連して，全身麻酔や区域麻酔，気道管理，検査の麻酔，麻酔のトピックスなどについてもまとめました．

本の後半には，おすすめの図書や音楽療法，保育についても書かれています．ぜひ，ご家族や学校の先生などまわりの方々に読んでほしいです．また，学校に行くにはどんな選択肢があるのか，そのあと就職するにはどんな過程を経るのかなど，成長していくなかで，実際直面したときに役立つ情報も盛り込んでいます．

ダウンちゃんは，病棟の人気者です．おそらく家庭や学校などでもそうでしょう．とても人懐っこく，すごく適応力があり，医療者からも可愛がられる抜群に愛らしい存在です．また，明るく元気いっぱいのダウンちゃんもいれば，静かでおとなしく絵本を読むのが好きなダウンちゃんもいます．それぞれの個性を伸ばして，元気に楽しく生活できたら最高だと思います．

お礼

お忙しいなか，すばらしい内容の原稿を書いてくださったエキスパートのみなさま，本の編集にあたり心強いサポートをしてくださった中外医学社の鈴木真美子様はじめ皆様，励まして下さり推薦もしていただきました坂本喜三郎先生に，こころより感謝申し上げます．

2018年7月

独立行政法人静岡県立病院機構 静岡県立こども病院 麻酔科 医長

諏訪まゆみ

※このページにおきましても，雰囲気や状況により呼び名がさまざまになっております．そういったように，この本のなかでも，「ダウン症候群」，「ダウン症」，「21トリソミー」と用語が3種類混在しておりますこと，ご容赦願います．

目次

Ⅰ　総論

1　ダウン症候群（21トリソミー・trisomy 21）とは…〈石切山　敏〉2

① ダウン症候群と21トリソミー …… 3
② ダウン症候群の臨床像（臨床所見と合併症・予後）…… 4
③ 予後 …… 8
④ 発生率 …… 8
⑤ 病因 …… 8
⑥ 遺伝予後 …… 12

2　診断 …… 15

1. 出生前診断・胎児診断 ……〈西口富三〉15
① 出生前診断の手法 …… 15
② 非確定的検査 …… 16
③ 確定的診断法 …… 19
④ 検査にあたっての留意点 …… 20

2. 胎児診断・出生後診断 ……〈満下紀恵〉22
① 胎児診断・出生前診断 …… 22
② 21トリソミー児の合併疾患 …… 24
③ 胎児超音波検査 …… 26
④ 出生後診断 …… 27
⑤ 親への告知と家族支援 …… 28

3. 最終診断 ……〈石切山　敏〉30

3　発育・発達 ……〈小林繁一〉31

① 発育 …… 31
② 運動発達 …… 33
③ 知的発達 …… 34
④ 言語発達 …… 35
⑤ 社会性の発達 …… 35
⑥ 就学と就労 …… 36
⑦ 老化 …… 36
⑧ 発達障害 …… 37

4 ダウン症候群のトータルケア ……〈清水健司〉 39
① トータルケアの実際 …… 40
② 包括的診療連携 …… 42
③ 成人期への移行期医療 …… 43

Ⅱ 各論

1 循環器疾患 …… 46

1. 正常な心臓 ……〈田中靖彦〉 46
① 心臓の構造 …… 46
② 内分泌器官としての心臓 …… 47
③ 血液の流れ …… 48

2. 動脈管と大動脈弓およびその分枝の異常 ……〈金 成海〉 49
① 動脈管開存症 …… 49
② 大動脈弓とその分枝の異常 …… 53

3. 心房中隔欠損症 …… 55
① 症状 ……〈金 成海〉 56
② 診断 ……〈金 成海〉 57
③ 閉鎖術の適応および至適時期 ……〈金 成海〉 58
④ 経カテーテル的閉鎖術 ……〈金 成海〉 59
⑤ 手術 ……〈村田眞哉〉 61
⑥ 術後経過・外来フォロー ……〈金 成海〉 63

4. 心室中隔欠損症 …… 64
① 心室中隔欠損の分類 ……〈芳本 潤〉 64
② 病態 ……〈芳本 潤〉 65
③ 症状と身体所見 ……〈芳本 潤〉 66
④ 治療と術前管理 ……〈芳本 潤〉 71
⑤ 手術 ……〈村田眞哉〉 72
⑥ 術後経過，検査，外来フォロー ……〈芳本 潤〉 73

5. ファロー四徴症 …… 75
① 疫学，解剖，病理 ……〈芳本 潤〉 75
② 症状・診察および検査所見 ……〈芳本 潤〉 76
③ 治療方針と術前管理 ……〈芳本 潤〉 80
④ 手術 ……〈村田眞哉〉 81
⑤ 術後経過，検査，外来フォロー ……〈芳本 潤〉 83

6. 房室中隔欠損症 …… 84
① AVSD の分類 …… 〈新居正基〉 85
② 頻度 …… 〈新居正基〉 87
③ 血行動態 …… 〈新居正基〉 87
④ 症状 …… 〈新居正基〉 88
⑤ 診断 …… 〈新居正基〉 89
⑥ 術前管理 …… 〈新居正基〉 93
⑦ 手術 …… 〈村田眞哉〉 93
⑧ 術後経過 …… 〈新居正基〉 95

7. 肺高血圧 …… 〈田中靖彦〉 97
① 肺高血圧とは …… 97
② ダウン症候群における肺高血圧 …… 97
③ 先天性心疾患と肺高血圧 …… 98
④ 胎児循環から生後循環へ …… 98
⑤ 左右短絡疾患における肺血管抵抗，肺動脈圧の変化 …… 98
⑥ ダウン症候群における先天性心疾患での肺高血圧の進行 …… 98
⑦ 肺高血圧がなぜ問題になるのか …… 99
⑧ ダウン症候群における肺高血圧の症状 …… 99
⑨ 肺高血圧の診断 …… 100
⑩ 肺高血圧の治療 …… 101
⑪ アイゼンメンジャー症候群 …… 101
⑫ 上気道閉塞による肺高血圧 …… 102

8. 麻酔管理 …… 〈平野博史〉 103
① 術前診察 …… 103
② 前投薬 …… 103
③ 麻酔導入〜気管挿管 …… 104
④ 麻酔維持 …… 104
⑤ 覚醒〜抜管 …… 105
⑥ 特殊な事例 …… 105

9. 術後管理 …… 〈大崎真樹　濱本奈央〉 107
① 循環管理 …… 107
② 気道管理 …… 109
③ 呼吸管理 …… 109
④ 鎮静・鎮痛 …… 110
⑤ 栄養 …… 110

10. 看護管理 ……〈杵塚美知〉 112
① 術前看護 …… 112
② 術後看護 …… 114
③ 回復期・退院前管理 …… 115

11. 人工心肺って？ ……〈岩城秀平〉 117
① 送血ポンプ …… 118
② 人工肺 …… 119
③ 人工心肺回路 …… 119
④ 心筋保護液（供給装置）…… 120
⑤ 心臓手術の実際の流れ（心室中隔欠損症の一例）…… 120

2 消化器疾患 …… 123

1. 十二指腸閉鎖症・狭窄症 ……〈福澤宏明〉 123
① 症状 …… 124
② 検査・診断 …… 124
③ 治療・手術 …… 124
④ 術後管理 …… 127
⑤ 予後 …… 127

2. 直腸肛門奇形（鎖肛） ……〈森田圭一〉 128
① 病型 …… 128
② 診断 …… 128
③ 手術 …… 130
④ 術後管理・予後 …… 131

3. ヒルシュスプルング病 ……〈福澤宏明〉 132
① 症状 …… 132
② 検査・診断 …… 133
③ 治療・手術 …… 134

4. 便秘症 ……〈森田圭一〉 137
① 症状 …… 137
② 診断 …… 137
③ 治療 …… 139

5. 腹部手術の鎮痛 ……〈諏訪まゆみ〉 140
① 硬膜外ブロック …… 141
② 脊髄くも膜下ブロック …… 142

③ 末梢神経ブロック …… 143
④ 静脈鎮痛 …… 143
⑤ 静脈鎮静 …… 143

3 呼吸器疾患 …… 145

1. 呼吸器感染症 ……〈小林 匡 川崎達也〉 145
① 呼吸器感染症に影響を及ぼしうるダウン症の特徴 …… 145
② ダウン症と上気道炎 …… 147
③ ダウン症と下気道炎・肺炎 …… 147
④ ダウン症児と新型コロナウイルス感染症（COVID-19） …… 149
⑤ ダウン症児の重症管理 …… 149
⑥ ダウン症と感染予防 …… 154
⑦ 家族，学校関係者など医療に従事していない方へ …… 154

2. 気道狭窄 ……〈福本弘二〉 157
① 症状 …… 157
② 診断 …… 158
③ 治療 …… 160

3. 気道疾患の麻酔管理 ……〈諏訪まゆみ〉 166
① 気道の検査の麻酔 …… 166
② 気管支ファイバー治療の麻酔 …… 169
③ 気管切開の麻酔 …… 170
④ 気管手術の麻酔 …… 170

4 眼科疾患 ……〈西村香澄〉 173

① 眼瞼 …… 173
② 屈折異常 …… 175
③ 視力 …… 176
④ 調節 …… 176
⑤ 斜視 …… 176
⑥ 眼振 …… 176
⑦ 涙道 …… 177
⑧ 角膜 …… 177
⑨ 虹彩 …… 177
⑩ 水晶体 …… 177
⑪ 眼底 …… 177
⑫ 視神経 …… 177

⑬ 緑内障 …… 178

5 耳鼻咽喉科疾患 …… 179

1. 聴覚障害 ……〈橋本亜矢子〉 179
① 伝音難聴 …… 179
② 感音難聴 …… 179

2. 中耳炎 …… 181
① 症状 ……〈橋本亜矢子〉 181
② 診断・分類 ……〈橋本亜矢子〉 181
③ 治療・手術 ……〈橋本亜矢子〉 182
④ 麻酔，術後管理，鎮静鎮痛 ……〈北村祐司〉 183

3. 閉塞性睡眠時無呼吸症候群（OSA） …… 185
① 症状 ……〈橋本亜矢子〉 185
② 診断 ……〈橋本亜矢子〉 185
③ 治療・手術 ……〈橋本亜矢子〉 186
④ 麻酔，術後管理，鎮静鎮痛 ……〈北村祐司〉 186

6 整形外科疾患 …… 188

① 環軸椎亜脱臼 ……〈滝川一晴〉 188
② 脊柱側弯症 ……〈藤本　陽〉 189
③ 股関節疾患 ……〈滝川一晴〉 190
④ 恒久性・習慣性膝蓋骨脱臼（亜脱臼）……〈滝川一晴〉 191
⑤ 外反扁平足 ……〈滝川一晴〉 192
⑥ 麻酔管理 ……〈平野博史〉 192

7 血液疾患 …… 194

1. 急性白血病 ……〈堀越泰雄〉 194
① 疫学 …… 194
② 病態 …… 196
③ 症状 …… 196
④ 診断，分類 …… 197
⑤ 検査 …… 197
⑥ 治療 …… 198

2. 一過性骨髄異常増殖症 ……〈堀越泰雄〉 204
① 病態 …… 204

② 疫学 …… 205
③ 症状 …… 205
④ 診断 …… 206
⑤ 検査 …… 207
⑥ 治療 …… 207
⑦ ガイドライン …… 210

3. 麻酔管理 ……〈平野博史〉 212

8 内分泌代謝疾患 ……〈上松あゆ美〉 214

① 甲状腺機能低下症 …… 214
② 甲状腺機能亢進症（バセドウ病）…… 215
③ 低身長 …… 217
④ 肥満 …… 218

9 神経疾患 ……〈渡邉誠司〉 220

① 神経学的特性に起因する症状 …… 220
② 早期認知機能低下，早老 …… 222
③ てんかん …… 222

10 形成外科疾患 ……〈加持秀明〉 227

① 睫毛内反症 …… 227
② 耳介低位・耳介変形 …… 228
③ 多母指症 …… 229
④ 口唇口蓋裂 …… 229
⑤ ダウン症候群特異的顔貌に対する整容的手術 …… 230

11 歯科的特徴 ……〈渡邉桂太　竹下育男〉 232

① 口腔内の特徴 …… 232
② 歯科診療における注意点 …… 233
③ 摂食嚥下障害 …… 233

12 麻酔のトピックス …… 235

1. 呼吸管理 ……〈北村祐司〉 235
① 上気道閉塞のメカニズムを理解しよう …… 235
② 解剖学的バランスと神経性調節が上気道開通維持のカギ …… 235
③ 成長発達に伴って 21 トリソミー患児の上気道開通性は変化する …… 236

2. 鎮静 ……〈加古裕美〉 238
① 術後鎮静 …… 239
② 検査鎮静 …… 239

3. 鎮痛 ……〈加古裕美〉 241
① Multimodal analgesia …… 241
② 術後鎮痛 …… 242

4. その他 ……〈加古裕美〉 244
① 頸椎不安定性 …… 244
② 末梢血管確保 …… 245
③ 総合的な麻酔計画 …… 246

13 院内での心のサポート …… 247

1. CLS（Child Life Specialist） ……〈作田和代〉 247
① 子どもの特徴を共有する …… 247
② 子どもが安心できる環境をつくる …… 247
③ 子どもとの効果的なコミュニケーション …… 248
④ 医療を受ける子どもへのプリパレーション …… 248

2. ファシリティドッグ ……〈村田夏子　鈴木恵子〉 250
① 概要 …… 250
② 感染症対策 …… 250
③ 実際の事例 …… 252

14 手術室ってどんなところ？ ……〈古賀里恵〉 254
① 術前 …… 254
② 手術室で …… 255
③ 術後 …… 255

15 新生児期・乳児期の発育発達，早産児 ……〈伴　由布子〉 257
① 発育発達に関わる因子 …… 257
② 身体発育 …… 258
③ 発達 …… 258
④ 早産，低出生体重児 …… 259
⑤ 早期療育の重要性 …… 259

16 理学療法・作業療法・言語聴覚療法 …… 261

1. 理学療法 ……〈稲員恵美〉 261
   - ① ダウン症の運動発達特性 …… 261
   - ② 低緊張に対する乳児期早期の姿勢ケア …… 261
   - ③ 頸定発達 …… 261
   - ④ 寝返りについて …… 262
   - ⑤ シャフリングについて …… 262
   - ⑥ 座位の発達 …… 262
   - ⑦ 立位歩行の発達 …… 263

2. 作業療法 ……〈鴨下賢一〉 264
   - ① ダウン症の特徴 …… 264
   - ② 新生児期・乳児期の作業療法 …… 264
   - ③ 幼児期から学齢期の作業療法 …… 264
   - ④ 食事について …… 264
   - ⑤ 着替えについて …… 266
   - ⑥ 排泄について …… 266
   - ⑦ 学習に使用する道具操作について …… 266
   - ⑧ 就労に向けての作業療法 …… 266

3. 言語聴覚療法 ……〈北野市子　鈴木 藍〉 268
   - ① ダウン症児の言葉の特徴 …… 268
   - ② 基礎的な関わり方 …… 269
   - ③ 聴力検査について …… 270
   - ④ 合併症を考慮した関わり …… 270

17 読書 ……〈塚田薫代〉 271

- ① ダウン症の子に本を読むこと …… 271
- ② 実は読む人にも良い効果がある …… 272
- ③ ダウン症児は感性豊か …… 272
- ④ ダウン症がテーマの本 …… 272
- ⑤ その他役立つ本と情報など …… 274

18 音楽療法 ……〈勝山真弓〉 275

- ①「在宅」という場 …… 275
- ② 楽器を使うこと …… 276
- ③ 声を出すこと …… 278
- ④ かかわりあい …… 279

⑤「場」の拡がり……279

19 保育について ― 生活習慣と遊び ……〈山本和子〉 282

① 保育のポイント ……282

20 学校・就労サポートについて ……〈貞森保秀　徳増五郎　池上千穂〉 286

① 特別支援教育をめぐる制度について ……286
② 就学に関する手続きについて ……286
③ 通常学級，通級指導教室，特別支援学級について ……287
④ 特別支援学校について（現行の学習指導要領による）……288
⑤ 進路指導について ……292
⑥ 移行・定着支援について ……293

21 妊娠・出産について ……〈大西庸子〉 301

① 妊娠について ……301
② 出産について ……302
③ 避妊について ……302

Ⅲ ダウン症候群　研究最前線 2020 ……〈清水健司〉 303

① 背景 ……304
② 病態解明の進歩 ……304
③ 創薬・治療研究 ……306

医療費助成制度・福祉制度 ……〈城戸貴史〉 311

在宅支援に関連したもの ― 子どもの場合 ……〈城戸貴史〉 313

ダウン症児の母となって ……〈M.Y.〉 315

索 引 ……319

I

総論

1

ダウン症候群（21トリソミー・trisomy 21）とは

ポイント

1…ダウン症候群は，顔貌，指掌紋などから臨床的に診断可能な「奇形」症候群である．多彩な合併症があるが，最も重要な症状は知的障害・発達遅滞である．

2…ダウン症候群は，最小の常染色体である21番染色体の過剰により引き起こされる（21トリソミー）が，発症には21番染色体全体の過剰が必須ではなく一部分（21q22.3近辺）のみの過剰で引き起こされる．

3…ダウン症候群には，染色体からみると（細胞遺伝学的に），標準型（トリソミー型），モザイク型，転座型，その他の型があり，遺伝予後は型により異なる．家族性の転座型のみならず標準型でも次子再発率は若干高くなることや母の高年齢の影響もあるので，ダウン症候群診断時には遺伝相談が不可欠である．

ダウン症候群（Down syndrome）は「奇形」症候群としては比較的ありふれていて「素人」でも顔の特徴からわかることが多い 図1 ．一般社会で最もよく知られている「奇形」症候群といってよい．しかし，ダウン症候群に関する一般の認識がどの程度正確で実態に即しているかは疑問である．

ダウン症候群の特異顔貌を表現していると思われる2500年前の南米古代文明の土器や15～16世紀の欧州フランドル地方の絵画が知られており，ダウン症候群の存在は古くから人々に認識されていたようである．19世紀に英国のDown（1866）が知的障害者の一部に「蒙古人様」顔貌を伴う一群の患者が存在することを記載し[1)]，「蒙古症（mongolism）」とよばれるようになった．その後，人種的偏見を避けるためダウン症候群と称されるようになり現在に至っている．

20世紀前半になると，ダウン症候群は染色体の異常が原因と推測されるようになった．ダウン症候群では実際に染色体が47本と1本余分という数的異常が原因であることが1959年にLejeuneによって確認された[2)]．染色体の識別は当初大きさと腕比で行われていて21番と22番染色体の区別は困難であったためG群トリソミーとされていた．ダウン症候群の過剰染色体が21番であることは分染法の進歩に伴い1970年代に入ってから確定した 図2 ．さらに，染色体数は46本と正常であるが21番染色体長腕が1本分余分である転座型（後述， 図6 ）や正常細胞と21トリソミー細胞が混じり合っているモザイク型の存在も知られるようになった．近年，特異顔貌や知的障害，心奇形などダウン症候群に伴うほとんどの症状の発現には21番染色体全体の過剰が必須ではなく，21番染色体長腕の一部21q22.3近辺の過剰だけで引き起こされることが

JCOPY 498-14563

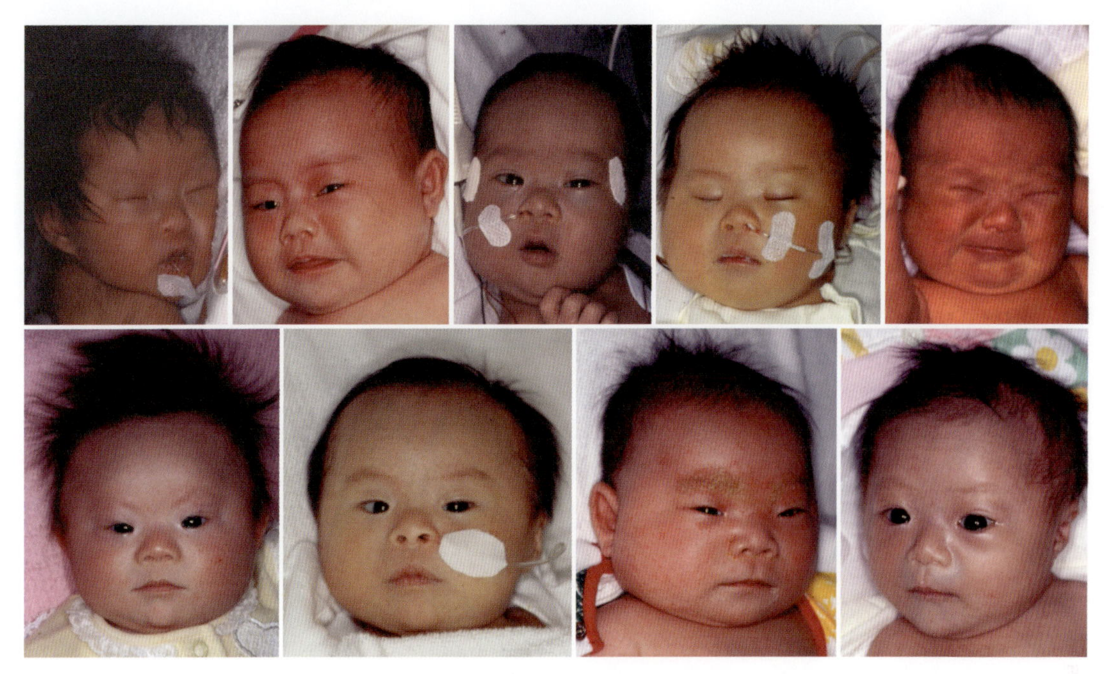
図1 乳児期ダウン症候群児の顔貌

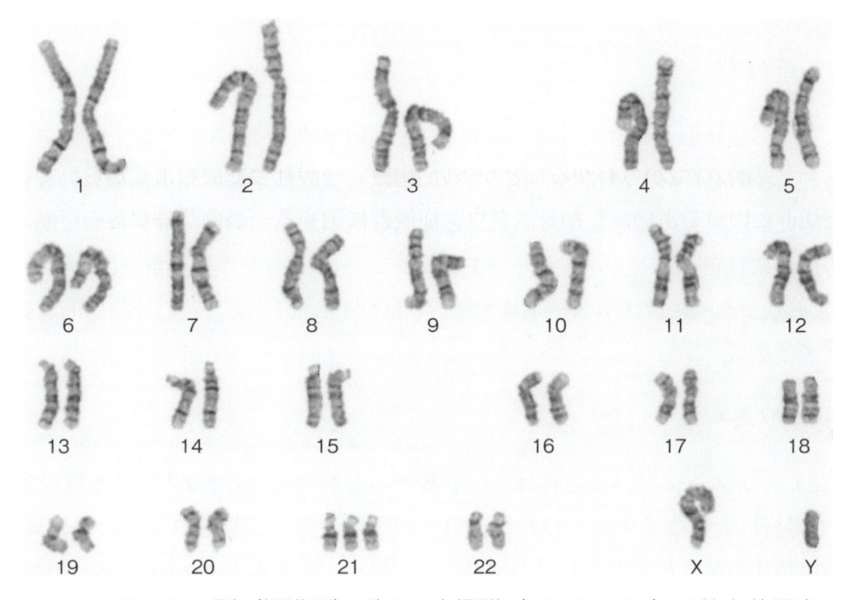

図2 トリソミー型（標準型）ダウン症候群（47,XY,+21）の染色体写真

明らかになってきた[3)].

① ダウン症候群と 21 トリソミー

ダウン症候群と 21 トリソミーとは臨床の現場では同一疾患の別称としてほとんど同じように使用されているが，意味合いはやや異なる．

医療や教育の現場では，臨床的な疾患名である「ダウン症候群」が一般的にはより好

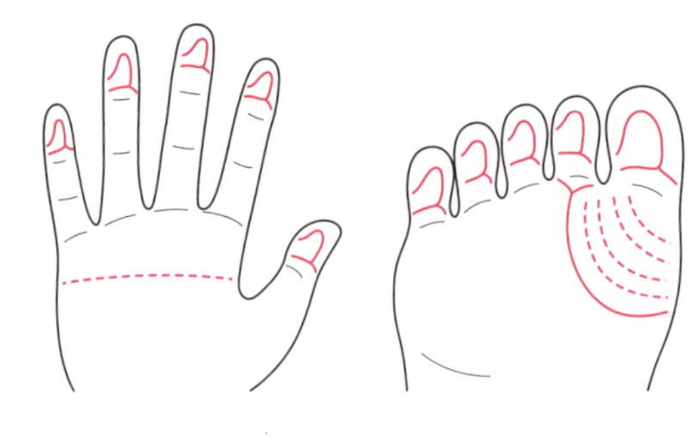

図3 ダウン症候群に特異的な指掌紋
尺側弓状紋の多発と猿線と脛側弓状紋

ましいと考える．前述したようにダウン症候群では21番染色体丸々1本が過剰で3本存在するとは限らない．また，病因が不明でヒトの正常な染色体数すら不明であった19世紀にすでにダウン症候群の診断は臨床的に可能であったし，染色体研究の進歩に伴って染色体分析による診断が後追いで可能になってきたという経緯がある．実際に患者と家族が生活していくうえで重要なのは具体的な症状とその程度および症状への対処法であり，決して染色体の状態ではないからである．

逆に，出生前診断を含めた遺伝相談ではトリソミー型，転座型など核型により遺伝予後はまったく異なってくるので，21トリソミーという細胞遺伝学的な観点からの名称が望ましい．

A. ダウン症候群

ダウン症候群という名称は，顔貌 図1 ，指掌紋 図3 など外表上の特徴と発育不全と先天性の心奇形，消化器奇形，さらに甲状腺機能低下症，白血病などの合併症までを含めた臨床所見の集積につけられた臨床的な観点からの命名（症候群）である．あまり一般的には使われていないが，13トリソミーにはパトウ症候群（Patow syndrome），18トリソミーにはエドワード症候群（Edward syndrome）という臨床的な観点からの病名がある．

B. 21トリソミー

21トリソミーという名称は，「21番（もともとは44本22組ある常染色体のうち21番目に大きな染色体の意だが，最初の国際会議で誤認されていたため実際には22番染色体のほうが大きくヒトの常染色体中最小）染色体（= some）が（通常の2本『ダイ［di = 2］』ではなく，1本余分で）3本（『トリ［tri = 3］』）ある」という意味であり，細胞遺伝学的な観点（染色体面）からの命名である．13トリソミー，18トリソミーも同様に細胞遺伝学的な観点からの命名である．

② ダウン症候群の臨床像（臨床所見と合併症・予後）

ダウン症候群の診断をするうえで重要だが生活していくうえでは大きな障害とはならず治療する必要性が低い所見（小奇形）とダウン症候群診断上は手がかりにならないが生命や生活に大きな影響を与え治療対象となる合併症（大奇形を含む）について述べる．

JCOPY 498-14563

A. ダウン症候群の特徴（小奇形）

ダウン症候群は特異顔貌 図1，指掌紋の特徴 図3，筋緊張低下，心奇形などが端緒となり気づかれることが多い．筋緊張低下，心奇形などからダウン症候群を疑うことはできるが，特定することは困難である．特異な顔貌・指管紋が典型的であれば，診断は臨床的にほぼ確定できる．心奇形，消化器奇形など（大奇形）は生命・生活に大きな影響を与え治療の対象としては重要であるが，診断上は決め手にならない．治療の対象にはならない特異顔貌・指管紋のほう（小奇形）が診断上はより重要である．

ダウン症候群様特異顔貌

ダウン症候群と診断されるきっかけとなるのは，大抵の場合ダウン症候群様特異顔貌である 図1．生後すぐには特徴が明確でない未熟児の場合や軽症化しやすい低頻度モザイク例では見落とされることもあるが，熟練した小児科医が顔貌をみて気づかないことはまれである．近年は医療関係者以外でもダウン症候群様特異顔貌は広く認識されており，医師からの告知前に家族がすでに診断に気づいていることは珍しくない．

具体的には鼻根部平低，眼瞼裂斜上，内眼角贅皮（目頭の襞），巨舌（口外に舌の先端が出ている）などからなる特徴的な顔 図1 をしている．顔面中央部の低形成があるためその結果として鼻根部平低，眼瞼裂斜上を呈するようで，眼瞼裂斜上は目尻が吊り上がっているというよりも目頭が下がっているといったほうがより正確である．上記のひとつひとつの特徴よりも顔全体の印象として「ダウン症候群様特異顔貌」と直感することが多い 図1．

指掌紋

ダウン症候群の指掌紋の特徴として多彩な変異が知られているが，実際に臨床で有用なのは指尖の尺側蹄状紋（ulnar loop）多発，猿線（simian line），脛側弓状紋（tibial arch）などである 図3．猿線は最も有名だが，手相見で長寿をもたらすとされるいわゆる「枡掛筋」であり日本人ではかなり一般的なので決め手にはならない．足底の第一趾付け根にある脛側弓状紋は単独の所見としては最も特異的で，両側とも脛側弓状紋であればほぼダウン症候群と考えてよい（もちろん例外はあり，知人のご子息はダウン症候群ではないが両側とも脛側弓状紋であった）．

B. 合併症（大奇形など）

上述した小奇形だけであれば障害とはいえず治療の対象にはならないので，ダウン症候群は疾患といえないが，実際には生命や生活に大きな影響を与え治療対象となる種々の合併症を伴う．

発達遅滞・知的障害

発達遅滞・知的障害はほぼ避けることができない．長期的に本人・家族にとって最も大きな影響を与え続ける最も重要な合併症である．遅れの幅は非常に大きく，境界域から最重度までに及ぶ．独歩ができないで終わる例はほとんどないが，難聴などを伴わなくとも発語のまったくない例は散見される．最頻値としては，成人した時点で 3 ～ 4 歳児くらいの印象がある．複雑で抽象的な思考に比べ身の回りのことに関しては良好なことが多い．生涯にわたってオムツが必要な排泄の自立ができない例もあるが，食事，排泄，着脱衣，入浴などの身辺自立は就学ないし成人までにほぼできるようになることが多い．単語，二語文を主に三語文くらいまでの簡単な日常会話は可能なことが多いが，発音が不明瞭なことも多く家族以外が聞き取りにくいこともある．言語での意思疎通が困難な場合も，ジェスチャーや絵カードの使用・会話と手話を簡略化したマカトンサインなど視覚情報を併用することである程度の理解や意思表示ができることも多い．ひらがな，カタカナ，小学校低学年程度の漢字の読み書きができることもかなり一般的だが，拾い読みに留まることが多くメモ程度の読み書きはできても作文や長文読解は困難なことが多い．簡単な足し算，引き算，九九などある程度の計算ができる場合もあるが，少額でも実際におつりの計算ができることはまれで金銭の管理などは困難である．就学先は特別支援学校が多いが，小学校低学年では通常学級や特別支援学級に在籍している児もいる．学習面で困難があっても学区内の級友の存在など地域とのつながりを重視して通常学級，特別支援学級を選択する保護者もいる．「いじめ」や学習内容の高度化のため，中学校進学以降も通常学級，特別支援学級に在籍している児は少ない．高等学校まで通常学級に在籍し四年制大学を卒業した例も知られてはいるが例外であり，卒後一般企業に正社員として勤務できている例はほぼない．知的レベルが低くても入学可能な一般高等学校も一部に存在するようだが，高校卒業後の進路に窮することが多いようである．一般的には，数回の「実習」を特別支援学校高等部で体験し卒業後は保護者が健在であれば障害者総合支援法に基づく就労継続支援B型事業所に実家から通って単純な軽作業を行いわずかな収入を得ていることが多い．成人後は経済的には障害年金を支えにしていることが多い．雇用契約を結ぶ就労継続支援A型事業所に通所している者もいるが少なく，就労移行支援事業所に通っている者はまれである．正社員でなければ一般企業に就職できている例もないわけではない．重度の遅れがある場合は基本的に作業のない生活介護事業所に通所していることが多い．本書総論「3．発育・発達」，各論「20．学校・就労サポートについて」を参照．

易感染性

乳児期幼児期は易感染性が顕著なことも多い．特に心奇形の合併例では呼吸器感染症を頻回繰り返すことが多い．雑踏は，特に呼吸器感染症流行期などには避けることが望ましい．また，早期からの積極的な予防接種が望ましい．RSウイルス感染予防のため乳児期にシナジスを受けている児も多い．3歳以降易感染性は目立たなくなることが多いので，可能であれば保育所などでの集団生活は3歳過ぎてからのほうが無難と思われる．本書各論「3．呼吸器疾患」を参照．

先天性心奇形

約1/3～1/2の症例に先天性心奇形を合併する．心房中隔欠損症，心室中隔欠損症，ファロー四徴症，房室中隔欠損症などが多いとされる．自然治癒するものから外科的治療を要するもの，手術困難なものまでさまざまである．予後を左右することも多い．詳細は，本書各論「1．循環器疾患」を参照．

先天性消化器奇形

約1割の症例に先天性消化器奇形を合併する．十二指腸狭窄・閉鎖，鎖肛，ヒルシュ

JCOPY 498-14563

スプルング病などが多いとされる．ヒルシュスプルング病などの一部を除けば，出生直後に哺乳困難，嘔吐，腹満，胎便の排出がないことなどで発症し，新生児期に外科的処置を要することが多い．詳細は，本書各論「2．消化器疾患」を参照.

血液疾患

血液疾患の合併も多いとされる．新生児期に一過性骨髄異常増殖症（一過性異常骨髄増血症，transient abnormal myelopoiesis; TAM）を発症することがある．自然治癒することもあるが，輸血や化学療法を要することもある．白血病を発症することもある．ダウン症候群に合併する白血病は比較的治療に反応しやすいとされる．TAM の既往があると白血病になりやすいとされ，TAM を発祥した例では 3 歳程度まで経過をみる必要がある．詳細は，本書各論「7．血液疾患」を参照.

内分泌代謝疾患

甲状腺機能低下症，甲状腺機能亢進症になりやすい．定期的な甲状腺ホルモン（T3，T4，TSH）の検査が望ましい．一般的に思春期の開始は 1 年ないし 3 年ほど一般児よりも早く，早く始まった分早く終わることが多い．小学校中学年以降は肥満化傾向が強い．活発でなくなり運動量が減るためと思われ，夏休み，冬休みなどの長期休暇が契機となることが多い．思春期の伸長・スパートが終わった後も体重は同じペースで増加することが多いので，思春期終了後は特に肥満に留意する必要がある．一般的に社会人生活よりも学校生活のほうが運動量は多いようで，高等部卒後も肥満が悪化しやすい．卒後は学生時より摂取カロリーを減らし入浴毎に体重計測をして体重の横ばいを維持する努力が必要である．高度肥満となり成人前のⅡ型糖尿病発症も散見される．本書各論「8．内分泌代謝疾患」を参照.

神経疾患

ウエスト症候群を合併することがあり，発症した場合はダウン症候群自体よりもウエスト症候群のほうが知的予後に大きな影響を与えることもある．本書各論「9．神経疾患」を参照.

整形外科疾患

歩容の異常や環軸椎亜脱臼を合併しやすい．本書各論「6．整形外科疾患」を参照.

眼科疾患

遠視・乱視などの屈折異常を合併しやすい．白内障を合併することもあるが，治療を要することは少ない．本書各論「4．眼科疾患」を参照.

耳鼻咽喉科疾患

難聴を伴うことがある．耳孔が小さいことが多く，滲出性中耳炎になりやすい．耳孔が小さいため，自宅での耳垢除去が困難なこともある．本書各論「5．耳鼻咽喉科疾患」を参照.

「急激退行」「退行様症状」

思春期以降，急速に意欲が減退し今までできていたことをしなくなり極端に不活発になることが時にある．典型的には何もせず部屋の隅で 1 日中じっとしている．身辺自立など以前できたことができなくなることが多い．会話もほとんどしなくなり，食欲も落ちて体重が減少する．18 歳くらいが発症のピークとされる．甲状腺機能など諸検査結果は正常で，原因は不明である．ストレスがきっかけになるとも言われているが，はっきりしたエピソードはないことが多い．抜本的な治療法はない．一時期アルツハイマー病，レビー小体型認知症の治療薬であるドネペジル塩酸塩（商品名アリセプト®）の有効性が唱えられたが，治験では有効性が証明できず健康保険の適用にはなっていない．

③ 予後

前述したように21番染色体は最小の常染色体であり，載っている遺伝子数も最少とされ，常染色体トリソミーとしては最も軽症である．13トリソミー，18トリソミー，21トリソミー以外の常染色体トリソミー受精卵はモザイクでもない限り着床しないか流死産に終わり生まれてくることはまずない．生産する13トリソミー，18トリソミー，21トリソミーも染色体の大きさと予後は負の相関にある．ダウン症候群（21トリソミー）の場合も受精卵のうち2/3は流死産に終わり生産するのは1/3程度と推定されている．生後もこの傾向は続き，平均余命は全年齢を通し非罹患者より短いと思われる．戦前はダウン症児が成人することは困難と考えられたが，生活水準，医療水準が高くなった現在は特別重篤な合併症や事故にあわない限り成人すると考えられる．30年以上前の調査でも日本のダウン症者の平均寿命は50歳に達しており[4]，現在は一般人の平均には及ばないものの欧米などと同等の60歳程度にはなっているものと推測され，特別に短命とは言いがたい．

ダウン症者の家族のいる幸福な家庭は少なくないが，反面ダウン症候群を理由に養育を拒否された児や父が蒸発したり自殺したり家庭が崩壊してしまうこともある．母が蒸発や自殺したりなどした事例を筆者は経験したことがなく，告知時には涙ぐむ母よりも一見冷静にみえる父に対する配慮が必要かもしれない．大学生の兄がダウン症候群の弟を殺害した事例や老父が50歳代のダウン症候群の息子と認知症の老妻を殺害し心中を図った事例も報道されており，両親，家族，親族には長期的な支援・生活設計が必要である．ダウン症候群の支援団体については本書巻末「医療費助成制度・福祉制度」，「在宅支援に関連したもの―子どもの場合」参照．

④ 発生率

出生時1/700ないし1/1000とされる．母親の年齢が高くなると発生率は高くなる．欧米では出生前診断の普及により近年発生率が低下している．一方，わが国では一時期1/1000まで減少したが，母親の高齢化により最近は増加傾向にあるとも言われている．

⑤ 病因

基本的には21番染色体の過剰，トリソミーによる常染色体数的異常である．ほとんどの症例は丸々1本分の21番染色体の過剰，トリソミーである．染色体異常の型からは，標準型（トリソミー型），モザイク型，転座型，その他の型の4種に分類できる．

JCOPY 498-14563

A. 標準型（トリソミー型）

21 トリソミーの 95%を占めるとされる標準型（トリソミー型）では独立した完全な 21 番染色体が 3 本存在する 図2 . 配偶子（精子と卵子）形成過程で減数分裂時の突発的な不分離により生じる 図4 , 図5 . 母の第一減数分裂時に生ずることが多いとされる.

B. モザイク型

正常細胞とトリソミー細胞が共存しているモザイク型も少数（1 〜 3%）存在する. 正常細胞の存在により症状は軽くなる傾向があるとされる. モザイク型の大半は減数分裂時の突発的な不分離により生じるトリソミー細胞から体細胞分裂時に 1 本の 21 番染色体が失われ正常化しモザイク状態になるとされる. 一部は体細胞分裂時の 21 番染色体不分離により正常細胞から 21 トリソミー細胞が生じるとされる. したがって, いずれにしても遺伝的な背景はない.

C. 転座型

1 〜 3%存在する転座型は, 21 番染色体の長腕と端部着糸型染色体である D 群染色体（13・14・15 番染色体）または G 群染色体（21・22 番染色体）長腕同士のロバートソン転座染色体による 図6 . 転座型の場合全染色体数は 46 本で正常であるが, 転座染色体上に存在する 21 番染色体長腕が丸々 1 本分過剰となり, 実質的に 21 トリソミーとなる. 短腕は失われているが, 端部着糸型染色体短腕の過不足は表現形に影響を与えない. 転座型も大半は減数分裂時の突発的な事故により引き起こされる. この場合

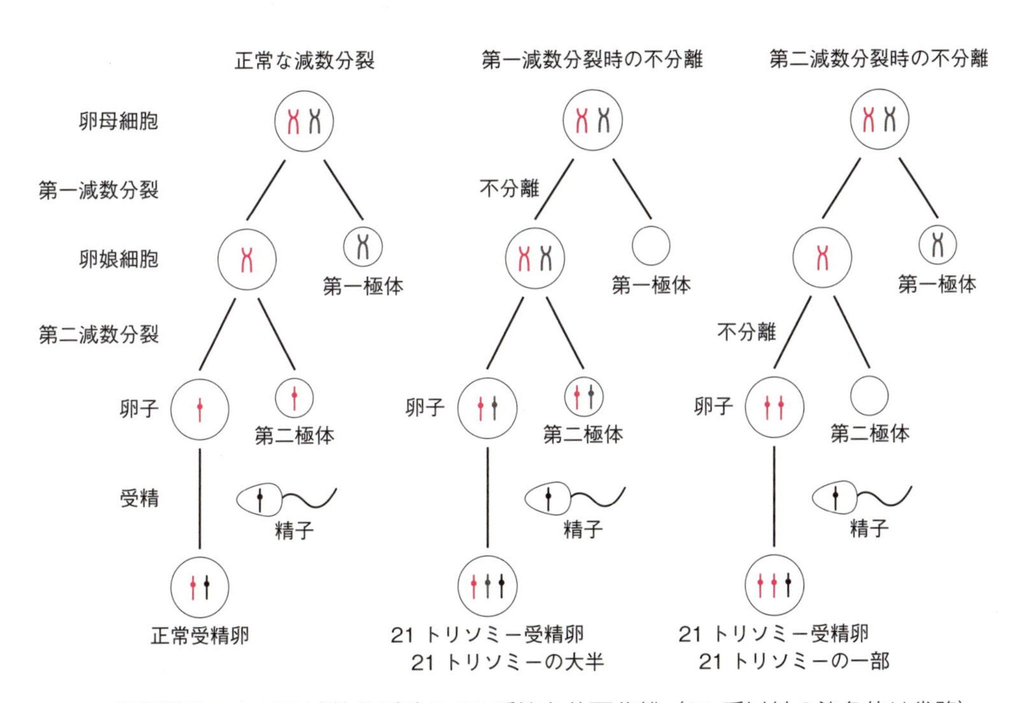

図4 卵子発生における減数分裂時の 21 番染色体不分離（21 番以外の染色体は省略）

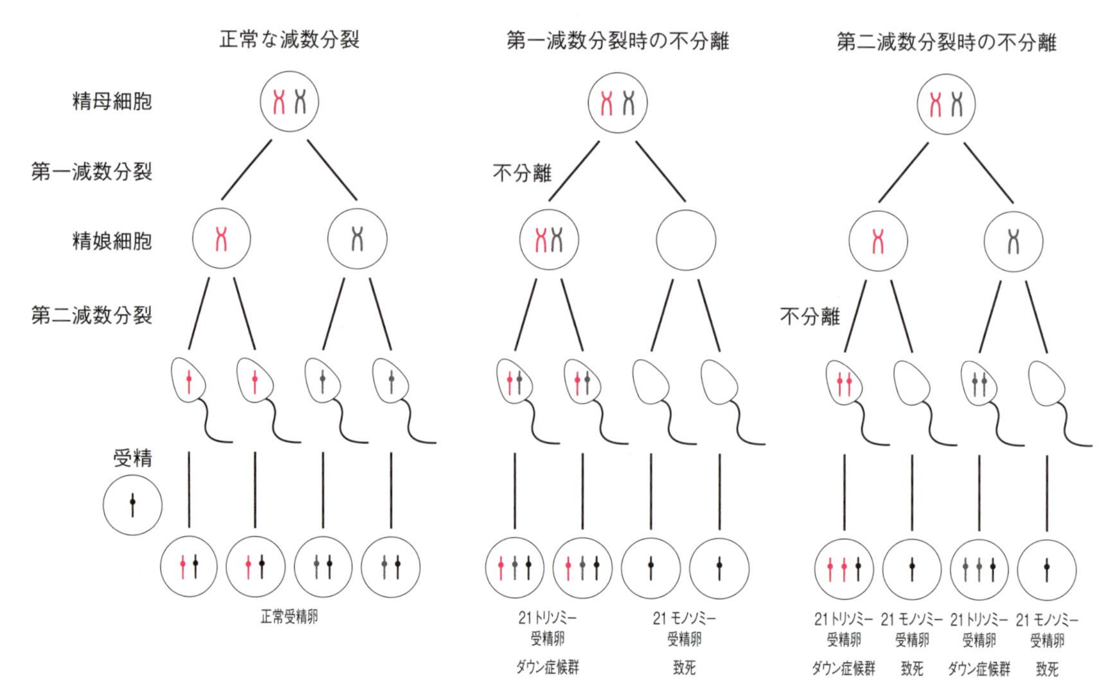

図5 精子発生における減数分裂時の 21 番染色体不分離（21 番以外の染色体は省略）

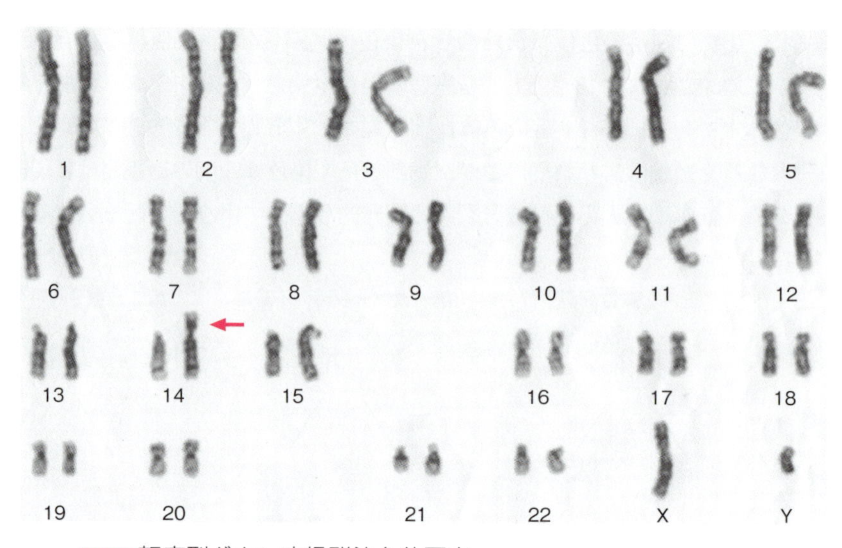

図6 転座型ダウン症候群染色体写真
矢印は 14・21 番転座染色体．46,XY,+21,der(14;21)(q10;q10) または 46,XY,+21,rob(14;21)(q10;q10)

遺伝的背景はないが，一部は片親のロバートソン転座染色体保因者に由来する．保因者の染色体数は 45 本となるが，この場合は次子再発の可能性がある 図7 ．

D. その他の型

ダウン症候群様特異顔貌や発達遅滞，心奇形などダウン症候群に特異的な所見は 21 番染色体の一部分である 21q22.3 の過剰だけで発現されるとされる．したがって，前記のような定型的な型以外に例外的ではあるが微小な 21 番染色体の挿入や不均衡相互

JCOPY 498-14563

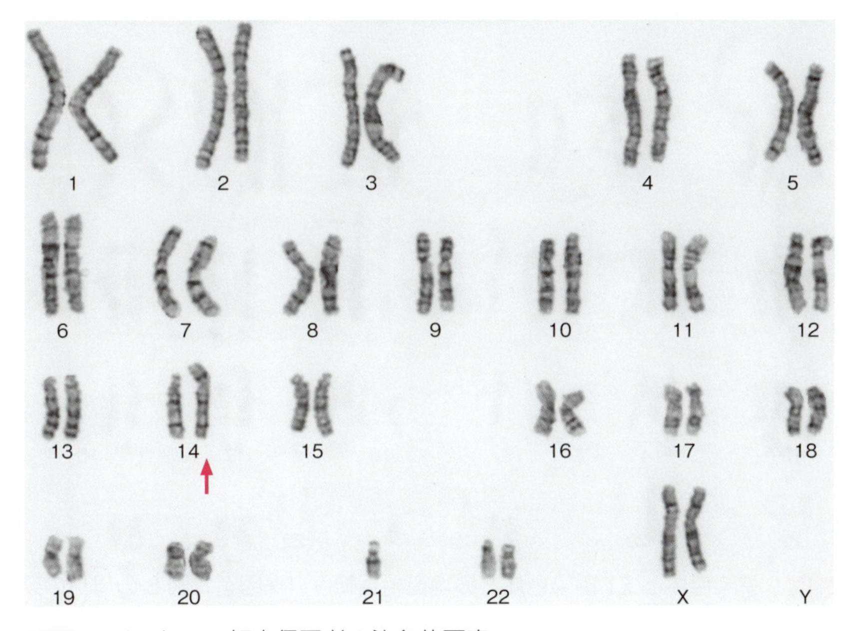

図7 ロバートソン転座保因者の染色体写真
矢印は14番と21番のロバートソン転座染色体．45,XX,der(14;21)(q10;q10) または 45,XX,rob(14;21)(q10;q10)

転座により引き起こされることもある．

乳児期に典型的な顔貌からダウン症候群を疑いG分染法による染色体分析を行ったところ，母の均衡相互転座に由来する9番染色体短腕と21番染色体長腕近位部との不均衡相互転座が判明した症例［46,XY,der(9)t(9;21)(p24;q11.2)mat］を自験している 図8，図9．

30数年前に特異顔貌や発達遅滞，心奇形など典型的なダウン症候群患児でG分染法による染色体分析を行ったところ，正常男性核型との分析結果であったが，その後21q22.3のダウン症候群に特異的な核酸塩基配列をプローブとしたFISH法が実用化し

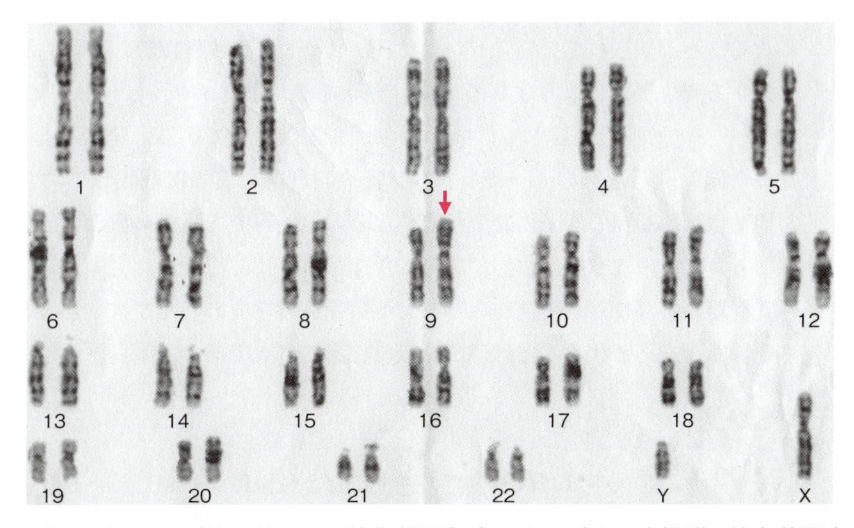

図8 9番と21番染色体との不均衡相互転座によるダウン症候群の染色体写真
矢印は転座染色体．46,XY,der(9)t(9;21)(p24;q11.2)mat

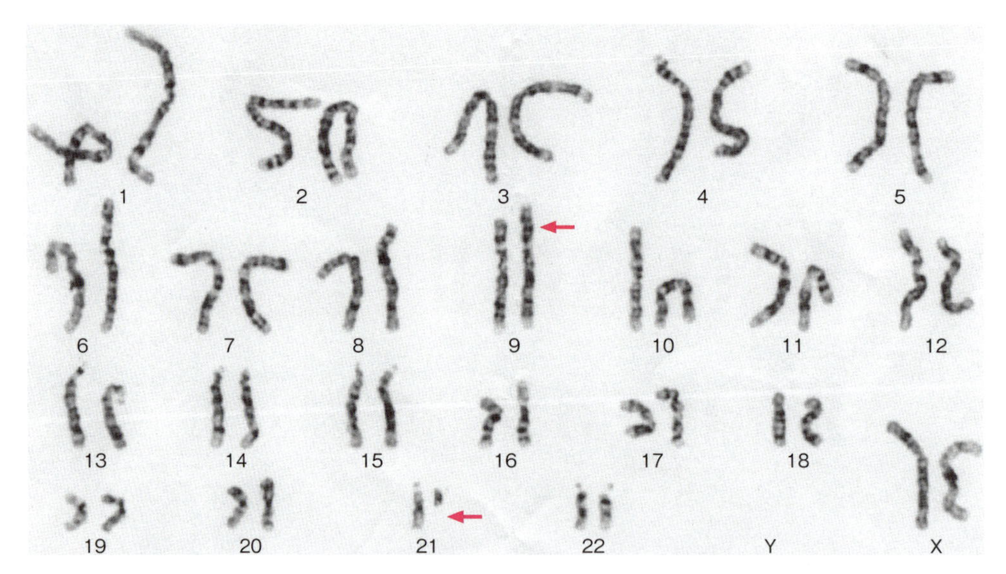

図9 9番染色体と21番染色体との均衡相互転座（保因者：図8の母）の染色体写真
矢印は転座染色体.

21q22.3を含む微小な挿入を確認できたことがあった.

⑥ 遺伝予後

染色体異常の型により異なる.

A. 標準型（トリソミー型）

標準型では遺伝的背景はない．次子再発率は母の年齢に影響される．分娩時20歳代で1/1000以下，35歳で1/300，閉経間際では1/50程度と母の年齢が高くなると起こりやすいとされる．本書総論「2．診断」の「出生前診断・胎児診断」を参照.

すでに21トリソミー児のいる夫婦間の次子再発率は1/100〜1/200と一般より高くなることが知られている．13・18トリソミーも減数分裂時の突発的な不分離という共通する発生機構により生じるので，野球で言えばサイクルヒットのような13・18・21トリソミー児を連続して妊娠した事例も報告されている．筆者も，複数の21トリソミー同胞例と1例の18・21トリソミー同胞例を実際に経験しており，標準型でも常染色体数的過剰の次子再発率が高くなるのは納得できる．複数の染色体異常児を核家族で養育するのは家族の負担が非常に重くなり，特に母親が疲労困憊してしまう．次子再発率が一般よりも若干高くなることや染色体異常児の妊娠歴は次回妊娠時の侵襲的出生前診断の適応となることは遺伝相談時強調すべきである.

B. モザイク型

モザイク型の大半は減数分裂時の突発的な不分離により生じるトリソミー細胞から体細胞分裂時に1本の21番染色体が失われ正常化した細胞が生じモザイク状態になるとされる．一部は体細胞分裂時の21番染色体不分離により新たに21トリソミー細胞が生じモザイクになるとされる．したがって，いずれにしても標準型同様に基本的に遺伝的な背景はない．21 トリソミー児のいる夫婦間の次子再発率が一般より高くなることの説明として，片親の（低頻度）性腺モザイクで説明する仮説もある．実際に顔貌と脛側弓状紋からダウン症候群を疑われたが発育は正常で重篤な合併症を伴わない女児で5％の低頻度モザイク（末梢血）を自験しているが，標準型，モザイク型の場合は一般的に両親の染色体分析までは不要である．次回妊娠時不安であれば，出生前診断を考慮するほうが実際的である．

C. 転座型

転座型の場合，大半は新生（*de novo*）例であり次子再発率は一般と変わらない．片親由来の場合もトリソミー受精卵は着床しなかったり流死産に終わったりすることが多く実際の再発率が 1/3 に達することはない．転座保因者が父母のどちらか，転座相手の染色体が何番かによって異なってくるが，実際の再発率が高くなるのは避けられず，2 ～ 10％強程度となる 図10 ．21 番同士のロバートソン転座保因者の場合は 21 トリソミー児しか生まれてこないことになるが，21 番同士の場合はほとんどが新生例（*de novo*）で片親が保因者であることはまれである．転座型の場合は遺伝相談を行い，両親の希望により（アレイ CGH 法ではなく）ロバートソン均衡転座保因者も検出できる G 分染法など従来法による両親の染色体分析をすべきである．

D. その他の型

他の染色体との不均衡相互転座などによる例外的な症例では，それぞれの染色体異常により個別に再発率を考えていく必要がある．前記の均衡相互転座家系では次子妊娠時羊水穿刺による出生前診断により発端者と同じ不均衡相互転座が確認された 図11 ．

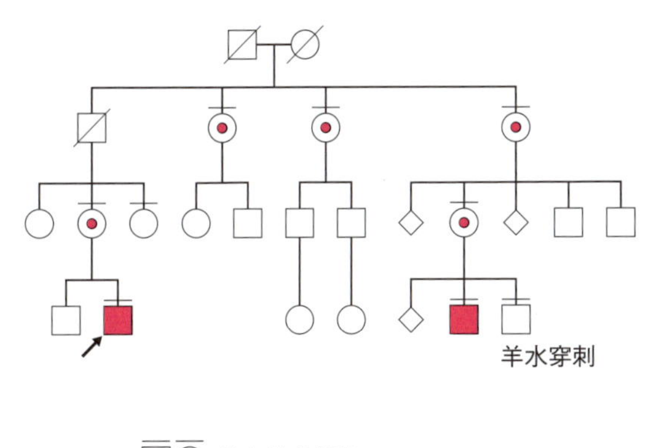

図10 転座型ダウン症候群家系例

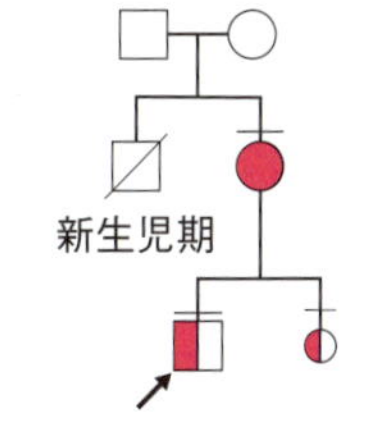

図11 均衡相互転座によるダウン症候群家系例

【参考文献】

1) Down JLH. Observations on an ethnic classification of idiots. London Hosp Clin Lect Rep. 1866; 3: 259 only.
2) Lejeune J, Gautier M, Turpin R. Etude des chromosomes somatiques de neuf enfants mongoliens. C R Acad Sci. 1959; 248: 1721-2.
3) Delabar JM, Theophile D, Rahmani Z, et al. Molecular mapping of twenty-four features of Down syndrome on chromosome 21. Europ J Hum Genet. 1993; 1: 114-24.
4) Masaki M, Higurashi M, Ishikawa N, et al. Mortality and survival for Down syndrome in Japan. Am J Hum Genet. 1981; 33: 629-39.

〈石切山　敏〉

JCOPY 498-14563

2

診断

1. 出生前診断・胎児診断

ポイント

1…出生前検査には，確定的検査と非確定的検査の 2 通りがある．
2…非確定的検査は非侵襲的検査というメリットを有するが，陽性となった場合は確定的検査で評価することが必要である．
3…NIPT（非侵襲的出生前遺伝学的検査）は，陰性ならびに陽性的中率が高い検査法であるが，年齢によってその確率が異なることに注意が必要である．
4…NT（後頸部透過像）径は妊娠 11 週 0 日～13 週 6 日に評価する．その肥厚は染色体異常のサインである．
5…確定的検査は，流産などのリスクを伴う侵襲的検査である．
6…出生前診断は実施可能施設が限られている．

染色体異常を有する受精卵は妊娠初期までの間にその大部分が自然淘汰されるが，一部は流産を免れ，妊娠を全うする．21 トリソミーはその代表的病態で，出生あたりの頻度は約 1/800 とされ，同じトリソミーである 18 トリソミー（1/6,000）や 13 トリソミー（1/10,000）を凌駕している．染色体異常の罹患率は母体年齢とともに増加するため，高齢出産の増加などの社会情勢の変化のなかで，出生前（しゅっせいぜん，しゅっしょうぜん）診断に対する社会的ニーズは高まっている．ちなみに，21 トリソミーの罹患確率は，30 歳では 1/626 であるが，35 歳では 1/249，そして，40 歳では 1/68 と増加する（妊娠 12 週時点での確率）[1]．

出生前診断には，体外受精で得られた受精卵（初期胚）を用いて行う“着床前診断”と，着床以降の胎児を対象とする“着床後診断”があるが，一般に出生前診断とは後者を指す．前者は，初期胚を用いるという特異性から，その対象は重篤な遺伝性疾患保因者や均衡型染色体構造異常に起因する習慣（反復）流産に限定され，また，実施施設も厳しく制限されている．本稿では通常の出生前診断について解説する．

① 出生前診断の手法 表1

出生前診断に用いられる手法には次の 3 通りがある．すなわち，(1) 羊水細胞や絨毛，臍帯血などの胎児細胞成分を用いた評価（直接的評価），(2) 母体血中に流入した胎児 / 胎盤由来の蛋白やホルモン（これを血清マーカーと称す）や胎児由来 DNA 断片（cell-free

表1 出生前検査の種類

種類	施行時期	検出感度*	対象	限界・リスク	費用**	施設
A）非確定的検査						
血清マーカー（クアトロ検査）	15～18週	約80%	18, 21トリソミー 神経管閉鎖不全	偽陽性率が高い	数万円	限定（検査会社との契約）
NIPT	10～22週	約99%（陰性的中率）	13, 18, 21トリソミー	①ローリスクで陽性的中率が低下 ②胎盤モザイクの影響	20万円強	限定
ソフトマーカー（超音波検査）	11～13週 18週（中期）	約60～70%（単独での検出率） 50～75%	13, 18, 21トリソミー	①検査手技が影響 ②単独では低感度		限定（胎児超音波の場合）
B）確定的検査						
羊水検査	15週以降	ほぼ100%	全般	合併症：1/200～1/300 胎盤付着部位によっては困難	15万円強	限定
絨毛検査	11～15週	ほぼ100%	全般	合併症：1% 胎盤モザイクの影響：1%	約20万円	限定
臍帯血検査	18週以降	ほぼ100%	全般	手技が困難 合併症：胎児死亡約1.4%		

*検出感度：21トリソミーに対する感度．**費用は施設によって異なる．

DNA; cfDNA）を用いた評価，そして，（3）染色体異常に伴う特徴的な形態所見（超音波ソフトマーカー）での評価である．前者は確定的検査に該当するが，検体採取にあたっては侵襲的技法を要する．一方，後二者は非侵襲的技法であるが，間接的情報という制約を有していることから，いくつかの組み合わせのもとで罹患確率を推測するという非確定的検査に該当する．そのため，検査で陽性となった場合には確定的検査での評価が必要となる．

② 非確定的検査

A. 血清マーカー

母体血中に流入する胎児／胎盤由来の蛋白やホルモンのことで，その量の多寡で異常の確率を推測する．血清マーカーにはAFP（alpha-fetoprotein）やβhCG，非結合型エストリオール（ucE3），inhibin A，PAPP-Aなどがあり，たとえば，21トリソミーではAFP，ucE3，PAPP-Aは低下するのに対し，βhCGおよびinhibin Aは上昇するというパターンをとる．前述したように，これらのマーカーは単独では検出率が低いため，いくつかのマーカーに加え，年齢や後述する超音波ソフトマーカーを組み合わせて罹患確

JCOPY 498-14563

率を算出する．代表的なものとしてはcombined testやintegrated testがあげられるが，その検出率は各々85%，95%と高率ではあるものの[2]，後述するNIPTの検出率には及ばない．なお，本検査の対象は，21トリソミーのほか，18トリソミーおよび神経管閉鎖不全に限定される．

＊血清マーカーを用いた評価法およびその対象時期

クアトロマーカー：トリプルマーカー（AFP，βhCG，ucE3）＋inhibin A　妊娠15～17週(中期)

Combined test：年齢＋NT＋βhCG＋PAPP-A　<妊娠14週（初期）

Integrated test：年齢＋NT＋PAPP-A＋クアトロマーカー　妊娠15～17週(中期)

※NT：後頸部透過像

B. NIPT: non-invasive prenatal genetic testing

本法は母体血漿中の胎児由来DNA断片（cfDNA）を用いて評価するもので，非侵襲的出生前遺伝学的検査とよばれる．母体血漿中には胎児由来cfDNAが存在することが報告され（Lo, 1997），その後のゲノム診断技術の発展が臨床応用への道を開いたという経緯を有する．胎児由来cfDNAは，母体循環cfDNAの約10%を占め，その半減期が十数分とクリアランスがきわめて早いことから，現在の胎児遺伝的情報を反映すると考えられる．胎児由来cfDNAは在胎週数が進むにつれて増加するため，本検査は妊娠10週以降に可能となる．その原理については紙面の都合上省略するが，数的異常の染色体に由来するDNA断片のわずかな増量をもって判断することになる．具体的には，胎児が正常核型の場合，21番染色体由来のDNA断片の割合は1.3%であるが，21トリソミーの場合は1.42%となる．

現在，NIPTの対象は13, 18, 21番染色体の数的異常に限定されており，それ以外の染色体異常の可能性が示唆される場合は対象とならない．また，検査の実施にあたっては，以下のいずれかに該当することが求められる．すなわち，

（1）胎児超音波検査で染色体数的異常の可能性が示唆された場合
（2）母体血清マーカーで染色体数的異常の可能性が示唆された場合
（3）染色体数的異常の罹患児の妊娠出産歴を有する場合
（4）高齢妊娠
（5）両親のいずれかが均衡型ロバートソン転座を有し，胎児が13または21トリソミーとなる可能性が示唆される場合

であるが，（1），（2）においては最終的な確定的診断へのタイミングを失する可能性があることを考慮しておく必要がある．

本検査の特徴は高い陰性的中率にある．21トリソミーの場合，NIPTで陰性と診断された場合には非罹患児である確率は99.9%ときわめて高い．しかし，偽陰性もわずかながら存在しうる．また，高い陽性的中率も特徴の1つであるが，陽性的中率は罹患率によって変化するため，若年などのローリスク妊婦では低下する．具体的には，21トリソミーの場合，45歳妊婦での陽性的中率は97%に対し，比較的若年である35歳妊婦では約80%と低下する．さらに，考慮すべき点として，検出対象となる胎児由来

cfDNAは絨毛由来であることから，胎盤性モザイク（胎児と胎盤で染色体核型が異なる現象）の影響を受ける可能性がある．いずれにしても，本検査は確定的検査の代替検査ではないことを銘記しなければならない．

＊NIPTは，2011年10月米国において臨床検査サービスが開始され，本邦では倫理的側面を考慮し，2013年4月より認定登録施設での臨床研究（コンソーシアム）として導入されている．なお，認定登録施設についてはホームページ（http://jams.med.or.jp/rinshobukai_ghs/facilities.html）を参照されたい（平成30年7月時点で92施設となっている）．

C. 超音波検査（ソフトマーカー）

ソフトマーカーとは，それ自体は形態異常ではないが，染色体異常において有意に認められる超音波所見を指す．その代表が後頸部透過像である．

後頸部透過像（nuchal translucency; NT）径

胎児の後頸部にみられるエコーフリー領域を指し，すべての児で観察される生理的所見であるが，肥厚を呈した場合（一般には3.5mm以上）には染色体異常のリスクが上昇する．具体的には，3.5mm未満での染色体異常の確率は0.33%に対し，3.5～4.4mmでは21.1%，4.5～5.4mmで33.3%，5.5～6.4mmで50.5%，6.6mm以上で64.5%と，肥厚が高まるにつれて上昇する．しかし，年齢によってリスクが異なるため，同じNT径でも若年ではその確率が低くなる[3]．一方，NT径が3.5mm以上でも染色体異常を伴わない場合には約90%の無病生存が期待できるとされる[4]．ただし，NT径が高度になればなるほど，無病生存の割合は低下するのも事実である．なお，染色体が正常核型であっても約15%に先天性心疾患などの先天異常が合併する．ここで問題となるのが，NT径測定の正確性である．NT径は妊娠11週0日～13週6日の期間で評価されるが，わずか0.1mmの違いでその意味合いが異なってくるため，測定にあたっては一定の条件が求められる．

その他のソフトマーカー

NT肥厚は，21トリソミーとともに，13，18トリソミー，ターナー症候群（45,XO）などの染色体異常に共通して観察されるが，その他のソフトマーカーに関しては必ずしも共通しているわけではなく，また，妊娠時期によってその出現も異なる．

NB（鼻骨低形成や欠損），TR（三尖弁逆流），DV（静脈管血流異常）の3つは21トリソミーに関する妊娠初期のソフトマーカーで，特に，鼻骨の低形成や欠損は21トリソミーの特徴的所見である．英国のFMF（Fetal Medicine Foundations）はこれらに対し詳細な評価基準を定めている．なお，静脈管欠損は21トリソミーのほか，主としてターナー症候群で出現する．

以下のソフトマーカーは，正常の場合でも出現するため，いずれも単独での感度は低い．

項部肥厚（nuchal fold thickening：項部の皮下肥厚で，妊娠15週以降に観察される）や脈絡叢嚢胞（choroid plexus cyst：主に18トリソミー），心内高輝度エコー（echogenic intracardiac focus：左心室内の高輝度点状エコーで，主に13トリソミー），高輝度腸

JCOPY 498-14563

管像（hyperechoic bowel：肝臓や骨に比して高輝度を呈する）などがあげられる．

21トリソミーに特異的とされるものは，鼻骨低形成や欠損のほか，項部肥厚や軽度脳室拡大，右鎖骨下動脈起始異常，そして，長管骨短縮（大腿骨や上腕骨）である[5]．長管骨短縮は発育不全児（FGR）や骨系統疾患でも出現するが，骨系統疾患と異なりその短縮は中等度にとどまるのが特徴である．

D. 形態学的検査 表2

先天異常の存在が染色体異常の診断の契機となる場合がある．次項で取り上げられる先天性心疾患や消化器系疾患，頭蓋病変，そして，骨格異常（手首拘縮，ほか）など，合併する先天異常の種類と染色体異常の間には一連の相関が存在する．詳細は他項を参考されたい．

表2 トリソミーと主たる先天異常

	21トリソミー	18トリソミー	13トリソミー
頭蓋*	軽度の側脳室拡大	**小脳低形成** 脈絡叢嚢胞 **変形頭蓋**（ストロベリー頭蓋）	**全前脳胞症** 小脳低形成 頭皮部分欠損
顔面		**耳介低位・変形** 小顎症 口唇口蓋裂	**耳介低位・変形** 小顎症 単眼症 口唇口蓋裂
頸部	項部肥厚		
先天性心疾患	約50% **心室中隔欠損，** **房室中隔欠損**	約90% **複雑心奇形** 両大血管右室起始， 心室中隔欠損	約80% **複雑心奇形**
消化器疾患	**十二指腸閉鎖**	**食道閉鎖** 横隔膜ヘルニア	**臍帯ヘルニア**
骨格系異常	**長管骨短縮** 足 sandal gap **内彎小指**	**手首拘縮**・内反足 overlapping finger rocker-bottom foot	多指・合指
発育不全	なし～中等度	高度	高度
その他	**胎児胸腹水**（特に，TAM合併において）		

太字は特に特徴的とされる先天異常．
*染色体異常が存在する場合は頭蓋の形状異常を伴いやすい．短頭蓋や扁平後頭，小頭症は概ね共通する所見である．
sandal gap: 足の第一趾と第二趾の隔離，overlapping finger: 手指重合，rocker-bottom foot: ゆりかご椅子状足底，TAM: 一過性骨髄異常増殖症．

③ 確定的診断法

胎児成分（羊水，絨毛ないし臍帯血）を用いて染色体異常や遺伝子異常を診断するものである．確定的診断には，母体血漿中の胎児由来cfDNAを用いた一部の遺伝子診断も含まれるが（母体にないDNAの検出によるもので，性別診断やRhD血液型などが対象)，ここでは前者について解説する．

確定的診断については，その実施が可能な施設は限られている．検査は侵襲的検査であり，流産などの合併症頻度は羊水検査で 1/300 ～ 1/500，絨毛検査では 1/100 とされる．また，四肢欠損や四肢弯曲などの合併症を避けるため，施行時期は，羊水検査で 15 週以降，絨毛検査で 11 週以降となっている．なお，臍帯血検査は手技そのものが困難であるうえ合併症の頻度も高いことから，その対象は限定される．確定的診断の実施要件は以下のとおりである．

1）夫婦のいずれかが染色体異常の保因者
2）染色体異常の罹患児を妊娠，出産した既往を有する場合
3）高齢妊娠
4）妊婦が新生児期もしくは小児期に発症する重篤な X 連鎖遺伝病のヘテロ接合体
5）夫婦の両者が，新生児期もしくは小児期に発症する重篤な常染色体劣性遺伝病のヘテロ接合体の場合
6）夫婦の一方もしくは両者が，新生児期もしくは小児期に発症する重篤な常染色体優性遺伝病のヘテロ接合体の場合
7）胎児が重篤な疾患に罹患する可能性がある場合：血清マーカーや超音波検査で染色体異常が疑われた場合が該当する

染色体検査は，通常 G band 法で評価するが，迅速診断法として FISH（fluorescence in situ hybridization）法も用いられる．FISH は染色体の特異的配列に対する蛍光標識プローブを用いて評価する方法で，21 トリソミーの診断にも用いられる．最近の動向として，米国では染色体マイクロアレイ検査による網羅的遺伝子検索も推奨されている．これは，G band の検出限界（5 ～ 10Mb）から，さらに詳細な情報を得ることを目的に行うもので，結果によっては，臨床的に診断意義が不確定な染色体微細欠失や遺伝子多型が検出される危険性を有している．

④ 検査にあたっての留意点

出生前検査には“生命の選択”という問題が関わっており，充分なカウンセリングのもとでの対応が必要となる．イギリスでは，全妊婦を対象に公費負担で非確定的検査を実施しているが，その背景に充分なサポート体制〔NHS（National Health Service）〕が整備されている．本邦では，血清マーカー検査は 1994 年に導入されたが，倫理上の立場から 1999 年厚生科学審議会の見解が発表され，安易な施行や指示的に説明すべきではないという制約が示されている．最後に，超音波診断で留意しておくべき点であるが，産科超音波検査には，妊婦健診時に行われる“通常超音波検査”と，胎児形態異常診断を目的とした“胎児超音波検査”の 2 つの立場がある．新しいガイドラインでは両者とも文章で IC を得ておくことが勧められている（C）[6]．

JCOPY 498-14563

【参考文献】

1) Salmon LJ, Alfirevic Z, Bilardo CM, et al. ISUOG practice guideline, performance of first trimester fetal ultrasound scan. Ultrasound Obstet Gynecol. 2013; 41: 102-13.
2) ACOG Committee on Practice Bulletins. ACOG Practice Bulletin No.77: screening for fetal chromosome abnormalities. Obstet Gynecol. 2007; 109: 217-27.
3) Snijder RJ, Noble P, Sebire N, et al. UK multicenter project on assessment of risk of trisomy 21 by maternal age and fetal nuchal-translucency at 10-14 weeks of gestation. Fetal Medicine Foundation First Trimester Screening Group. Lancet. 1998; 352: 343-6.
4) Souka AP, Krampl E, Bakalis S, et al. Outcome of pregnancy in chromosomally normal fetuses with increased nuchal translucency in the first trimester. Ultrasound Obstet Gynecol. 2001; 18: 9-17.
5) Agathokleous M, Chaveeva P, Poon LC, et al. Meta-analysis of second-trimester markers for trisomy 21. Ultrasound Obstet Gynecol. 2013; 41: 247-61.
6) CQ106-2 産科超音波検査を実施するにあたっての留意点は？　In: 日本産科婦人科学会, 日本産婦人科医会, 編. 産婦人科診療ガイドライン―産科編 2020. 東京: 杏林舎; 2020. p.82-5.

〈西口富三〉

2

診断

2. 胎児診断・出生後診断

ポイント

1…ほとんどの21トリソミー児は，胎児期，新生児期に診断される．

2…21トリソミーの胎児診断・出生前診断は，超音波検査や母体血検査などが診断のきっかけにはなるが，確定診断は，羊水検査，絨毛検査などである．染色体異常は確定診断を行わない限り診断はできない．

3…出生後診断は，合併疾患の発見や身体的特徴がきっかけになる．

4…診断前から正確で適切な情報の提供とともに妊婦（母親）と家族へのカウンセリングを含めた全方位的サポートが必要である．

21トリソミー児の多くは，新生児期にそのさまざまな特徴から21トリソミーを疑われて，染色体検査を施行され確定診断に至る．近年では，胎児期に21トリソミーを疑われ確定診断される例も増えてきている．確定診断は，胎児期であれば羊水検査，絨毛検査などによって行われ，生後であれば，血液検査で染色体を同定することにより決定される（別項参照）．本稿では，胎児期，出生後にどのように21トリソミーが疑われ診断されるかについて述べる．

① 胎児診断・出生前診断

胎児診断（出生前診断）とは，染色体異常を診断することだけではない．日本産婦人科学会で作成された「産婦人科診療ガイドライン 2017 産科編」には「出生前診断とは，妊娠中に実施する一群の診断や検査（通常超音波検査なども含む）のことを指し，検出される異常には発育異常，形態異常，胸水や貧血などの疾患，染色体異常ならびに遺伝性疾患などが含まれる」とある．非確定的検査と確定的検査があり，それぞれに対象となる疾患や至適時期，特徴が異なる 表1 [1]．確定的検査とは，染色体異常，遺伝子異常に対しての確定診断であり，染色体異常，遺伝子異常の一部の疾患としての先天性疾患の診断，もしくは明らかな染色体異常をもたない先天性疾患についての確定診断ではない．上記の確定的検査については，検査のリスクもあるため妊婦全体に推奨されてはいない．本邦では，非確定的検査の一部も決められた施設で遺伝カウンセリングを受け充分な理解と同意のもと行うことになっているが，カウンセリングなしで検査のみ行う施設も増え問題となっている．

JCOPY 498-14563

表1 出生前診断のために行われる各検査の特徴（日本産科婦人科学会，日本婦人科医会，編．産婦人科診療ガイドライン産科編 2017. p.93-100[1] より改変）

	検査	対象となる胎児疾患	施行時期	検査感度*1	長所	短所
非確定的検査	中期母体血清マーカー（トリプルテスト，クアドラプルテストなど）	胎児染色体異常	15～20 週	69%（トリプルテスト）81%（クアドラプルテスト）	検査が陰性の場合には，羊水検査を回避できるかもしれない．胎児二分脊椎の診断につながるかもしれない	確定診断ではない 対象となる染色体異常は，18, 21 トリソミー（13 トリソミー対象でない）
	母体血を用いた胎児染色体検査	胎児染色体異常	10 週以降	99%*2	陽性的中率*3 が高い．また，検査が陰性の場合には，羊水検査を回避できるかもしれない	確定診断ではない 対象となる染色体異常は，13, 18, 21 トリソミー
	ソフトマーカーを用いた超音波検査（妊娠初期）	胎児染色体異常	11～13 週	64～70%	検査が陰性の場合には，羊水検査を回避できるかもしれない	確定診断ではない
	初期血清マーカーとソフトマーカーの組み合わせ（妊娠初期）	胎児染色体異常	11～13 週	82～87%	検査が陰性の場合には，羊水検査を回避できるかもしれない	確定診断ではない 対象となる染色体異常は，18, 21 トリソミー（13 トリソミー対象でない）
	ソフトマーカーを用いた超音波検査（妊娠中期）	胎児染色体異常	18 週	50～75%	検査が陰性の場合には，羊水検査を回避できるかもしれない	確定診断ではない
	形態異常検出を目的とした超音波検査	胎児疾患一般	全週数	36～56%	胎児に対して非侵襲的 確定的検査にもなりうる	検査者によって，発見率が異なる 発見率は決して高くない
確定的検査	絨毛検査	胎児染色体異常・遺伝子異常	11 週以降	ほぼ 100%	早い週数に検査が可能	手技が困難 胎盤限局性モザイクが約 1%に認められる 検査に伴う流産 1%*4
	羊水検査	胎児染色体異常・遺伝子異常	15～16 週以降	ほぼ 100%	ほぼ 100%で染色体異常がわかる 手技が容易	羊水検査に伴う流産 0.3～0.5%*4
	臍帯血検査	胎児染色体異常・遺伝子異常，胎児貧血など	18 週以降	ほぼ 100%	胎児感染，貧血も診断可能	手技が困難 検査に伴う胎児死亡 約 1.4%*4

*1 検査感度：実際に異常であった被検査者中，検査で異常と識別された被験者の割合．非確定的検査については，21 トリソミーの検査感度を示している．

*2 陽性的中率（検査で陽性と判定された被験者中，実際に異常である確率）とは異なる．

*3 陽性的中率は，検査を受けた母集団の有病率（発生率）に依存する．35 歳以上の妊婦を対象とした日本からの報告では，21 トリソミーの陽性的中率は 95.9%であった．

*4 侵襲的検査（羊水検査，絨毛検査，臍帯血検査）について，安全性や推奨された手技に関する報告があり，リスクの説明や検査の実施に際しては各施設で参考にする（CQ106-5 参照）．

表2 母体年齢と妊娠週数での 21 トリソミーの出現率 (Snijders RJ, et al. Ultrasound Obstet Gynecol. 1999; 13: 167-70[2] より)

母体年齢(歳)	妊娠週数					
	10	12	14	16	20	40
20	1/983	1/1068	1/1140	1/1200	1/1295	1/1527
25	1/870	1/946	1/1009	1/1062	1/1147	1/1352
30	1/576	1/626	1/668	1/703	1/759	1/895
31	1/500	1/543	1/580	1/610	1/658	1/776
32	1/424	1/461	1/492	1/518	1/559	1/659
33	1/352	1/383	1/409	1/430	1/464	1/547
34	1/287	1/312	1/333	1/350	1/378	1/446
35	1/229	1/249	1/266	1/280	1/302	1/356
36	1/180	1/196	1/209	1/220	1/238	1/280
37	1/140	1/152	1/163	1/171	1/185	1/218
38	1/108	1/117	1/125	1/131	1/142	1/167
39	1/82	1/89	1/95	1/100	1/108	1/128
40	1/62	1/68	1/72	1/76	1/82	1/97
41	1/47	1/51	1/54	1/57	1/62	1/73
42	1/35	1/38	1/41	1/43	1/46	1/55
43	1/26	1/29	1/30	1/32	1/35	1/41
44	1/20	1/21	1/23	1/24	1/26	1/30
45	1/15	1/16	1/17	1/18	1/19	1/23

妊娠週数が小さく，母体年齢が高いほど，21 トリソミー胎児の割合が高くなる.

胎児期に，21 トリソミーについて注意を払う必要があるのは，高齢妊娠と胎児超音波検査での異常である．21 トリソミーに特異的なソフトマーカーとよばれる所見がみられる，もしくは，21 トリソミーに多く合併する疾患を認めた場合である．21 トリソミーにおけるハイリスク妊娠は高齢母体であり，年齢が上がるにつれて高率になることはよく知られている 表2 [2]．ハイリスク妊娠と母体血液検査，胎児のソフトマーカーについては別項に譲る.

② 21トリソミー児の合併疾患

21 トリソミー児は，特徴的な身体所見をもち，また，心疾患や消化器疾患などを合併することがよく知られている．Stoll らの報告では，21 トリソミー児の 6 割はなんらかの先天性疾患を合併している．多い順に，心疾患，消化管疾患，筋骨格系疾患となっている．内訳を 表3 に示す[3].

最も多い心疾患は，21 トリソミー児の半数近くに合併する．房室中隔欠損，心室中隔欠損，心房中隔欠損が多く，動脈管開存も含めると，報告されている国や地域などで多少の差はあるが合併する先天性心疾患の 8 割程度を占める．そのほか，ファロー四徴，大動脈縮窄，エブスタイン病なども少数ではあるが認める．完全大血管転位や左心低形成症候群，総肺静脈還流異常は非常にまれである．また，心室中隔欠損＋心房中隔欠損＋動脈管開存や房室中隔欠損＋ファロー四徴など，2 つ以上を合併する場合もある．房室中隔欠損＋ファロー四徴例の 75％が 21 トリソミーであると報告されている.

消化管疾患は，6％程度に合併する．十二指腸閉鎖が半分以上を占め，次にヒルシュ

JCOPY 498-14563

表3 21トリソミーに合併した先天性疾患（Stoll C, et al. Eur J Med Genet. 2015; 58: 674-80[3] より一部改変）

21トリソミーに合併する主な先天性疾患	頻度（%）
心血管系	44
房室中隔欠損（心内膜床欠損）	13
心房中隔欠損	11
心室中隔欠損	10
動脈管開存	2.2
ファロー四徴	1.4
大動脈縮窄	2.2
その他	4.0
消化器系	6
十二指腸閉鎖	3.8
鎖肛	0.3
食道閉鎖	0.5
ヒルシュスプルング病	0.8
輪状膵	0.3
筋骨格系	5
多指（多趾）	0.7
合指（合趾）	1.8
肢減形成	0.7
内反足	1.6
泌尿器系	4
尿路閉塞，狭窄（水腎症）	2
その他	2
眼疾患	1
白内障	1
呼吸器系	2
肺疾患	1.2
その他	0.8
中枢神経系	0.8
水頭症	0.6
その他	0.2
泌尿器系	0.5
尿道下裂	0.5
口腔疾患	0.8
口蓋裂 / 口唇裂	0.8
腹壁疾患	0.4
臍帯ヘルニア	0.13
横隔膜ヘルニア	0.27

スプルング病，食道閉鎖（気管食道裂）などが認められる．

表3 には主に形態的な異常を主とする先天性疾患のみをあげているが，他に精神発達の遅れ，甲状腺機能低下や糖尿病などの内分泌代謝疾患，一過性骨髄異常増殖症や白血病などの血液疾患，また，特徴的な筋骨格から睡眠時無呼吸や環軸椎亜脱臼なども合併することがある．

各疾患については本書各論を参照されたい．

③ 胎児超音波検査

胎児の超音波検査は非確定的検査であり，母胎の状態や術者の技量によって異常を発見できる率に差があるが，すべての妊婦の妊娠時期に大きな侵襲なく行うことができ，胎児，胎盤，羊水，子宮などの形態や機能を把握するのに，非常に大きな役割を果たす．大きな形態異常を示す合併疾患がある場合は，胎児期の超音波検査で気づかれやすい．反対に，形態異常が軽微である疾患，生後すぐに症状の出ない疾患については胎児期には気づかれにくい．また，先天性疾患を何ももたない 21 トリソミー児も半分近く存在するため，超音波検査はあくまでも非確定的検査であり，すべての 21 トリソミー児の診断のきっかけになるわけではない．逆に，先天性疾患をもつ児で，染色体異常や明らかな遺伝子異常が同定されるのは 2 割程度であることを知っておく必要がある．

胎児心エコー検査では単心室のような複雑型心疾患のほうがみつかりやすい．21 トリソミー児に合併する先天性心疾患は，複雑なものは少ないため見逃される場合もある．心疾患のスクリーニングは，日本小児循環器学会で作成された「胎児心エコー検査ガイドライン」をもとに評価することが望ましい[4]．一番多く合併する房室中隔欠損では，半数程度が 21 トリソミーを合併している．欠損孔が大きなものは胎児期に気づかれやすいが，不完全型房室中隔欠損や心室中隔欠損が小さいと見逃されることもある 図1 ．心室中隔欠損はさらに同定しにくい．心房中隔欠損，動脈管開存は，胎児期は開存しているべきものであり生後病的になるかは判断できない．

消化管疾患では，十二指腸閉鎖は羊水過多と double babble sign などの所見が認めやすく胎児期に診断されることも多い 図2 ．十二指腸閉鎖の 3 割に染色体異常を合併し，多くが 21 トリソミーである．食道閉鎖の胎児期診断率はさらに下がるが，羊水過多や胃胞がみえないなどの所見が疑われるきっかけになる．鎖肛やヒルシュスプルング病などの下部消化管の異常では腸管拡張所見がみられる場合もあるが生後に診断がつく例が多い．

横隔膜ヘルニアや臍帯ヘルニア，腹壁破裂は胎児期に診断されやすい．これらは分娩方法を選ぶ必要があり生直後から治療介入が必要であるため，胎児期の診断は重要であ

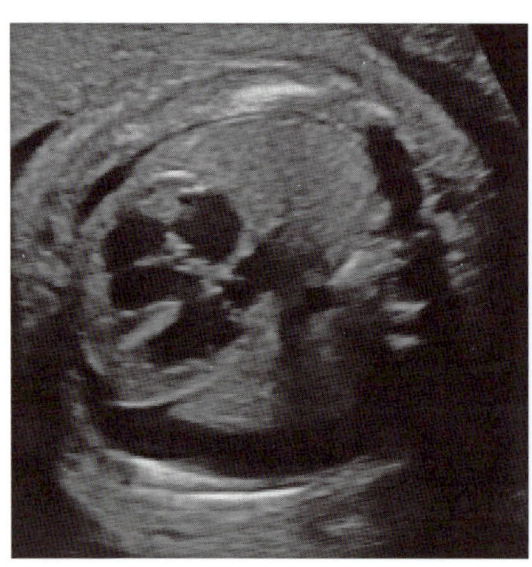
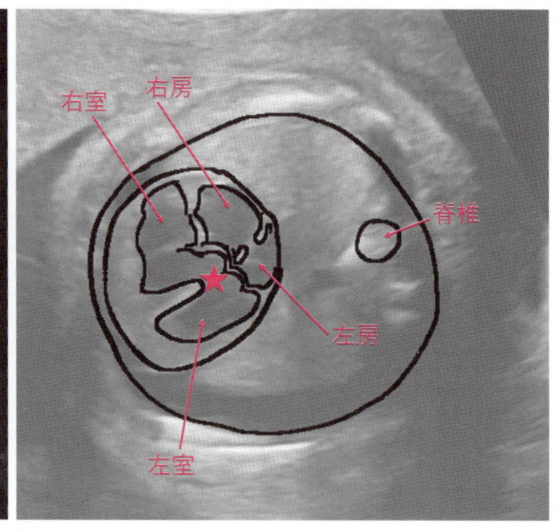

図1 房室中隔欠損
心室間と心房間に欠損（星印）を認める．この例は心房間の欠損が小さい．胎児胸水も認める．

JCOPY 498-14563

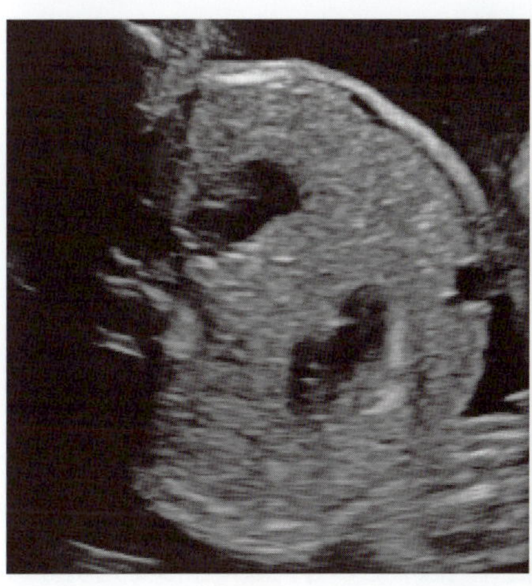

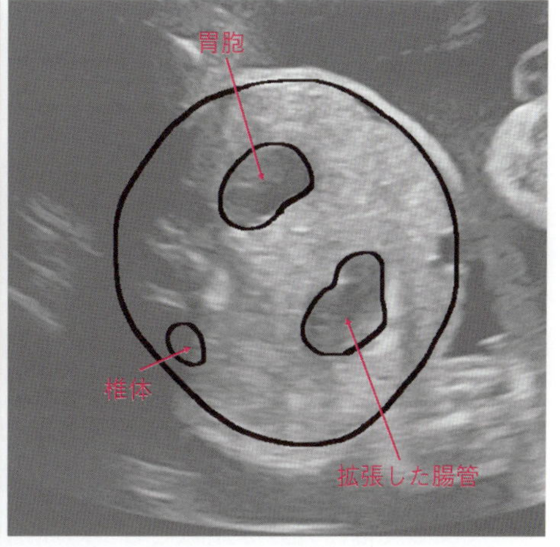

図2 Double babble sign
2 つの大きな腔を腹部に認める（胃胞と拡張した十二指腸）.

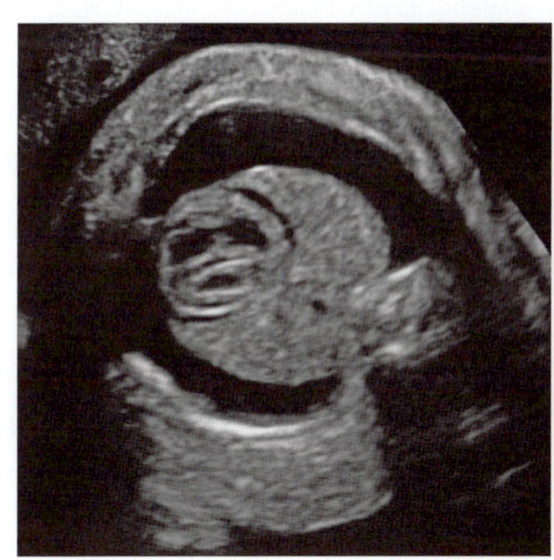

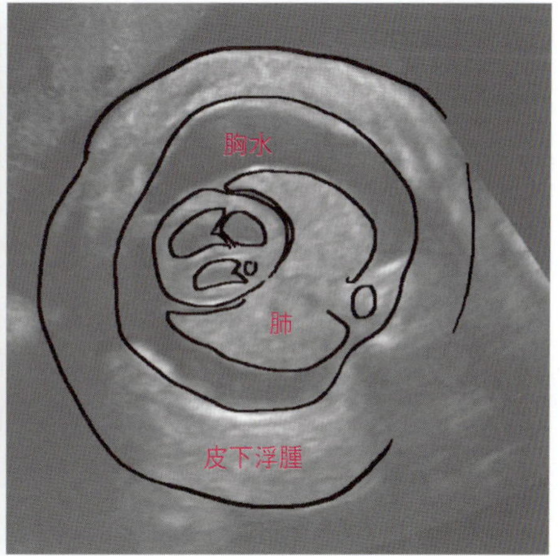

図3 胎児水腫
胸水，皮下浮腫を認める.

る.

胎児胸水，腹水などの腔水症（2 カ所以上に腔水症が認められた場合には胎児水腫となる）を認めることがある 図3 . 胎児水腫の原因はさまざまであるが非免疫性胎児水腫のうちには 21 トリソミー児を含む染色体異常例が少なくない. 21 トリソミーは先天的にリンパ管の発生異常をもつ例があることと合併疾患（心疾患，消化管疾患，血液疾患など）の所見の 1 つとして胎児水腫がみられることもある.

④ 出生後診断

胎児期に診断されない例でも，生後は顔貌をはじめとする身体的特徴からほぼすべての例が 21 トリソミーと気づかれ診断に至る. 周産期，小児医療従事者であれば判別に困難はない. 確定診断は染色体検査によるが，21 トリソミーを疑われた場合には，心エコー検査をはじめ全身の合併疾患のスクリーニングを行うことが必要である．合併疾患には，新生時期に症状が出現するものばかりではないため，適切な時期に検査することも必要である．詳細は本書各論を参照されたい．合併症の多くは適切な治療により児の予後とQOLを明らかに改善する．ひいては家族のよりよいQOLが望めることへつながる．

⑤ 親への告知と家族支援

周産期医療が進歩するにつれ，21トリソミーなどの染色体異常をもつ児が，早期に診断されるようになってきた．日本産婦人科学会は，胎児期に行われる遺伝学的検査に関しては，充分な知識をもつ臨床遺伝専門医などの専門職によって適切な遺伝カウンセリングを行うことを義務づけており，安易に検査が行われないような体制となっているが，超音波検査でソフトマーカーや合併疾患を指摘され，21トリソミーを疑われる例がなくなるわけではない．そのような場面において医療者は，その所見と意義を充分に理解してもらえるように説明をするだけではなく，親がどのような対応を選択できるかについても提示する必要があるとの見解を述べている．現在は，インターネットでさまざまな情報を得ることができるが，それらの情報がすべて正確であるとは限らないため，医療者は，責任をもって正確に適切なわかりやすい説明を常に心がけなければならない．説明は一方的，定型的ではなく，個々の親の心情，置かれている状況に寄り添って配慮がされるべきである．

また，胎児，新生児は親の愛着形成が不充分なことが多く，否定されやすい存在であることも念頭におくべきである．Drotarら[5]は，先天異常をもつ児の誕生により親の心理は，ショック，否認，悲しみと怒り，適応，受容と変化していくと仮説を立てている．また，受容までの時間は児の疾患，親の性格，理解の程度，社会的支援の状況などさまざまな因子が影響し，個人個人で異なるのは当然である．告知をするときには「児の最善の利益」を考えつつ，親の心情の変化に寄り添って繰り返し説明を行うことも必要である．また，精神的な面でのサポートとして，親の気持ちを受けとめる役割としての臨床心理士などの介入や，Medical social workerによる社会福祉支援制度の紹介なども望ましい[6]．

親と対面するポジションではなく，揺れ動く親に伴走する存在として家族支援を行うことが大切である．児に対する治療や療育と家族の支援は21トリソミー児を診ていくにあたっての両輪である．

【参考文献】

1） 日本産婦人科学会，日本婦人科医会，編．産婦人科診療ガイドライン産科編2017．日本産婦人科学会；2017. p.93-100.
2） Snijders RJ, Sundberg K, Holzgreve W, et al. Maternal age- and gestation-specific risk for trisomy 21. Ultrasound Obstet Gynecol. 1999; 13: 167-70.
3） Stoll C, Dott B, Alembik Y, et al. Associated congenital anomalies among cases with Down syndrome. Eur J Med Genet. 2015; 58: 674-80.

4) 胎児心エコー検査ガイドライン作成委員会，編．日本胎児心臓病研究会，日本小児循環器学会，里見元義，他．胎児心エコー検査ガイドライン．日小児循環器会誌．2006; 22: 591-613.
5) Drotar D, Baskiewicz A, Irvin N, et al. The adaptation of parents to the birth of an infant with a congenital malformation: a hypothetical model. Pediatrics. 1975; 56: 710-7.
6) 佐藤陽子，海老原知博，置塩英美，他．先天奇形（ダウン症等）や重症疾患（PVL や HIE）の家族への説明について―疾患や病名確定（血液，画像検査等終了）後の家族への告知はどのようにすべきか？　日未熟児新生児会誌．2011; 23: 175-7.

〈満下紀恵〉

2

診断

3. 最終診断

ポイント

1 …現時点では，確定診断には転座型などの見落としを避けるため染色体の量的な情報のみならず，染色体相互の位置情報をも含む G 分染法などの従来の染色体分析を行うべきである．

ダウン症候群は基本的には常染色体の数的異常であり，大半の症例は通常の G 分染法による染色体分析で確認できる．21 番染色体上の（ダウン症候群に特異的部位 21q22.3）DNA 配列をプローブとした FISH 法でも 21 トリソミーの診断は可能だが，転座型の場合，転座相手は判別困難であり，再度 G 分染法などによる染色体分析をする必要がある．ダウン症候群のほとんどの症例は臨床的に診断がつくので，染色体分析を行う目的は転座型の見落としを避ける意味合いも強い．臨床的にダウン症候群を強く疑う場合は FISH 法やアレイ CGH 法ではなく従来の G 分染法による染色体分析を行うのが常道である．21 トリソミーの診断に関して言えば，FISH 法と G 分染法による染色体分析を併用する意味もほとんどない．生命予後の悪い 13・18 トリソミーであれば，早急に診断し治療方針を決めるのに早期に結果が出る FISH 法は有用かもしれないが，生命予後はよい 21 トリソミーの場合は早く結果が出ることにはあまり大きな意義はない．21 トリソミーの診断上 FISH 法が有用なのは，低頻度モザイク例において頬粘膜擦過塗抹標本などでトリソミー頻度を調べる場合やダウン症候群特異的部位 21q22.3 の微小重複例で部分トリソミーを確認する場合などに限定される．アレイ CGH 法は染色体の極小過不足を検出するには鋭敏で非常に優れた方法であるが，一般的にロバートソン転座や 20％以下の低頻度モザイクは検出できないので，臨床的にダウン症候群を強く疑う場合はアレイ CGH 法ではなく従来の G 分染法による染色体分析を行うのが常道である．

将来的にロングリードシークエンサーによる全ゲノム解析が臨床に広く使われる時代になれば，ダウン症候群に限らず先天的異常を伴う症例ではスクリーニング的にひとまず全ゲノム解析をしてしまうようになるかもしれない．しかし，染色体の構造異常を検出しにくい次世代シークエンサーによるゲノム分析がようやく一般化しつつあるという現状では，臨床的にダウン症候群を強く疑う場合には，FISH 法でもアレイ CGH 法でも次世代シークエンサーによるゲノム分析でもなく，従来の G 分染法による染色体分析を行うのが鉄則である．

〈石切山　敏〉

JCOPY 498-14563

3

発育・発達

ポイント

1…ダウン症者の平均寿命は約60歳で，小児期，成人期，老年期がおおよそ1/3ずつを占める．

2…身体発育は身長，体重とも一般より小さめで，幼児期以降，肥満傾向が出現する．

3…知的な遅れを伴い，程度は軽度から最重度まで幅広いが中度のことが多い．

4…言葉の遅れには，理解より表出が困難，発音が不明瞭などの問題がある．言語発達には，コミュニケーション意欲を高める関わりが重要である．

5…自閉スペクトラム症，注意欠如多動症の有病率は一般より高い．

近年，ダウン症の平均寿命の伸びは著しく，約60歳に達した[1)]．その一生は，小児期（0～18歳），成人期（19～40歳），老年期（40歳以上）に区分され[1)]，それぞれの時期の発育・発達特性や生じやすい疾患は，一般人口と比べて大きな相違がある．小児期早期は先天性疾患の有無により発育・発達は大きな影響を受ける．小児期後半から成人期前半は比較的健康な状態が続く．成人期後半から種々の老化徴候がみられるようになる．

① 発育

ダウン症児の発育は在胎36週頃から停滞し始め，出生時の身長，体重（平均±SD）は，それぞれ48.1±2.2cm，2,832±443g（男女ともほぼ同じ）であり，身長，体重の平均値はそれぞれ一般小児の－0.59SD，－0.25SDに相当し，一般小児よりやや小さい[2)]．生後，一般小児との発育の差はより大きくなる．

ダウン症児の生後の男女別身長・体重成長曲線を 図1 ～ 図4 に示す[2)]．出生後，哺乳不良などのため発育遅滞が強まり，乳児期前半には，身長は一般小児の－1SD，体重は一般小児の－2SDの線に沿って成長し，この時期はやせが目立つ．乳児期後半から哺乳，摂食の改善に伴って体重の増加速度が増し，2歳頃に身長，体重とも一般小児の－1.5SD相当となりバランスがとれる．その後，幼児期後半から学童期半ばまで，身長は－1.5SDの線にそって成長するのに対し，体重は－1SDの線を越えて成長するため，幼児期後半から肥満傾向が生じ学童期にはあきらかな肥満となる児が出てくる．思春期の成長スパートの時期は男子で10～13歳，女子で9～11歳で，一般小児より早く生じる．そのため一時的に一般小児との身長差が減少するが，スパート時の成長速度が

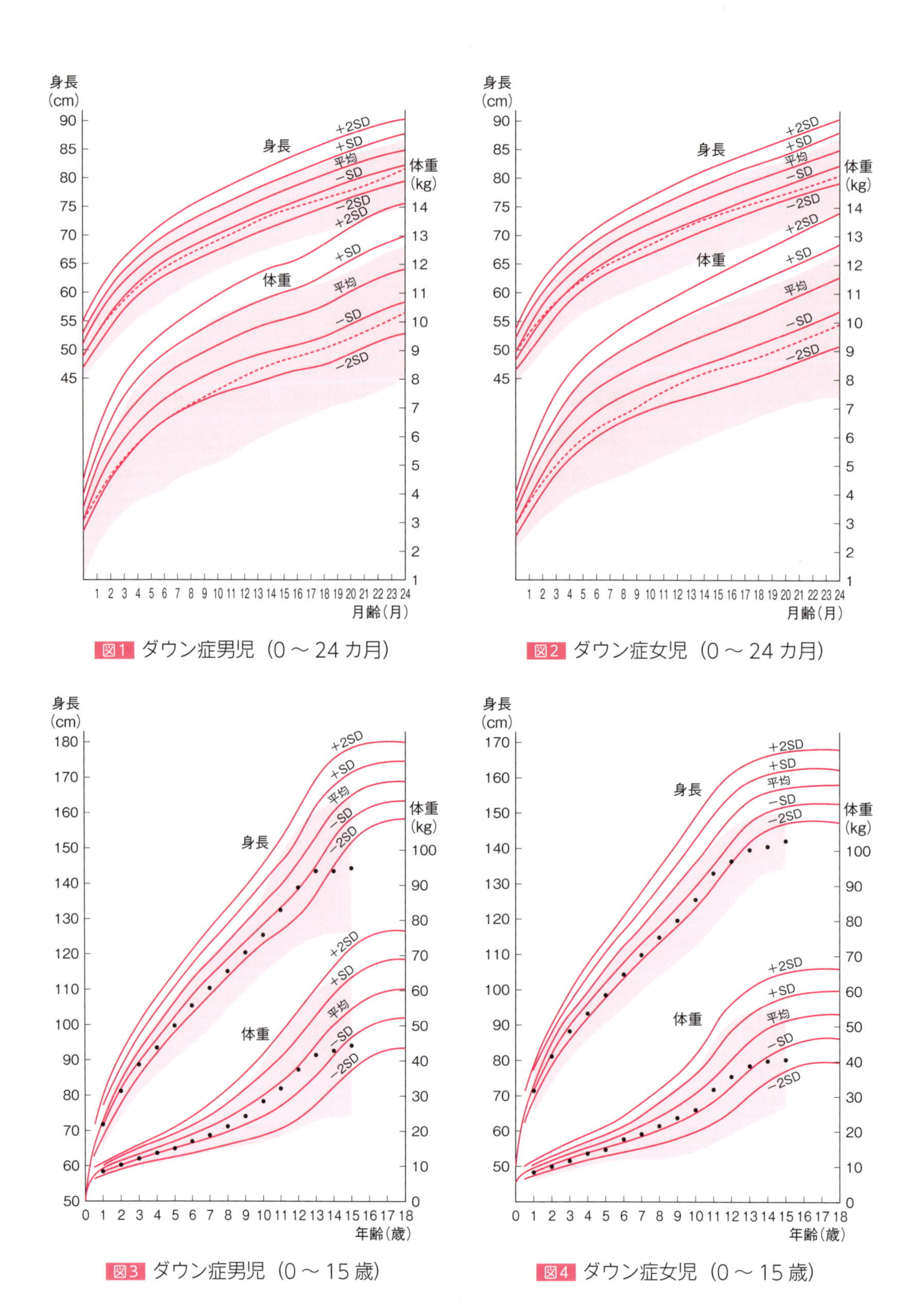

図1 ダウン症男児（0 ～ 24 カ月）

図2 ダウン症女児（0 ～ 24 カ月）

図3 ダウン症男児（0 ～ 15 歳）

図4 ダウン症女児（0 ～ 15 歳）

図1～4 ダウン症児の成長曲線

(黒木良和．新先天奇形症候群アトラス．改訂第 2 版．東京：南江堂；2015. p.479-84) [2]

実線は一般児の平均，平均± SD，平均± 2SD の値を示す．破線または黒丸はダウン症児の平均，網かけは平均± 2SD の範囲を示す．

JCOPY 498-14563

一般小児より小さいため，スパートのピークを過ぎると一般小児との身長差は再び増加し，最終身長（平均± SD）は，男子 153.2 ± 5.6cm，女子 141.9 ± 4.2cm で，最終平均身長は，一般小児のおよそ－3SD 相当となる[3]．一方，最終平均体重は，一般小児のおおよそ－1.5SD 相当となる[2]．

② 運動発達

ダウン症児は，とくに乳幼児期に筋力，筋緊張が低いため早期の運動発達は遅れるが，最終的には歩行などの通常の運動が可能になる．運動獲得時期の平均月齢と範囲（括弧内）は，定頸 6（3 ～ 14），寝返り 7（1 ～ 24），座位 14（7 ～ 48），四つ這い 16.5（7 ～ 40），歩行 30（13 ～ 96）で，平均で一般小児の 2 倍ほどの期間を要する[4]．定頸，座位，四つ這い，歩行の獲得経過を 図5 ～ 図8 に示す[4]．ダウン症ではそれぞれの運動獲得までに要する期間に大きな幅がある．一般に男児より女児の方が，また心疾患を有する児より有さない児の方が発達が早い[4]．運動発達の経過中，いざり移動をする割合が高く，四つ這いをしないで立位，歩行を開始することがある．また，腹臥位から座位になるとき，両下肢を伸展開脚して後方から前方に回して座位になる独特のやり方をすることがある．

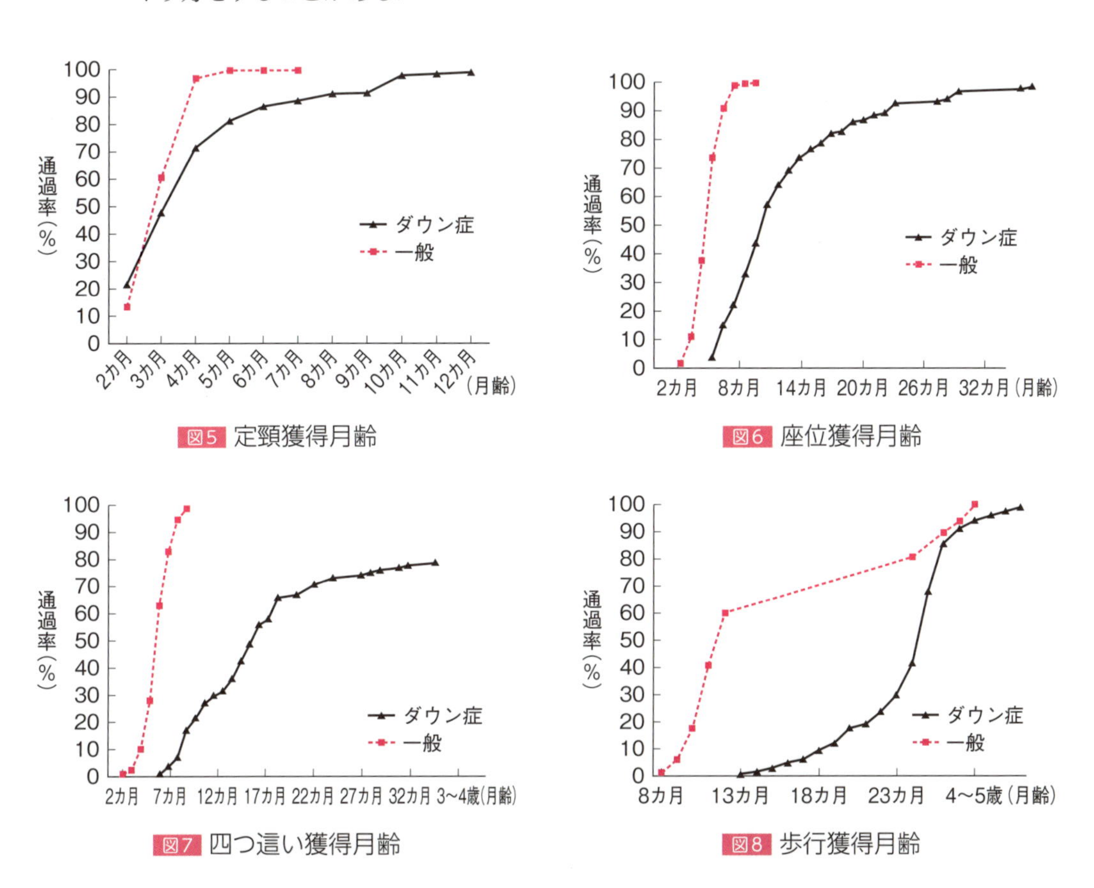

図5 定頸獲得月齢

図6 座位獲得月齢

図7 四つ這い獲得月齢

図8 歩行獲得月齢

図5～8 ダウン症児と一般乳幼児の運動獲得月齢
（多和田　忍．J Clinical Rehabilitation. 2011; 20: 529-34）[4]

筋力，筋緊張は年齢とともに改善するため，運動発達レベルに合わせた運動練習をすることが大切である．「赤ちゃん体操」[5]は，座位姿勢，立位姿勢，姿勢変換，腹這い姿勢の4項目を指標に運動発達を9ステップに分け，指導者の支援のもとにそれぞれの段階にあった体操を親が家庭で行うものであり，子どものよい姿勢や運動の獲得，異常姿位の予防，親子交流の促進などの効果が期待できる．また，一般に粗大運動より手の微細運動が苦手である．必要に応じ，整形外科医の診察に基づき，関節を安定させる補装具を使用したり，動作の練習のためのリハビリを行う．学童期以降，日常生活レベルの運動はほぼ可能になるが，成人期でも筋力が一般平均よりは弱く，体温調節機能が低いこともあり，持久走など長時間の運動はしばしば困難である（Ⅱ-16-1．理学療法，Ⅱ-16-2．作業療法を参照）．

③ 知的発達

日本のダウン症者の知的発達を田中ビネー検査で横断的に調べたものが，図9～図10である[6]．精神年齢は小児期を通して伸び，平均的には20歳頃に精神年齢約5歳のピークに達し，成人期を通して4～5歳の精神年齢を維持し，40歳以降低下する．一方，知能指数は，小児期の前半にIQ50前後のピークがあり，以後は20歳でIQ30，40歳でIQ20と低下する．精神年齢と知能指数のパターンの違いは，精神年齢がいわば知能の絶対的な値であるのに対し，知能指数は一般集団に対する相対的な値であるためである．

英国で，ダウン症の地域コホート（開始時54名）を対象に，生後6週から50歳まで知能などの変化を縦断的に調べた研究がある[7]．4歳までBayley発達検査，11歳でMerrill-Palmer知能検査，21歳以降はLeiter International Performance尺度およびその他の検査が用いられた．発達指数は6週で70，6カ月で80でこの時点が最も高く，2歳で55，4歳で45と低下した．11歳の知能指数は37だった．21歳から45歳まで知能指数は41～42でほとんど変化せず，47歳で38，50歳で36と低下した．身

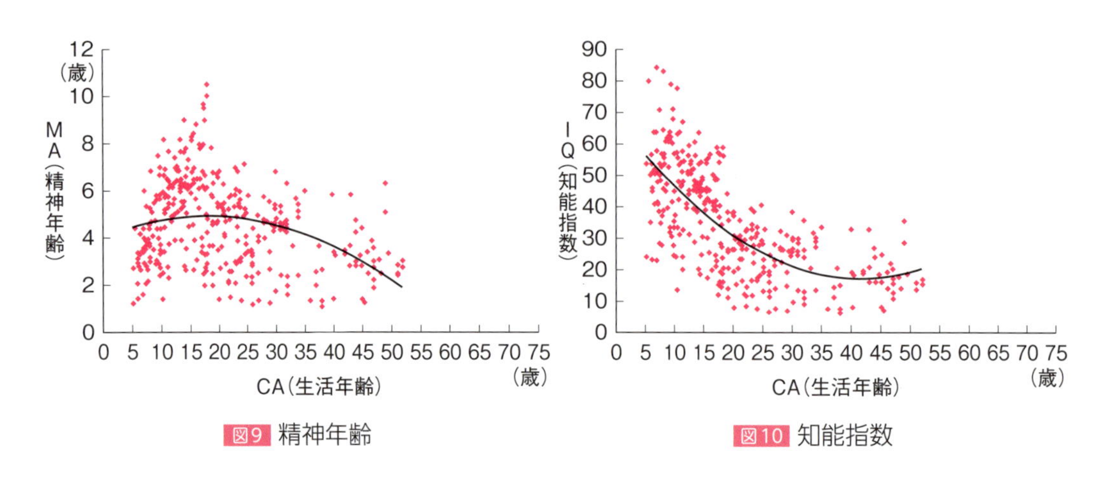

図9 精神年齢　　図10 知能指数

図9～10 ダウン症者の精神年齢（MA）と知能指数（IQ）の散布図
（菅野　敦．J Clinical Rehabilitation. 2011; 20: 521-8）[6]

辺スキル（食事，洗面，更衣，排泄）の能力は30歳で最も高く，45歳までは保たれたが，それ以後低下した．

記憶力については，ダウン症者では言語性記憶より非言語性記憶の方が良好だった[8]．ダウン症者と精神年齢を一致させた定型発達者との比較では，言語性記憶はダウン症者の方が低く，非言語性記憶では両者がほぼ同等という研究とダウン症者の方が低いという研究があった[8]．

④ 言語発達

ダウン症の言語については，全体として遅れがある（始語は2歳代が多い），発音が不明瞭，言葉の理解に比べ表出がより困難で伝達内容を適切に表せないなどの問題がある．困難をもたらす要因として，知的障害，構音に関する運動機能の障害（筋低緊張，口腔周辺の協調運動障害），難聴（合併した場合）などが以前から考えられていたが，独特の特徴（語彙が増え言葉が発達しても構音が改善しない，1音節ずつは正しく発音できても単語や文になると誤った発音になる，吃音が多いなど）から，言語に関する中枢性の問題（日本語の語音認知や構音プログラムの問題，言語性記憶の弱さなど）の関与も推定されている．

幼児期に集団生活が始まると，他の子どもからの言葉かけに反応しなかったり，本人の発話が他児に理解されないため孤立しがちである．また，発話が伝わらないことを繰り返し経験すると，伝えることをあきらめたり，かんしゃくを起こすようになる．家庭での対応としては，コミュニケーション意欲を高める関わりが重要である．子どもとのやりとりを，乳幼児期早期に子どもの動きや発声を真似ることから始め，次第に手遊び歌に合わせて体をゆするなど遊びの要素を増やす．子どもの発声や動作を言葉で表し（「わらった」など），子どもの気持ちを推測して言葉にし（「おもちゃとりたいね」など），子どもにも遊びのなかで言葉を発する体験をさせる（「とれた」など）．不明瞭な発音をとがめずに，正しい発音を聞かせる．構音の練習も，一音単位で正しい発音を練習するよりまとまりのある内容を伝えようとするなかで正しい発音を身につけるようにする．発声時の口の形を写真やビデオで見せたり，音声入力で作動するIT機器の利用も試みる価値がある（Ⅱ-16-3．言語聴覚療法を参照）．

⑤ 社会性の発達

ダウン症患者の性格行動特性として，人懐こく，陽気で，社交的である一方，頑固でこだわりがあることが知られている．対人交流の発達では，乳幼児期早期の共同注視や，要求動作の発達に遅れがある．学童期では，ごっこ遊びやルールのある集団遊びが苦手である．特別支援学級や特別支援学校で，少数の仲間との関係は良好であるが，友達関係はあまり広がらず，自分より年下や重度障害の子に優しく関わる傾向があり，特定の相手への関わりが過度になることがある．また，子どもより教師との関係を求めることが多い．

3～15歳のダウン症患者の適応機能を新版S-M社会生活能力検査で調べた結果[9]では，3～5歳までは社会生活年齢（SA）は比較的順調に伸び，社会生活指数（SQ）は約75を維持したが，その後，SAの伸びの程度は低下し，6～8歳のSQは約70，9～13歳のSQは約65と低下した．領域プロフィールでは，「自己統制」，「身辺自立」，「作業」が，「移動」，「意志交換」，「集団参加」に比べ高い傾向を示した．

⑥ 就学と就労

ここでは，就学・就労の実績を示す．就学・就労の制度や手続きについては，「Ⅱ-20. 学校・就労サポートについて」を参照されたい．

東京都の2施設における2009年の調査（総回答数236）[10]で，ダウン症患者は幼児期に（回答数234），96%が保育所，幼稚園に，72.9%が療育機関に通所した．小学校入学時の就学先は（回答数213），通常学級44.6%，特別支援学級41.8%，特別支援学校13.6%だった．中学校入学時は（回答数169），通常学級11.2%，特別支援学級53.8%，特別支援学校34.3%であり，小学校入学時に比べ，通常学級が減り，特別支援学級，特別支援学校が増えた．中学校卒業後は（回答数137），高等学校に97.8%が進学し，進学先は，通常学級3.0%，定時制2.2%，特別支援学校91.0%，その他3.7%だった．また，高校卒業後の就労先は（回答数115），通所授産施設51.3%，一般企業19.1%，通所更生施設8.7%などであった．

2003～2007年の5年間に東京都の知的障害特別支援学校を卒業したダウン症患者482名についての調査[11]では，53名（10.9%）が一般就労し，職域は飲食業，小売業，サービス業など人との関わりが中心となる仕事についている割合が高かった．

⑦ 老化

ダウン症患者は20歳まで比較的順調に成長するが，20歳代から徐々に老化の徴候を示す患者が出現する．老化は，外観，身体能力，精神機能に現れる．東京都の通所施設を利用している20～40歳代のダウン症患者に対する調査結果[12]の一部の項目を表1に示した．

表1 老化の徴候の年齢別出現頻度（20～40歳代のダウン症患者418名，単位は%）
（菅野　敦，他．発達障害研究．1998; 20: 228-38）[12]

	20歳代（278名）	30歳代（104名）	40歳代（36名）
白髪	11	16	44
皮膚弾性減少・しわ	7	14	39
運動能力低下	12	33	36
視力低下	6	13	31
日常生活能力低下	9	24	22
動きが少ない	18	36	39
情緒的に不安定	18	22	33
注意されると引きこもる	19	21	14
怒りっぽい	15	21	36

JCOPY 498-14563

⑧ 発達障害

以前は，知的障害者にみられるすべての精神行動問題は知的障害のためとされたが，最近では知的障害に他の精神疾患が合併するという見方がされるようになった．ここでは，合併障害のなかの発達障害を取り上げる．

A. 自閉スペクトラム症（autism spectrum disorder: ASD）

ダウン症を含む遺伝性症候群における ASD の有病率のメタアナリシス（2014 年初めまでの報告を対象とする）[13] では，ダウン症の ASD 有病率は平均 16％（95％信頼区間 9-23％）であり，一般小児に比べきわめて高い．ただし他の遺伝症候群における ASD の平均有病率（95％信頼区間）（いずれも％）は，レット症候群 61（47-75），コルネリア・ド・ランゲ症候群 43（33-54），結節性硬化症 37（33-40），アンジェルマン症候群 35（24-38），脆弱 X 症候群 26（20-31），ウィリアム症候群 14（8-21）などで，遺伝性症候群の中では低めの群に属していた．

ダウン症の ASD 有病率に関するより最近の報告では，Warner（2014）[14] は英国の 6 ～ 15 歳の英国ダウン症協会登録例 499 名について質問紙による調査で 38％が ASD に当たるとし，Oxelgren（2017）[15] はスウェーデン国ウプサラ市の 5 ～ 17 歳の地域例（41 例）に対し半構造化面接による診断で 42％が ASD であるとし，いずれも従来より高い率を報告した．報告により有病率が異なるのは，対象選定の仕方（地域集団，患者団体，医療機関），診断法（養育者・患者への半構造化面接，養育者への質問紙），患者数や患者の性比などの違いによると考えられる．

Warner[14] は，Social Communication Questionnaire（SCQ）質問紙（コミュニケーション，相互的社会交流，活動・興味の限定の 3 領域からなる）を用いて，ASD を伴わないダウン症（SCQ 得点＜ 10，DS 群），ASD を伴うダウン症（SCQ 得点≧ 15，DS ＋ ASD 群），通常の ASD（SCQ 得点≧ 15，ASD 群）を比較した．DS 群は他の 2 群よりほぼどの領域でも障害度が低かったが，コミュニケーション領域の一部の項目（社交的会話，代名詞転倒）は ASD 群と同等の障害度だった．次に DS ＋ ASD 群と ASD 群を比較すると，障害度が同等の項目が多かったが（コミュニケーション領域と相互的社会交流領域の半数以上，活動・興味の限定領域のほぼすべて），DS ＋ ASD 群の方が障害度の低い項目（コミュニケーション領域の真似，仕草の使用，相互的社会交流領域の目を合わせる，社交的微笑など）や，DS ＋ ASD 群の方が障害度の高い項目（コミュニケーション領域の中の社交的会話など）があり，ダウン症に伴う ASD は通常の ASD と異なる点がみられた．

Oxelgren[15] は，ASD の合併と知能との関連について，ASD 合併群では知的障害が最重度～重度の例が多いのに対し，非合併群では軽度～中度の例が多く，ASD の存在はより重い知的障害と関連することを示した．

B. 注意欠如多動症（attention deficit hyperactivity disorder: ADHD）

ダウン症における ADHD の合併についての報告は少ないが，Oxelgren[15] はスウェーデンの 5 ～ 17 歳の地域例（41 例）で 34％，Ekstein[16] はイスラエルの 5 ～ 16 歳のクリニック例（41例）で44%と高い有病率を報告した．また，いずれもADHDの合併は知的障害の程度に関連しないことを報告した．

【参考文献】

1) Bittles AH, Bower C, Hussain R, et al. The four ages of Down syndrome. Eur J Public Health. 2007; 17: 221-5.
2) 黒木良和．Down症候群患者の成長パターン．梶井　正，黒木良和，新川詔夫，監修．新先天奇形症候群アトラス．改訂第2版．東京：南江堂；2015. p.479-84.
3) 立花克彦，木村順子，今泉　清．Down症児の成長の検討．成長科学協会研究年報．2000; 23: 269-79.
4) 多和田　忍．ダウン症と運動発達．J Clinical Rehabilitation. 2011; 20: 529-34.
5) 藤田弘子．ダウン症児の赤ちゃん体操．大阪：メディカ出版；2000. p.125-32.
6) 菅野　敦．ダウン症と知的発達．J Clinical Rehabilitation. 2011; 20: 521-8.
7) Carr J, Collins S. 50 years with Down syndrome: A longitudinal study. J Appl Res Intellect Disabil. 2018; 31: 743-50.
8) Godfrey M, Lee NR. Memory profiles in Down syndrome across development: A review of memory abiliteis through the lifespan. Neurodev Disord. 2018; 10: 5.
9) 鈴木弘充，小林知恵，池田由紀江，他．新版S-M社会生活能力検査によるダウン症児の発達特徴．心身障害研．1997; 21: 139-47.
10) 高野貴子，高木晴良．ダウン症候群の保育，療育，就学，退行，医療機関受診の実態．小児保健研究．2011; 70: 54-9.
11) 菅野　敦．ダウン症候群の成人期以降の現状と問題点．小児科臨床．2016; 69: 779-89.
12) 菅野　敦，橋本創一，細川かおり，他．成人期ダウン症者の加齢に伴う能力と行動特性の変化．発達障害研究．1998; 20: 228-38.
13) Richards C, Jones C, Groves L, et al. Prevalence of autism spectrum disorder phenomenology in genetic disorder : a systematic review and meta-analysis. Lancet Psychiatry. 2015; 2: 909-16.
14) Warner G, Moss J, Smith P, et al. Autism characteristics and behavioural disturbances in ～500 children with Down's syndrome in England and Wales. Autism Res. 2014; 7: 433-41.
15) Oxelgren UW, Myrelid A, Annren G, et al. Prevalence of autism and attenntion-deficit-hyperactivity disorder in Down syndrome: a population-based study. Dev Med Child Neurol. 2017; 59: 276-83.
16) Ekstein S, Glick B, Weill M, et al. Down syndrome and attention-deficit/hyperactivity disorder (ADHD). J Child Neurol. 2011; 26: 1290-5.

〈小林繁一〉

4

ダウン症候群のトータルケア
～出生後から成人期までの切れ目ないフォローアップを目指して～

ポイント

1…自然歴情報が蓄積されているダウン症候群において成熟した診療を行うためには，時間軸に沿った合併症評価や治療，療育支援，医療福祉サポートなどのトータルケアを行うことが重要である．

2…トータルケアを円滑に行うためには複数の診療科・部門が関わる必要があるが，ハブとなるコーディネイト部門を起点とした包括的診療連携が推奨される．

3…成人期への移行期医療は困難かつ重要なテーマであるが，成人診療科との積極的な連携とシームレスな診療の継続が必要不可欠であり，今後の実践診療の推進が求められている．

ダウン症候群はあらゆる先天異常症候群の診療に応用しうる“プロトタイプ”と認識されており，その自然歴の蓄積が，小児期を中心とした画期的な健康管理ガイドラインの作成につながってきた[1-3]．“自然歴”とは当該症候群で起こりうる各種身体合併症や成長・発達遅滞が，その発症時期や重症度などにおいて時間軸に沿ってどのような臨床経過をたどるかという“生きた”臨床情報である．そしてこれらの自然歴に対し，どのタイミングで評価・治療・サポートしていくかを症候群特異的に標準化したものが“健康管理ガイドライン”とよばれるものである．米国小児科学会（American Academy of Pediatrics: AAP）により2011年に改訂された最新版[3]が最も参考になる世界標準であり，本ガイドラインを実践診療の羅針盤としていくことが望ましい．一方，成人期のフォローアップ指針も米国では存在している[4]が，わが国では小児期に比べその認知度はまだ低いと思われる．これらの自然歴に基づいた医学的管理の実践目標は，ダウン症候群をもって生まれた子どもが，その後乳幼児期～小児期～成人期～老年期へとつながる切れ目ない人生において健やかに生活できることである．またこの目標のためには発達支援や医療福祉への対応も必要不可欠であり，前半はこれら含めたトータルケアの実践について述べる．またトータルケアを行う基盤である「包括的診療連携」と，その継続に必要不可欠な「成人期への移行期医療」も重要なテーマであり，後半にその概要を述べる．

① トータルケアの実際

合併症・発達支援・医療福祉といった自然歴の概要 図1 を示しつつ，トータルケアマネージメントにつき時間軸に沿った詳細を下記に述べる．

A. 乳児期（0～1歳）

出生後の1年は呼吸機能，循環機能の未熟さもあり生命予後において最も注意を要する時期であるため，診断前後の身体合併症の早期評価とその対応を優先する．呼吸，哺乳が不安定で体重増加不良を伴う場合は呼吸管理やチューブ栄養など全身管理を必要とする．先天性心疾患の評価，難聴や喉頭軟化症の評価，先天性白内障の評価を行う．消化管疾患（食道狭窄，十二指腸閉鎖・狭窄，鎖肛，ヒルシュスプルング病など）は，生後間もなく明らかになる場合以外に，離乳食が始まる乳児期後半より徐々に通過障害が目立つケースもあり注意を要する．血液疾患では，一過性骨髄増殖症（TAM）を新生児期に合併した場合は，継続的な血液検査のフォローを必要とする．また甲状腺機能の不安定性があり，生後早期のチェックとともに定期的なフォローが必要である．6カ

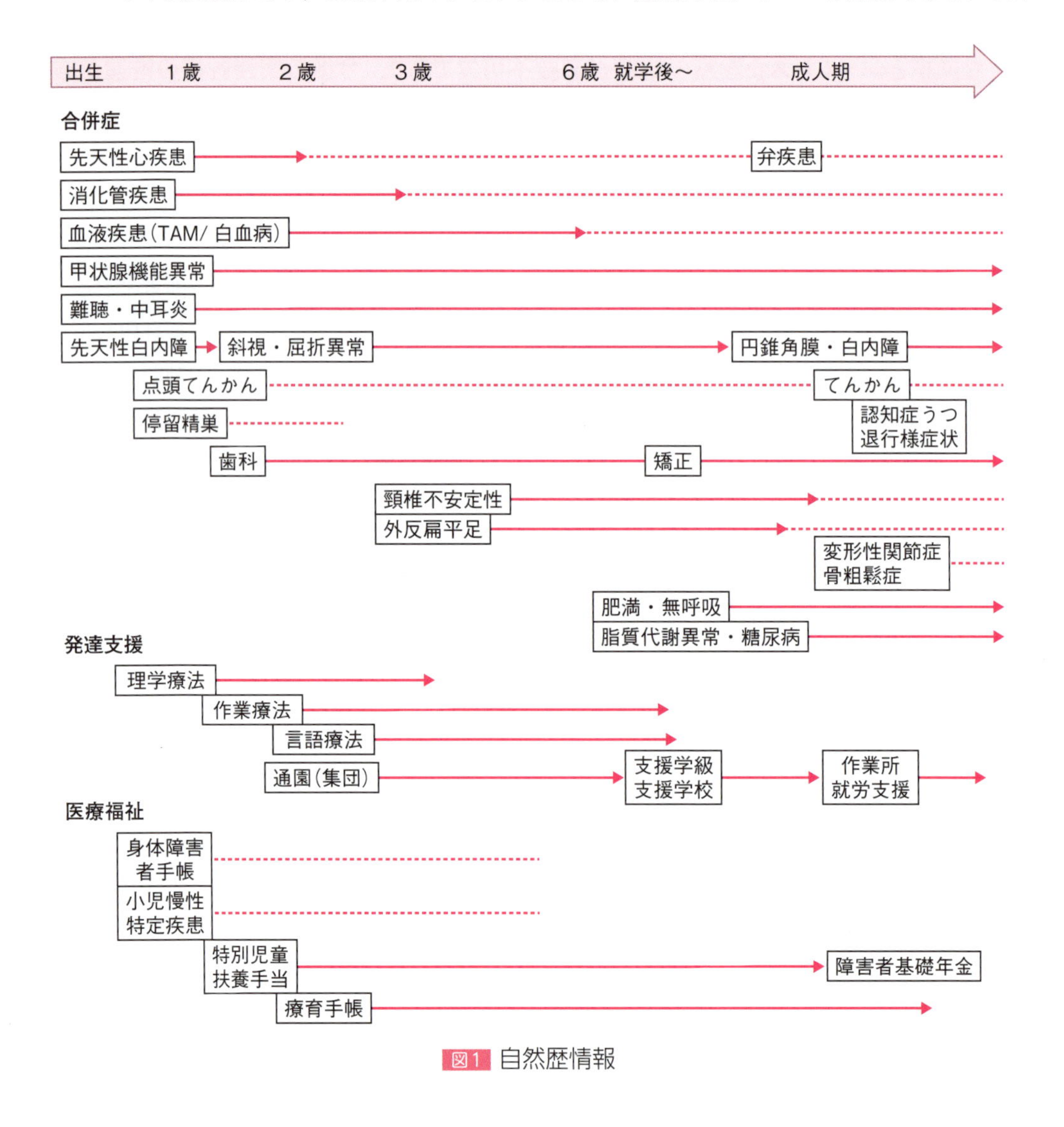

図1 自然歴情報

JCOPY 498-14563

月前後より発症する点頭てんかんを見逃さないことは神経予後にも関わるため重要である．停留精巣（移動性精巣）の有無もこの時期見落としなく評価し必要に応じフォローを行う．先天性合併症以外では，感染症に最も注意が必要な時期であり，呼吸器感染や胃腸炎など重症化する前に早期対応を促す．中等度～重度の発達遅滞を呈するため，全身状態との折り合いの中で粗大運動（理学療法）を中心とした発達支援の開始は有用である．医療福祉面では，身体合併症の程度に応じて身体障害者手帳や小児慢性特定疾患の適応となる場合にこれらの対応を遅滞なく行うことはトータルケアの重要な要素である．

B. 幼児期（1 ～ 6 歳）

幼児期前半は，感染を繰り返すことが多いが，基礎体力の上昇に伴い，独歩開始後の3歳以降より一般に健康状態が安定してくる．この時期は，乳児期に判明した先天性合併症のフォローアップに加え，感覚器官の評価は重要である．眼科では斜視の評価や遠視性乱視の頻度が高く眼鏡の適応になることが多い．耳鼻科では中耳炎の反復に対するチュービング治療や聴力の再評価を必要とする．また血液疾患では，TAM 罹患既往のある児の約 1 割に 1 ～ 3 歳で発症する急性巨核芽球性白血病を見逃さないために定期検査を継続する．1 歳前後で歯牙萌出を認めるため，上顎中切歯萌出をきっかけに衛生指導を開始する．一方，独歩が始まり運動量が増える 2 ～ 3 歳の時期に頸椎不安定性や外反扁平足の評価と指導を行う．症状のない X 線上の頸椎不安定性は 20%程度あり，生活上頸部に強い負荷がかかる運動を避けるなどの指導も重要である．このうちハイリスク所見の場合は専門医で脊髄 MRI などでの精査が検討される．環軸椎亜脱臼による重篤な麻痺につながる例は 1%とされ，椎弓切除術などの外科的合併症が必要な場合もある．また外反扁平足に対しては程度に応じてアーチサポートや装具の補助を行う．発達面においては，2 歳～ 2 歳半での始歩に伴い，理学療法から作業療法や言語療法への移行とともに，通園施設や保育園などでの集団生活を通じた同年代からの刺激も発達促進に有用な時期である．言語面は理解言語に比し表出言語が困難であるが，2，3 歳頃より日常生活でよく使われる単語や好きなアニメのキャラクターなどの単語の“語尾”から始まることも多く，発音にこだわらず“伝えたい気持ち”を育てていくことが重要である．就学前には発達評価とともに学校選択についての話し合いを行う．特別児童扶養手当と療育手帳の申請においては，1 ～ 2 歳以降ではダウン症児の大部分で適応となるため幼児期にはもれなく情報を伝え，必要な診断書作成の支援を行う．

C. 学童期～思春期（6 ～ 18 歳）

健康状態，体力ともに安定する時期であるが，先天性病変の継続フォローに加え，内科的には甲状腺機能の留意だけでなく，高尿酸血症，慢性腎障害，糖代謝異常・脂質代謝異常などへの注意が必要となり，定期血液検査でチェックする．睡眠時無呼吸は幼児期からも認めるが，この時期顕在化することが多く，要因として筋緊張低下，巨舌，舌根沈下，アデノイド，扁桃肥大，肥満の進行などがある．便秘だけでなく排尿障害（尿閉）にも注意し，排尿間隔の問診を行う．安定期は年に 1 回程度の診察や検査で上記をフォローしつつ，循環器科，眼科，耳鼻科，歯科，整形外科など，必要な専門科での診療を継続する．学校選択については，小学校では支援学級を中心に選択の幅が広いが，学業面の占める割合が増える中等部，高等部では支援学校の選択が大部分を占める．高等部に入ると作業所での実習などを通じて卒業後の進路選択の準備が始まる．各段階における適応状況を把握し，無理をきたさない環境整備も大切である．

D. 成人期（18 歳〜）

高校卒業後，学校や放課後デイサービスで行われていた定期的な運動機会の急激な減少による肥満の急激な進行が共通の注意点であり，これに伴う内科管理の継続はきわめて重要である．この中で慢性腎障害，変形性関節症，骨粗鬆症，白内障など新たな合併症の出現にも留意する[5]．また脳血管障害，てんかんなどの脳神経合併症，弁逆流症や不整脈などの心血管系合併症は，成人期急変の原因にもなるため，疑われる症状や所見がある場合は積極的に評価を行う．認知症やうつ病などの精神疾患においては，高校卒業後の環境面の急激な変化や順応の困難さがきっかけになることもあり，これらの時期の行動面や感情面の変化には留意する．着替えや食事の時間が極端に遅くなり外出に間に合わなくなるなどの急激な日常生活能力の低下（退行様症状）も重要なサインとなる．20 歳では障害者基礎年金診断書申請などの医療福祉手続きが重要である．またデイサービスや短期入所などの福祉サービスの利用，生活基盤の移行（グループホーム）なども検討される．

② 包括的診療連携 図2

上記のトータルケアを円滑に行うためには何が必要であろうか？ 複数の診療科や医療部門が関わるダウン症候群においては，診療が分散されたり，必要な評価やフォローの遅延や見落としを避けることは成熟したトータルケアに必要不可欠である[6, 7]．このためには，まずトータルケアのコーディネートを行う役割が望まれる．これらの役割

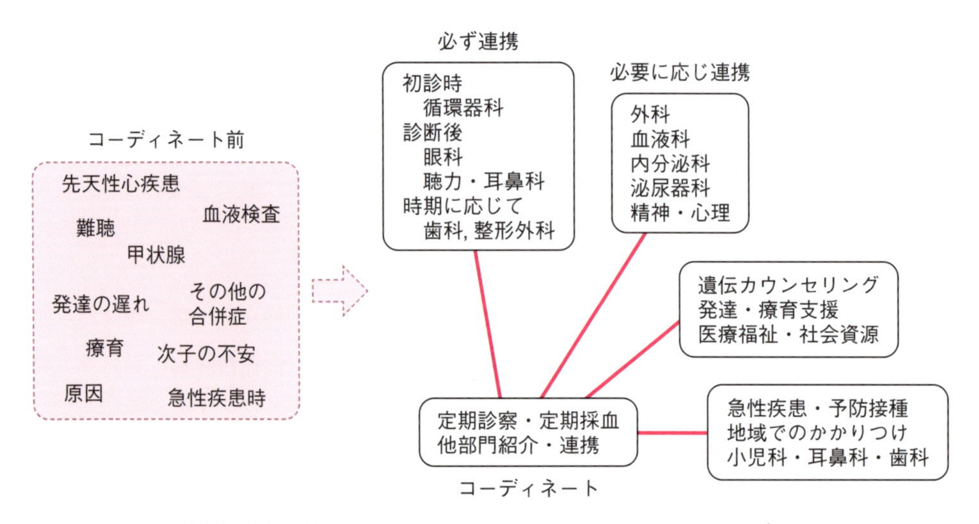

図2 包括的診療連携（大橋博文．小児科臨床．2013; 66: 1235-42[6] より改変）

は，複数の専門診療科との連携が行える部門として総合病院や大学病院の小児科や小児病院の遺伝診療科が担うことが多い．具体的には，コーディネートを行う医師によるスクリーニング評価，健康管理ガイドラインを基盤とし，個別の診療経過を加味した他の専門診療科への紹介連携，その他の重要な医療連携として発達療育支援，医療福祉と社会資源へのアクセス，遺伝カウンセリングなどがあげられる．このうち医療福祉や社会資源の情報は自ら求めないと得られないことも多いため，等しく情報を受け取る機会が担保される医療対応は重要である．一方で遺伝カウンセリングは，次子の検討を始める時期など適切な時期に適切なタイミングで行うことが求められるため，事前のフォローの中で，必要時専門医に紹介できることをあらかじめ伝えておくことが重要である．また急性疾患罹患時や予防接種などの日常診療対応においては，居住地域でアクセスしやすい小児科・耳鼻科・歯科などのクリニックとの連携が望ましい．ダウン症候群の外来診療を行う個々の医師がこれらの診療連携の中のどの立場で行っているのかについて意識することも大切である．

③ 成人期への移行期医療

最後に，トータルケアにおける困難かつ重要なテーマである成人診療科への移行期医療について述べる．小児期のコーディネートを担当する医師としての立場と経験からは，中等部後半〜高等部に入った段階で，地域における成人内科を中心とした移行期医療にむけてのイメージを家族と共有しはじめることは重要なステップである．定期診察時に成人期の健康管理について，かかるならどの病院か？ アクセスのしやすさは？ 専門性は？ など医療者と検討・共有する時間を徐々にもつことが移行への準備の 1 つと考える．上記フォロー中，特に高等部以降で内科的問題点が新たに生じた場合は，このことが当該症状においての部分的移行（紹介）のきっかけとなる[7]．合併症や知的障害の程度が重度の場合は，採血や検査を含む医療ケアそのものの困難さに加え，成人期以降も複数の診療科でのフォローを中心に継続した医療ケアを必要とするため，これまでフォローに関わってきた小児診療側がイニシアチブをとって成人診療側と事前に協議しながら連携を進めていくことも重要である．すなわち移行期医療を“小児診療科から成人診療科へある期間にすべてを受け渡す”という意味にとらえず，お互いの診療範囲を確認しつつ“連携”しながら“継続”するという新たな診療体制の構築というとらえ方をもつことが重要と考える．一方で成人期フォローアップのなかで，親が子どもの代弁やコミュニケーションの仲介をしつづけることが徐々に困難となってくることや，グループホームなどの生活基盤の移行により定期受診が滞ってしまう状況も懸念される．このため成育歴や医療歴，本人の嗜好なども含む整理された情報記録の作成と，これらの情報を管理・更新し定期受診のコーディネートなど医療者との仲介ができる第三者の存在はきわめて重要であり，今後の整備が求められる[8]．また近年は学会や行政が中心となり移行期医療センターの設置やガイドラインの作成[9, 10]，関連スタッフの教育などの活動も活発となってきており，移行期医療の診療実践にむけて幅広い認知と連携の推進が期待される．

【参考文献】

1) American Academy of Pediatrics Committee on Genetics. Health supervision for children with Down syndrome. Pediatrics. 1994: 93: 855-9.
2) American Academy of Pediatrcs Committee on Genetics. Health supervision for children with Down syndrome. Pediatrics. 2001; 107: 442-9.
3) Bull MJ and the Committee on Genetics. Health supervision for children with Down syndrome. Pediatrics. 2011; 128: 393-406.
4) Smith DS. Health care management of adults with Down syndrome. Am Fam Physician. 2001; 64: 1031-8.
5) 竹内千仙，望月葉子．成人期に達した Down 症候群．小児科．2019; 1: 55-62.
6) 大橋博文．先天異常症候群の包括的管理―自然歴の理解に基づくケア―．小児科臨床．2013; 66: 1235-42.
7) 清水健司．Down 症候群のフォローアップ．小児科臨床（増刊号）．2019; 72: 1099-103.
8) 近藤達郎．Down 症候群．小児内科．2016; 48: 1379-82.
9) 日本小児科学会．移行期の患者に関するワーキンググループ「小児期発症疾患を有する患者の移行期医療に関する提言」．日本小児科学会雑誌．2014; 118: 98-106. http://www.jpeds.or.jp/uploads/files/ikouki2013_12.pdf（2021 年 2 月 10 日アクセス）
10) 難治性疾患政策研究事業：小児期発症慢性疾患を持つ移行期患者が疾患の個別性を超えて成人診療へ移行するための診療体制の整備に向けた調査研究班．成人移行期支援コアガイド（ver1.1）（2020.3.27 改訂）. https://mhlw-grants.niph.go.jp/system/files/report_pdf/201911048B-sougou_0.pdf

〈清水健司〉

JCOPY 498-14563

II

各論

1

循環器疾患

1. 正常な心臓

ポイント

1…ダウン症候群には先天性心疾患を合併することが多い．先天性心疾患を理解するために正常の心臓の構造，血液の流れ方を解説する．

ダウン症候群の合併症のなかで最も頻度が高く予後を左右するのは先天性心疾患である．ダウン症候群の約 4 割に先天性心疾患を合併するといわれている．わが国のダウン症候群に合併する心疾患の調査[1]では，心室中隔欠損（36.8％），房室中隔欠損（29.7％），動脈管開存（10.5％），心房中隔欠損（10.3％），ファロー四徴（7.4％）の順で多かった．ダウン症候群の特徴として，全先天性心疾患（ダウン症候群以外も含む）ではわずか 2.3％の頻度である房室中隔欠損の頻度が 29.7％と高いことであった．複数の疾患の合併が多い（64.8％），肺高血圧の合併が多い（38.5％）こともダウン症候群の特徴としてあげられる．一方，大血管転位，総肺静脈還流異常，左心低形成症候群は 1 例もみられなかった．ここでは先天性心疾患を理解するために必要な「正常の心臓」についての知識を解説する．

① 心臓の構造 図1

心臓は握りこぶしほどの大きさであり，胸腔の中央に位置し軸は左下方を向く．心膜という膜に覆われている．心膜と心臓の間にたまる液体のことを心嚢水という．正常でも少量の心嚢水は存在するが，異常にたまった状態は心嚢水貯留とよばれる．ダウン症候群では，心疾患以外でも甲状腺機能低下症や一過性骨髄異常増殖症（TAM）に伴って心嚢水貯留が起こることが報告されている．

心臓を構成するのは心筋とよばれる特殊な筋肉である．心筋は身体を動かす筋肉（骨格筋）と異なり，神経からの刺激がなくても自発的に興奮を発生させる能力（自動能）をもっている．心筋にはポンプとしての働きをする作業心筋と，心臓のリズムを伝える特殊心筋（刺激伝導系）の 2 種類がある．

心臓は右心房，右心室，左心房，左心室の 4 つの部屋に分かれている．心房とは心臓に還ってくる血液を受け取り心室に送る働きをする部屋である．ポンプとして血液を送り出す役目は左右の心室が行っている．心室の心筋は心房のものよりも厚く，右心室と左心室を比べると左心室の心筋のほうが厚い．より強い力を必要とするからである．

JCOPY 498-14563

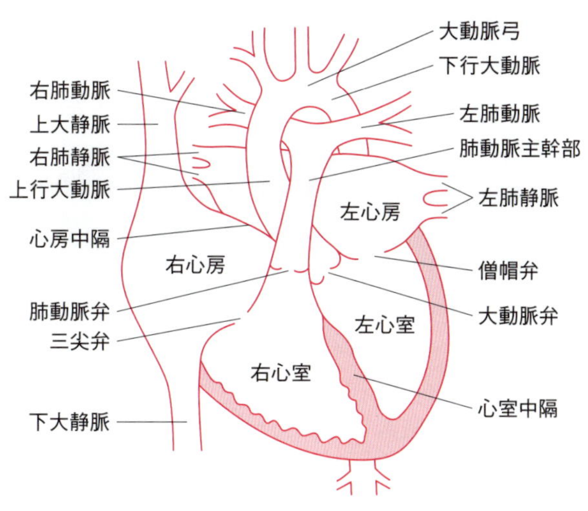

図1 正常な心臓（各部の名称）

右心房には下半身からの血液が戻ってくる下大静脈と上半身からの血液が戻ってくる上大静脈がつながっている．左心房には左右の肺から血液が戻ってくる肺静脈がつながる．右心室には肺に血液を送り出すための肺動脈がつながり，左心室には全身に血液を送り出すための大動脈がつながる．

心臓のなかには４つの弁がある．それぞれの弁には逆流を防止し血液が一方向にしか流れないようにする役割がある．右心房と右心室の間の弁は三尖弁，左心房と左心室の間の弁は僧帽弁とよばれる．この２つの弁は単純な弁の構造ではなく，腱索というヒモで心室にある乳頭筋という筋肉に支持されており弁の開閉が調節される．僧帽弁という名前は，ローマ法王がかぶっている「僧帽」，ミトラという帽子に似ていることからつけられた．右心室と肺動脈の間の弁は肺動脈弁，左心室と大動脈の間の弁は大動脈弁とよばれる．

左右の心房の間，左右の心室の間にはそれぞれ心房中隔，心室中隔とよばれる壁があり，酸素の少ない血液と酸素の多い血液が混ざらないようになっている．

② 内分泌器官としての心臓

心臓はポンプとしての機能の他に内分泌器官（ホルモンをつくる）としての機能がある．心房からナトリウム利尿ペプチドというホルモンが分泌される．このホルモンは，利尿作用（尿をたくさん出す）と末梢の血管を拡げる作用がある．体液量が増えすぎたり血圧が上がりすぎたりしたときに，心房が感知してこのホルモンを出し，心臓の負担を軽減する働きがある．

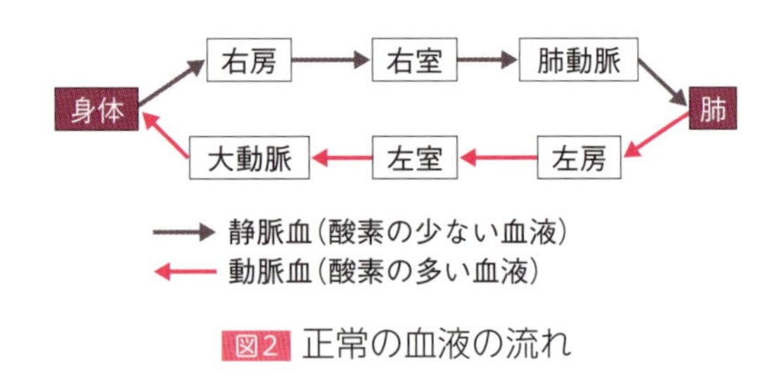

図2 正常の血液の流れ

③ 血液の流れ 図2

全身を流れて身体に酸素を供給した後の酸素の少ない血液（静脈血）は，下大静脈と上大静脈から右心房に戻ってくる．その後，三尖弁を通って右心室に入り，右心室から肺動脈に送られる．肺動脈から左右の肺に到達し，肺でガス交換（酸素を受け取り二酸化炭素を出す）が行われる．ここまでの循環を「肺循環」という．

肺で酸素をもらった血液（動脈血）は，左心房に戻り，僧帽弁を経由して左室から大動脈を通って全身に送られる．これを「体循環」という．

重要なことは，肺循環＝肺に流れる血液と体循環＝身体に流れる血液は同じ量であるということである．

先天性心疾患ではどこかに短絡（肺循環と体循環が混ざり合う）があり，このバランスが崩れるために種々の症状が起こる．

【参考文献】

1） 小穴慎二，市田蕗子，太田入掛雄．平成 14 ～ 16 年度研究課題報告 Down 症候群の心血管疾患一核型と表現型，肺高血圧に関する検討．日小児循環器会誌．2010; 26: 58-68.

〈田中靖彦〉

JCOPY 498-14563

1

循環器疾患

2. 動脈管と大動脈弓およびその分枝の異常

1 …動脈管開存症はダウン症に合併する頻度が高い先天性心疾患の１つである.

2 …塞栓用コイルのほか，近年各種の閉鎖栓がわが国でも導入され，経カテーテル的閉鎖術の適応が新生児や低出生体重児まで拡大している.

3 …鎖骨下動脈起始異常の合併率が比較的高いが，それ以外の大動脈弓およびその分枝異常はまれである.

ダウン症では，先天性心疾患の合併頻度が生産児の約半数と高いことが知られている[1)]．この合併頻度は，94%を占めるといわれる標準型においても，6%を占める転座型とモザイク型においてもあまりかわらない[2, 3)]．その中でも最も多いのが房室中隔欠損症（完全型だけで40%，不完全型と中間型を合わせると60%）であり，二次孔型心房中隔欠損症，心室中隔欠損症，ファロー四徴症，動脈管開存症とつづく．先天性心疾患の診断は比較的均一で，ほとんどがこれらの左右短絡疾患に限定され，新生児期に危急的に発症する複雑心疾患の合併はまれである（静岡県立こども病院では，開院以来40年間で，大動脈縮窄，大動脈弓離断，重症エブスタイン病の合併をそれぞれ5例，1例，1例に認めている）．ダウン症全体の平均寿命は，1983年から1997年の間に25歳から49歳に向上したとされる[4)]が，その要因として，心臓外科手術を中心とする治療法が確立し長期生存率が向上したことがあげられる．

① 動脈管開存症 (patent ductus arteriosus: PDA)

動脈管は，肺動脈分岐部と大動脈の小弯側（または腕頭動脈の起始部）を結ぶ胎生期由来血管である．通常，出生後10～15時間で動脈管は機能的に閉鎖し，4～5カ月で組織学的に閉鎖するが，その後閉鎖しなければ動脈管開存症（patent ductus arteriosus，以下PDA）として発症する 図1 ．

他の様々な先天性心疾患でPDAが併存することが多いが，ここではPDAを主疾患とする状態について概説する[5)]．

PDAの最も小さい径が，概ね2～3mm以上だと左右短絡が有意となり，高肺血流による心不全，呼吸障害，肺高血圧を呈する．短絡量が多いと乳児期早期より呼吸障害，哺乳障害，体重増加不良を呈し，程度が軽いと聴診上の連続性心雑音はあるものの症状

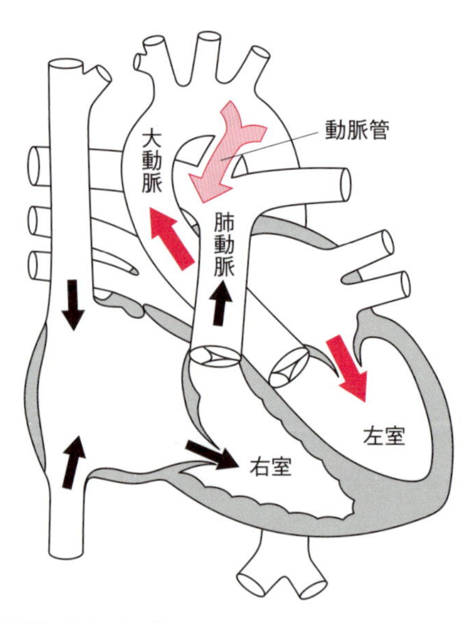

図1 動脈管開存症（patent ductus arteriosus: PDA）

は明らかでなく，易気道感染性（風邪をこじらせて肺炎になりやすいなど）のみ呈する．このような例で，胸部X線上で肺血管陰影の増強，心エコー検査上で左心系容量負荷（左房・左室の拡大）を示す場合，PDA閉鎖術が勧められる．ダウン症の場合は，他の心疾患と同様に，呼吸障害（巨舌や上気道狭窄，筋緊張低下に伴う呼吸運動の弱さ）のため肺高血圧をきたしやすく，PDA径が大きくても短絡量が制限され，症状が現れにくく，成長するまで気付かれないこともあり得る．気付かれないまま重度で不可逆的な肺高血圧が進展し，アイゼンメンジャー症候群と判断される例には，閉鎖術に際しての危険性も高く，閉鎖術による予後の改善が認められない．むしろ，肺高血圧増強時の心拍出維持のために動脈管を介しての右左短絡があった方がよいと考えられる．一方，短絡による負荷が目立たない小さなPDA，とくに心雑音を聴取しないような短絡がごくわずかなPDA（いわゆるsilent PDA）への閉鎖術の適応については議論が分かれる．小さなPDAの合併症としては，感染性心内膜炎が知られている．近年の経カテーテル的閉鎖術の有効性と安全性が向上し，予防的治療が長期的に見て自然歴や合併症を上回ると考えられるようになってきた．ただし，1歳を過ぎて4，5歳までの幼児期に自然閉鎖する例も存在する．したがって，silent PDAに対する予防的閉鎖術の適応や時期は慎重に判断する必要がある．

閉鎖術の適応や方法は遺伝染色体疾患の有無ではほとんど変わらない．早期産児の場合はインドメタシン静注による閉鎖を試みるが，それ以降の場合は後側方開胸または胸骨正中切開による外科的結紮術・離断術，胸腔鏡下動脈管閉鎖術（video-assisted thoracoscopic surgical PDA closure，以下VATS-PDA），経カテーテル的閉鎖術の3つに分けられる．

外科的結紮術・離断術は，最初の心臓外科手術として1939年から報告され，いまや超低出生体重児でも安全に行われるようになっている．しかし，治療の性質上，切開創が残るのみならず，胸郭変形，反回神経麻痺，呼吸障害，乳び胸，気胸，出血，残存短

JCOPY 498-14563

絡，感染といった合併症が一定の割合で生じる．そのため，現時点でわが国では乳児期早期（6カ月未満，体重6kg未満）で心不全症状が内科的治療に抵抗し体重増加が望めない場合は経カテーテル的閉鎖術が一般的になっている．VATS-PDAは，低侵襲であり，切開創，胸郭変形をほとんど認めない有力治療法だが，手技と装置・設備の普及に至っていない．

経カテーテル的閉鎖術についは，現在では，コイルあるいは閉鎖栓の2つの方法が主流になっている．コイルによる閉鎖術は，1992年に最小径2.5mm以下のPDAを閉鎖する方法として初めて報告された．わが国でも1996年以降，最小径2mm以下の小径PDAに対しては，インコネル（ニッケル・クロム合金）製のCook Flipper® PDA Detachable Embolization Coil（通称Flipper）が最も汎用され，標準的な治療の1つとなっている 図2 ．閉鎖栓の代表は，アンプラッツァー閉鎖栓（Amplatzer duct occluder, 以下ADO）で，ニチノール（ニッケル・チタン合金）のメッシュの内部にポリエステ

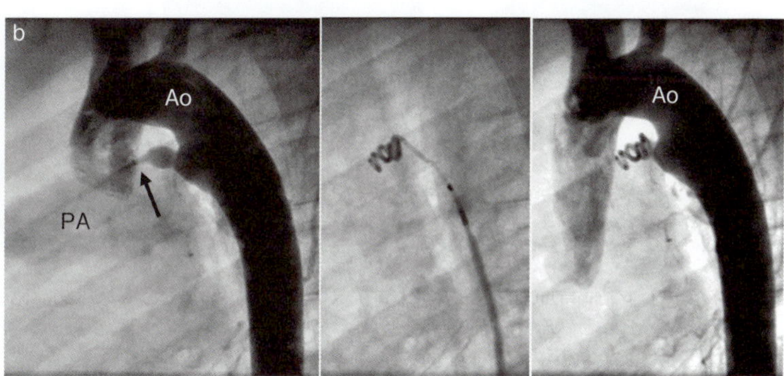

図2 コイルによる動脈管閉鎖術
a) Flipperコイル（製品製造および画像提供：Cook Medical社）.
b) ダウン症の3歳2カ月女児, Flipperコイル（3mm/5巻）使用．PDAの肺動脈側（0.8mm, 矢印）に対して，大腿動脈より4Fカテーテルでアプローチ，翌日合併症なく退院．
PA: 肺動脈，Ao: 大動脈

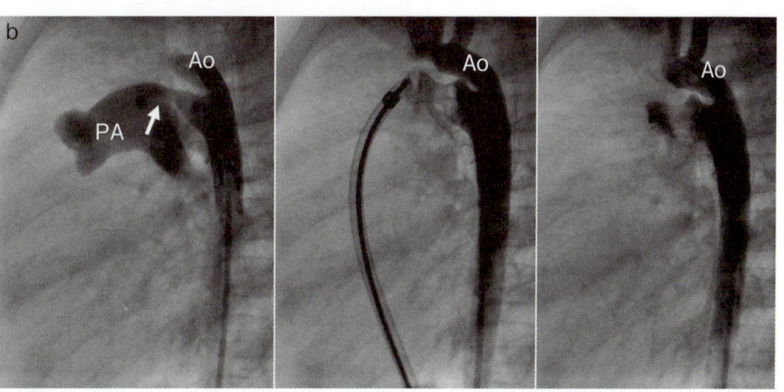

図3 アンプラッツァー閉鎖栓（Amplatzer duct occluder: ADO）による動脈管閉鎖術
a) Amplatzer duct occluder（ADO）
b) ダウン症の生後6カ月女児，ADO（サイズ8/6）使用．PDAの肺動脈側（3.3mm，矢印）に対して，大腿静脈より6Fデリバリーシースでアプローチ，翌日合併症なく退院．
PA: 肺動脈，Ao: 大動脈

ル繊維が縫着され，ネジ式着脱機構を有している．シルクハット型の形状で，遠位端のディスクが放射状に展開してPDA膨大部の大動脈側に固定され，ディスクを欠いた近位端も肺動脈側開口部を押し広げる形で固定される 図3 ．1998年に初回使用例が報告され，わが国でも2009年より普及している．生後6カ月未満または体重6kg未満の乳児では，大動脈側のディスクが突出し大動脈縮窄を呈するなどの合併症の危険が高いため，推奨されていない．一方，新しいAmplatzer閉鎖栓として，2019年よりADO-II 図4 ，2020年よりPiccolo occluder 図5 がわが国にも導入され，新生児，低出生体重児を含めてほとんどすべてのPDAが経カテーテル的に閉鎖の対象となった．いずれも，通常の3.0テスラ以下のMRI撮像に対応可能な材質となっている．

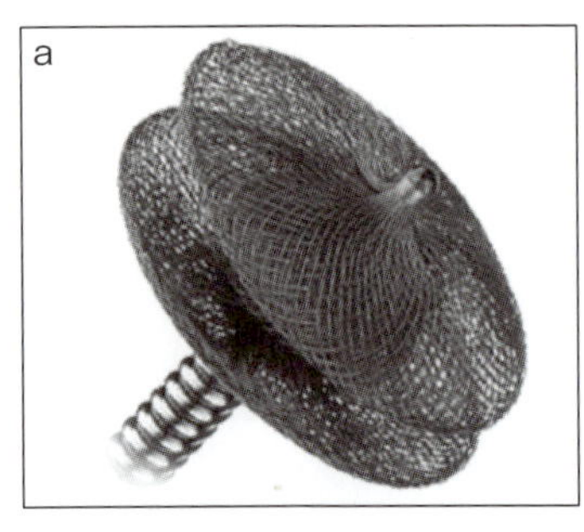

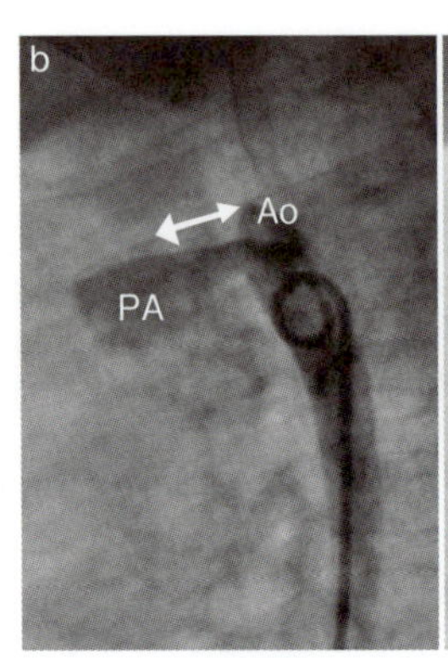

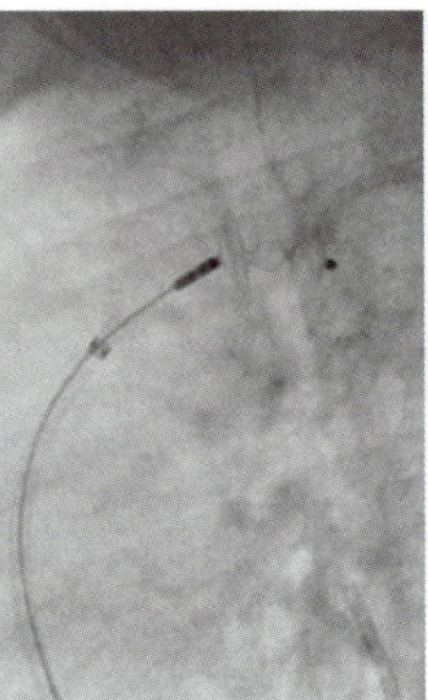
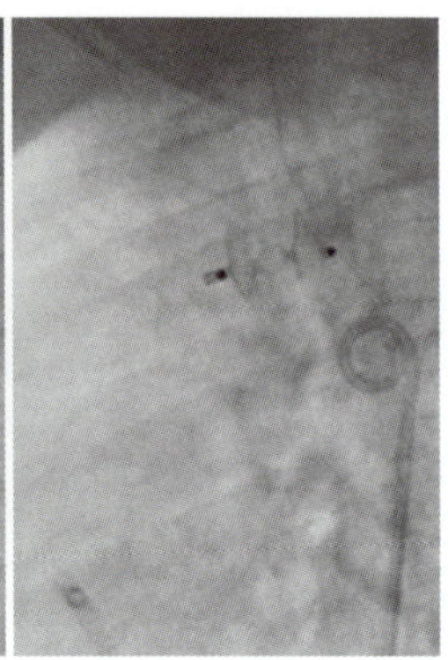

図4 アンプラッツァー閉鎖栓（Amplatzer duct occluder-Ⅱ; ADO-Ⅱ）による動脈管閉鎖術

a）Amplatzer duct occluder-Ⅱ（ADO-Ⅱ）（https://www.structuralheartsolutions.com/us/index.php?id=131&L=0 より引用）

b）ダウン症の生後1歳2カ月男児，ADO-Ⅱ（サイズ3～4）使用．重度肺高血圧を伴うPDA（肺動脈側4.9mm，大動脈側6.8mm，長径7.6mm（両端矢印））に対して，大腿静脈より5Fデリバリーカテーテルでアプローチ，両側のディスクで管状のPDAを挟み込む形で安定留置．肺動脈側，大動脈側への突出を最小限にするため，最も小さなサイズのADO-Ⅱを選択した．そのため直後は残存短絡あり，肺高血圧の改善とともに3カ月後に残存短絡が消失．重度肺高血圧に対する段階的な治療とした．

PA: 肺動脈，Ao: 大動脈

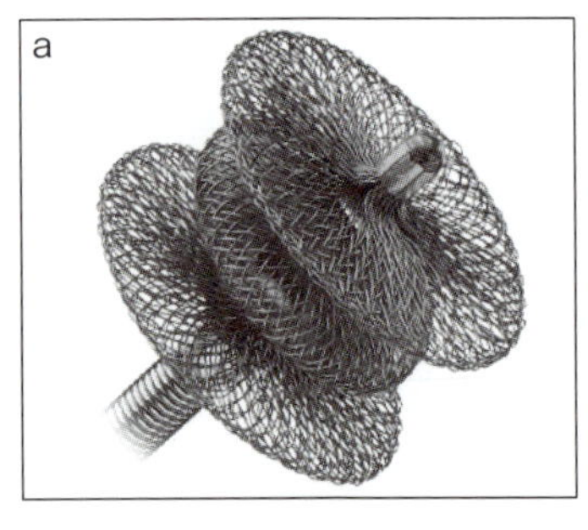

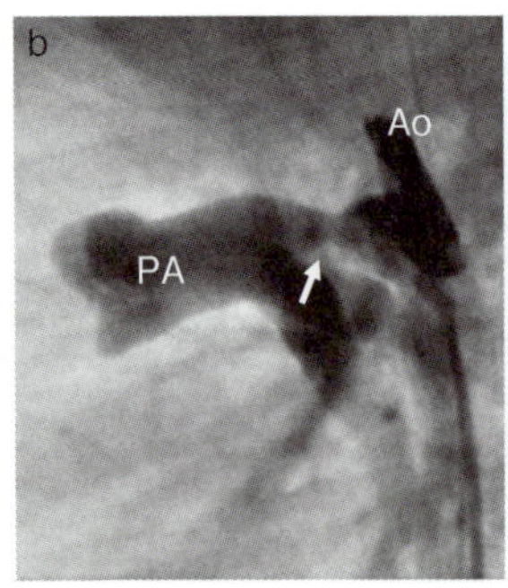

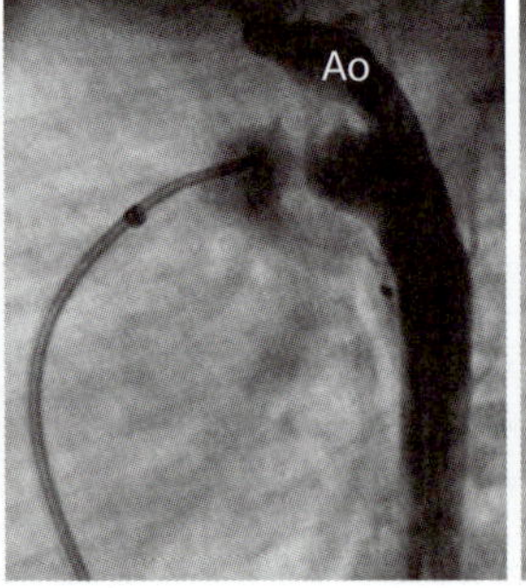

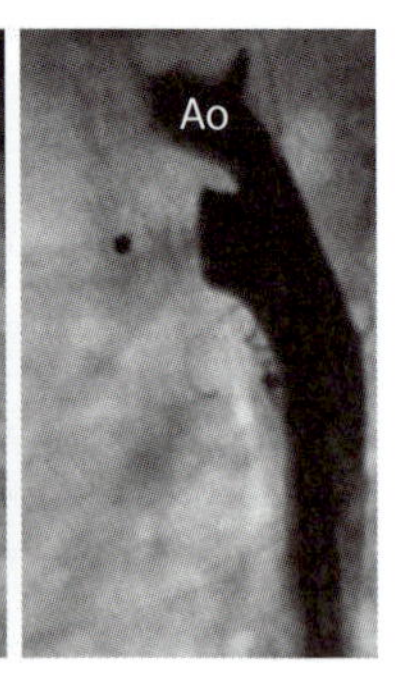

図5 アンプラッツァー閉鎖栓（Amplatzer Piccolo occluder）による動脈管閉鎖術

a）Amplatzer Piccolo occluder（https://www.structuralheartsolutions.com/us/index.php?id=131&L=0 より引用）

b）ダウン症の生後4カ月女児，Amplatzer Piccolo occluder（サイズ5-2）使用．PDA（肺動脈側2.2mm（矢印），大動脈側5.9mm，長径4.3mm）に対して，大腿静脈より4Fデリバリーシースでアプローチ．肺動脈側，大動脈側に突出することなく留置され，翌日合併症なく退院．

PA: 肺動脈，Ao: 大動脈

後側方開胸による外科的閉鎖術の後は，肋骨のずれから側弯が進展することがあり，長期的な外来経過観察が望まれる．一方，VATS-PDA や経カテーテル的閉鎖で合併症なく治癒した場合は，1 年程度で外来フォローが終了となる．

② 大動脈弓とその分枝の異常

先天性心疾患や，22q11.2 欠失症候群など一部の遺伝性疾患には，さまざまな大動脈弓とその分枝異常を合併する頻度が高い．一方，ダウン症にはその合併率は低いといわれている．ただし，右鎖骨下動脈起始異常の合併頻度はやや高く，30％程度との報告もある[6]．この分岐異常では，通常大動脈弓の第 1 枝である右腕頭動脈から分岐する右鎖骨下動脈が，第 3 枝である左鎖骨下動脈のあとで大動脈弓 - 下行大動脈移行部から分岐し，気管と食道の背側を走行する 図6 ．無症状で経過することも多く，疑って心エコー検査や CT，MRI で診断されるため，実際の合併頻度はもっと高いかもしれない．症状を呈する場合には，ミルクから固形物の摂食が進んだ幼児期以降に嚥下障害を生じることがある[7]．

非常にまれではあるが，前述のように静岡県立こども病院では，大動脈弓自体の異常として，過去 40 年で大動脈縮窄 5 例，大動脈弓離断 1 例のほか，血管輪の代表である重複大動脈弓を 1 例に認めている．大動脈縮窄・離断では，動脈管の閉鎖を伴うと下半身の血流が低下し重篤な循環不全に陥る．また，重複大動脈弓の典型例では，血管輪に気管と食道がはさまれ，気管狭窄症状で発症する．当院の経験では，いずれも心室中隔欠損症，ファロー四徴症といった心内病変に合併し，大動脈に対する外科的な修復術を受けている．

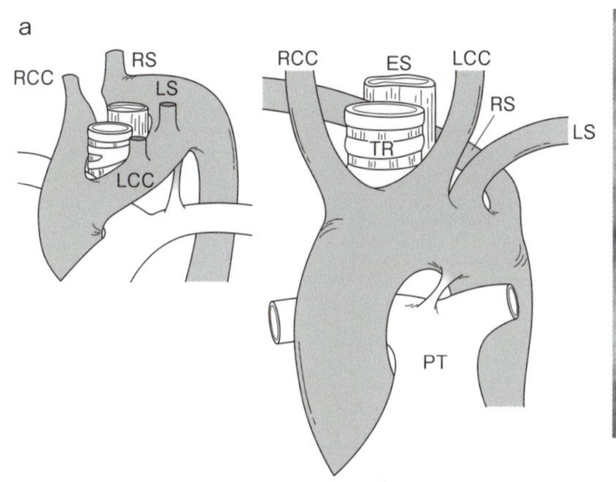

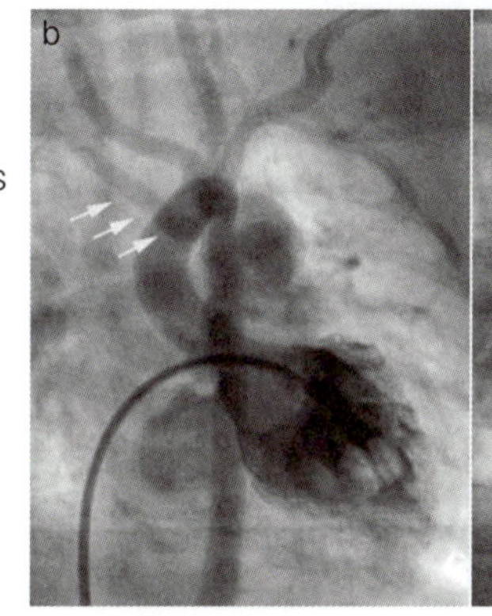

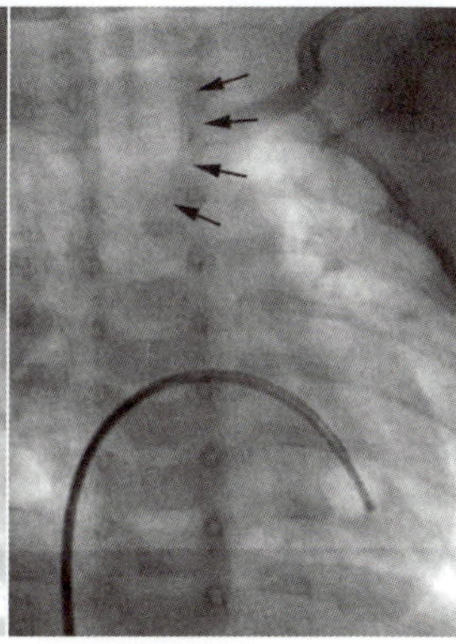

図6 右鎖骨下動脈起始異常

a) 摸式図（Amplatz K, et al. Radiology of Congenital Heart Disease. St. Louis: Mosby-Year Book; 1993. p.995-1049 より改変）

b) 左室造影（心室中隔欠損，3 カ月女児）．大動脈弓 - 下行大動脈移行部から分岐した右鎖骨下動脈（白矢印）により，拡張・途絶した食道の透亮像を認める（黒矢印）．

TR: 気管，ES: 食道，PT: 肺動脈幹，RCC: 右総頸動脈，LCC: 左総頸動脈，RS: 右鎖骨下動脈，LS: 左鎖骨下動脈

【参考文献】

1) Freeman SB, Bean LH, Allen EG, et al. Ethnicity, sex, and the incidence of congenital heart defects: a report from the National Down Syndrome Project. Genet Med. 2008; 10: 173-80.
2) Goldmuntz E, Crenshaw ML. Genetic aspects of congenital heart defects. Moss and Adams' Heart disease in infants, children, and adolescents. 9th ed. Philadelphia: Wolters Kluwer; 2016. p.87-115.
3) Papavassiliou P, York TP, Gursoy N, et al. The phenotype of persons having mosaicism for trisomy 21/Down syndrome reflects the percentage of trisomic cells present in different tissues. Am J Med Genet A. 2009; 149A: 573-83.
4) Yang Q, Rasmussen SA, Friedman JM. Mortality associated with Down's syndrome in the USA from 1983 to 1997: a population-based study. Lancet. 2002; 359: 1019-25.
5) 金　成海. EBM に基づく動脈管開存へのカテーテル治療. In: 石井正浩, 他編. EBM 小児疾患の治療 2011-2012. 東京: 中外医学社; 2011. p.104-11.
6) 北野正尚, 杉山　央, 矢内　淳, 他. ダウン症候群における大動脈弓形態の特徴. 日小児循環器会誌. 2001; 17: 420-3.
7) 金　成海. 血管輪 / 肺動脈スリング. In: 五十嵐　隆, 他編. 小児内科. Vol. 44 増刊号「小児疾患の診断基準」. 第 4 版. 東京: 東京医学社; 2012. p.496-9.

〈金　成海〉

JCOPY 498-14563

循環器疾患

3. 心房中隔欠損症

ポイント

1…心房中隔欠損症は 21 トリソミーに合併する頻度が高い先天性心疾患の 1 つである.

2…通常小児期には無症状で，若年期以降症状を呈することが多いが，21 トリソミーでは，乳幼児期から肺高血圧，心不全症状をきたしやすい傾向にある.

3…乳児期にスクリーニングの心エコー検査で発見されることがあり，中等度以下の欠損孔は自然閉鎖することがある.

4…経カテーテル的閉鎖術と外科手術に閉鎖術があるが，前者の適応は限られ，時期と形態の点から慎重に判断する必要がある.

心房中隔欠損症は，右房・左房間の中隔の一部ないし大部分が欠損し短絡を有する疾患である．通常，胎生期には心房下方の一次中隔，上方の二次中隔がスリット状に卵円孔を形成し，臍帯血から酸素化された右房血が左房から体循環へと供給される．出生後には臍帯血がなくなり，肺循環の確立とともに左房圧が上昇し，卵円孔で左右短絡となる．その後，生後 2 ～ 3 日で上下の中隔の組織が増加，圧着することにより機能的に閉鎖し，数カ月で組織学的に閉鎖するが，閉鎖せずに有意な短絡が持続すれば心房中隔欠損症として発症する 図1 .

乳児期に心エコー検査で診断された心房中隔欠損症で，1 歳 6 カ月以内に自然閉鎖（機能的に閉鎖し短絡が消失）する可能性は，径 3mm 以下で 100%，径 3 ～ 5mm で 87%，径 5 ～ 8mm で 80%，8mm 以上では自然閉鎖が起こらないと報告されている [1].

一方，正常成人の 20 ～ 30%は，器質的閉鎖に至らず卵円孔開存（patent foramen ovale; PFO）を有するとされている．PFO は，普段は短絡をほぼ認めず，若年期以降で一次的な右左短絡を介して奇異性血栓による脳梗塞，片頭痛などの原因になり得ることが知られている.

他のさまざまな先天性心疾患で心房中隔欠損症が併存することが多いが，ここでは心房中隔欠損症を主疾患とする状態について概説する [2].

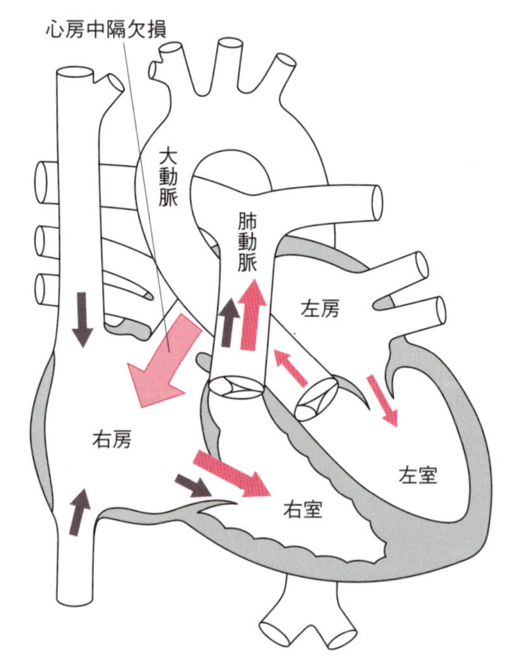

図1 心房中隔欠損（atrial septal defect; ASD）

① 症状

顕著な心雑音や心不全症状で発症する心室中隔欠損や完全型房室中隔欠損とは異なり，単独のASD（atrial septal defect）では通常乳幼児期に症状を呈することが少なく，学童期以降に検診における心雑音や心電図異常で発見されることが多い．ときには成人期以降，就職時，あるいは女性の場合は妊婦検診で初めて指摘されることもある．一方，21トリソミーでは，先天性心疾患の合併率が高いことが知られていることから乳児期にスクリーニングの心エコー検査を受けることが多く，ASDのほとんどがより早期に発見される．

ASD全体では，乳幼児期にほぼ無症状であり，気道感染罹患時に咳，喘鳴などの呼吸困難が増強しやすい傾向にある．

乳児期早期には，胎児循環の影響から右室の肥厚や拡張能低下が残り，欠損孔がごく小さくても，啼泣時に右左短絡を呈しチアノーゼを生じることがある．また，ASDの数%には肺高血圧を合併し，乳幼児期から呼吸障害，心拡大，肝腫大，成長障害といった心不全症状で発症することも知られている．なかでも，21トリソミーでは，呼吸障害（巨舌や上気道狭窄，筋緊張低下に伴う呼吸運動の弱さ）の素因があるために肺高血圧をきたす可能性が高く，注意深い診断と観察，ならびに治療介入の適応と時期の判断が重要となる．

JCOPY 498-14563

② 診断

病型診断，肺動脈弁狭窄・部分肺静脈還流異常・房室弁逆流などの合併症の有無を診断する．

ASD の病型分類を 図2 [3]，表1 に示す．一次孔欠損（ostium primum defect）は後述する房室中隔欠損（心内膜床欠損）に含まれる．21 トリソミーに合併する ASD のほとんどは一次孔または二次孔の欠損であり，その他の病型はまれである．

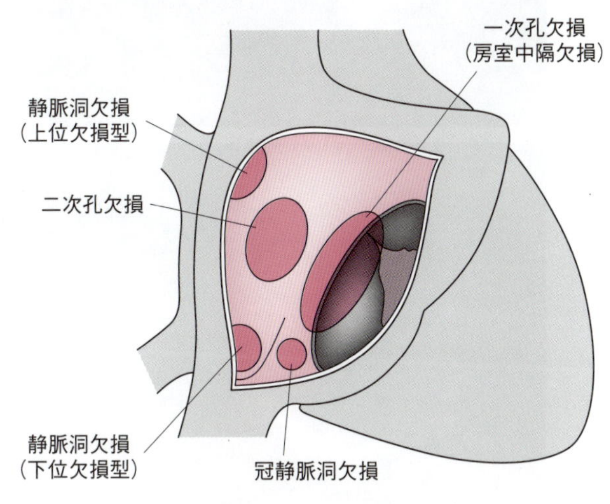

図2 ASD の病型分類

表1 ASD の病型分類

1. 一次孔欠損（ostium primum defect）
2. 二次孔欠損（ostium secundum defect）
3. 静脈洞欠損（sinus venosus defect）
上位欠損型
下位欠損型
4. 冠静脈洞欠損（coronary sinus defect）
5. 単心房（single atrium, common atrium）

A. 二次孔欠損

すべての ASD の 65 ～ 80%を占め，中央の卵円窩を含んだ欠損孔である．卵円窩に限局しているもののほか，卵円窩の外側へ広がっているもの，多孔性（multifenestrated，cribriform）のものもみられる 図3．

B. 静脈洞欠損

すべての ASD のなかで，上位欠損型は 5 ～ 10%，下位欠損型は 2%にみられるまれな病型であり，特に 21 トリソミーではまれである．卵円窩より外側で上大静脈もしくは下大静脈の直下に開口し，後縁は存在しない．心房中隔の発生異常により欠損孔が単独に存在する場合も静脈洞欠損に含まれるが，典型的には静脈洞の発生異常により上大静脈もしくは下大静脈が右側肺静脈の還流異常を伴って，卵円窩周囲の心房中隔に騎乗し，その間に欠損孔が介在する．

a

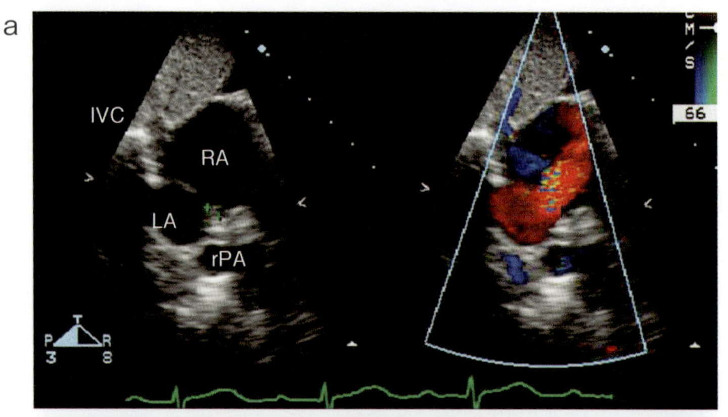

b

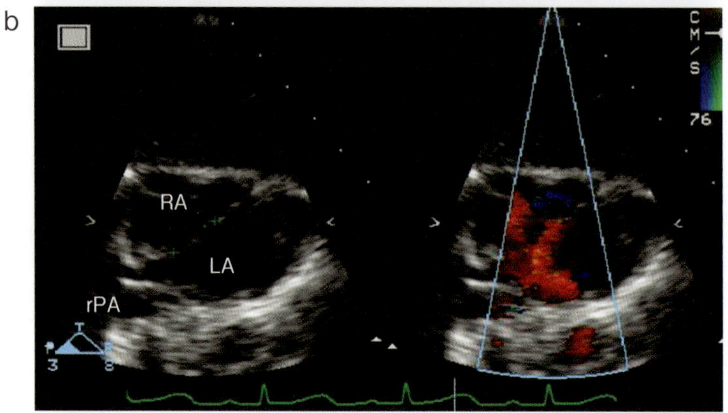

図3 二次孔欠損

a）前上方欠損の季肋下長軸像．左房上壁に向かう上縁が欠損している．体重11kg の 2 歳児．b）多孔性欠損（multifenestrated, or cribriform ASD）の季肋下四腔断面像．生後 3 カ月児．体重 10 ～ 15kg 以下の乳幼児ではこれらの断面で正確な形態診断が可能なことが多い．
IVC: 下大静脈，RA: 右房，LA: 左房，rPA: 右肺動脈．

③ 閉鎖術の適応および至適時期

有意な右心系容量負荷，肺血流増加の所見が将来にわたって持続する場合は閉鎖術の適応である．適応の基準は肺体血流比 1.5 以上とされている．この血流比は，心エコー検査，心臓カテーテル検査によって推定することが可能だが，いずれも正確な算出が難しく，心臓 MRI の位相差コントラスト法が最も信頼できる．ただし，30 分ないし 1 時間程度の体動の抑制を要し，幼少児や発達遅延のある患児では全身麻酔を要することが多い．このような肺体血流比の測定によらなくても，聴診上の三尖弁通過血流の増加に由来する拡張期ランブルやⅡ音固定性分裂，胸部 X 線上の心拡大と肺血管陰影の増強，心電図上の右室拡大所見（不完全右脚ブロック，右室肥大パターン，胸部誘導における T 波の不連続性），心エコー検査上の右房・右室の拡大や心室中隔の奇異性運動，といった所見を認める場合，明らかに肺体血流比が 1.5 を超えていると判断される．そのような場合は心臓カテーテル検査や心臓 MRI のような煩雑で侵襲的な検査を必要としない．

概ね径 8mm 以下の中等度の欠損孔では，4 ～ 5 歳の幼児期までに自然閉鎖する例も

JCOPY 498-14563

あるので，症状がない限りしばらく経過観察を続ける．一方，自然閉鎖傾向を示さない例では，成人期にかけて徐々に欠損孔の大きさは伸展し，心房性不整脈，奇異性血栓による塞栓症，肺高血圧，右室機能不全，弁逆流といった不可逆的な合併症を生じ，生命予後や生活の質（QOL）を悪化させることが知られている．そのため，症状が出現するより前に計画的に閉鎖術を受けることが勧められる．経カテーテル的閉鎖術の場合は，操作性の点から体重 15kg 以上が目安となる．外科的閉鎖術の場合は，無輸血体外循環の可能性，および手術侵襲や創の大きさの点から，体重 10 ～ 15kg が最適とされる．

前述のような，乳児期から肺高血圧や心不全症状を伴う例においてはより早期の閉鎖術を考慮する．心エコー検査上，右室圧の上昇に伴う心室中隔の平坦化（奇異性運動は消失する）や三尖弁逆流の速度増加により，肺高血圧の合併が確認されれば閉鎖術適応となる．肺高血圧が軽度の場合はそのまま安全に閉鎖術を行うことが可能だが，顕著な場合は，心臓カテーテル検査にて肺動脈圧直接測定，肺血管抵抗算出が行われる．平均肺動脈圧の正常値 15mmHg 以下に対して，20 ～ 25mmHg 以上が肺高血圧の基準である．また，肺血管抵抗の正常値 1 ～ 2wood 単位以下に対して，7wood 単位以上で閉鎖術に対するリスクが高くなり，10wood 単位以上で閉鎖術後も何らかの肺血管拡張薬の継続が必要とされる．さらに，14wood 単位以上では，不可逆的な肺高血圧が進展したアイゼンメンジャー症候群と判断され，閉鎖術による予後の改善が認められず，むしろ，肺高血圧増強時の心拍出維持のために心房間での右左短絡を残したほうがよいと考えられる．

④ 経カテーテル的閉鎖術

経カテーテル的閉鎖術のために 1970 年代からさまざまな閉鎖栓が開発されてきたが，現在まで世界的にも最も多く使用されているのがアンプラッツァー閉鎖栓（Amplatzer septal occluder; ASO）である．ASO は，2006 年より本邦でも導入され普及している．ニチノール（ニッケル・チタン形状記憶合金）ワイヤーで編み込まれた円板状の 2 枚のディスクの内部にポリエステル製パッチが縫着され，右房側ディスクの中心にはスクリューがあり，デリバリーケーブルと連結してデリバリーシース内に収納できる構造となっている．図4 に示すように，2 枚のディスクの間のコネクティングウエストは 3 ～ 4mm の厚みがあり，直径 6 ～ 40mm まで，1 ～ 2mm 刻みにサイズ設定され，この直径を閉鎖栓のサイズとする．左房側ディスクは右房側ディスクより大きく，それぞれコネクティングウエストより片側 6 ～ 8mm，4 ～ 5mm 幅広くなっている．2016 年より，2 番目に普及しているオクルテック閉鎖栓（Occlutech Figulla Flex II septal occluder; FSO）も本邦で導入された．FSO は ASO と同様の 2 枚傘構造であるが，よりしなやかで柔らかく，連結部がスクリューではなく角度可変の把持式の構造となっている特徴があり，症例によって使い分ける．

いずれも実際の留置では，経食道心エコーで，欠損孔の位置や大きさを正確に評価したうえで最も適切なサイズの閉鎖栓を選択し，術中もエコー画像でモニタリングしながら手技を行う 図5 ．留置が不適切な場合でも閉鎖栓をシース内に容易に再回収でき，

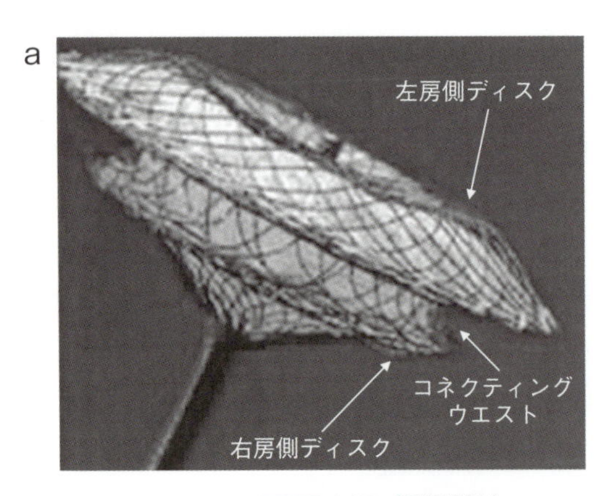

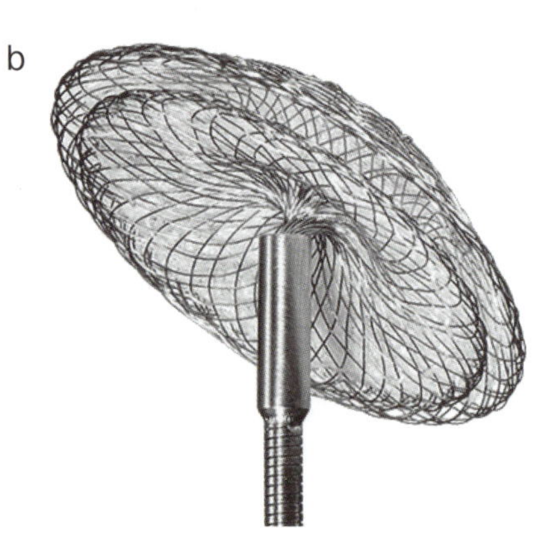

図4 ASD 用閉鎖栓

a）Amplatzer septal occluder（ASO）
b）Occlutech Figulla Flex Ⅱ septal occluder（FSO）

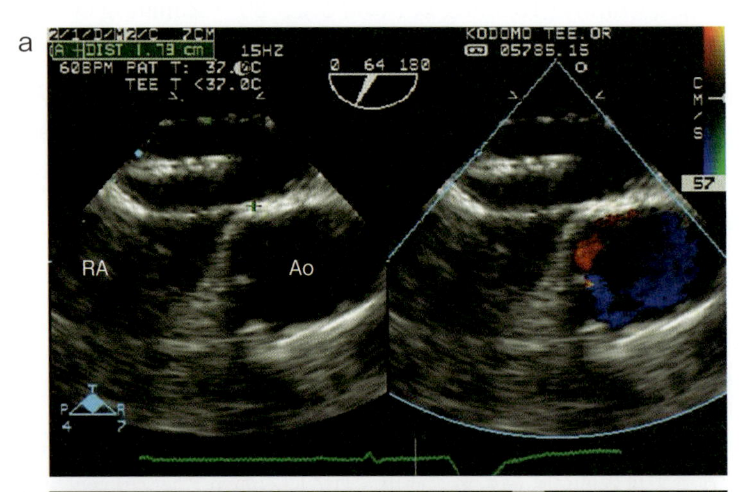

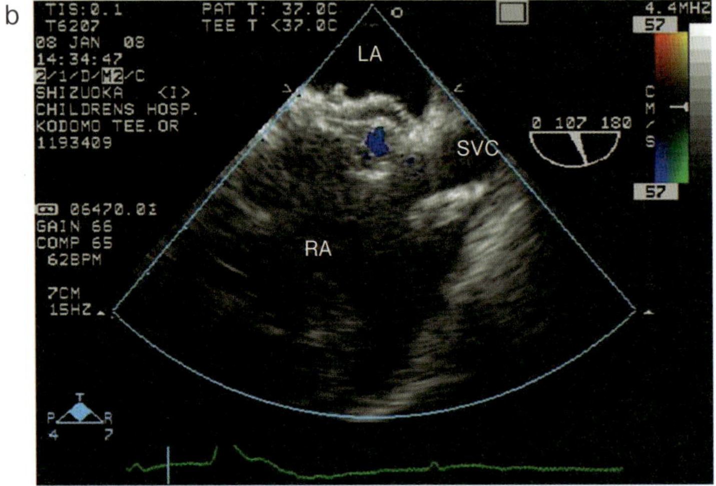

図5 アンプラッツァー閉鎖栓留置術中の経食道心エコーによるモニタリング

a）Stop-flow 法によるバルーンサイジングで 17.9mm と計測される．
b）バルーンサイジングに基づいて 18mm の閉鎖栓を展開したところ．
RA: 右房，Ao: 大動脈，LA: 左房，SVC: 上大静脈．

JCOPY 498-14563

展開を繰り返すことができる．

経カテーテル閉鎖術の適応は二次孔欠損に限られ，固定のためにはある程度心房中隔の辺縁が揃っていることが条件となる．そのため，適応となるのは二次孔欠損のなかでも70～80％程度である．辺縁の最も少ない部分で5mm未満の場合を辺縁欠損とする．二次孔欠損では，中央の卵円窩の部分のみ欠損する例はむしろ少なく，大動脈基部のすぐ裏に位置する前上縁が欠損する症例が約半数以上を占める．一部完全に欠損していても経カテーテル的閉鎖術の対象となるが，このような例では，閉鎖栓による大動脈基部あるいは心房上壁への心侵食（erosion）による心穿孔，心タンポナーデといった重篤な合併症が起こりやすいため，注意が必要である．閉鎖栓のサイズが最小限となるよう選択する，柔軟なFSOを選択する，といった慎重な配慮により予防に努めるが，世界的にも本邦においても心侵食の発生率は0.1～0.2％とされている．その他の辺縁については，房室弁，冠静脈洞，右肺静脈側が欠損する場合は周辺への干渉のため適応外であり，特に下縁が広範囲に欠損する場合は閉鎖栓が脱落しやすいため適応外となる．もう1つの大きな合併症は，閉鎖栓留置・離脱後の脱落で，その発生率は0.5％程度と報告されている．閉鎖栓が脱落すると，心房内，心室内，肺動脈内，大動脈内のいずれかに遊離し，約7割は経カテーテル的に回収することが可能とされている．心侵食が起こった場合や，脱落で経カテーテル的に回収困難な場合は，緊急手術にて閉鎖栓の除去，欠損孔閉鎖を受ける必要があり，その危険性は予定的な手術と比較して高くなる[4)]．この2つの合併症を除くと，治療成績はきわめて良好で，人工心肺，手術創，疼痛がないことから外科手術と比較して身体的精神的負担が軽く，入院期間が短いというメリットがある．そのためには，前述の適応を充分に判断する必要がある．

⑤ 手術

外科的閉鎖法のアプローチとしては，胸骨正中切開あるいは部分切開と，右側方開胸がある．いずれの場合も人工心肺を使用した体外循環下に心停止で行う．ここでは一般的な胸骨正中切開によるASD閉鎖について紹介する 図6，図7．

体外循環確立後，上行大動脈を遮断，大動脈基部に心筋保護液を注入し，心停止下に右房を切開する 図8．二次孔欠損の場合，多くは直接縫合閉鎖が可能である．周囲の構造物（肺静脈，下大静脈，三尖弁など）の変形を避けるためにパッチを使用する場合は，新鮮自己心膜やePTFEパッチを用いる．心拍再開後の脳空気塞栓の予防のため，術中の左心系の血液吸引は最小限とし，ASD閉鎖直前には肺を加圧して左心系から充分に脱気するとともにASD遺残のないことを確認する．静脈洞欠損の場合は，肺静脈の狭窄を避けるため積極的にパッチ閉鎖を選択する．部分肺静脈還流異常（PAPVC）合併例や左上大静脈遺残を伴う冠静脈洞欠損（coronary sinus defect）については成書を参照されたい．

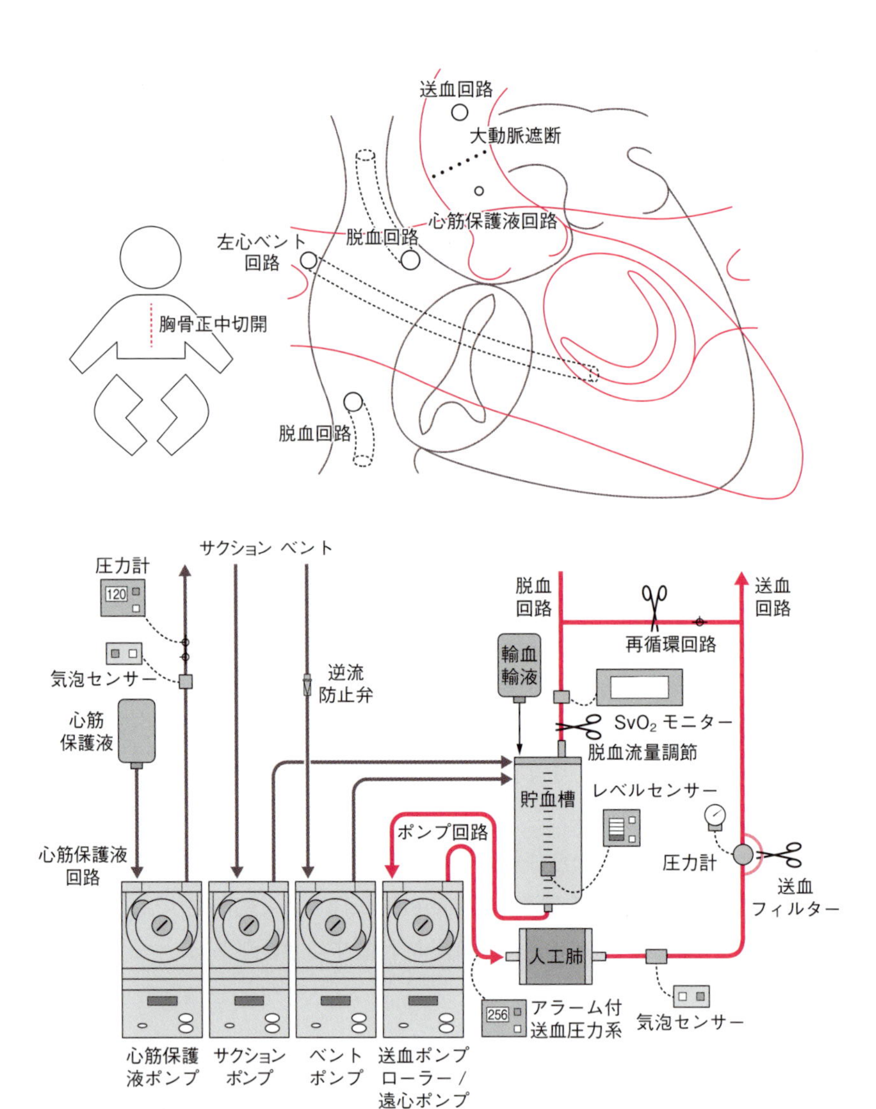

図6 基本となる送脱血部位（上），人工心肺装置構成図（人工心肺装置の標準的接続方法およびそれに応じた安全教育等に関するガイドライン）（下）

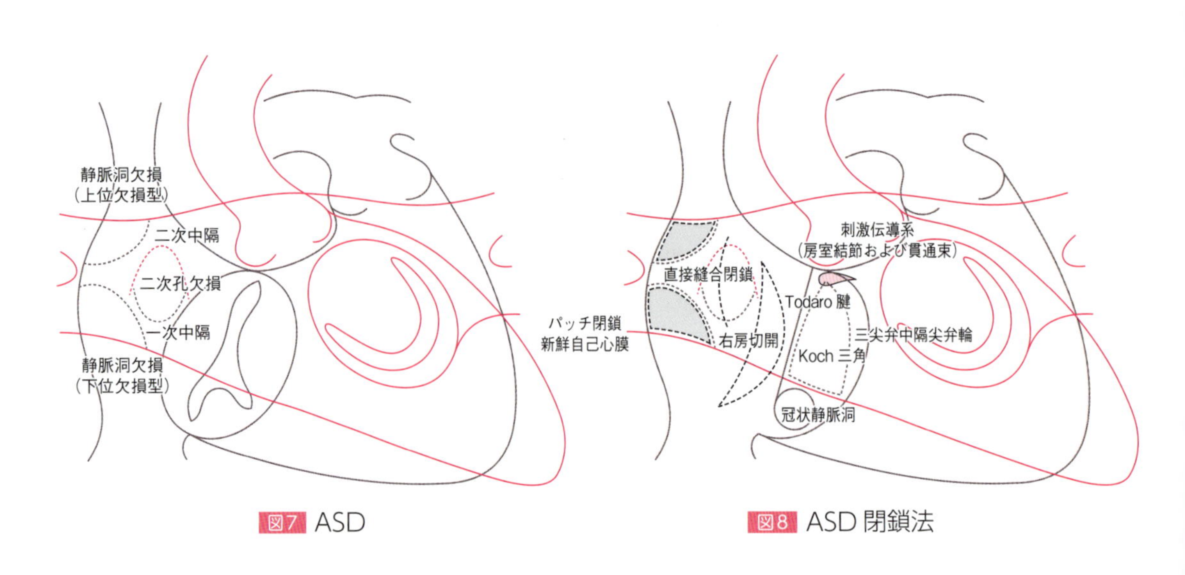

図7 ASD

図8 ASD 閉鎖法

JCOPY 498-14563

⑥ 術後経過・外来フォロー

経カテーテル的閉鎖術，外科的閉鎖術，いずれも合併症発生の比率は低く，合併症がない場合の術後経過は良好である．通常，術後 1 カ月程度の早期を過ぎれば，運動や課外活動の制限は不要となる．

経カテーテル的閉鎖術の後は，2 〜 3 カ月の間にスクリューやハブ部分など中心の突出した部分を除いて閉鎖栓の表面が内膜化され，心房壁と癒着する．微小血栓予防のため，内膜化の完成する術後 6 カ月まで抗血小板（アスピリン）の内服を行う．術後，1 カ月，3 カ月，6 カ月，1 年，以降 1 年毎に外来フォローを行い，毎回胸部 X 線の 2 方向撮影，心電図，心エコー検査を行う．特に心エコー検査にて，閉鎖栓の大動脈基部への圧迫所見について，注意深い観察を行う．サイズ 10mm 以下の規格が一段と小さい ASO や，より柔らかい FSO を留置された例では，これまで心侵食の報告はない．心侵食が起こる場合，7 割は術後 3 日以内の入院中に，残り 3 割は退院後半年以内に発生するとされている．きわめてまれには 2 〜 6 年後に突然発症したとの報告もある．通常外来フォローは 5 年程度で終了となることが多いが，大動脈基部への接触を示す例ではより長くフォローされることもある．

外科的閉鎖術後は，利尿剤などの内服薬は通常早期に終了でき，その後は創部の感染や，心内切開縫合部分を基質とする不整脈の発生に注意して定期的にフォローを行う．術後半年程度は，心膜切開後症候群が発生し心嚢液貯留による心タンポナーデが急性発症することがあり，心嚢ドレナージによる救命処置を要することがある．また，ときに美容のため胸骨正中切開を避け，右側方開胸からの閉鎖術が選択されることがある．その後のフォローにおいては，肋骨のずれから側彎が進展することがあり，長期的な外来経過観察が望まれる．

【参考文献】

1) Radsik D, Davignon A, Van Doesberg N, et al. Predictive factors of spontaneous closure of atrial septal defects diagnosed in the first 3 month of life. J Am Coll Cardiol. 1993; 22: 851-3.
2) 金 成海，満下紀恵，新居正基，他．左右短絡疾患．In: 高橋尚人，他編．小児科診療増刊 目で見る最新の超音波診断．東京：診断と治療社；2008. p.47-61.
3) Ho SY, Baker EJ, Anderson RH, et al. Color atlas of congenital heart disease. Morphologic and clinical correlations. Mosby-Wolfe; 1995.
4) DiBardino DJ, McElhinney DB, Kaza AK, et al. Analysis of the US Food and Drug Administration Manufacturer and User Facility Device Experience database for adverse events involving Amplatzer septal occluder devices and comparison with the Society of Thoracic Surgery congenital cardiac surgery database. J Thorac Cardiovasc Surg. 2009; 137: 1334-41.

〈金 成海（①〜④，⑥） 村田眞哉（⑤）〉

1

循環器疾患

4. 心室中隔欠損症

ポイント

1…心室中隔欠損症は 21 トリソミーでみられる心疾患のなかでは 2 番目に多い．21 トリソミーでは肺血管床が少なく，高肺血流によって容易に肺血管閉塞性病変をきたしやすい．そのため早期に血行動態を是正しなければならない．解剖学的状況と血行動態を評価し，適切な内科的および外科的治療について機を逸しないように計画する必要がある．

① 心室中隔欠損の分類[1)]

心室中隔欠損症は 21 トリソミーの患者にみられる心疾患のうち 2 番目に多いとされている[2)]．また，心房中隔欠損症や動脈開存症を合併することもあり，肺血流増加を増悪させる要因ともなる．

心室中隔欠損（ventricular septal defect; VSD）は心臓の発生中に心室中隔の形成不全によって起こる．VSD はその部位によって分類される．本邦ではカークリン（Kirklin）分類が一般的に用いられるが，漏斗部欠損を 2 種類に分ける分類を用いる施設もある 図1，表1．

一般的に膜様部欠損が多い（70%）．小さい欠損ではすぐ前方に存在する三尖弁中隔尖によって自然閉鎖することがある．漏斗部欠損は肺動脈弁下欠損と流出路筋性部欠損に分類する場合がある．いずれも大動脈弁右冠尖の逸脱を伴うことがあり，弁の変形によって大動脈弁逆流が進行する場合がある．流入部欠損は別名を心内膜床欠損型とよび，21 トリソミーでしばしばみられる．筋性部欠損は肉柱部に発生する．小欠損では自然閉鎖することもあるが，スイスチーズ様あるいは蜂の巣様と称される多発欠損をきたすこともある．

心室中隔と漏斗部中隔のあいだに「ずれ」が生じる場合がある．漏斗部中隔が前方に偏位し大動脈弁が心室中隔に騎乗する形になっているのを前方偏位型と称する．前方偏位が強く，肺動脈弁の低形成や弁下狭窄を伴うとファロー四徴症となる．漏斗部中隔が後方に偏位する後方偏位型では大動脈弁狭窄，上行大動脈の低形成，大動脈縮窄などがみられるが，21 トリソミーではまれである．

JCOPY 498-14563

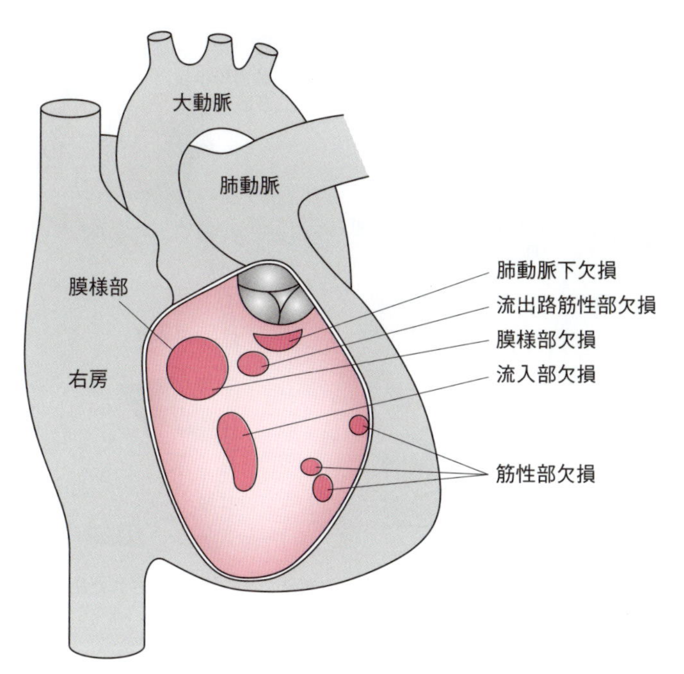

図1 VSD の位置と分類

表1 VSD 部位による分類

Kirklin 分類	東京女子医大分類
Ⅰ．漏斗部欠損	Ⅰ．肺動脈下欠損
	Ⅱ．流出路筋性部欠損
Ⅱ．膜様部欠損	Ⅲ．膜性周囲部欠損
Ⅲ．流入部欠損	Ⅳ．流入部欠損
Ⅳ．筋性部欠損	Ⅴ．筋性部欠損

② 病態

心室中隔は右心室と左心室を隔てている．心室中隔に欠損があると欠損の大きさと左右心室の圧差に比例して短絡血流が生じる．欠損口のサイズが大動脈弁口よりも大きい場合には結果的に肺血管抵抗が短絡量を規定することになる 図2 ．通常は左心室の圧が右心室よりも高いため左右短絡（シャント）となるが，右室圧が左室圧を凌駕すると右左短絡（シャント）となる．

正常では肺血管抵抗は出生後 2 ～ 3 週間で低下する．それに従って短絡血流は増加することになる．増加した肺血流は直接呼吸数を増加させるとともに，肺胞間質の浮腫による換気障害や拡張した肺動脈による気道圧迫を引き起こし，頻呼吸や陥没呼吸を引き起こす．呼吸努力の増加により体重増加不良をきたす．また，肺血流量増加によって肺血管平滑筋の収縮が引き起こされる．それによって肺血管抵抗が増加し，肺血流の減少と肺動脈圧の上昇（肺高血圧）をもたらす．年余にわたって著明な肺血流増加にさらされると，肺内肺動脈は内膜細胞増殖や線維化をきたし不可逆性の病変へと変化してゆ

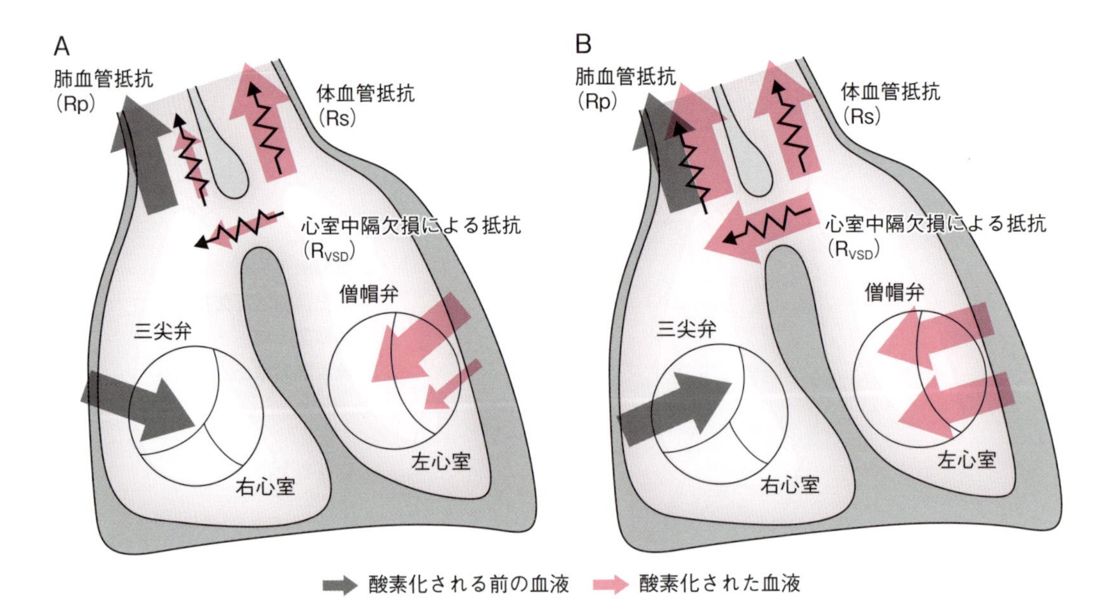

図2 VSDにおける血行動態とその規定因子

A）心室中隔欠損孔が大動脈弁より小さい場合，左右短絡の血流量はVSDによる抵抗と左右心室の圧較差によって規定される．B）心室中隔欠損孔が大動脈弁より大きい場合，左右心室の圧較差は小さくなり，左右短絡の血流量は肺血管抵抗（Rp）と体血管抵抗（Rs）によって規定される．

く．このような器質的変化を肺血管閉塞性病変とよぶ．不可逆性の肺血管閉塞性病変が完成し，右室圧が上昇して右左短絡となりチアノーゼが出現している状態をアイゼンメンジャー症候群とよぶ．

21トリソミーでは，正常心でも出生後に肺血管抵抗が高い時期が長く続く．それに加えて肺血流増加性の心疾患において，増加した肺血流に不釣り合いな肺高血圧がみられる．その原因の1つとして肺動脈の中膜平滑筋の発達不良による内膜増殖の促進があげられる[3]．また，21トリソミーに合併するさまざまな身体奇形も肺血管抵抗の増加に拍車をかける．扁桃肥大，巨舌，舌根沈下，喉頭軟化症による気道閉塞や筋緊張低下による低換気，胃食道逆流（GER）による慢性肺炎による酸素化障害，新生児遷延性肺高血圧（PPHN）などである．これらの病態は治療時期や治療方針，特に肺動脈絞扼術を選択する場合の時期や設定の方針に大きく影響する．

③ 症状と身体所見

大きな欠損を伴う場合，肺血管抵抗の低下に伴って肺血流が増加する生後3～4週間ごろから多呼吸，体重増加不良が出現する．拡張した肺動脈による気道の圧迫は喘鳴をきたすことがある．また，啼泣をきっかけに肺動脈攣縮からチアノーゼや顔面蒼白となる呼吸循環不全が出現することがある．小さな欠損の場合にはこれらの症状はほとんどみられない．

21トリソミーにおいては大きな欠損を伴っていても肺血管抵抗がなかなか低下しないため，上記のような症状を呈さないことがある．一方で，呼吸努力の上昇は筋緊張低

JCOPY 498-14563

下と相まって容易に哺乳不良と体重増加不良をきたす.

聴診所見は欠損孔の大小や短絡血流の多少によって異なる 図3 . 小欠損で肺血管抵抗が低く肺高血圧を合併しない場合には汎収縮期雑音を聴取する. 特に三尖弁や大動脈弁尖による欠損孔の狭小化が起こると雑音音量は増大する. 欠損孔が大きくなり短絡量が多くなるとⅢ音に加え僧帽弁の通過血流も増加するため, 相対的僧帽弁狭窄の拡張期中期ランブル〔カーリー-クームス (Carey-Coombs) 雑音〕を聴取する.

また, 欠損孔が大きい場合には収縮期雑音は収縮早期から減衰するようになり, Ⅱ音が亢進する. さらに, 肺血管抵抗の上昇から肺高血圧をきたし短絡量が減少するようになると収縮期雑音は小さく, ひいては消失してしまうことがある.

胸部X線写真では心拡大と肺血管陰影の増加 (肺動脈・肺静脈うっ血による) が認められる. 肺血流増加による肺分泌増加から肺炎の合併もしばしばみられる 図4 .

心電図では左室肥大, 左房拡大に加え, 右心負荷所見として V1 の T 波陽性化がみられることがある. また, 21 トリソミーでときにみられる心内膜床欠損型の VSD では左軸偏位 (上方軸) がみられる 図5 .

心エコーでは大動脈基部短軸像や右室流入路長軸像, 右室流出路長軸像, 四腔断面像, 胸骨下像などを駆使し心室中隔の欠損部を描出する 図6 ～ 図9 . 膜様部欠損, 流出路筋性部欠損, 肺動脈弁下欠損は大動脈基部短軸像で比較的容易に描出される. 筋性部欠損は他の欠損と合併して存在することがあり, 心室中隔を隅々まで観察する必要がある. 特に左室側の内面の凹凸が目立つ場合には筋性部欠損の存在を疑わなければならな

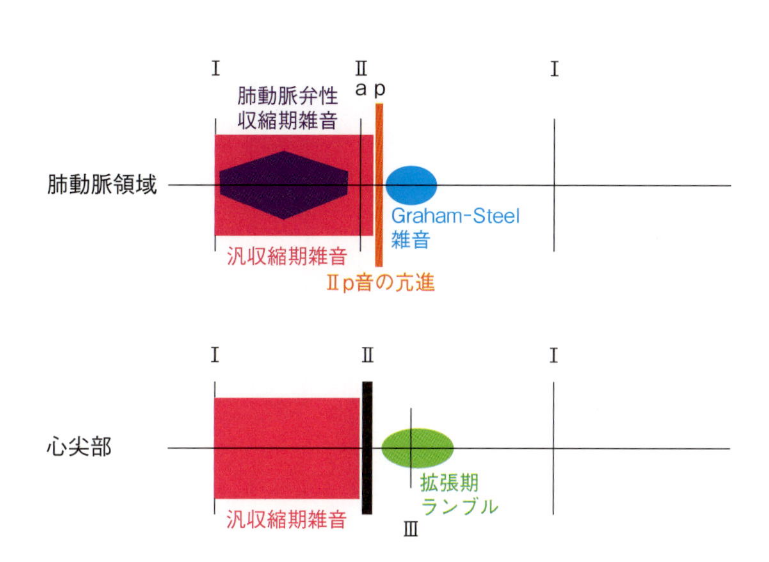

図3 VSD で聴取される心雑音と血行動態の関係

欠損孔が小さい場合, 短絡量は少ないが左右心室の圧較差が大きい場合は汎収縮期雑音となる.
欠損孔が中等度になると短絡量も増えるため相対的 MS による拡張期ランブルやⅢ音を聴取するようになる.
欠損孔が大きい場合, 短絡量は肺動脈弁や肺血管抵抗に規定され, 相対的肺動脈弁狭窄による収縮期雑音やⅡ音の亢進が聴取される.
閉塞性肺動脈病変が進行し, 大きい欠損孔にもかかわらず短絡量が少ない場合には肺動脈弁逆流によるグラハム-スティール (Graham-Steel) 雑音が聴取されることがある.

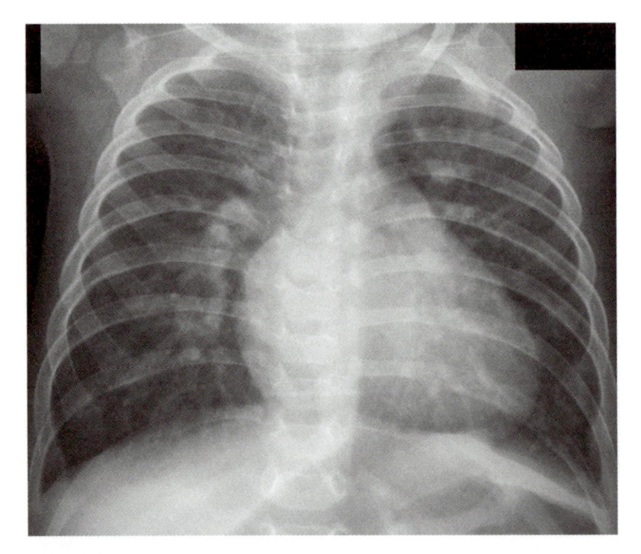

図4 胸部 X 線写真
5 カ月，21 トリソミー，膜様部 VSD，肺うっ血像と浸潤影を認める．

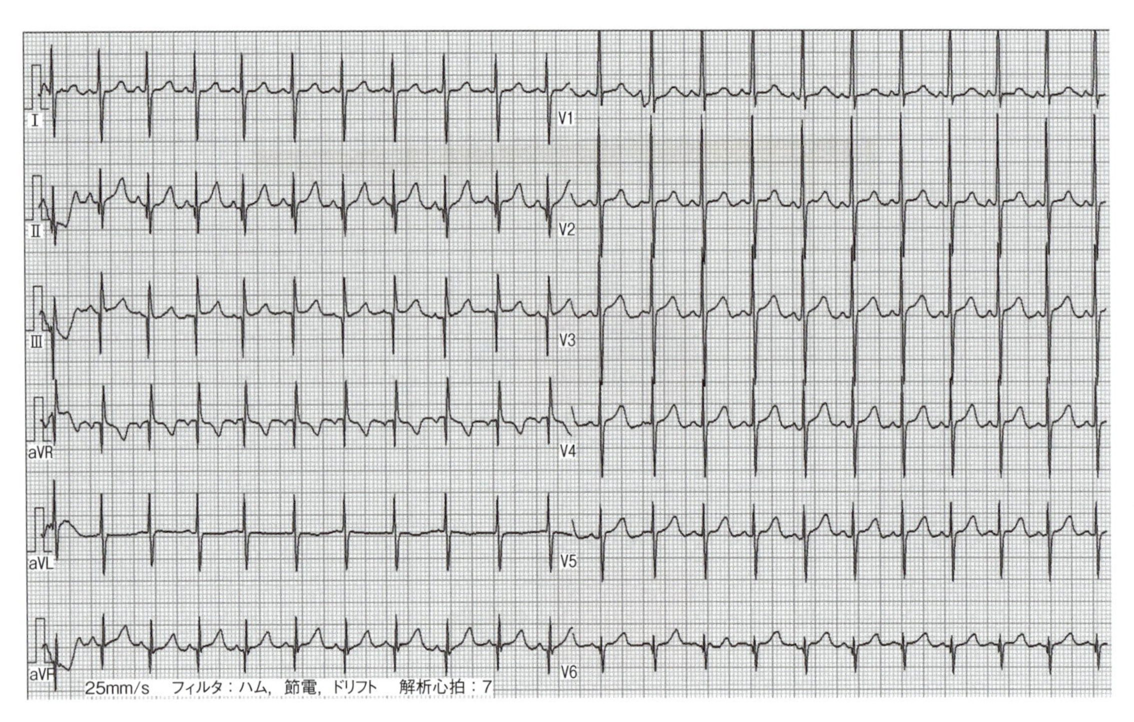

図5 心電図所見
5 カ月，21 トリソミー，膜様部 VSD，右軸偏位，V1 における陽性 T 波といった右心負荷所見を認める．

JCOPY 498-14563

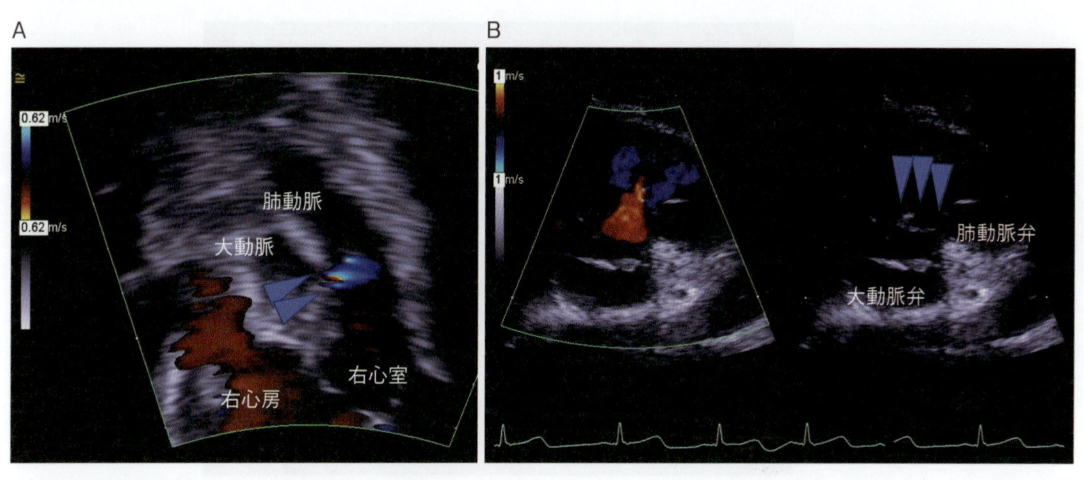

図6 肺動脈弁下 VSD の心エコー所見
A）肋骨弓下像．全体の解剖学的位置関係が容易に確認できる．B）大動脈基部短軸像．肺動脈弁下に円錐中隔が一部欠損しており，右冠尖が欠損孔に露出している．

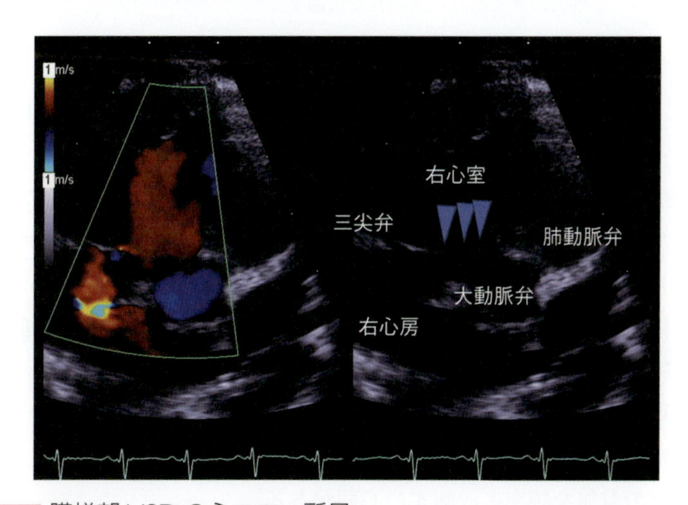

図7 膜様部 VSD の心エコー所見
大動脈基部短軸像．VSD が三尖弁と接しており心室中隔膜様部の欠損である．

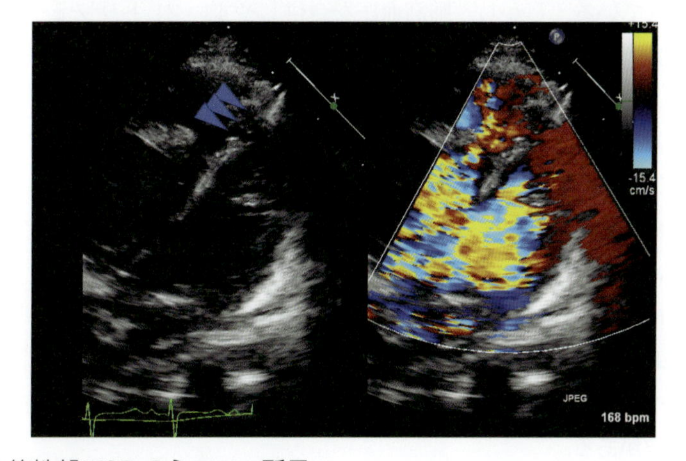

図8 筋性部 VSD の心エコー所見
四腔断面像からやや右心室自由壁側よりの view である．心尖部付近にスイスチーズ様の VSD と欠損孔を通過する血流を認める．流速レンジを適切に調節する必要がある．

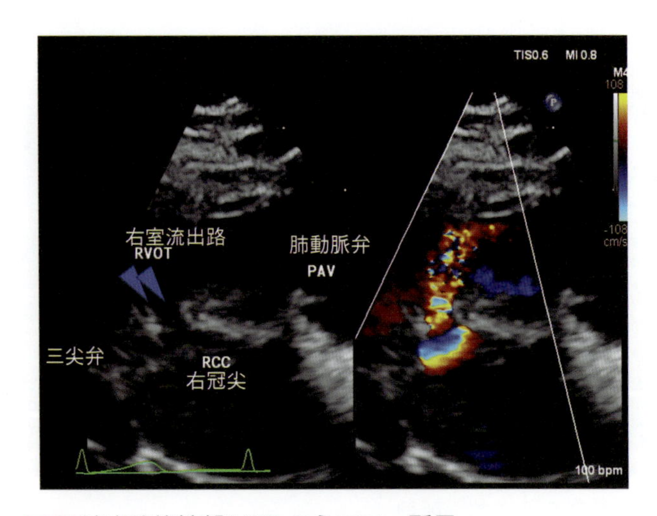

図9 流出路筋性部 VSD の心エコー所見
大動脈基部短軸像．欠損孔は三尖弁とも肺動脈弁とも接していない．
右冠尖のすぐ前方に欠損孔が位置する．

い．また，肺高血圧により右室圧が上昇している場合，圧較差が減弱しているため短絡量が少なくなっており，通常のエコーでは検出できない場合がある．肺動脈絞扼術後は右室圧が上昇し筋性部の短絡が消失することがあるため，術前に丹念に心エコーを行わなければならない．

VSD の部位診断は外科手術時のアプローチ法の選択に関わるため，心エコーで充分な情報を得ておく必要がある．それに加えて僧帽弁腱索の付着，乳頭筋の数とその位置，弁形態，特にクレフトの有無についても念入りに検討しなければならない．

21 トリソミーでは心室中隔欠損症に加え，他の疾患を合併している率が高い．心房中隔欠損症，房室中隔欠損症，ファロー四徴症，心室中隔欠損を伴う肺動脈閉鎖，動脈管開存などの有無を確実に診断する必要がある．

心臓カテーテル検査・造影検査は，心室中隔欠損症そのものだけでは実施される頻度は減ってきている．しかし，肺高血圧を合併しやすい 21 トリソミーの場合，他の疾患の除外や肺血管抵抗を計算して手術適応を検討するために両心カテーテル検査を行うことが多い．状況によっては酸素負荷や一酸化窒素（NO）負荷など，肺血管抵抗を下げる治療に対する反応性を参考にすることがある．一方で，21 トリソミーは巨舌や扁桃肥大から気道閉塞を起こしやすく，肺血管抵抗の変化も大きいため，深鎮静での心臓カテーテル検査はリスクを伴う．全身麻酔下でのカテーテル検査は安定した条件で検査ができるため，たとえ VSD に対するカテーテル検査であっても推奨される．ただし，実施前には麻酔科医と検査中の条件〔可能な限り吸入酸素濃度を 21％にする，呼気終末陽圧（PEEP）をできるだけ下げる，動脈血二酸化炭素分圧（$PaCO_2$）を最初に測定し適正なレベルに調整する，など〕を検討し，外科医とも相談し手術方針を見据えた検査を行う必要がある．

JCOPY 498-14563

④ 治療と術前管理

VSDの閉鎖の適応となるのは乳児期に体重増加不良や肺合併症のあるもの，幼児期以降では容量負荷が明らか（肺体血流比2.0以上）で欠損孔の縮小傾向がないもの，感染性心内膜炎の既往のあるもの，大動脈弁の変形や閉鎖不全を合併しているものとされる．

閉鎖術の禁忌は肺動脈圧が大動脈圧を超えているもの，および肺血管抵抗が12Wood単位・m^2を超えているものとされている．これらの状態でVSDを閉鎖すると，右心室から駆出された血流が肺を通過できず，左心室に到達しないため左心室は駆出することができない．そのため術中や術後の死亡率がきわめて高い．

肺動脈圧が大動脈圧の75～100％までの場合，また，肺血管抵抗が8～12Wood単位・m^2の場合，閉鎖術の絶対的禁忌ではない．しかし，術後に肺高血圧クライシスの発生や低心拍出，右心不全の出現が懸念される．その場合，術後の挿管管理を通常より長くしたり，一酸化窒素吸入療法や酸素吸入，内服肺血管拡張薬の使用を行い肺血管抵抗を下げる治療を術直後から充分に行う必要がある．

21トリソミーでは病態の項で述べたように，肺血管抵抗が下がりにくく，肺血管病変が急速に進展し不可逆性の肺血管閉塞性病変となってしまうため，比較的症状が軽い状態でも早期に肺血流を制限し正常化する方策をとらなければならない．また，低出生体重であることが多く，一期的に閉鎖術に向かえない場合には姑息的に肺動脈絞扼術を行い，体重増加を待って閉鎖術を行う．しかし，肺動脈絞扼術においてどれくらいの径に設定するかを考えるうえで，上気道狭窄，気管・気管支軟化症，低筋緊張，新生児遷延性肺高血圧症（PPHN），慢性肺疾患など，21トリソミーにしばしばみられる合併病変が非常に状況を難しくする．

また，21トリソミーでは肺が成熟しても肺血管床が乏しく肺血管抵抗が高くなってしまうため，いわゆる単心室血行動態〔フォンタン（Fontan）循環〕の成立はきわめて難しい．すなわち，多発性の筋性部VSDや僧帽弁の腱索異常のため外科的閉鎖が困難であったとしても，単心室を前提とした治療戦略を構築することは極力避けなければならない．懸念がある場合には早期から経験の多い施設で診療を行う必要がある．

外科的閉鎖術前において，高肺血流による呼吸症状や体重増加不良をきたすような症例では，抗心不全治療として利尿薬が第一選択である．肺うっ血がある状況での肺血管拡張作用のある薬剤および高濃度酸素投与は肺うっ血の増悪をきたすため適応はない．体血管拡張薬は肺体血流比を改善させる．ACE阻害薬や亜硝酸剤が用いられる．

肺血管閉塞性病変があり，閉鎖術の適応ぎりぎりの肺動脈圧や肺血管抵抗を示す場合，“treat and repair” とよばれる治療方針がとられることがある．これはおもに心房中隔欠損症において肺血管拡張薬による治療を行った後に閉鎖術を行うものである．21トリソミーにおいては心室中隔欠損症であっても，いったん肺血管拡張薬などによる治療を行い，再評価を行って閉鎖術に向かう場合があり，個々の症例によって施設の経験も踏まえて行われている．

また，21トリソミーはRSウイルス感染による肺病変が重症化しやすく，ワクチン接種など積極的に行う必要がある．

2018年現在，日本においてはVSDに対する閉鎖術は，きわめて特殊な状況を除き外科的閉鎖のみが選択肢であるが，将来的にデバイス治療が可能となった場合には状況によって適応となると思われる．しかし，乳児期早期に治療介入を必要とすることの多い21トリソミーではその使用は限定的と推察される．

⑤ 手術

低出生体重や合併奇形症例，あるいは閉鎖の困難な多発性筋性部心室中隔欠損（VSD）や孤立性心筋緻密化障害（IVNC）症例では，姑息術として肺動脈絞扼術（PAB）を行う 図10 ， 図11 ．アプローチやテープの素材は施設により異なる．肺動脈圧モニタリングや心表面エコーで肺動脈圧を推定できれば，以後の治療計画（二心室治療や単心室治療，肺高血圧治療）を加味した設定も可能である．

心内修復術は胸骨正中切開あるいは部分切開で，人工心肺使用，心停止下に行う．膜様部VSD（VSD 2型）の場合 図12 ，右房を切開し，経三尖弁アプローチでVSDパッチ閉鎖を行う．縫合には，プレジェット付きマットレス結節縫合と，モノフィラメント糸を用いた連続縫合がある．VSD後縁は三尖弁中隔尖基部が縫合線となるため，中隔尖の変形や癒着が強くならないよう注意する．三尖弁の弁尖は複数の円錐隆起や心内膜床が癒合することによって形成されるため異形成も多い．パッチ閉鎖に伴う弁の変形で逆流を生じた場合は三尖弁形成を追加する．中隔円柱（TSM）後脚の後方伸展の程度に応じて刺激伝導系の深さ（左室側への偏位）はさまざまだが，いずれにしてもVSD2型の後下縁は刺激伝導系の房室結節や貫通束に，下縁は右脚に近接しており，これを障害して房室ブロックや右脚ブロックを生じないよう注意する．VSD2型上縁は大動脈弁無冠尖や右冠尖に近接しており，これを変形させないよう注意する．VSD閉鎖直前には肺を加圧して左心系から充分に脱気するとともにVSD遺残のないことを確認する．

漏斗部VSD（VSD 1型）の場合 図13 ，主肺動脈を切開し，経肺動脈弁アプローチでVSDパッチ閉鎖を行う．VSD上縁は肺動脈弁弁尖基部が縫合線となるため，肺動脈弁の変型や癒着が強くならないよう注意する．VSD1型の後縁は，逸脱を伴う大動脈弁右

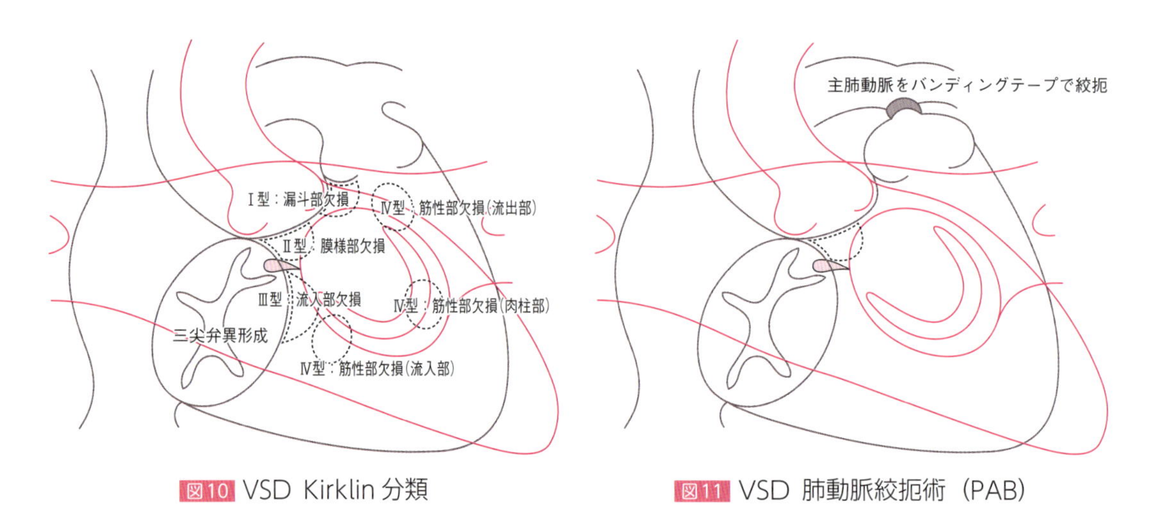

図10 VSD Kirklin分類

図11 VSD 肺動脈絞扼術（PAB）

JCOPY 498-14563

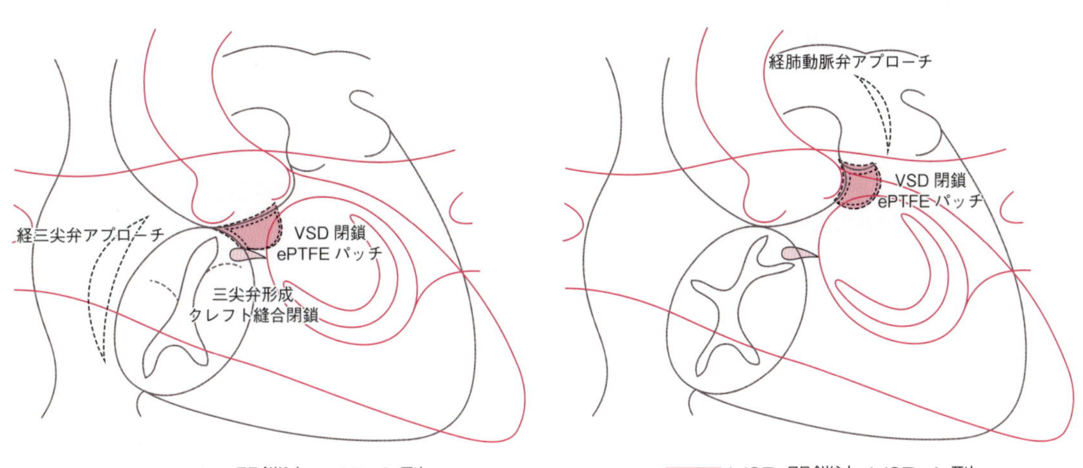

図12 VSD 閉鎖法 VSD 2 型

図13 VSD 閉鎖法 VSD 1 型

冠尖に近接しており，これを変形させないよう注意する．

術前の器質的な肺高血圧が強くなければ術後の経過は良好であるが，前負荷および後負荷の急激な変化による心室の奇異性運動や，右室圧低下による心室中隔偏位に伴う一時的な僧帽弁逆流に注意する．

⑥ 術後経過，検査，外来フォロー

VSD 術後は通常は早期から安定する．心膜切開症候群とよばれる，術後数カ月以内に心嚢液貯留をきたし，心タンポナーデとなる合併症など，一般的な心臓外科手術後の合併症に対するフォローを経たのちは特に大きな問題もなく経過することが多い．遠隔期のチェックとしては心電図による房室ブロックや洞不全症候群，心房粗動の発生の有無，心エコー検査による大動脈弁変形に伴う大動脈弁逆流の有無や肺動脈弁下 VSD 術後における肺動脈弁の変形からの肺動脈弁逆流の有無，膜様部 VSD 術後の三尖弁逆流の有無，右室二腔症の顕性化の有無，肺高血圧の残存の有無のチェックが必要である．乳幼児期に手術した場合には成長が落ち着くくらいまでは 1 年～数年に一度はフォローしていることが多い．

21 トリソミーでは肺動脈病変の有無や術前の肺高血圧の有無によってフォロー頻度は変わる．また，扁桃肥大などの上気道閉塞病変で介入可能なものは可及的に介入を必要とする場合がある．

残念ながら肺血管閉塞性病変が不可逆的となってしまい，アイゼンメンジャー（Eisenmenger）症候群に至ってしまった場合には，対処療法を行っていくことになる．21 トリソミーでは他の合併症のため，アイゼンメンジャー化した場合に長期生存はかなり難しい．

長期のチアノーゼをきたしている場合には，赤血球増多によって血液の過粘稠症候群が起こる．末梢循環不全をきたしたり，全身の臓器異常をきたす．また，脳血管障害をきたしやすくなる．そのような場合には瀉血を行い，ヘマトクリット値 65％を目標として生理食塩水やアルブミン製剤との置換を行う．他にも脳膿瘍や脳梗塞，腎障害などを発症するため，対処療法を行う．

【参考文献】

1) 心室中隔欠損．中澤　誠，編．先天性心疾患．東京：メジカルビュー；2014
2) 佐地　勉．Down 症候群に合併する肺高血圧の意義．日小児循環器会誌．2013; 29: 3-11.
3) Irving CA, Chaudhari MP. Cardiovascular abnormalities in Down's syndrome: spectrum, management and survival over 22 years. Arch Dis Child. 2012; 97: 326-30.

〈芳本 潤（①～④，⑥） 村田眞哉（⑤）〉

JCOPY 498-14563

1

循環器疾患

5. ファロー四徴症

ポイント

1…ファロー四徴症は 21 トリソミーでは 5 番目に多い．心内膜床欠損と合併することがあり，この組み合わせは 21 トリソミーでしばしばみられる．チアノーゼをきたす疾患であり，収縮期雑音と相まって比較的生後早期に発見される．現在では早期に心内修復術を目指す方針をとることが多いが，21 トリソミーの患者では低体重など他の要因のため姑息術を要することがある．また，遠隔期に遺残病変に対する介入を要することがあり，長期的なフォローも必要である．

① 疫学，解剖，病理

ファロー四徴症はチアノーゼをきたす疾患のなかでは最も頻度の高い疾患で，21 トリソミーに合併する疾患のなかでは 5 番目に多い 表1 [1]．ファロー四徴症の四徴とは，(1) 心室中隔欠損 (VSD)，(2) 大動脈騎乗，(3) 肺動脈弁下狭窄，(4) 右室肥大である 図1A ．発生上は流出路中隔が前方に偏位したことで右室流出路の狭窄および肺動脈弁低形成が起こり，一方で心室中隔の malalignment のため VSD と大動脈の前方偏位が起こる．右心室流出路の狭窄による右室肥大は二次性のものである．ファロー四徴症には動脈管開存，心房中隔欠損，右側大動脈弓，冠動脈起始異常を合併することがある．房室中隔欠損の合併もみられるが，これは 21 トリソミーにかなり特有である．

体循環から還流し右心室から駆出される静脈血は，肺動脈弁下狭窄のため VSD を通って体循環に流入し，チアノーゼを起こす 図1A ．流出路狭窄が軽度であれば肺血管抵抗の低下に伴って VSD レベルで左右短絡となり肺血流が増加して心不全をきたすことがある (いわゆる pink Fallot である)．しかし，徐々に右室流出路の筋性狭窄が進行し，

表1 21 トリソミーに合併する心疾患の頻度 [1]

疾患	頻度
完全型房室中隔欠損症	125 (37%)
心室中隔欠損症	106 (31%)
心房中隔欠損症	52 (15%)
不完全型房室中隔欠損症	22 (6%)
ファロー四徴症	16 (5%)
動脈管開存症	14 (4%)
その他 (大動脈縮窄，肺動脈狭窄，血管輪など)	7 (2%)

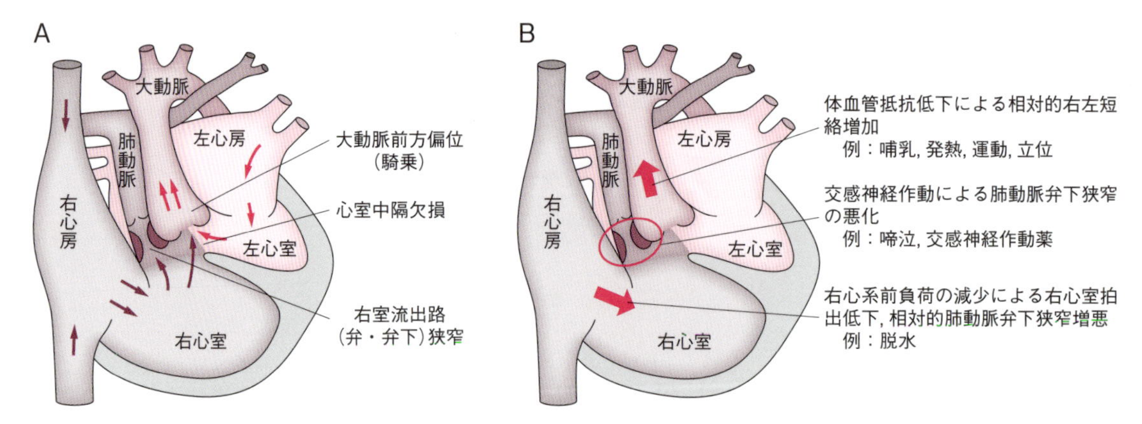

図1 ファロー四徴症の解剖学的特徴と血行動態

右左短絡からチアノーゼを呈するようになる（いわゆる blue Fallot）.

肺動脈弁下の漏斗部筋性部狭窄は交感神経が亢進することにより増悪する．また，前負荷が脱水などで軽減すると狭窄が増悪する. さらに, 体血管抵抗が低下することによって体循環に酸素化されていない血流が多く流れ，相対的に右心室流出路を通過する血流が減少し狭窄は増悪したのと同じ状態になる．このように右室流出路の狭窄は動的に変化することがファロー四徴症の特徴である 図1B .

② 症状・診察および検査所見

出生直後に右室流出路の狭窄の程度が比較的軽く，また，動脈管を介した肺血流が存在した場合チアノーゼはほとんど目立たない．出生後動脈管が閉鎖したときに右室流出路低形成のため充分な肺血流が確保されないと，チアノーゼが顕性化してくる．また，出生後数カ月で徐々に右室流出路狭窄が進行すると，チアノーゼが出現してくる．しかし，この時期は同時に生理的貧血の時期と重なるためチアノーゼがわかりにくいことがある．生後 2 〜 6 カ月ごろから哺乳後や排便時，啼泣後などに突然呼吸促迫とチアノーゼの増強を認める「無酸素発作（anoxic spell）」が出現するようになる．さらに，年長になって歩くようになると下半身の血管の拡張から体血管抵抗の減少とともに右左短絡の増強を認め, 患者が自発的に膝を胸につけるいわゆる剣道における「蹲踞（そんきょ）」の姿勢をとることがある．これはチアノーゼが悪化して苦しくなった結果座り込むと症状が改善するためであるが，体血管抵抗を上昇させ，右左短絡を改善させるという効果がある．

聴診上は右室流出路狭窄と肺動脈弁狭窄を混じた収縮期駆出性雑音を聴取する．肺動脈弁下狭窄が強くなると肺血流が減少するため，収縮期駆出性雑音は短く減弱する．無酸素発作中は極端に肺血流が減少するため収縮期駆出性雑音は著しく減弱する．

胸部 X 線写真では左第 2 弓の陥凹（肺血流減少による肺動脈低形成による）と，右心室肥大による心尖部挙上，いわゆる木靴心がみられる 図2 .

心電図では非特異的に右室肥大の所見がみられる 図3 ．左軸偏位を認めた場合には

JCOPY 498-14563

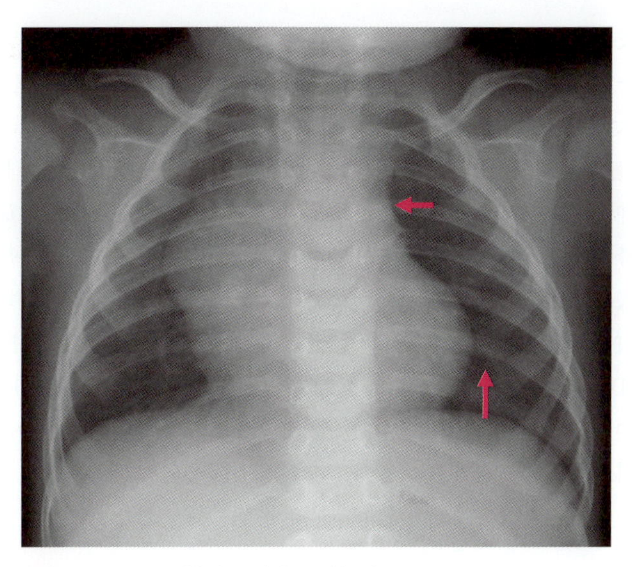

図2 ファロー四徴症の胸部 X 線所見
ファロー四徴症，21 トリソミーの 5 カ月の児．心尖部の挙上（下の矢印），いわゆる木靴心と左側第 2 弓の陥凹（上の矢印）を認める．

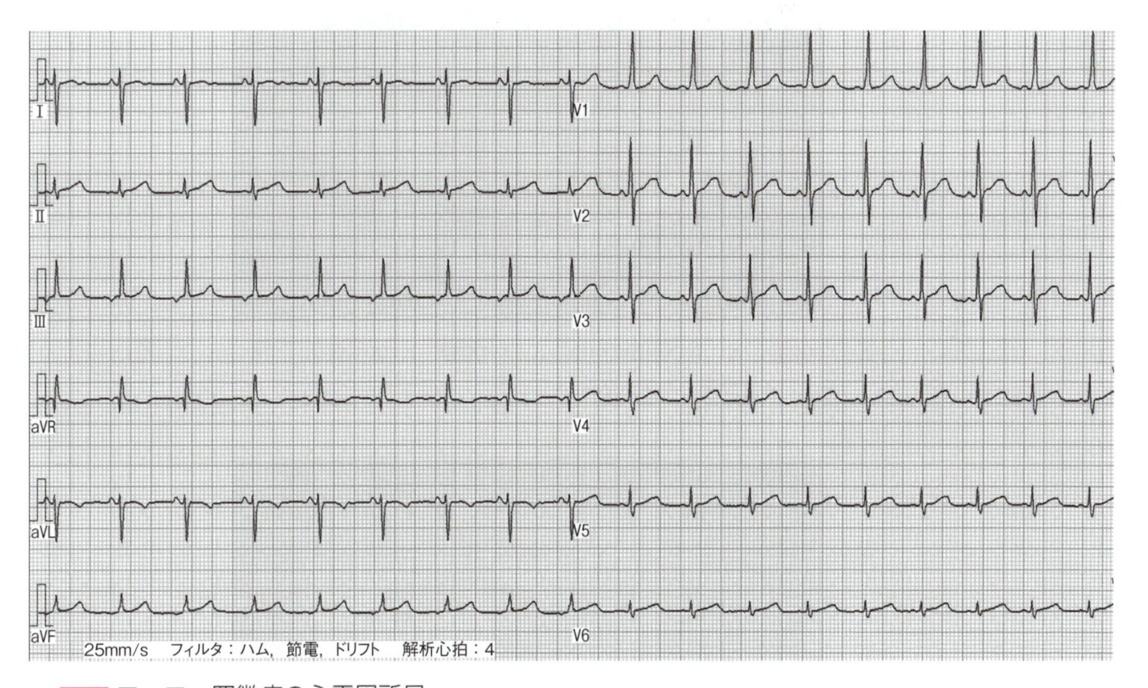

図3 ファロー四徴症の心電図所見
ファロー四徴症，21 トリソミー，5 カ月の児．右軸偏位，V1 の R 波増高および T 波陽性といった右心負荷所見を認める．

房室中隔欠損の合併を疑う．

心エコー検査はこの疾患の診断には欠かせないものである．左室長軸断面でVSDと，拡大した大動脈の前方偏位（騎乗）を認め，大動脈と僧帽弁の線維性連続を確認する 図4 ～ 図7 ．右室流出路長軸像ないし大動脈基部短軸断面像で肺動脈弁下の筋性狭窄と肺動脈弁低形成を確認する．ここまででファロー四徴症の診断は確定するが，その後の治療方針の検討のためにさらに詳細な評価が必要である．まずは動脈管開存の有無と，動脈管由来の肺血流の必要性の検討が必要である．そのうえで右室流出路形成術のために肺動脈弁径と肺動脈弁形態の確認を行い，VSD閉鎖のために欠損孔の位置の確認と筋性部VSDの有無の確認をする．また，右大動脈弓の有無，冠動脈走行異常の有無の確認が必要である．右室流出路の血流パターンにおいて動的狭窄を認める場合はβ遮断薬など内科的管理の方針が変わるので注意して経過観察を行う．

心カテーテル検査は左室容積と冠動脈の形態の確認のために行う．右心系，とくに肺

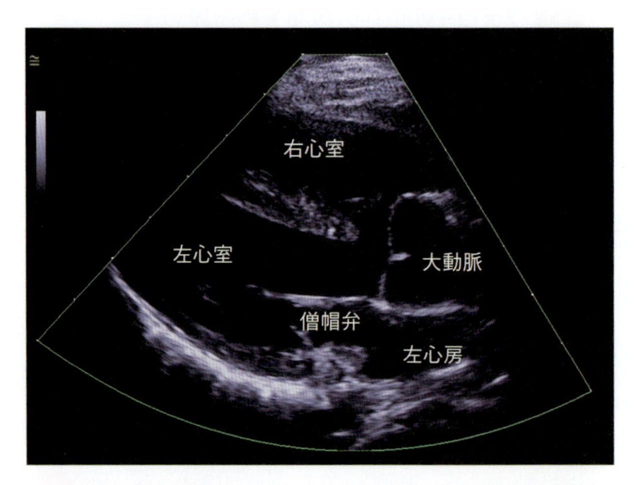

図4 ファロー四徴症の心エコー所見　左室長軸断面像
VSD，大動脈の騎乗，大動脈弁と僧帽弁の線維性連続を認める．

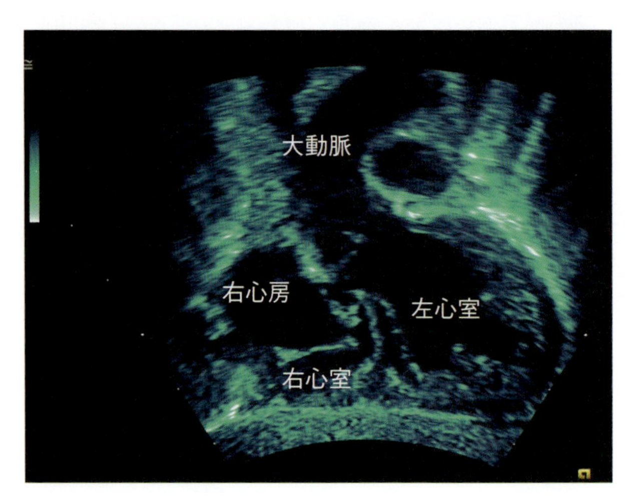

図5 ファロー四徴症の心エコー所見　胸骨下冠状断面像
大動脈騎乗の解剖学的位置関係が把握される．

JCOPY 498-14563

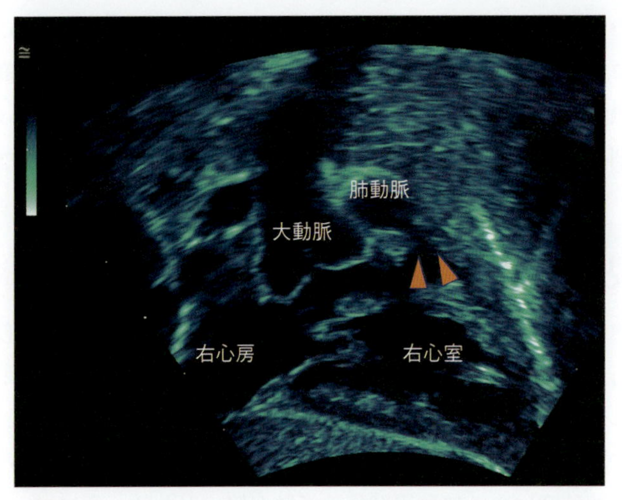

図6 ファロー四徴症の心エコー所見 胸骨下冠状断面像
右室流出路の弁下筋性狭窄（矢頭）を認める．

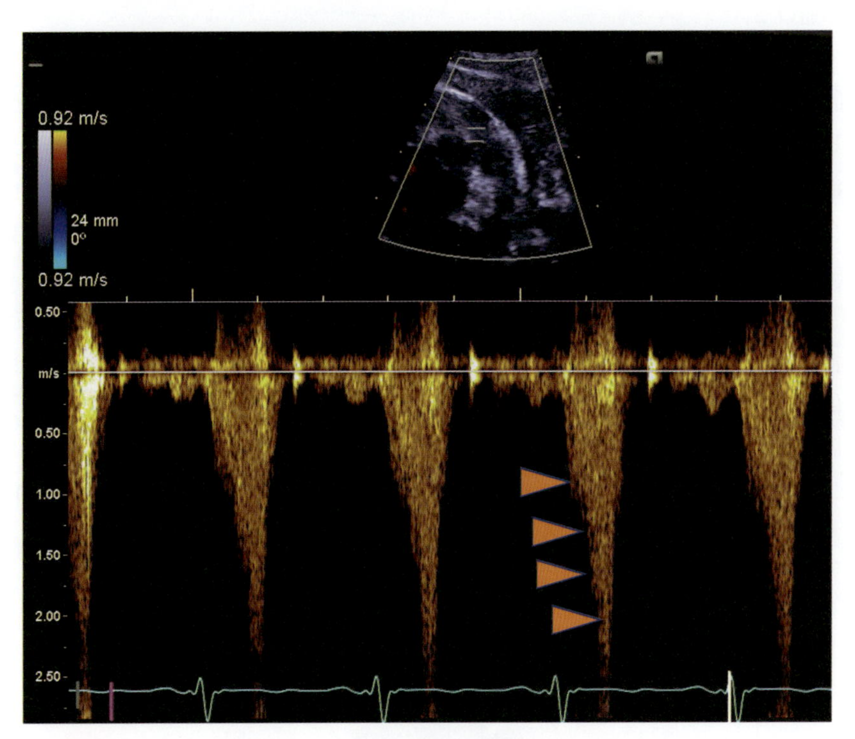

図7 ファロー四徴症の心エコー所見 右室流出路パルスドップラー像
右室流出路の弁下筋性狭窄が動的に起こるため，収縮期に徐々に加速するいわゆるdynamic narrowing pattern（矢頭）を示す．

動脈へのカテーテル挿入は無酸素発作を惹起する可能性があるため，術前から貧血の補正，外液による輸液，β遮断薬の内服の継続，充分な前投薬による鎮痛・鎮静コントロールを行い無酸素発作出現時の容量負荷，鎮静，フェニレフリンといった体血管抵抗を上昇させる薬剤の準備が必要である．肺動脈へのカテーテルの挿入は極力避けるべきである．

③ 治療方針と術前管理

ファロー四徴症は基本的に心内修復術を目指す．著しい肺動脈低形成や極低出生体重，冠動脈走行異常など右室流出路狭窄を一期的に解除できない解剖学的状況の場合には姑息的にブレロック-タウジッヒ（Blalock-Taussig）短絡術をおくこともある．しかし，現在では一期的に心内修復術を乳児期早期に行うことが一般的である．術前管理としては右室流出路狭窄による無酸素発作の予防が第一となる．心エコーで弁下筋性部の動的狭窄を認める場合にはチアノーゼや無酸素発作がなくてもβ遮断薬を開始する．また，輸血による貧血の是正は有効である．強心薬やジゴキシンは筋性狭窄の増悪をきたすため避ける．

前項で述べたような無酸素発作出現時には，まず，(1) 膝を胸につけるいわゆる胸膝位 図8 とし体血管抵抗を上昇させる，(2) 酸素投与，(3) 細胞外液輸液と塩酸モルヒネ投与（経静脈・筋注），(4) β遮断薬静注，(5) フェニレフリン静注，といった治療を迅速にステップアップしながら行う．乳児期早期には無酸素発作に気づきにくい場合もあるため注意を要する．薬剤投与を必要とする無酸素発作が出現する場合には可及的速やかに一期的修復術を計画し，不可能な場合には姑息術を計画する．

出生直後から肺血流を動脈管に依存する場合には PGE1 製剤を開始せざるを得ない場合がある．21 トリソミーにおいてはもともと肺動脈が低形成気味であることや，早産低出生体重の可能性が高いため，21 トリソミーでない子と比較すると PGE1 製剤の使用や姑息術としてのブレロック-タウジッヒ短絡術の頻度は高い．

反対に右室流出路の狭窄が軽度の場合には漏斗部中隔前方偏位を伴う VSD と同様に左右短絡による心不全管理を要することもある．

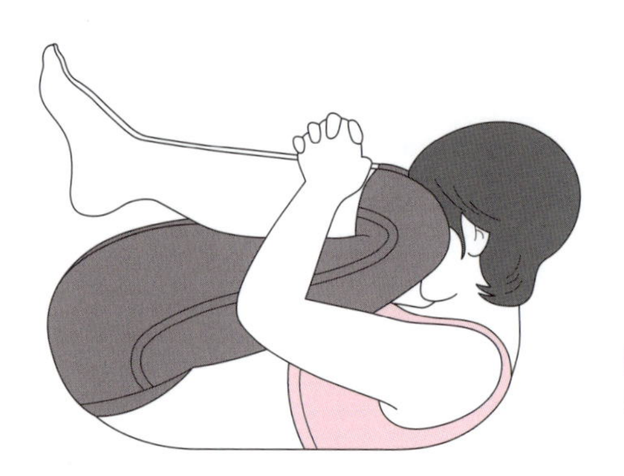

図8 胸膝位
膝を胸につけ，足を折りたたむようにして下肢の血管抵抗を上昇させる．

JCOPY 498-14563

④ 手術 図9

新生児・乳児期早期，低体重，合併奇形症例，あるいは肺動脈・左室低形成症例では姑息術として体肺動脈短絡術（BT シャント変法）を行う 図10 ．アプローチや人工心肺の方針は施設により異なる．術中の片肺動脈遮断で酸素化の維持が困難な場合や，肺動脈形成が必要な場合は胸骨正中切開による人工心肺使用，心拍動下に人工血管を吻合する．この術式の場合，左右肺動脈上葉枝の変形をきたしにくい利点がある．シャントのみの場合は側方開胸アプローチも可能である．シャントによる前負荷の増加により右室流出路通過血流が増大した場合は，高肺血流性心不全をきたすため注意する．ファロー四徴症では肺動脈の順行性血流がシャント血流と競合し，さらに，人工心肺非使用時には術後の凝固能も維持されるため，シャントの急性血栓閉塞をきたさないよう抗凝固・抗血小板療法を行う．

心内修復術は胸骨正中切開，人工心肺使用，心停止下に行う 図11 ．右房切開から経

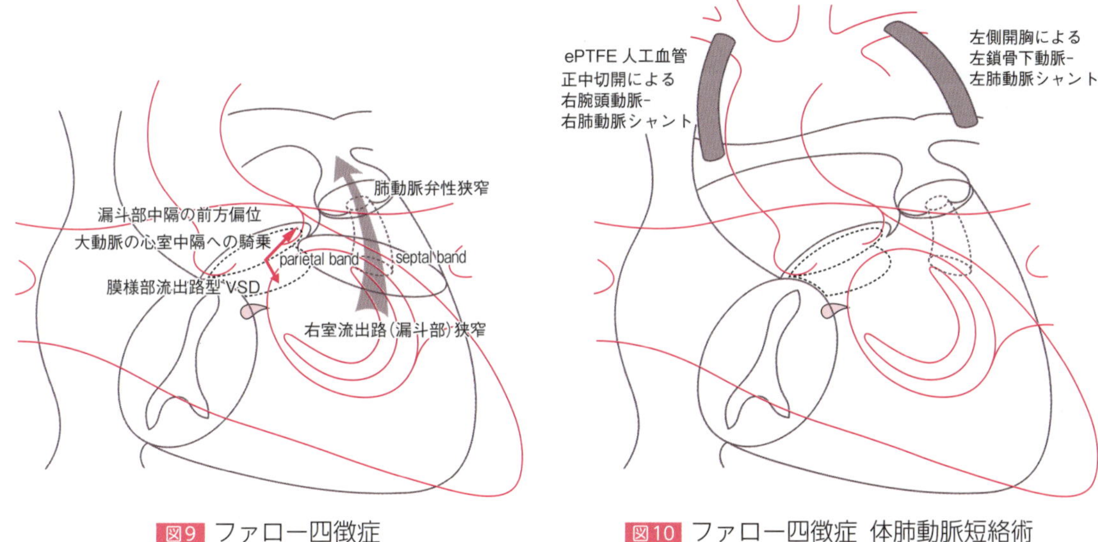

図9 ファロー四徴症

図10 ファロー四徴症 体肺動脈短絡術（BT シャント変法）

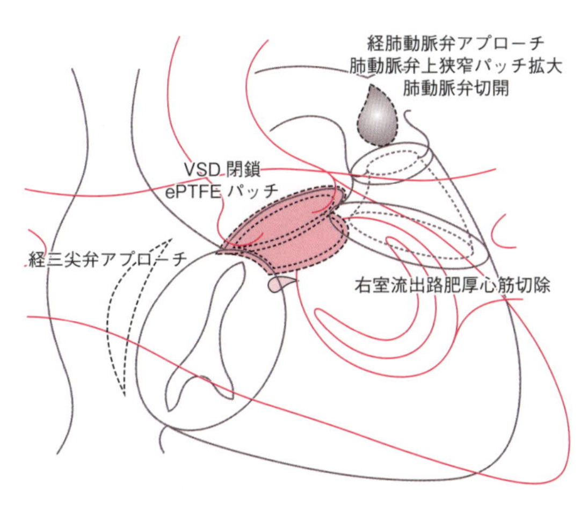

図11 ファロー四徴症 心内修復術 trans RA-PA approach（経右房経肺動脈到達）法，自己肺動脈弁温存術式

三尖弁的に右室流出路狭窄を確認し，漏斗部中隔から壁側〔parietal band，心室漏斗部皺襞（VIF）側〕，および中隔側（septal band）に挿入する異常肥厚筋束を切断，切除する．Parietal band 切断の際には，大動脈基部のバルサルバ洞壁や，心室中隔欠損（VSD）上縁の縫合線となる心内膜を損傷しないように注意する．Septal band 切断の際には，調節帯（moderator band）や前乳頭筋に影響しないよう注意する．冠動脈瘻を生じると盗血を生じるため，心筋保護液注入で確認された場合は止血しておく．肥厚筋束が切断されると肺動脈弁を視認できるようになり，VSD 上縁の視野も改善する．漏斗部中隔の前方偏位による VSD は 2 つの直行する平面からなり，パッチ閉鎖の際に変曲点で VSD 遺残を生じやすいため注意する．VSD 後下縁で TSM 後脚が肥厚している場合は房室ブロックをきたしにくい．TOF 同様に大動脈の心室中隔騎乗を有するが，左側 VIF が存在する（double conus）両大血管右室起始症（DORV）の場合，ファロー四徴症同様のタイトな VSD パッチでは術後左室流出路狭窄をきたす可能性があるため，鑑別に注意する．

主肺動脈を弁輪直上まで縦切開して弁上狭窄を解除する．経肺動脈弁的に弁輪直下の線維組織を切除して弁輪の進展性を改善したのち，肺動脈弁（二尖弁）の交連切開，tethering の解除を行う．縦切開した主肺動脈は新鮮自己心膜パッチを用いて拡大する．高度肺動脈弁狭小例（fish-mouth 様の一尖弁）では trans-annular patch 法で右室流出路を再建する 図12．

術後の経過は遺残病変に左右される．（いわゆる pink Fallot を除き）術後は左室容量負荷が増大するため，VSD 遺残で容易に心不全をきたす．右室流出路（あるいは弁性，弁上）狭窄遺残による圧負荷は右心機能を低下させるが，肺動脈弁逆流による容量負荷はさらに右心機能を悪化させると考えられており，遠隔期に右室拡張や不整脈，心不全症状が出現する場合は肺動脈弁置換の適応となる．遠隔期にはさらに上行大動脈拡大と大動脈弁逆流が問題になることがある．

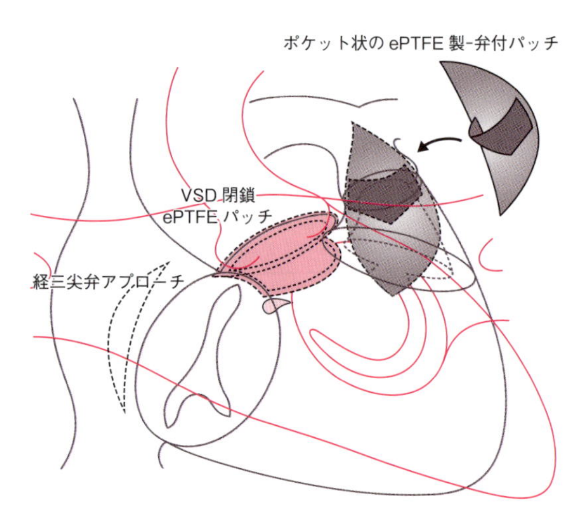

図12 ファロー四徴症 心内修復術 trans-annular patch 法

JCOPY 498-14563

⑤ 術後経過，検査，外来フォロー

術直後は左心房・左心室への容量負荷が問題となる．強心薬や利尿薬を使用しながら左心系前負荷増加に順応するように管理する．通常，ファロー四徴症において房室ブロックを合併することは少ない．これは解剖学的に刺激伝導路が ridge に守られているからであるが，房室中隔部の膜様中隔欠損が大きい場合，術後に房室ブロックを合併することがある．術後改善しない場合にはペースメーカー植え込みが必要になることがある．

複数の遺残病変が存在すると，心不全が改善しないため再介入を早期に要する場合がある．長期フォローにおいて問題になる遺残病変は肺動脈弁狭窄と閉鎖不全である．肺動脈弁狭窄が進行する場合にはカテーテルインターベンションが有効な場合もあるが，多くの場合，右室流出路再建術の適応となる．肺動脈弁閉鎖不全は右心系の容量負荷となる．通常，経時的に増悪し，右心不全や心室性不整脈，突然死の原因となる．

右心系の容量負荷の評価には MRI が有用である．右心室容積，肺動脈弁の逆流率の計測が行われる．生体弁による右室流出路再建は時期を逸さずに行う必要があり，概ね逆流率 35 ～ 40%，右室拡張末期容積係数（RVEDVI）で 150 ～ 170mL/m^2 付近を適応としていることが多いが施設間で差があるのが現状である．

21 トリソミーであることで外来フォローの方針に差があるわけではないが，房室中隔欠損を合併した場合には，同時に遺残病変すなわち房室弁逆流や狭窄に対するフォローが必要である．

一般的にファロー四徴症の遠隔期成績は向上しており，特に日本では早期に trans-annular patch 法が導入されているため右心室切開が最小限に抑えられている．その結果，心室性不整脈の頻度が低く，欧米の過去のデータと比較して突然死のリスクは低いと考えられている．欧米のデータでは突然死のリスクファクターとして QRS 幅が 180 ms 以上，左室の収縮あるいは拡張能低下，非持続性心室頻拍，右心室の広範囲の瘢痕化，電気生理学検査にて持続性心室頻拍が誘発されることとされている[2)]．これらのリスクファクターのうち複数の因子を有する場合には予防的 ICD（植え込み型除細動器）植え込みの適応がある（Class Ⅱa）．ただし，ICD 植え込みにあたっては本人の充分な理解が必要であり，精神的ケアも行う必要があり，21 トリソミーの患者において ICD 植え込みを検討する場合には，家族や監護者と充分な話し合いを行わなければならない．

【参考文献】
1) Irving CA. Cardiovascular abnormalities in Down's syndrome: spectrum, management and survival over 22 years. Arch Dis Child. 2012; 97: 326-30.
2) Khairy P, Van Hare GF, Balaji S, et al. PACES/HRS expert consensus statement on the recognition and management of arrhythmias in adult congenital heart disease. Heart Rhythm. 2014; 11: e102-65.

〈芳本 潤（①～③，⑤） 村田眞哉（④）〉

1

循環器疾患

6. 房室中隔欠損症

ポイント

1 …房室中隔欠損症は 21 トリソミーに合併する心疾患の約 40%を占める.
2 …完全型房室中隔欠損では肺血管病変が生後 6 カ月頃から急速に進行する.
3 …左側房室弁機能と肺高血圧の程度が術後早期の状態に大きく影響する.
4 …術後遠隔期の予後は良好なことが多いが，房室弁に対する再手術が必要となる場合がある.

正常の心臓には 4 つの部屋があるが，これらは左右を分割する壁（中隔）と心房と心室を隔てる逆流防止弁（房室弁）で境界されている．左右を分割する壁には心房中隔，心室中隔，そして，房室中隔の 3 つが存在し，心房と心室の境界には 2 つの房室弁，すなわち，三尖弁（心房と右室を境界）と僧帽弁（心房と左室を境界）が存在する．房室中隔欠損（atrioventricular septal defect; AVSD）は心臓にある 4 つの部屋の中央部分，ここに房室中隔があるが，これが形成されないことに加えて，房室弁の異常を合併する先天性心疾患を指す.

心臓が造られる際に心臓の中央部分を形成するのが心内膜床と呼ばれる細胞の一群で，胎生 30 日前後に心臓が形成されていく過程で出現する．心内膜床は主に房室中隔や房室弁の形成に大きく関わっており，心内膜床の発生に異常が生じると，心臓の中央部分に穴があいた状態となり，また，正常であれば左右 2 つに分割されて僧帽弁と三尖弁になるはずの房室弁が，分割されずに 1 つの大きな共通房室弁として残ってしまう．房室中隔ができないことで心臓の中央に穴があき，房室弁が分割されず共通房室弁となることで，心臓の 4 つの腔が互いに交通できる状態となる（図1 完全型 AVSD).

AVSD の医学的な定義は“房室中隔の欠損と房室弁異常を合併する先天性の解剖学的心臓異常”となる．AVSD における欠損孔は房室中隔から上下方向に広がっており，心房中隔と心室中隔（膜様部中隔から流入部中隔）の欠損も伴う．特に流入部心室中隔欠損（VSD）があることは心室中隔の高さを低くするが，これは scooping とよばれ，AVSD の特徴の 1 つとなる．このような心臓の解剖学的な異常が心内膜床の発生異常により引き起こされることから，“心内膜床欠損”や，“共通房室管”の名称でよばれたりもするが，いまは“房室中隔欠損”の名称で統一されている．21 トリソミーでは 21 番染色体長腕上にある Down syndrome critical region の遺伝子がトリソミー化することで過剰発現することにより，心内膜床組織の正常な発生が障害され，AVSD が引き起こされ

JCOPY 498-14563

ると考えられている．

① AVSD の分類

AVSD は，房室弁の形態と VSD の大きさなどで以下の 5 種類に大きく分類される．

A. 完全型 AVSD（complete AVSD）

共通房室弁が左右に分離せず，1 つの大きな弁として両側の心房と両心室を接続する 図1．共通房室弁の上下に欠損孔（心房中隔一次孔欠損と流入部 VSD）が存在する．共通房室弁は 5 葉の弁でできており，そのうちの心室中隔上で前方にある弁は共通前尖（superior bridging leaflet; SBL）とよばれ，この弁の形態によって完全型 AVSD は 3 種類に分類される（Rastelli 分類）．

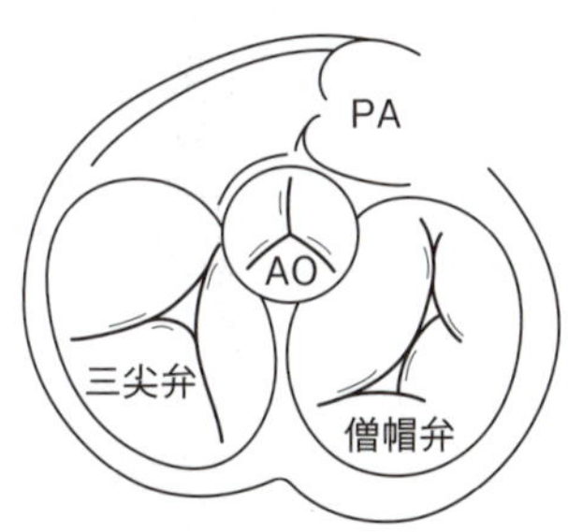

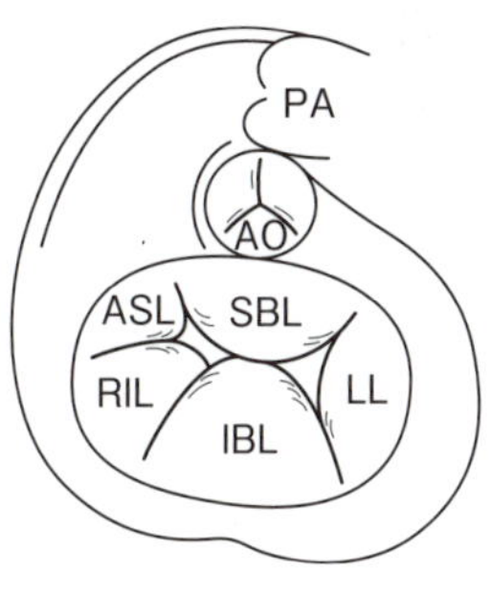

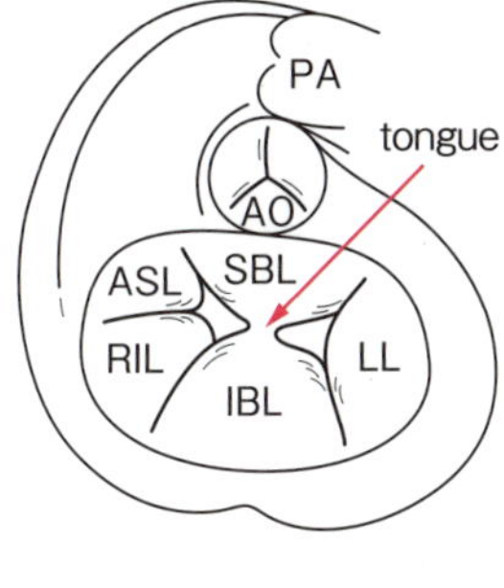

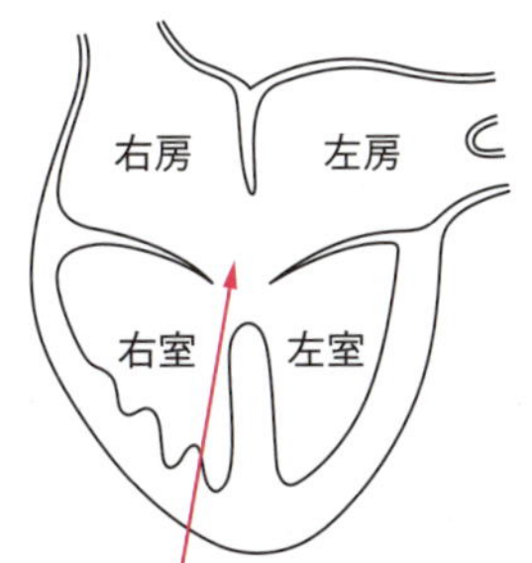

右房
左房
右室
左室

図1 AVSD の房室弁形態
正常心では大動脈弁は両側の房室弁輪に挟み込まれた位置に存在するが，AVSD では大動脈は共通房室弁輪により前方へ押し出された位置（sprung position）に存在する．中間型 AVSD では SBL と IBL が中隔上で tongue により連結することで，共通房室弁の開口が左右 2 カ所に分かれる．
AO: 大動脈弁
ASL: antero-superior leaflet
IBL: 共通後尖
LL: lateral leaflet
PA: 肺動脈
RIL: right inferior leaflet
SBL: 共通前尖

Rastelli A 型（21 トリソミーの約 50%）：共通前尖が心室中隔上で分割されており，多数の腱索が中隔上に挿入し，共通前尖の下部での心室間短絡は制限される．

Rastelli B 型（非常にまれであり，全体の 5%以下であるが，特に 21 トリソミーではまれ）：共通前尖は中隔の頂部を少し越えて，腱索が心室中隔の右室側に挿入する．

Rastelli C 型（21 トリソミーの約 50%）：共通前尖が中隔を完全に越えて，腱索は右室の前乳頭筋へ挿入する．Rastelli C 型の共通前尖は中隔上に腱索を挿入せずに中隔を完全に乗り越えることから "free-floating" とよばれる．また，心室中隔の後方にある共通後尖（inferior bridging leaflet; IBL）の形態は，中隔上で分割されない undivided type（21 トリソミーの約 80%）と分割される divided type（21 トリソミーの約 20%）の 2 種類に分類される[1]．しかし，undivided type でも共通後尖は中隔上に腱索を多数挿入しており，共通前尖のように free-floating とはならないことが多い．Divided type のほうが術前の共通房室弁の閉鎖不全の程度が強いことが多い．

B. 中間型 AVSD（intermediate AVSD） 図1

完全型 AVSD と同様に，大きな流入部 VSD を合併しながら，共通房室弁の開口が左右 2 カ所に分かれたものを指す．共通前尖と共通後尖が中隔上でつながる（前尖と後尖をつなぐ弁組織を "tongue" とよぶ）ことで，開口が左右に分離される．

C. 不完全型 AVSD〔incomplete（または partial）AVSD〕 図2

共通房室弁は中間型 AVSD と同様に中央で分離し左右の開口に分かれる．しかし，VSD は存在せず，短絡部位は房室弁直上の心房中隔一次孔欠損のみとなる．中間型 AVSD における共通房室弁よりも構造がさらに正常に近くなり，VSD を合併しないことから scooping の程度も軽くなる．また，左側房室弁は 3 弁形態となり，共通前尖と共通後尖の間はクレフトまたは zone of apposition とよばれ，左側房室弁における閉鎖不全のポイントとなりやすい．

D. 移行型 AVSD（transitional AVSD）

不完全型 AVSD に小さい流入部 VSD を伴う場合にこの名称を用いることがある．

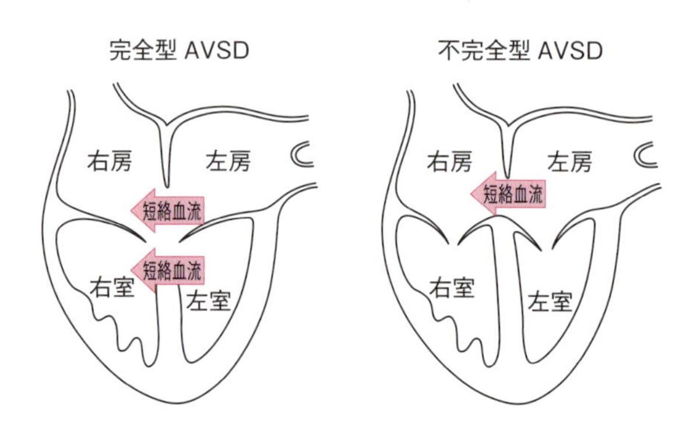

図2 血行動態
完全型 AVSD では心房と心室の両方で左右短絡が起こる．不完全型 AVSD では心房のみで左右短絡が起こる．

JCOPY 498-14563

E. 不均衡型 AVSD（unbalanced AVSD）

左右心室の一方が低形成である場合にこの名称を用いる．21 トリソミーでは右室の低形成を伴うことが多い．

F. 合併する先天性心疾患

AVSD に加えてファロー四徴，両大血管右室起始，肺動脈閉鎖，主要体肺側副血管，左室流出路狭窄（大動脈弁下狭窄），大動脈縮窄，大動脈弓離断，多孔性筋性部 VSD などを合併することがある．21 トリソミーではファロー四徴の合併が全体の 6％と最も多い[2]．逆に，左室流出路狭窄や大動脈縮窄，または筋性部 VSD の合併は少ない．

AVSD における左室流出路は雁の首（goose neck）状に細長い形態をしており，流出路の天井を共通前尖が覆っている．不完全型 AVSD や Rastelli A 型のように，共通前尖から多数の腱索が中隔に挿入する場合は，腱索が短いと左室流出路の天井が低くなり流出路狭窄をきたしやすい．また，共通前尖から中隔に挿入する腱索が左室流出路を横切る場合があり，腱索による流出路狭窄をきたす場合もある．左室流出路狭窄を合併する場合には大動脈縮窄も合併しやすいことから，大動脈弓の形態にも注意が必要である．

一方，ファロー四徴や肺動脈閉鎖に合併するのは Rastelli C 型が大部分を占める．また，AVSD では左室にある 2 つの乳頭筋の位置が正常とは異なり，両乳頭筋間の距離が正常より短くなる．極端な場合には，2 つの乳頭筋が癒合して 1 つとなることがあり，これをパラシュート弁とよぶ．乳頭筋間の距離が短いことにより間にある lateral leaflet が低形成となる場合やパラシュート弁の場合には，心内修復術後に高度の左側房室弁狭窄を引き起こす恐れがある．また，房室弁中央のメインの開口部とは別に弁葉内に副次的な開口をもつ場合があり，これを重複弁口（double orifice）とよぶ．重複弁口は不完全型 AVSD で多く認められ，その多くは共通後尖に合併することが多く，房室弁閉鎖不全の原因となることがある[3]．

② 頻度

21 トリソミーは 40 ～ 60％に先天性心疾患を合併するが，合併する先天性心疾患の 40％を房室中隔欠損症が占め，心室中隔欠損症と並んで最も多い合併心奇形の 1 つである．房室中隔欠損症が先天性心疾患に占める割合は全体の 4％程度であることから，21 トリソミーでは頻度が約 10 倍となる．なかでも完全型 AVSD を合併する頻度が高く，完全型 AVSD の全患者における 21 トリソミーが占める割合は約 60％に達する．一方，不完全型 AVSD では 21 トリソミーが占める割合は 20 ～ 30％にとどまる．

③ 血行動態 図2

房室中隔欠損症のなかで，完全型房室中隔欠損症と不完全型房室中隔欠損症が大部分を占めることから，この代表的な 2 疾患を中心に解説を行う．

完全型房室中隔欠損症では，心房と心室に大きな欠損孔が存在することから，これらの欠損孔を介した短絡のために多くの血液が肺に流れることになり，乳児期早期から肺高血圧を呈することが多い．短絡性心疾患において肺高血圧が進行すると，肺内の小動脈では高い血圧に対応するために血管壁の中膜が肥厚してくることが知られているが，21 トリソミーでは中膜の肥厚が起こりにくいことから，同じ血圧がかかった場合に通常よりも血管壁への応力が高くなりやすい．このことが刺激となって血管内膜の細胞性増殖や線維性肥厚などの血管閉塞性病変が急速に進行すると考えられている[4)]．また，21 トリソミーでは巨舌による上気道狭窄や，解剖学的に狭い下咽頭，肺低形成，または易感染のために繰り返す下気道感染などは肺胞低換気を招きやすいことから，このことも肺血管病変の進行を促進する．そして，肺血管病変は生後 6 カ月頃から急速に進むと考えられている．

一方，不完全型房室中隔欠損症は，基本的には心房中隔欠損（ASD）と同様の血行動態を示し，心房間での左右短絡により右心系容量負荷と肺血流増加を呈する．完全型房室中隔欠損症と比較して心不全症状は軽く，肺高血圧の進行も緩徐であることが多いが，左側房室弁の機能障害が強い場合や左室の低形成を伴う場合には高度の肺高血圧を乳児期早期から合併することがあり，この場合には心不全症状も強いことが多い．

④ 症状

A. 完全型 AVSD

心房と心室の短絡孔のサイズと合併する房室弁閉鎖不全の程度によって症状は大きく異なるが，通常は心房と心室の大きな短絡孔のために，乳児期早期から重篤な心不全症状（哺乳不良，体重増加不良，多呼吸，多汗，四肢末梢冷感）を呈することが多い．また，風邪などの上気道炎から容易に気管支炎や肺炎を併発しやすいことから，乳児期には RS ウイルスに対する感染予防措置が必要である．なお，中等度以上の房室弁閉鎖不全を伴う場合は，心不全症状がさらに重篤になる．聴診では，Ⅰ音の亢進を認めることが多いが，これは特異な共通房室弁の動きに由来すると考えられている．通常Ⅱ音は分裂しており，Ⅱ音の後半成分の亢進を認める．心雑音は，VSD の短絡による雑音を胸骨左縁下部において汎収縮期雑音として認める．また，相対的左側房室弁狭窄による拡張期ランブルを心尖部に聴取する．なお，房室弁閉鎖不全の雑音は，VSD による大きな雑音でマスクされてしまい，聴取困難なことが多い．心不全症状が強く中心静脈圧が上昇している場合には，肝腫大を認める．生後 6 カ月頃から肺血管病変が急速に進行するが，肺高血圧が進行すれば，短絡血流量が減少することにより，症状の改善と心雑音の軽減が認められるようになる．

B. 不完全型 AVSD

心房レベルでの短絡が病変の主体であることから，完全型 AVSD よりは症状が軽いことが多い．軽度の体重増加不良を認めることが多いが，乳児期に強い心不全症状を呈す

JCOPY 498-14563

ることは少ない．逆に，乳児期に強い心不全症状を呈する場合には，左側房室弁狭窄，中等度以上の房室弁閉鎖不全，左室低形成，左室流出路狭窄や大動脈縮窄などが合併していることが多い．また，気道病変（気管狭窄，気管軟化，喉頭軟化など）が合併している場合にも心不全症状が強く出やすい．クレフトからの左側房室弁閉鎖不全は，乳児期には軽度でも経年的に悪化していくことがよくある．聴診では，肺高血圧を合併していない場合にはⅡ音の亢進を認めないが，Ⅱ音の固定性分裂を認める．心雑音は胸骨左縁上部の肺動脈弁領域を最強点とする駆出性収縮期雑音を聴取する．短絡量が多い場合には，相対的右側房室弁狭窄による胸骨下部での拡張期ランブルを聴取する．また，左側房室弁閉鎖不全が中等度以上になると，胸骨左縁下部から心尖部にかけて汎収縮期雑音を聴取するようになる．

⑤ 診断

A. 胸部X線

不完全型 AVSD：右心系の拡大と肺血管陰影の増強を認める．房室弁閉鎖不全を合併すると心拡大の程度が強くなり，高度の左側房室弁閉鎖不全を合併する場合には肺うっ血を呈するようになる．

完全型 AVSD：肺血管陰影の増強と肺うっ血を認める．心拡大を種々の程度で認めるが，房室弁閉鎖不全を伴う場合には心拡大と肺うっ血が顕著となる．拡大した末梢肺動脈による末梢気管支への圧排により，肺野は無気肺と気腫状変化が入り交じった所見を呈することも多い．21 トリソミーでは特に右中肺野と右上肺野の無気肺を合併しやすい．ただし，肺血管病変が進行してくると，辺縁の血管陰影が乏しくなり肺野が明るくなる．

B. 心電図

AVSD では，房室結節とヒス束の位置が正常よりも下壁側に偏位することから，心室の電気的興奮が下から上方向へ向かうために，QRS 軸は上方軸となり左軸偏位を呈する．また，刺激伝導系の偏位に伴って心室内の刺激伝導経路も長くなることから，PQ 間隔が延長し，種々の程度で右脚ブロックを伴う．

不完全型 AVSD：QRS 軸は 0°～−90°の左軸偏位を示す．不完全右脚ブロックを伴うことが多く，肺高血圧を合併する場合には右室肥大所見を伴う．

完全型 AVSD：心室内刺激伝導路は流入部 VSD 孔の下方を迂回することから，scooping が強い症例では心室内伝導路の下方への偏位が強くなり，心臓はより下方から興奮が始まることになる．このために左軸偏位の程度が強くなり，その多くは−90°～−150°の北西軸となる．また，肺高血圧を合併することから，右側胸部誘導の R 波が増高し，両室肥大の所見を呈することが多い．

C. 心エコー：AVSD に共通する 5 つのポイント

（1）房室中隔の欠損 図3

正常では三尖弁と僧帽弁の中隔への付着位置が異なり，三尖弁の付着位置が心尖側に偏位することで “off-setting” が生じる．Off-setting の部分は左室と右房を隔てる隔壁となることから，房室中隔とよばれる．AVSD では左右の房室弁の高さが同等になることで，房室中隔が欠損する．AVSD の有無は心尖部四腔断面にて評価できる．

（2）共通房室弁

左右心室の房室弁の高さが同じになり，左右の弁葉の連続性を有する．左側の共通前尖と共通後尖の間にはクレフトが存在するが，AVSD ではクレフトが心室中隔の中央方向へ向かうことが多く，この特徴はクレフトの方向が左室流出路へ向かう孤立性僧帽弁

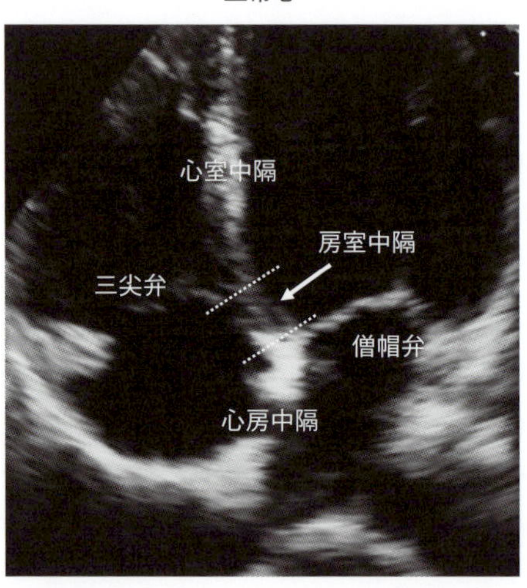

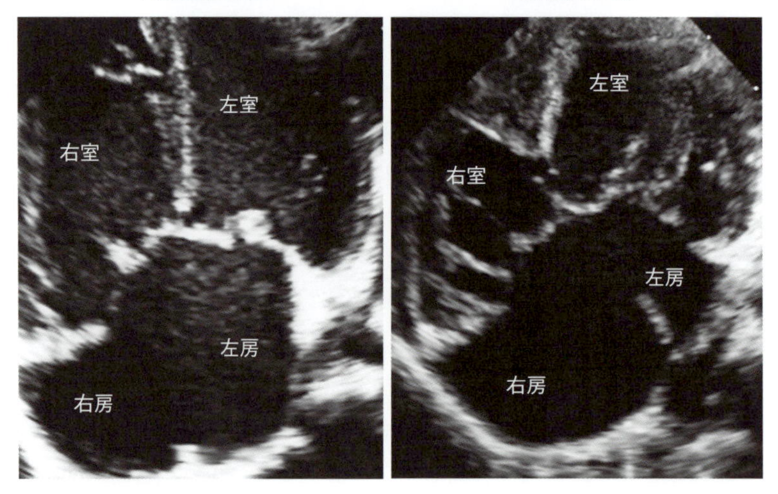

図3 正常房室中隔と AVSD
正常心では三尖弁の心室中隔付着部が心尖側にずれる（off-setting）ことで，左室と右房を隔てる房室中隔が存在する．AVSD では共通房室弁のために左右の房室弁の高さが等しくなることから，房室中隔が欠損する．

JCOPY 498-14563

裂隙との鑑別点とされている．房室弁形態の評価には心窩部からの房室弁短軸断面が有用である．図4 に不完全型 AVSD，図5 に完全型 AVSD のエコー静止画を示す．

(3) 大動脈弁の sprung position/unwedged position

正常の解剖では大動脈は両側の房室弁輪の間に挟まれた位置関係となる（wedged position）図1．しかし，AVSD では共通房室弁輪の前方に左室流出路が位置することから，通常よりも大動脈弁が前方に偏位（sprung もしくは unwedged position）する位置関係となり，左室流出路が長くなる．左室の流出路が流入路よりも長くなることは inlet-outlet disproportion とよばれる．Inlet-outlet disproportion は左室長軸断面にて評価できる．

(4) 左室乳頭筋の位置異常

左室乳頭筋の位置は正常と異なり，前乳頭筋が前方へわずかに移動し，後乳頭筋は前乳頭筋の方向に大きく近づく．この乳頭筋の位置変位により両乳頭筋の空間的位置関係は上下関係となり，乳頭筋間の距離も正常より短くなる．両乳頭筋の間に存在するのが左室側の lateral leaflet であり，この弁葉の大きさとその両端の交連形成のでき具合が心内修復術後の左側房室弁機能に大きく影響する．心窩部および傍胸骨短軸断面での乳頭筋レベルと房室弁レベルで，乳頭筋の位置と間隔，そして lateral leaflet の形態を評価できる．

(5) Scooping

完全型 AVSD では，大きな流入部 VSD を合併することから，心室中隔の高さが低くなる．このことは scooping とよばれ，その程度により手術法が異なる場合がある．心尖部四腔断面にて scooping の程度は評価できる．

D. 心臓カテーテル検査

カテーテル検査では肺血流量 / 体血流量比（Qp/Qs）に加えて，肺血管抵抗（Rp）や体血管抵抗（Rs）の評価を行う．肺高血圧が高度の場合には，酸素負荷や一酸化窒素負荷により肺血管床の反応性を評価する必要がある．左室流出路狭窄や大動脈縮窄を合併する場合には，カテーテルによる引き抜き圧測定を行う．また，一方の心室の低形成を伴う場合には，心室造影により心室容積の評価を行う．21 トリソミーでは，鎮静により低換気となりやすいことから，シースを入れ終わった時点で血液ガスを測定し，高炭酸ガス血症になっていないことを確認する．なお，気道病変の合併があらかじめ判明している場合には，麻酔科医による鎮静ないしは全身麻酔での検査が望ましい．

E. 気管支ファイバースコープ・喉頭ファイバースコープ検査

気管狭窄，気管（支）軟化，または喉頭軟化が疑われる場合には，術前にファイバー検査をしておくことが望ましい．気管狭窄を合併している場合には，開心術の際に気管への介入を同時に行うかどうかの方針をあらかじめ小児外科と計画しておく必要がある．

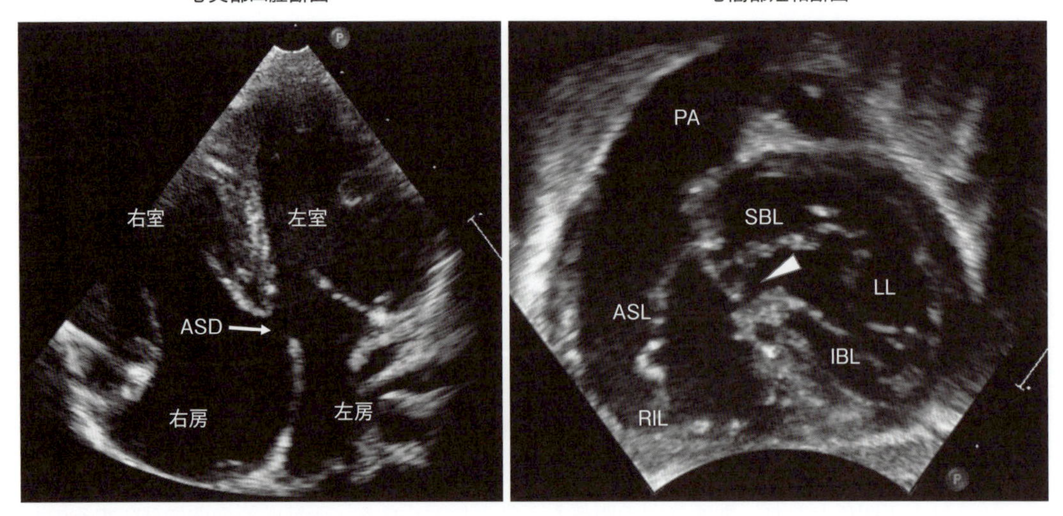

図4 不完全型 AVSD の心エコー図

心尖部四腔断面では心房中隔一次孔欠損を認める．心窩部短軸断面では，SBL と IBL 間にクレフト（矢頭）を認める．
ASD: 心房中隔一次孔欠損，ASL: antero-superior leaflet，IBL: 共通後尖，LL: lateral leaflet，PA: 肺動脈，RIL: right inferior leaflet，SBL: 共通前尖．

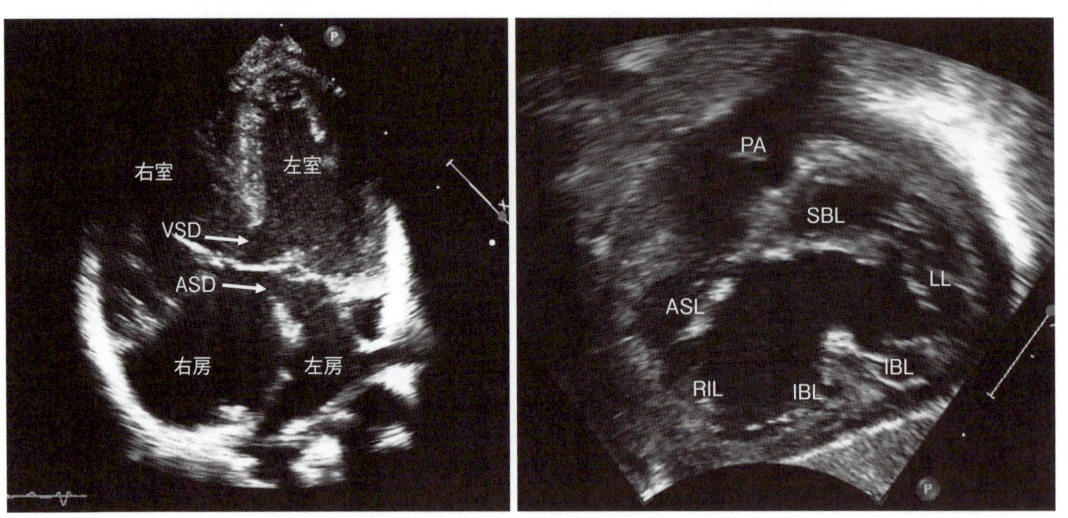

図5 完全型 AVSD の心エコー図

心尖部四腔断面では心房中隔一次孔欠損と流入部 VSD を認める．心窩部短軸断面では，SBL は中隔上で二分しており，Rastelli A 型であることがわかる．IBL も中隔上で二分する divided type であることがわかる．
ASD: 心房中隔一次孔欠損，ASL: antero-superior leaflet，IBL: 共通後尖，LL: lateral leaflet，PA: 肺動脈，RIL: right inferior leaflet，SBL: 共通前尖，VSD: 流入部心室中隔欠損．

JCOPY 498-14563

⑥ 術前管理

完全型 AVSD では心不全症状が強いことから，外来では主に利尿剤の投与とミルク量の管理が行われる．月 1 ～ 2 回の外来通院にて体重の増減をチェックし，RS ウイルス流行期間中にはパリビズマブの定期投与が行われる．上気道炎などを契機に心不全症状が悪化し，入院管理が必要となることもあり，哺乳力の低下を補うために経鼻経管栄養が一時的に必要となる場合がある．完全型 AVSD では，肺血管病変が生後 6 カ月頃より急速に進行することから，それまでに根治手術を終えることが望ましく，生後 2 ～ 6 カ月の間に行われることが多い．また，完全型 AVSD の手術時体重については，各施設で目安となるものは異なるが，4 ～ 5kg 以上で設定している施設が多い．生後 6 カ月までにこの体重に至らない可能性が高い場合には，肺動脈絞扼術により肺血流量の制限を行い，肺血管病変の進行を回避する必要がある．この場合には生後 2 カ月頃までに肺動脈絞扼術を行うことが望ましい．ただし，高度の房室弁閉鎖不全を合併する症例では，肺動脈絞扼術のみでは心不全症状が軽減しない場合もあることから，その適応は個々の症例で慎重に判断する必要がある．合併する房室弁機能障害が高度で，体重が 4kg 未満でも心内修復術に踏み切らざるを得ない場合があるが，このようなケースでは術後管理を含めた全体的な手術の難易度が高くなる．また，低体重での心内修復術が必要となる症例は，再手術が必要となる頻度も高くなることが多い．また，一方の心室が低形成となる不均衡型 AVSD においては，単心室型治療も選択肢に入ることから，このような症例では生後 1 カ月以内には肺動脈絞扼術を行う必要がある．ただし，21 トリソミーにおけるフォンタン手術は手術死亡率が約 10％と高いことに加えて，長期予後も不良な場合が多いことから，治療方針についてはカテーテル結果などを踏まえて慎重に判断する必要がある [5]．

不完全型 AVSD においては，心不全症状が軽く肺高血圧を合併しない症例では，4 ～ 5 歳頃まで待機して手術することも可能な場合がある．ただし，年 2 回程度の心エコーによる房室弁機能と肺高血圧の進行の有無についての評価を行いながら，慎重に手術時期を決定する．なお，いずれの病型においても，心内修復術の前には心臓カテーテル検査を行い，肺体血流量比や肺血管病変の有無を評価しておくことが望ましい．

⑦ 手術

新生児・乳児期早期，低体重，合併奇形症例，あるいは一側房室弁・心室の低形成症例では姑息術として肺動脈絞扼術（PAB）を行う（本書各論「1-4. 心室中隔欠損症」図11 に準ずる）．

心内修復術は胸骨正中切開，人工心肺使用，心停止下に行う．不完全型 AVSD の場合 図6 ，図7 ，右房切開から心房中隔一次孔欠損越しに（必要なら ASD をいったん拡大して），左側房室弁のクレフト閉鎖（流入面積を確保できない場合は放置），新鮮自己心膜を用いた心房中隔一次孔欠損のパッチ閉鎖，三尖弁形成を行う．冠状静脈洞（CS）の左側で ASD を閉鎖した場合に左側房室弁の開放・閉鎖を障害するようなら，CS の unroofing を行ったうえ，その右側でパッチを縫着する（CS は左房に開口する）．

完全型 AVSD に対する two patch 法の場合 図8，図9，最初に逆流試験で上下共通弁尖の左右分割線を決定するが，この分割の正確さが手術の肝要である．決定した共通弁尖の分割線で，ePTFE パッチを用いて流入部 VSD（3 型）を閉鎖する．次に左側房室弁のクレフトを閉鎖するが，術前に lateral leaflet（LL）サイズや乳頭筋間距離，弁開口面積からクレフト閉鎖が可能かどうか評価しておく．続いて不完全型 AVSD に準じて心房中隔一次孔欠損のパッチ閉鎖，三尖弁形成を行う．刺激伝導系を避ける観点から，VSD パッチ下縁は右房（三尖弁）側での，ASD パッチ下縁は左房（僧帽弁）側での縫着が標準的とはいえるが，左側房室弁機能への影響なども考慮して個別に検討する．

Modified single patch 法は，上下共通弁尖の左右分割線を VSD crest（稜線）に縫合し，心室間交通を直接閉鎖することで，完全型 AVSD を不完全型 AVSD に変換して修復する術式である．Two patch 法に対し大動脈遮断時間が短く，劣らない術後成績が報告されている 図10．

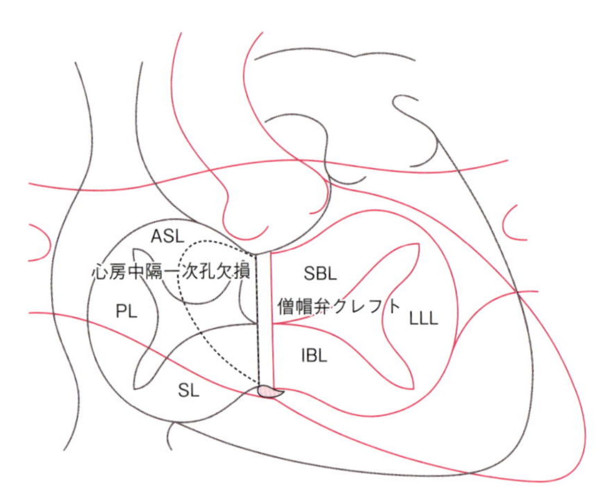

図6 不完全型 AVSD
ASL: antero-superior leaflet, IBL: inferior bridging leaflet, LLL: left lateral leaflet, PL: posterior leaflet, SBL: superior bridging leaflet, SL: septal leaflet.

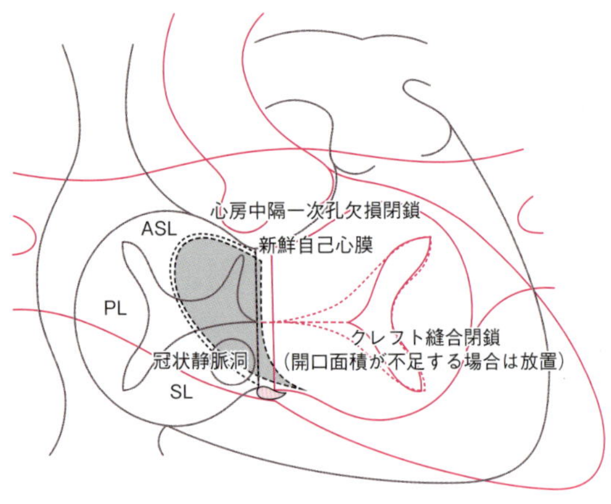

図7 不完全型 AVSD　心内修復術

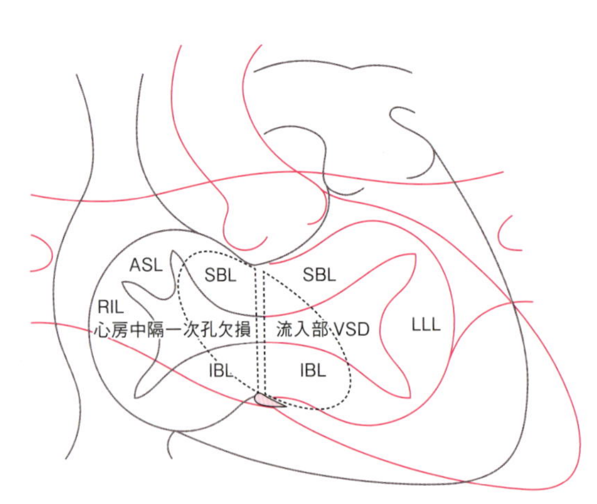

図8 完全型 AVSD　Rastelli 分類 C 型
RIL: righy inferior leaflet.

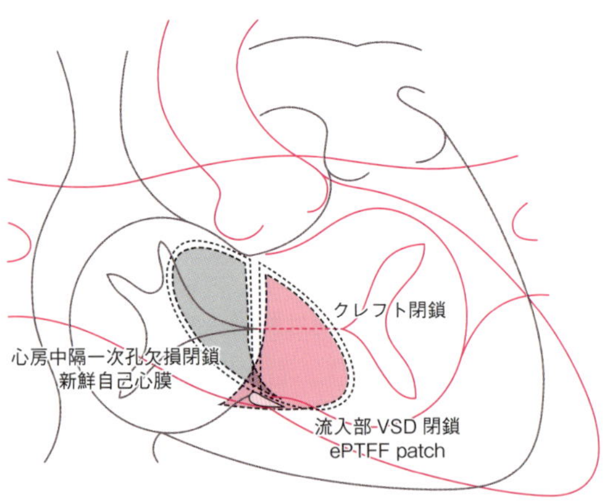

図9 完全型 AVSD　心内修復術　two patch 法

JCOPY 498-14563

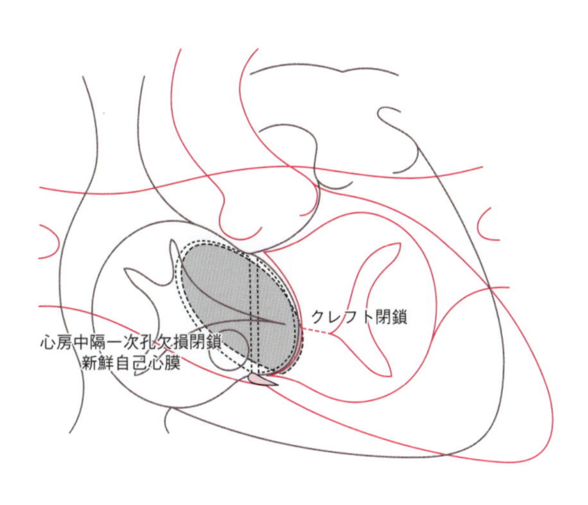

図10 完全型 AVSD 心内修復術
modified single-patch 法

術後遠隔期の左側房室弁不全が再手術（弁形成，弁置換）の適応となる．

⑧ 術後経過

AVSD 全体での手術による死亡率は 1 ～ 2％と報告されている[5]．術直後の死亡は，左側房室弁の機能不全と肺高血圧に起因することが多い．房室弁形態は個人間のバリエーションが大きく，術前から高度の狭窄や閉鎖不全をきたしているような異形成の強い弁の場合には，弁形成手術が困難な場合がある．術直後に高度の左側房室弁狭窄や閉鎖不全を残した場合には，救命自体が困難な場合もあり，このようなケースでは人工弁の使用もやむを得ないことがある．しかし，小さい心臓に人工弁置換術を行うことは，人工弁周囲のリングによる圧排のために術後に左室流出路狭窄，心筋虚血，または房室ブロックなどを起こすことがある．また，術後に遷延する肺高血圧も術後早期死亡の原因となるが，これは術前の肺血管病変の進行具合によって決定される．当然，手術時年齢が高いほど肺血管病変が進行していることが多いが，Rastelli A 型自体が重度の肺血管病変を合併しやすいとの報告がある[1]．Rastelli A 型において，特に左室流出路狭窄を合併する症例では，より早めの肺動脈絞扼術を含めた治療介入を考慮する必要がある．その他の術後合併症としては残存短絡，左室流出路狭窄，房室ブロックを含む不整脈などがある．術後遠隔期において再手術が必要となる割合は術後 5 年で約 10％，15 年では約 20％弱と報告されている[6]．左側の房室弁機能不全が術後遠隔期に手術再介入を要する最大の要因であり，術直後の房室弁機能が良好でも術後遠隔期に悪化してくることがあることから，術後も心エコーによる定期的なフォローが重要である．術後遠隔期に房室弁機能不全を合併しやすい要因としては，不完全型 AVSD，術前における高度の左側房室弁閉鎖不全，乳児期早期での手術，手術における不完全なクレフトの閉鎖，重複弁口，パラシュート房室弁などがある[7]．

術後検査と管理

術後管理は残存病変に応じた対応が必要になる．房室弁閉鎖不全が軽度以下で肺高血圧も含めた他の残存病変がない場合には，服薬は不要であり，運動制限も必要ないことが多い．ただし，左側房室弁閉鎖不全が軽度でも残存する場合には，感染性心内膜炎に対する予防措置が必要となる．また，房室弁閉鎖不全が中等度以上，もしくは肺高血圧が遷延している場合には，アンジオテンシン変換酵素阻害薬などの末梢血管拡張薬や，肺血管拡張薬などの服薬を継続する必要があり，その重症度に応じた運動制限や生活指導が必要となる．

【参考文献】

1) Suzuki K, Yamaki S, Mimori S, et al. Pulmonary vascular disease in Down's syndrome with complete atrioventricular septal defect. Am J Cardiol. 2000; 86: 434-7.
2) Najm HK, Coles JG, Endo M, et al. Complete atrioventricular septal defects: results of repair, risk factors, and freedom from reoperation. Circulation. 1997; 96: 311-5.
3) Sharma V, Burkhart HM, Schaff HV, et al. Double-orifice left atrioventricular valve in patients with atrioventricular septal defects: surgical strategies and outcome. Ann Thorac Surg. 2012; 93: 2017-21.
4) Yamaki S, Togo H, Sekino Y. Quantitative analysis of pulmonary vascular disease in simple cardiac anomalies with Down syndrome. American J Cardiol. 1983; 51: 1502-6.
5) Hoashi T, Hirahara N, Murakami A, et al. Current surgical outcomes of congenital heart surgery for patients with Down syndrome in Japan. Circ J. 2018; 82: 403-8.
6) Hoohenkerk GJF, Bruggemans EF, Rijalaarsdam M, et al. More than 30 years' experience with surgical correction of atrioventricular septal defects. Ann Thorac Surg. 2010; 90: 1554-62.
7) Minich LL, Tani LY, Pagotto LT, et al. Size of ventricular structures influences surgical outcome in Down syndrome infants with atrioventricular septal defect. Am J Cardiol. 1998; 81: 1062-5.

〈新居正基（①〜⑥，⑧） 村田眞哉（⑦）〉

JCOPY 498-14563

1

循環器疾患

7. 肺高血圧

ポイント

1…左右短絡疾患を伴ったダウン症候群では，肺高血圧の進行が速い．

① 肺高血圧とは

肺高血圧とは何らかの原因で肺動脈圧が上昇した状態である．一般的には平均肺動脈圧が 25mmHg 以上と定義されるが，新生児や乳児では体血圧が低いためにこの定義はあてはまらない．

重要な点は，肺動脈圧は肺血流量と肺血管抵抗（肺への流れにくさ）で規定されるということである．これは電流におけるオームの法則と同様である．オームの法則で「電圧＝電流×抵抗」とされているように，「肺動脈＝肺血流量×肺血管抵抗」と表すことができる．つまり，肺に流れる血液量が増加しても，肺の血管が障害されてきて肺に流れにくくなっても肺動脈圧は上昇，つまり，肺高血圧は起こるということである．肺高血圧がどちらの要因で起こっているかによって症状や治療法は大きく異なる．

② ダウン症候群における肺高血圧

ダウン症候群では約 40％に先天性心疾患を合併するといわれている．さらに，左右短絡疾患における肺高血圧が高度かつ短期間に進行することが知られている．さらに，表1 に示すようなさまざまの要因が肺高血圧の危険因子となる．

表1 ダウン症候群における肺高血圧の危険因子

- 先天性心疾患
- 肺低形成，気腫状変化
- 上気道閉塞とそれに伴う睡眠時無呼吸症候群
- 反復する下気道感染
- 低出生体重児
- 一過性骨髄異常増殖症（TAM）

③ 先天性心疾患と肺高血圧

ダウン症候群では約40%に先天性心疾患を合併するといわれている．わが国のダウン症候群に合併する心疾患の調査では，心室中隔欠損（36.8%），房室中隔欠損（29.7%），動脈管開存（10.5%），心房中隔欠損（10.3%），ファロー四徴（7.4%）の順で多かった．この5大疾患中で，ファロー四徴以外の4疾患は肺血流が増加する疾患である．これらは，身体に血液を送る役割を担う左心系から肺に血液を送る役割の右心系に血液が漏れるため，左右短絡疾患という疾患群に属する．

④ 胎児循環から生後循環へ

生まれる前の胎児は，子宮内の羊水という水のなかで生活している．酸素は臍の緒（臍帯）から供給されるため，胎児は自分で呼吸をする必要がない．そのため胎児の肺にはガス交換という機能はなく，肺に流れる血液量（肺血流量）も出生後よりもずっと少ない．肺に血液を流さないために胎児の肺毛細血管は強く収縮し，肺血管抵抗を高く維持し肺高血圧の状態となっている．出生直後にオギャーと泣き第一呼吸が始まると，肺は拡がり肺血管抵抗が低下し肺血流量が増加する．この変化により肺に血液が流れ肺でのガス交換が行われるようになる．それとともに胎児循環に必要であった動脈管や卵円孔は閉鎖に向かう．肺動脈圧および肺血管抵抗は出生直後に体血圧の半分程度まで低下し，その後数週間かけて成人のレベルにまで徐々に低下していく．

⑤ 左右短絡疾患における肺血管抵抗，肺動脈圧の変化

大きな心室中隔欠損を例にあげてみる．第一呼吸により急激に肺血管抵抗が低下し，その後ゆっくりと低下していくことは正常と同様である．しかし，それでも成人レベルまでは低下しないようである．最も肺血管抵抗が低下するのは，生後2週間から1カ月頃である．肺血管抵抗が低下するということは肺に血液が流れやすくなるということであり，心室中隔欠損を介する短絡量が多くなり，多呼吸，哺乳不良などの症状が強くなる．肺血流増加により肺の毛細血管が徐々に傷害を受け（肺血管病変），3～4カ月ごろから肺血管抵抗は上昇に向かう．これに伴い短絡量は減少し，症状も改善したようにみえる．しかし，ここで手術が行われずに経過すると，生後1年くらいで肺血管には不可逆性（改善が見込めない）の病変が進行してくる．

⑥ ダウン症候群における先天性心疾患での肺高血圧の進行

ダウン症候群においては，肺血管抵抗の上昇が非ダウンの患者よりも早いタイミングで進行することが知られている．また，出生後の肺血管抵抗の低下も不充分で高いまま経過する患者さんもいる．このような場合には，肺血流の増加は軽度であり多呼吸や哺乳不良などの症状が比較的軽いことが多い．また，心雑音も聴取しにくいこともある．したがって，心エコーで大きな心室中隔欠損が確認されているにもかかわらず，症状が

JCOPY 498-14563

軽く体重増加も良好な患者さんは，「状態がよい」わけではなく，むしろ肺の状態は悪いと考えて手術に向けた検討を速やかに行うべきである．ダウン症候群に合併する先天性心疾患のなかでは，房室中隔欠損＞動脈管開存＞心室中隔欠損＞心房中隔欠損の順で，肺血管抵抗の上昇の進行は速い．特に房室中隔欠損では，生後3カ月までには肺動脈絞扼術または心内修復術を行うように努める．心房中隔欠損においては，ダウン症候群でない患者さんでは20歳頃になってから肺高血圧が出現することが多いが，ダウン症候群ではより早期に出現することもある．いずれの先天性心疾患でも適切な時期に手術が行われれば，肺血管病変は改善し術後に肺高血圧を残すことはない．

⑦ 肺高血圧がなぜ問題になるのか

心室中隔欠損，房室中隔欠損，動脈管開存において，充分大きな欠損孔がある場合，はじめの段階では肺血流増加による肺高血圧となる．肺血管病変の進行につれて肺血管抵抗が上昇し肺血流量は減少する．ここで注意すべきは心室中隔欠損または動脈管が充分な大きさであれば，肺動脈圧自体はほぼ体血圧と同等であり，肺血管抵抗の変化によっても大きく変わらないことである．「肺動脈圧＝肺血流量×肺血管抵抗」の関係において，肺動脈圧が一定であれば，肺血管抵抗の変化により肺血流量が変化することになる．

肺血管抵抗はさらに上昇し，体血管抵抗を超えるようになると心室中隔欠損では右室→左室，動脈管では肺動脈→大動脈の短絡が優位となり，右室や肺動脈の酸素の少ない静脈血が身体に流れるようになり低酸素血症が起こってくるようになる．このような状態はアイゼンメンジャー症候群とよばれる．ここまで肺血管病変が進行すればもはや短絡の閉鎖は不可能になる．なぜならこのような肺血管抵抗の高い状態で短絡を閉鎖すれば，高い肺動脈圧に右室が対応できなくなり，うっ血性心不全が起こり，かえって状態は悪化するからである．

⑧ ダウン症候群における肺高血圧の症状

左右短絡疾患を伴う場合，肺高血圧が起こっている病態により 表2 のような症状を呈する．

通常は表の1から3の順に進行するが，ダウン症候群では出生後も肺血管抵抗が高いままに経過することがあり，1の状態とならないこともある．その場合，症状が軽度のために，診断や治療が遅れてしまうことがないように注意が必要である．

聴診所見も1から3の段階で大きく異なる．肺高血圧があればⅡ音の亢進は共通してみられる．Ⅱ音は大動脈弁，肺動脈弁の閉鎖音であるが，肺高血圧があると肺動脈弁が勢いよく閉じるためである．心室中隔欠損または動脈管開存における短絡の雑音は1の状態であればはっきり聴取できるが，2から3への進行につれて肺血流減少とともに雑音は聞こえにくくなる．さらに，1の状態であれば，肺血流増加により左房還流血が増加し，僧帽弁通過血流が増加するため，相対的僧帽弁狭窄の拡張期雑音を心尖部で聴取する．

表2 肺高血圧の病態と症状

	状態	肺血流量	症状
1	短絡があり肺血管抵抗がまだ高くない	多い	多呼吸，哺乳不良
2	短絡があり肺血管抵抗が上昇してきた	1よりは少ない	症状改善
3	短絡があり肺血管抵抗＞体血管抵抗（アイゼンメンジャー症候群）	減少	低酸素血症

⑨ 肺高血圧の診断

ここではダウン症候群における肺高血圧の診断の検査について，日常臨床で有用なポイントに焦点を当てて解説する．

心電図

V1 誘導は右前方に位置する右室に近い誘導であり肺高血圧による右室肥大の診断に重要である．生後 8 日目から 3 歳までの小児では V1 の T 波は陰性になるのが正常であるが，右室肥大がある場合には陽性になる．また，V1 の R 波は右室成分を反映するため，R 波の電位は S 波の電位よりも高くなる．年長児のアイゼンメンジャー症候群では，V1 誘導で高い R 波とともにストレインパターンがみられる．

心エコー

心エコーはダウン症候群に伴う先天性心疾患および肺高血圧の診断に最も有用である．さらに，表2 における肺血管抵抗上昇の進行も診断可能である．大きな心室中隔欠損や動脈管開存が存在する場合，肺血管抵抗がまだ高くなく肺血流量が多い状態では短絡方向はほぼ左右方向で，拡張末期に一瞬右左短絡がみられる．肺血管抵抗の上昇とともに右左短絡の時相が長くなってくる．アイゼンメンジャー症候群となると，収縮期に右左短絡がみられるようになる．左室短軸像では，正常の左室短軸は正円形であるが，肺高血圧の程度が強くなるにつれて心室中隔は右室から左室側に押されるようになる．左室と右室が等圧なら，心室中隔はほぼ平坦となる．心室中隔欠損や動脈管開存が充分開いていれば左室はこれ以上扁平化することはない．しかし，心房中隔欠損に伴う肺高血圧や短絡のない肺高血圧では，肺動脈圧が体血圧を超えることはあり，左室は三日月状に扁平化する．三尖弁逆流の流速から右室圧，肺動脈圧を推定することができる．

心臓カテーテル検査

肺血流量，肺血管抵抗を算出し手術適応を決定するためには重要な検査である．肺血流量と体血流量の比が 2.0 以上あれば手術適応と考える．一方，1.5 未満であればその時点での適応はない．肺高血圧が進行し，肺血管抵抗が 8 単位・m^2 を超える場合には，酸素や一酸化窒素の負荷試験を行い肺血管の反応を評価したうえで適応を決定する．肺生検が行われることもある．なお，ダウン症候群の児では検査のための鎮静によって，舌根沈下による上気道狭窄が起こりやすい．そのため血中二酸化炭素濃度が上昇し，肺血管抵抗が普段の状態よりも高めに出てしまうこともある．一方，上気道狭窄の懸念のある児では，挿管，全身麻酔下の心臓カテーテル検査も考慮されるが，陽圧呼吸も検査結果に影響する．心臓カテーテル検査の数字だけでは判断せず，症状や心エコー所見も

JCOPY 498-14563

合わせて総合的に手術適応を判断すべきである．

⑩ 肺高血圧の治療

手術

先天性心疾患を合併したダウン症候群では，適切な手術時期を逃さないことが最も重症である．特に房室中隔欠損では肺血管抵抗の上昇が早期に起こるとされているため，早期の手術介入を考慮する必要がある．房室弁の形態により低体重での心内修復術が困難な場合には，まず，肺動脈絞扼術を行い，体重増加が得られてから心内修復術を行う．心室中隔欠損でも6カ月までには手術を行うのが望ましい．一期的に心内修復術が行われることが多いが，低出生体重児の場合，他臓器疾患を合併している場合などには，肺動脈絞扼術が行われることもある．動脈管開存では人工心肺を必要としない手術であるため，肺高血圧があれば体重にかかわらず早めに手術を行う．心房中隔欠損は一般的には小児期に肺高血圧を起こすことは少なく，体重増加を待ってカテーテルによる閉鎖，または開心術による閉鎖を行う．ダウン症候群における心房中隔欠損では乳児に肺高血圧を合併することがあるため，慎重に経過観察する必要がある．

薬物療法

現在，いくつかの系統の肺血管拡張剤が使用可能である．肺血管抵抗が上昇した症例においても，肺血管拡張剤の投与により肺血管抵抗を下げたあとで手術が可能になることもある．また，術後に肺高血圧が残存した場合でも肺血管拡張剤は有効である．アイゼンメンジャー症候群においても低酸素血症の改善に有効である．

⑪ アイゼンメンジャー症候群

肺血管抵抗が体血管抵抗を超え，短絡方向が右左優位となった状態をアイゼンメンジャー症候群という．酸素の少ない血液が身体の循環系に流れ込むため，低酸素血症を呈する．低酸素血症は年齢とともに進行することが多い．表3 に示すように低酸素血症によるさまざまな合併症が起こり得る．酸素療法や肺血管拡張剤が低酸素血症や肺血管抵抗の改善に効果があるが，肺血管抵抗の上昇の程度が比較的軽度の場合には，これらの使用により左右短絡が増加し心負荷が増大することでかえって状態が悪化することがあるので，心エコー検査による血行動態のモニタリングが必要である．

表3 慢性の低酸素血症による合併症

● 脳梗塞，脳膿瘍
● 感染性心内膜炎
● チアノーゼ腎症
● 痛風
● 喀血
● 不整脈，心機能低下
● 多血症
● 肥厚性骨関節症

⑫ 上気道閉塞による肺高血圧

ダウン症候群の患者さんは，もともと舌が大きく舌根沈下による上気道狭窄を起こしやすい．これに加え，扁桃やアデノイド肥大が高度になると，無呼吸を伴った上気道閉塞症状が起こることがある．これにより睡眠時などに血中二酸化炭素濃度が上昇すると，肺血管の攣（れん）縮が起こり，肺高血圧を起こすことがある．外来ではいびきや睡眠時無呼吸の有無をよく問診し，症状があるようなら心エコー検査で肺高血圧の評価を行ったり，SAS（睡眠時無呼吸検査）を行う．逆に心内修復術が終了している 3 ～ 5 歳の患者で，肺高血圧の再発をみた場合には，上気道閉塞も念頭におき，検査を進める．扁桃やアデノイドの摘出術で肺高血圧は改善する．

【参考文献】

1） 佐地　勉．Down 症候群に合併する肺高血圧の意義．日小児循環器会誌．2013; 29: 3-10.
2） 小穴慎二，市田蕗子，太田入掛雄．平成 14 ～ 16 年度研究課題報告 Down 症候群の心血管疾患ー核型と表現型，肺高血圧に関する検討．日小児循環器会誌．2010; 26: 58-68.
3） 福島裕之．先天性心疾患を伴うダウン症候群における肺高血圧診療のポイント．Pulm Hypertension Update. 2015; 1: 52-6.
4） 田中靖彦．二次性肺高血圧の治療と管理．小児内科．2001; 33: 683-8.

〈田中靖彦〉

JCOPY 498-14563

1

循環器疾患

8. 麻酔管理

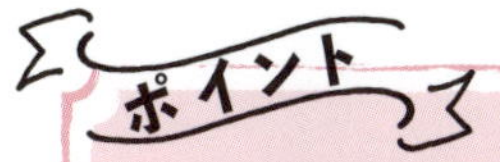

1 …心臓の状態を把握しておく.

2 …肺高血圧に対応する.

3 …覚醒・抜管後の上気道症状に注意する.

① 術前診察

心臓手術・非心臓手術にかかわらず，事前に心臓の状態を把握しておかなくてはならない.

胸部X線検査や心エコー検査，カテーテル検査などのデータだけでなく，循環器科・心臓外科のコメントからも情報を収集する.

注意すべきデータは疾患によって異なるが，心臓の収縮能，弁の動き，体 – 心臓 – 肺を巡る血液の流れ，中心静脈圧（心臓近くの大静脈の圧），心内シャント（左右の心房・心室を隔てる壁に空いた欠損孔）の有無，心内シャントを通る血流の方向・量，肺血流量，肺動脈圧，肺血管抵抗などは最低限チェックする.

なかでも肺血流量，肺動脈圧，肺血管抵抗はダウン症において重要な項目である.

ダウン症児は，非ダウン症児と比べて肺高血圧になりやすいとされている[1, 2]. 心室中隔欠損症や房室中隔欠損症など，肺血流量が多い「左→右シャント」の疾患（体全体へ血液を送る左心系から，肺へ血液を送る右心系へ，心内シャントを通して血液が流れ込む疾患）では特に注意が必要である.

先天性心疾患は，ときに二期的に（複数回に分けて段階的に）手術が行われる. 以前の手術の状況や，術後経過にも目を通しておく.

そのほかダウン症に多くみられる合併症，特に麻酔に関して問題となる疾患，すなわち，喉頭軟化症，気管軟化症，声門下狭窄，環軸椎亜脱臼，甲状腺機能低下症などの有無も併せて調べておく.

② 前投薬

激しく泣いてしまうと循環に悪影響を与える可能性がある. そのため幼小児には手術室に出発する前に，前投薬として鎮静薬を投与することがある.

しかし，ダウン症児は扁桃・アデノイド肥大，いびき，睡眠時無呼吸などを生じやすく[3-5]，鎮静薬を投与すると上気道（鼻・喉）が閉塞気味になる．

よって，前投薬を投与する場合は，非ダウン症児より減量したほうがよい．

静岡こども病院では通常，前投薬としてミダゾラム0.7mg/kg（体重1kgあたり0.7mg）を出棟20～30分前に注腸投与（肛門から注入）しているが，ダウン症児では0.5mg/kgに減量している．

③ 麻酔導入～気管挿管

導入に用いる薬剤量は，血圧など循環が安定していれば非ダウン症児と同じくらいの用量でもよいと思われる．

ただし，高濃度の吸入麻酔薬を用いる緩徐導入（麻酔ガスの吸入による導入法）では，徐脈が生じやすいことに[6,7]留意しておく．

ダウン症児は末梢ルート（点滴）確保が難しいことがある[8]．最低でも1本は必要だが，2本目以降はあまり固執せず，時間を浪費しないようにする．どうしても追加の薬剤ルートが欲しいときは，中心静脈カテーテルなど他のルートで対応する．

ダウン症児は巨舌，扁桃肥大などにより，マスク換気が難しいことがある．また，大きな舌は喉頭展開（挿管するために，器具を用いて喉頭蓋を持ち上げ，声帯を明らかにする手技）の視野を妨げる．

酸素濃度が高いと肺血流量が増加するので，肺高血圧がある症例は挿管前の酸素化が好ましくないことがある．

その場合は酸素化されていない状態での手早い挿管操作が要求される．

ダウン症児は鼻腔が小さく狭いことがあるので，経鼻挿管（鼻からの気管挿管）は無理をしないほうがよい．

術前に環軸椎亜脱臼が指摘されていなくても，ダウン症児は「首が悪い」ものとして扱うほうがよい．喉頭展開の際には過度に頸部を伸展・屈曲するべきではない．これは経食道心エコーを挿入する際も同様である．

ダウン症児はときに声門の直下や気管が狭いことがある[4,5,9,10]．術前には指摘されておらず，いざ気管挿管という段になって判明することもしばしばである．

年齢や体重などから算出したサイズの気管挿管チューブが入らない場合は，無理をせずサイズダウンする．

④ 麻酔維持

麻酔維持に関しては，各施設で使用する薬剤やその使用量に違いがある．

いずれにしても循環が安定していれば，非ダウン症児と同程度の麻酔深度にしても問題ないと思われる．

肺高血圧の症例では，手術の刺激などにより発作的に肺血管が痙攣して，「肺高血圧クライシス」という危機的な状態に陥ることがある．

JCOPY 498-14563

急激な肺動脈圧上昇，右心系への負荷増大，低心拍出量，重篤な低酸素症を引き起こす．

予防および治療のためには，充分な麻酔深度にして，不要な刺激を避けることを心がけ，ニトログリセリンなどの血管拡張薬や一酸化窒素（NO）の吸入の準備をしておく．

⑤ 覚醒～抜管

ダウン症児は麻酔薬の効果が残存しやすい印象があるが，ダウン症児と非ダウン症児の心臓手術に関するデータを比較検討した研究では，抜管までの所要時間は両者に差はないようである[8,11]．

抜管は，基本的に完全覚醒下で行う．

抜管後は充分な観察とモニタリングが必須である．巨舌や扁桃・アデノイド肥大のため，抜管後に上気道閉塞を生じやすい．

上気道閉塞が生じた場合は，下顎挙上，側臥位（横向き），経鼻的持続陽圧呼吸（nasal continuous positive airway pressure: nasal CPAP）が有効である[12]．

また，気管が狭い症例では，抜管後に気道狭窄症状（stridor）を呈する場合がある[13,14]．

⑥ 特殊な事例

まれに特殊な事例に出会うことがある．

二期的手術の初回手術が終わったあとに，白血病など即座に生命に関わる疾患を発症することがまれにある．その場合はやむなくそちらの治療を優先することになる．

その治療が終了してから２回目の心臓手術を行うことになった際，予定よりも時間が経過した心臓や肺の状態がどうなっているかは予想がつかない．より綿密な情報収集が必要である．

また，ダウン症ということで医療ネグレクトを受けて，心疾患の治療を放っておかれる例もいまだにみられるようである．

左→右シャントのある疾患では，手術せず放置すると症状が進行して「アイゼンメンジャー化」という状態になってしまう．これは肺高血圧が著しく進行している状態で，一般的には手術適応外とされる．

だが，非心臓手術に関しては必ずしも禁忌ではないと思われる．

アイゼンメンジャー化した成人ダウン症患者の非心臓手術を麻酔管理した報告がある．

それによると体血管抵抗を維持したうえで肺血管抵抗を低めに管理し，肺高血圧クライシスの予防と術後鎮痛に努めることで，良好な経過をたどっている[15]．

【参考文献】

1) D'Alto M, Mahadevan VS. Pulmonary arterial hypertension associated with congenital heart disease. Eur Respir Rev. 2012; 21: 328-37.
2) Lindberg L, Olsson AK, Jogi P, et al. How common is severe pulmonary hypertension after pediatric cardiac surgery? J Thorac Cardiovasc Surg. 2002; 123: 1155-63.
3) Jacobson BL, Wald SH, Manson LJ. Anesthesia for the patient with coexisting disease. In: Bissonnette B, et al. Editors. Pediatric anesthesia: basic principles, state of the art, future. Shelton: People's Medical Publishing House; 2011. p.942-67.
4) Lin EP, Spaeth JP. 62 Down Syndrome. In: Goldschneider KR, et al. Editors. Clinical pediatric anesthesia. New York: Oxford University Press; 2012. p.621-30.
5) Bertrand P, Navarro H, Caussade S, et al. Airway anomalies in children with Down syndrome: endoscopic findings. Pediatr Pulmonol. 2003; 36: 137-41.
6) Bai W, Voepel-Lewis T, Malviya S. Hemodynamic changes in children with Down syndrome during and following inhalation induction of anesthesia with sevoflurane. J Clin Anesth. 2010; 22: 592-7.
7) Kraemer FW, Stricker PA, Gurnaney HG, et al. Bradycardia during induction of anesthesia with sevoflurane in children with Down syndrome. Anesth Analg. 2010; 111: 1259-63.
8) 自見宣郎，桶谷庸子，住吉理恵子，他．Down症候群患児の心臓手術の麻酔管理．日小児麻酔会誌．2005; 11: 144-7.
9) Mercer ES, Broecker B, Smith EA, et al. Urological manifestations of Down syndrome. J Urol. 2004; 171: 1250-3.
10) Shott SR. Down syndrome: analysis of airway size and a guide for appropriate intubation. Laryngoscope. 2000; 110: 585-92.
11) 寺田雄紀，橘　一也，竹内宗之，他．ダウン症候群児と非ダウン症候群児における心臓手術後急性期の人工呼吸中の鎮痛・鎮静薬必要量の比較．麻酔．2016; 65: 56-61.
12) Ito H, Sobue K, So MH, et al. Postextubation airway management with nasal continuous positive airway pressure in a child with Down syndrome. J Anesth. 2006; 20: 106-8.
13) Sherry KM. Post-extubation stridor in Down syndrome. Br J Anaesth. 1983; 55: 53-5.
14) Borland LM, Colligan J, Brandom BW. Frequency of anesthesia-related complications in children with Down syndrome under general anesthesia for noncardiac procedures. Paediatr Anaesth. 2004; 14: 733-8.
15) 杉山卓史，黒田光朗，山長　修，他．成人アイゼンメンゲル症候群に対する精巣摘除術の麻酔．日小児麻酔会誌．2015; 21: 195-8.

〈平野博史〉

JCOPY 498-14563

1

循環器疾患

9. 術後管理

ポイント

1…術前高肺血流疾患群では，PH crisis の予防を念頭においた管理が必要である.

2…上気道，下気道の狭窄病変を有することが多く，術後の呼吸器離脱にあたって，慎重な評価が必要である.

21 トリソミーでは，前出のごとく，房室中隔欠損（AVSD），心室中隔欠損（VSD），心房中隔欠損（ASD），ファロー四徴症（TOF）などの心疾患を有することが多い．これらに対して心内修復術，あるいは高肺血流増加型疾患に対しては肺血流制御のための肺動脈絞扼術（PAB），ファロー四徴症などの肺血流減少型疾患に対してはBT シャント術（BTS）などが行われる．21 トリソミーでは単心室循環はまれであり，以下は二心室循環の術後管理について述べる．

一般的な心臓術後は，心臓手術が終了すると，挿管人工呼吸管理下，鎮静された状態でICU 入室となる．術中に引き続き，心電図，動脈ライン，中心静脈ライン，$ETCO_2$ モニター，体温計（皮膚，食道，直腸）などから，心拍，心電図波形，動脈圧，血液ガス，中心静脈圧，呼吸数，末梢温，中枢温などをモニタリングし，各パラメーターから呼吸循環の評価をする．症例によって異なるが，数時間から数日の経過で手術侵襲からの回復を待ち，循環が整ったところで，覚醒を促して呼吸器からの離脱を図る．呼吸器離脱後，呼吸循環が安定していれば，さまざまなライン類，モニター類，ドレーン類を整理し，一般病棟へ退室となる．一般病棟へ退出後も，感染や心嚢水・胸水貯留などの術後合併症を発症することもあり，定期的な採血，胸部X 線写真などの検査を行い，問題がないことを確認して退院に至る．

21 トリソミーの患児もほぼ同様の経過をたどるが，個々の管理に留意するべき点もあり，当院での実際の管理を示しながら各ポイントを述べていく．

① 循環管理[1)]

心内修復術後は血行動態が改善し，心臓の負担は軽減するが，急性期は体外循環使用による一時的な心機能低下，肺障害，腎障害，全身の炎症などを認める．侵襲からの回復を待つ間，適切な循環補助が必要である．また，PAB は体外循環を使用しないが，心室にとっては急激な後負荷の増大となり，BTS は急激な容量負荷の増大となるため，どちらも循環補助を要する.

循環管理の基本的な考え方は「酸素需要に見合った酸素供給をする」ということである. 酸素供給量は動脈血中の心拍出量（CO）と動脈血中の酸素含有量の積で表すことができる. 心拍出量は一回心拍出量（SV）と心拍数（HR）の積で, さらに一回心拍出量は拡張末期容積（EDV）と収縮末期容積（ESV）の差である. 酸素供給を増やすためには以下の方法がある.

ESVを小さくするために強心剤を使用し収縮力を高め, 血管拡張剤を使用して後負荷を軽減する. EDVを大きくするために輸液などで循環血液量を増やす. HRを増やすために強心剤や心筋ペーシングを使用する. 動脈血中酸素含有量を増やすために輸血しHct（ヘマトクリット）値を上げる. これらを行っても充分な酸素供給が得られない場合は, 酸素需要を減らすアプローチを行う. 深鎮静, 筋弛緩薬, 低体温などの方法がある. また, 心内短絡が残存する症例やBTS術後は肺血流と体血流のバランスが重要である. 体血流を増やしたい場合は, 高二酸化炭素血症, 低酸素血症, アシドーシスにして肺血管抵抗を上げ, 血管拡張剤の使用や末梢温度を上げることにより体血管抵抗を下げる. 症例ごとに酸素供給と酸素需要のバランス, 体血流と肺血流のバランスがとれているかを判断し, どの手段を用いてバランスの不均衡を是正するかを, バイタル, 理学所見, 血液ガスデータなどから判断する[2].

実際の術後管理はドパミン, ドブタミン, エピネフリンなどの強心剤で心収縮を補助し, ニトロプルシッド, ミルリノン, カルペリチドなどの血管拡張剤で後負荷軽減を図る. 急性期は術後侵襲で細胞外液がサードスペースに移動し血管内容量が減少するため, HRや中心静脈圧をみながら輸血や輸液で必要な循環血漿量を持する. 侵襲から回復するとサードスペースから血管内に水が戻ってくるため, 利尿剤を使用して循環血漿量の適正化を図る. 手術侵襲から心機能が回復し, 新しい血行動態に適応すれば血管作動薬のサポートを緩めていく.

乳児期のVSD, AVSDの手術は, 術前高肺血流で肺血管抵抗が高い症例が多く, 術後のpulmonary hypertensive crisis（PH crisis, 肺高血圧危機）に充分な留意が必要である. 特に21トリソミーの児では通常の症例よりも肺高血圧になりやすく, PH crisisのリスクも高い[3]. PH crisisは肺血管の攣縮により急激に肺血管抵抗が上がり, 右室が肺動脈へ血液を駆出できない状態であり, 肺を通過する血流すなわち, 左心系への還流が減り, 著しい心拍出と低酸素血症となる非常に危険な状態である. 啼泣や, 気管内吸引を契機に起こることが多い. PH crisisの予防には充分な酸素投与をする, 過換気によって低二酸化炭素血症とし代謝性アシドーシスを回避する, 一酸化窒素の吸入をする, 肺血管拡張剤を内服するなどといった肺血管抵抗を下げる管理を行い, 不要な吸引を避け, 適切な鎮静を行う. 手術侵襲から回復し, 利尿がつき肺うっ血が改善すると, 徐々に易刺激性がとれ, 覚醒, 抜管に耐え得るようになる. ただし, 21トリソミーでは抜管後, 後述のような気道病変合併による二酸化炭素貯留からPH crisisとなることもあり注意を要する.

JCOPY 498-14563

② 気道管理

21 トリソミーの児の特徴として，気道病変の合併が多いことがあげられ[4]，周術期管理に影響を与えるためここに 1 つ項目を設けた．

21 トリソミーに特徴的な巨舌は挿管困難の要因となり，また，抜管後に舌根沈下による気道閉塞を起こし得る．挿管に関しては本書「10．麻酔のトピックス」の項に譲るが，ICU 内で術後に抜管する際には術前挿管時の情報を必ずとっておく．

喉頭軟化症，気管軟化症も合併することがある．術前から喉頭軟化，気管軟化により挿管管理や non-invasive positive pressure ventilation（NPPV，非侵襲的陽圧換気），high flow nasal cannula（HFNC）を要する例もあるが，高肺血流型心疾患では心内修復術や PAB で高肺血流が是正され，呼吸負荷が軽減すると，術後は呼吸器や NPPV，HFNC から離脱可能となることもある．また，大血管による気管・気管支の圧迫を認める症例では，心臓手術時に，血管の吊り上げ術を同時に行うことで症状が軽減する症例もある．逆に，術前無症状でも，術後の一時的な肺うっ血，挿管刺激による喉頭・声帯浮腫，声帯麻痺，手術による反回神経麻痺，横隔神経麻痺など呼吸努力が増強する病態があると，喉頭軟化症状，気管軟化症状が顕在化することがある．人工呼吸器・NPPV・HFNC 装着下で利尿剤の強化や，ステロイド投与などで浮腫軽減を図り，時間経過で神経麻痺からの回復を待つことで症状改善を期待する．術後に呼吸器離脱が困難な症例では気管切開を要することもある．

治療介入が必要な気管狭窄を合併する心疾患はリスクが高い．心臓手術にあたって安定した気道確保は不可欠であるが，治療時期や方法は心疾患の重症度，気管狭窄の重症度，児の月齢，体格によって施設毎に慎重な検討が必要である．

③ 呼吸管理[5]

覚醒させること，自発呼吸を促すことは酸素需要が増大し，心負荷を増大させる．また，低換気，低酸素，アシドーシスは PH crisis を惹起する．ゆっくりと覚醒させ，自発呼吸を促していくなかで呼吸負荷に耐え得る心機能か，吸引刺激などで PH crisis が惹起されないか肺血管の反応性を確かめ，呼吸器離脱可能かどうか，心臓術後は循環面の評価が重要である．

当然，自発呼吸を促すなかで，チューブリークの有無，咳嗽反射の有無，覚醒度の評価，適切な圧で充分な換気量が得られるか（肺コンプライアンス），呼吸回数，血行動態に見合った酸素化が得られているかなど通常の抜管基準も評価をする．人工呼吸器関連肺炎の予防や，早期離床，鎮静剤使用量を減らすためにも，条件が整えば，早期の抜管を目指す．

抜管後の呼吸補助として NPPV や HFNC を装着することも多い．新生児症例，術後肺うっ血・肺実質障害が残存する症例，長期挿管で呼吸筋の筋力低下が存在する症例，気道病変合併症例では予防的に導入している．

④ 鎮静・鎮痛

心臓術後の患児において，覚醒はPH crisisの誘因となったり，酸素需要を増やし，心筋仕事量を増大させて循環動態に影響を与える．PH crisisのリスクの高い児，術前からの重度の心不全や，術中の心停止時間が長く，心機能が低下している症例は術後に深鎮静を要する．また，術後出血が多い症例も止血のため深鎮静を要する．深鎮静を得るにはフェンタニル（1～4μg/kg/h），ミダゾラム（0.1～0.4mg/kg/h），デクスメデトミジン（0.4～1.0μg/kg/h）などを使用する．完全な不動化を得たい場合はベクロニウム（0.05～0.1mg/kg/h）を加える．PH crisisや心機能低下，出血など覚醒を阻害する要因が解決されれば，鎮静剤，筋弛緩剤を減量中止し，覚醒を促していく．また，上述のような覚醒を阻害する要因がなければ，術直後から少量のフェンタニル（0.5～1.0μg/kg/h）やデクスメデトミジン（0.4～0.7μg/kg/h）で最低限の鎮静剤を投与しながら覚醒を促す．鎮静剤の効果は耐性の問題などもあり，個人差が大きい．上記の静注製剤の増量でも無効な場合は，フェノバルビタール，ジアゼパム，トリクロホスナトリウム，抱水クロラールなどの内服，坐剤も併せて使用するが，血圧低下，徐脈，呼吸抑制に注意する．

抜管後は疼痛コントロールを主体に行うが，ライン，モニター類，ドレーンなどの自己抜去の防止や，過度の興奮による心負荷増大の防止のため，あるいは創部の安静を維持するために，ある程度の鎮静を要する．抜管後は内服や経直腸投与での鎮静を優先するが，フェンタニルやデクスメデトミジンの持続投与を継続する場合もある．術後鎮痛はアセトアミノフェンを第一選択として定時あるいは適時投与（経腸，経口，静注）投与しているが，年長児ではNSAIDsを投与することもある．疼痛が強い場合はフェンタニルの持続静注で対応する．

21トリソミーの児では持続鎮静の効きにくさをしばしば経験する．通常量の鎮静剤では体動を防げず，通常量以上の鎮静を要することも多い．そのために覚醒が遅延し抜管時期が遅れることもある．術後早期は安静や止血が優先されるため，鎮静剤の使用はやむを得ないが，過度の鎮静や抑制が離床を遅らせ，術後回復を遅らせることにつながる．状態が安定している場合は鎮静剤に頼らず，不要なライン，モニター類は可能な限り早期に抜去し，一般病棟に転棟，母児同室にさせるなど，看護サイド，家族と協力し児にとってストレスの少ない環境作りをすることも重要である．

⑤ 栄養

経腸栄養は感染予防の面からもできるだけ早期に開始する．循環が安定していれば，人工呼吸管理下でも術翌日から経管栄養を開始し，呼吸器離脱後であれば，再挿管のリスクがなくなった時点で経腸栄養を再開する．

ただし，麻薬使用中は消化管蠕動運動が低下しているため通過が悪いことも多い．経腸栄養が進まない症例では絶食期間1週間をめどに，中心静脈栄養の併用を考慮する．また，排便を認めたり，腹部X線写真や聴診などで消化管の蠕動が確認できたりする例では，十二指腸チューブの留置で経腸栄養を進めることが可能なことがある．哺乳が

JCOPY 498-14563

心負荷，呼吸負荷となり，経口哺乳が進まないことも多い．その場合は，経管栄養を併用する．

21 トリソミーの児では，哺乳力低下があったり，哺乳そのものがうまくできなかったりする児もあり，術前から経管栄養の児も多い．また，十二指腸閉鎖 / 狭窄や鎖肛などの消化管合併症を有する児も多く，栄養開始にあたっては患児個々人に合わせた投与法を調整する．さらに，21 トリソミーの児では術後合併症として乳糜(び)胸水や乳糜心嚢水を発症することが多く，発症した場合は普通ミルクや普通食を MCT（中鎖脂肪酸）ミルクや脂肪制限食に変更する必要がある．

【参考文献】

1） Lake CL, Booker PD. Pediatric cardiac anesthesia 4th ed. Philadelphia: Lippincott Williams & Wilkins; 2005. p.654-81.
2） 大崎真崎．小児の急性期循環管理．Intensivist. 2012; 4: 499-510.
3） 佐地　勉．Down 症に合併する肺高血圧の意義．日小児循環器会誌．2013; 29: 3-10.
4） Hamilton J, Yaneza MM, Clement WA, et al. The prevalence of airway problems in children with Down's syndrome. Int J Pediatr Otorhinolaryngol. 2016; 81: 1-4.
5） Lake CL, Booker PD. Pediatric cardiac anesthesia 4th ed. Philadelphia: Lippincott Williams & Wilkins; 2005. p.682-704.

〈大崎真樹　濱本奈央〉

1
循環器疾患
10. 看護管理

ポイント

1…先天性心疾患では肺血流増加に伴う呼吸・循環不全や，肺血流減少に伴うチアノーゼ・無酸素発作に注意する．

2…巨舌や筋緊張低下による哺乳不良や呼吸状態悪化，免疫力低下による上気道感染や術後感染に注意する．

3…運動発達レベル，意思疎通方法，普段の生活様式などについて情報収集を行い，入院生活や術後の看護援助に活かす．

先天性心疾患のいくつかは，肺血流が体血流よりも増加する肺血流増加型と，肺血流が体血流よりも減少する肺血流減少型に大別することができる．21 トリソミーに合併しやすい肺血流増加型の心疾患は，心房中隔欠損症，心室中隔欠損症，房室中隔欠損症などがある．月齢進行とともに肺血管床が高肺血流に曝され，肺血管中膜肥厚の進行などに伴い肺高血圧（pulmonary hypertension; PH）を呈するようになる．21 トリソミー患者では非 21 トリソミー患者と比べて肺血管床病変の進行が早い．肺血流減少型の代表疾患はファロー四徴症であり，酸素飽和度の低下やチアノーゼを呈する．ここでは先天性心疾患の看護について述べる．

① 術前看護

A. 呼吸管理

21 トリソミー患者では口腔内容積に比して大きい舌・筋緊張低下・上気道狭窄の合併などにより気道抵抗が大きいこと，加えて，腹部膨満が起こりやすいことによる呼吸運動抑制などにより，呼吸状態が悪化しやすい．肺血流増加による肺うっ血や PH があると多呼吸や努力呼吸などの症状を呈す．また，上気道感染を罹患しやすく，その場合は基礎疾患に伴い重症化することもあるため注意深い呼吸の観察が必要である．肺うっ血がある場合は，上体挙上や縦抱きにすることにより児の苦痛を軽減できることがある．

B. 無酸素発作（hypoxic spell）

ファロー四徴症では無酸素発作に注意が必要である．これによりチアノーゼがさらに

JCOPY 498-14563

増強するだけでなく全身状態の悪化を招くこともある．そのため，早期発見に努め予防的管理を行う．Spell は排便時の怒責や啼泣・脱水などが誘因となる．21 トリソミー患者では筋緊張低下や活動低下などにより便秘になりやすいため排便習慣を整えることが大切である．また，巨舌や筋緊張低下から哺乳不良による脱水に注意する．β遮断薬の内服をしている場合には，確実に内服させる必要がある．

C. 日常生活援助

21 トリソミー患者の皮膚は脆弱であり，乾燥や汗疹などの皮膚トラブルを経験することが多いため,皮膚の清潔を保つケアを行う．しかし,入浴は spell の誘因になったり，先天性心疾患児にとって体力消耗につながるため，短時間に済ませるように配慮する．入院中の点滴治療や安静保持により入浴を避けなければならない場合は，可能な範囲で皮膚の清潔が保てるようにケア方法を考慮する．また，酸素カヌラ装着中は，カヌラやテープ刺激により顔面の皮膚トラブルが起こりやすいため清潔保持や固定方法を検討する．

巨舌により口腔内を陰圧にすることが困難なため，哺乳時は非効率的な吸啜となる．心疾患のある児にとっては哺乳動作による酸素消費量増大や心臓仕事量増大が負担となることがある．そのため，適度な硬さの素材や穴が小さすぎないものなど，児に合った乳首の選択を行う．哺乳体位を工夫することも重要で，努力呼吸や心不全がある場合は抱っこよりもベッドに寝た状態のままの哺乳のほうが児の負担が少ないこともある．

21 トリソミーの新生児，乳児期は静かでおとなしい児であることが多く，児から発せられるサインが乏しい傾向にある．そのため，活気低下や状態悪化に気づかれにくい場合がある．哺乳量，尿量（オムツ交換頻度），四肢の動かし方，普段の表情や覚醒時間との比較などから多角的に判断し，状態変化を察知する必要がある．また，ご家族には日常ケア方法とともに術前に起こり得る症状や受診のタイミングについて情報提供を行っておく．

D. 入院管理に伴う患者・家族支援

PH やそれに伴う症状の進行，心臓カテーテル検査，spell 頻度の増加，気道感染を契機とした呼吸状態・心不全の悪化などにより入院となることがある．

安静保持や検査のために鎮静薬を使用する際は，気道狭窄所見がみられることがあるため特に注意が必要である．

ファロー四徴症によるチアノーゼや spell は月齢とともに進行する場合がある．急に入院となった場合，両親が「もっと早く気づいてあげられればよかった」などの自責の念にかられることがあるため，心理的なサポートを行う必要がある．また，安静保持のための鎮静薬投与や呼吸・循環の負担軽減のための経管栄養が行われる場合もあるため，ご家族がその必要性を理解できるよう，治療内容の補足説明を行い理解と協力を得ることも必要である．

根治術後遠隔期に右室流出路狭窄や肺動脈弁逆流，房室弁逆流などで再手術が必要になる場合がある．再手術の入院（幼児期後期や学童期など）では，患者の理解度や疾患・

手術の認識の有無に関する情報収集を行い，児の理解力に応じた説明や対応を行う必要がある．また，個別性に応じた配慮が必要な場合も多いため，日常生活におけるこだわりや意思疎通の手段，日常生活行動の自立度，1 人で宿泊した経験の有無などの情報収集を行いケアに活かす．

② 術後看護

A. 循環管理

根治術後は術中心停止や人工心肺装置の使用，外科的治療による侵襲・不整脈・出血などにより循環不全状態になりやすい．加えて，手術による新たな循環動態への心臓の適応具合や弁逆流・狭窄の残存も循環不全を修飾する．そのため，強心薬・血管拡張薬の投与や呼吸器による呼吸循環サポートが集中的に行われる．心拍数，血圧，末梢皮膚温，尿量，検査結果などから低心拍出量症候群（low cardiac output syndrome; LOS）の兆候を判断し異常の早期発見に努める．姑息術の肺動脈絞扼術では後負荷増大によりLOS に陥りやすいため，やはり循環不全症状の出現に注意が必要である．肺血流減少型に対して行われる BT shunt（Blalock-Taussig shunt）術後は，肺血流と体血流のバランスを維持する必要があり，特に肺血流増加・体血流低下の兆候の有無やシャント音を注意深く観察する．肺血流増加型で術前に PH を呈していた場合，術後に PH 発作（PH crisis）を起こすことがあり，これも LOS の原因の 1 つとなる．PH 発作の可能性が高い場合は充分な鎮静薬投与や酸素投与を行い，発作を予防する．不用意な気管吸引や覚醒も契機となるため，処置の見極めや低侵襲のケアに努めるなどの看護的配慮が必要である．

B. 呼吸管理

術前からの PH や肺うっ血により術後に酸素化能障害が起こることがある．肺血流減少型心疾患では，手術による肺血流量増加に伴い一時的に肺うっ血状態となることから，やはり酸素化能が障害されることがある．後述する鎮静コントロール困難による過鎮静や筋緊張低下，腹部膨満による横隔膜挙上，意思疎通困難などから有効な咳嗽反射や深呼吸が得られにくいため，肺合併症の出現に注意が必要である．術後肺合併症を回避できたとしても，21 トリソミー患者では前述の呼吸機能の特徴に加え，気道狭窄や喉頭軟化症などを合併していることがある．そのため，抜管時に初めて気道所見が顕在化することがあり，術後の呼吸器離脱時は特に注意深く狭窄音や陥没呼吸の有無などの呼吸状態の観察を行う．

抜管後は機能的残気量の維持や排痰ドレナージのために体位管理が効果的なことがあるが，21 トリソミー患者では筋緊張低下・関節可動域拡大・首が短いことなどから効果的な体位管理を行うことが困難な場合がある．また，筆者の経験上，刺激に対して過敏な児が多い印象がある．同一体位や無理に固定された体位を好まず，かえって啼泣を誘発し呼吸状態悪化を招くことがある．よって，その場合は児の好む体位を優先し，よ

JCOPY 498-14563

く眠っているときに体位調整するなどの工夫も必要である．

C. 鎮静管理

術後急性期には循環･呼吸管理のために鎮静薬による鎮静管理が行われることが多い．21 トリソミー患者では薬剤の調整が難しく鎮静管理に難渋することをたびたび経験する．至適鎮静レベルが維持できずに覚醒が続いたり，逆に過鎮静となり抜管可能な状況下で覚醒遅延が起きるなどである．よって，覚醒レベルや薬剤調整後の反応を観察し，介入の必要性を判断して医師報告することや，薬剤以外の方法で安静を図るよう試みることなどが重要である．

D. 疼痛管理

術後疼痛の有無を判断し鎮痛を図るための援助を行う．低年齢である場合や意思疎通が困難な場合は判断が難しいが，患者の表情，心拍数や血圧の変動，機嫌，体動などから疼痛や苦痛の有無を見極める視点が必要である．また，患者なりの表現方法や普段の意思疎通方法，今までの検査や手術時の様子などを事前に情報収集することも大切である．

E. 術後感染

21 トリソミー患者は免疫機能が低下しやすいことから，術後感染のリスクが高い．術後抗菌薬の予防投与が終了し，血液検査上の炎症反応がいったん収束した後に再びデータの上昇や発熱をみることがある．体温や創部・ドレーンなどの観察を注意深く行う．

F. 安全管理

意思疎通や状況理解が難しい場合が多いことから，患者の安全確保には一層の注意を払う必要がある．特に心臓術後はライン類やドレーン・ペースメーカーリードなどのデバイス留置が多いため，予期せぬ事故抜去に注意する．患者の安全を守るために必要時は体幹や四肢の抑制を行うが，関節可動域が広いことから不充分な抑制となったり，繰り返す危険な状況から無理な体勢の抑制へと発展してしまうことがあるため注意したい．また，ラインなどの非日常的なものが患者の目に触れないようにタオルなどで隠すことや DVD 視聴などで注意を逸らす工夫によって危険行動が回避できることもある．

また，覚醒度の上昇や体動により術後の再出血が起きることがあるため，ドレーン排液の性状や流出量の変化に注意する．

③ 回復期・退院前管理

A. ADL 拡大と日常生活援助

術後の強心薬投与や呼吸管理から離脱すると，ミルクや食事が開始され座位や抱っこが可能となる．小児期では児の月齢や発達の違いが大きく多様性があり，身の回りのことを養育者に依存することなどから，画一的な離床を進めることはできない．児なりの元の生活レベルに戻れるよう援助する意識が医療者には必要である．よって，術前の運動発達レベルや食事・排泄行動などについての情報を得ておく必要がある．

術前の心機能低下や残存病変などにより術後の心機能回復に時間がかかる場合があるため，ADL拡大に伴う全身状態の観察や患者に合わせた援助を行う．気道分泌物増加の遷延や努力呼吸がある場合は経管栄養から開始し，徐々に経口摂取へ移行する場合もあるため，看護師は呼吸能力や嚥下機能を評価し経口摂取への移行のタイミングを見極め医師と協議するなどの役割が必要とされる．手術により肺血流が制御されうっ血性心不全が軽快すると，術前よりも楽に哺乳できるようになり哺乳量が増える場合もある．21トリソミー患者では，摂食運動発達の遅れがみられることがあるが，心不全や治療を優先することなどにより，さらに摂食運動発達が阻害されやすい．摂食障害や食事時の体位の見直しなどが必要であれば，理学療法士や摂食専門外来などへ依頼することも検討する．

B. 退院指導

退院前には心不全に伴う症状の観察方法や内服薬（抗血栓薬，利尿薬，血管拡張薬など）の作用・副作用，患者に合わせた飲ませ方などの家族指導を行う．心不全症状は実際に児に現れている症状―啼泣や哺乳時に手足が冷たくなったり汗をかきやすいなど―を例にあげながら説明するとよい．退院後も経管栄養が必要な場合には，その必要性や手技に関する指導を行う．

退院指導の際に両親の育児に関する疑問や発達に関する不安などが明らかになることもあり，外来や地域支援へつなぐきっかけとなることもあるため，循環器疾患や手術だけに偏った指導にならないよう注意したい．

21トリソミー患者では残存する肺高血圧に対して在宅酸素療法を行う場合があるため，必要に応じて退院後の生活がイメージできるよう援助し，患者に合わせた酸素カヌラの固定方法などを検討し指導を行う．

【参考文献】
1）　安藤　忠，編著．新版ダウン症児の育ち方・育て方．学習研究社；2002.

〈杵塚美知〉

JCOPY 498-14563

1

循環器疾患

11. 人工心肺って？

ポイント

1…人工心肺は，心臓手術中，生体の心臓と肺の代わりをする．
2…人工心肺の操作を安全に行うため，たくさんの安全装置が設置されている．
3…人工心肺の操作は，臨床工学技士（体外循環技術認定士）が行う．

心臓や大血管の手術を行う場合，心臓のポンプ機能と肺のガス交換機能を代行する必要がある．また，心臓を止め心内操作を行う手術では，術野の無血視野を確保する必要もある．そのような生体の心臓と肺の機能を代行し，無血視野を確保するために使用する装置を人工心肺装置 図1 という[1]．

人工心肺は，主に送血ポンプ，人工肺，人工心肺回路から構成される．心臓に挿入された脱血管から脱血した血液を貯血する静脈リザーバー，無血視野を確保するため術野

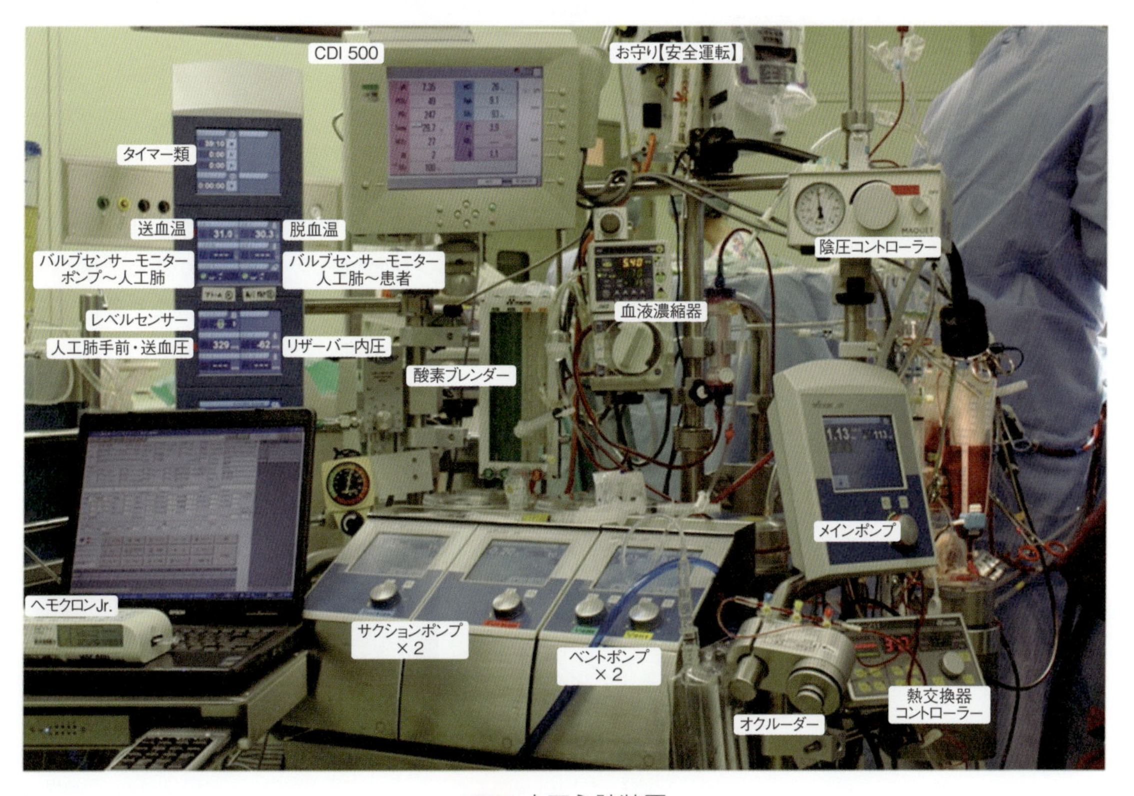

図1 人工心肺装置

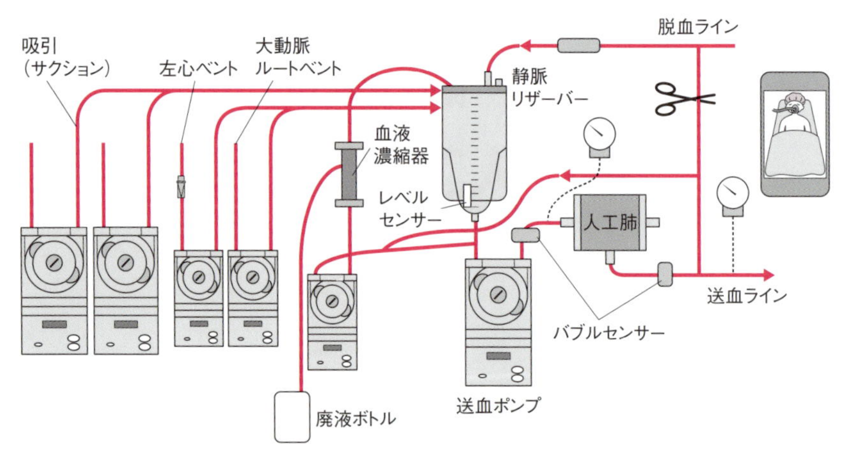

図2 人工心肺システム全体図

の出血や心内血を回収し気泡や組織片を静脈リザーバーに戻すサクション / ベントポンプなども必要になり，これらも人工心肺の一部になる 図2 ．他にも人工肺の酸素加，二酸化炭素除去の調節を行う酸素ブレンダー / 流量計，体温を下げるための冷温水槽，心臓を停止させ心筋を保護するための心筋保護液供給装置，必要最小限の輸血にとどめるための自己血回収装置，全身や脳にどの程度の酸素を送る必要があるか酸素消費をモニターする混合静脈血酸素飽和度・脳内酸素飽和度モニターなどたくさんの周辺機器を使用する．また，人工心肺装置には多数の安全装置が設置されている．

本稿では，人工心肺装置および周辺機器について説明し，ダウン症の患者で多い心室中隔欠損症の手術の流れを紹介する．

① 送血ポンプ 図3

生体の心臓の働きを代行する装置が送血ポンプである．送血ポンプは全身に血液を送り出す．人工心肺で使用する送血ポンプには遠心ポンプとローラーポンプがある．遠心ポンプは遠心力を利用し血液を送り出す．回路内に流量計が必要で成人ではよく使用される送血ポンプだが，低流量でのコントロールが難しく小児ではあまり使用されない．

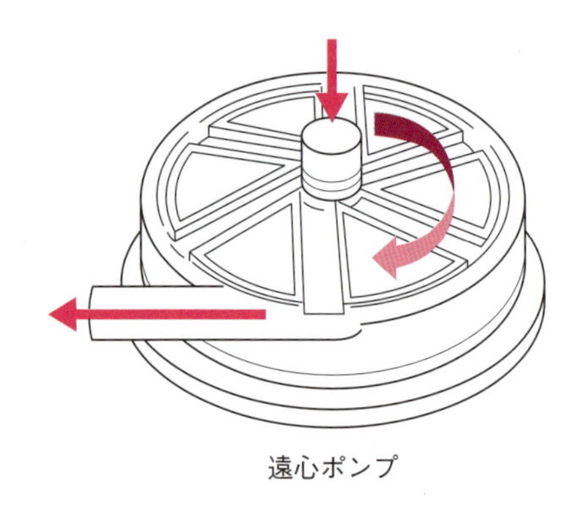

遠心ポンプ

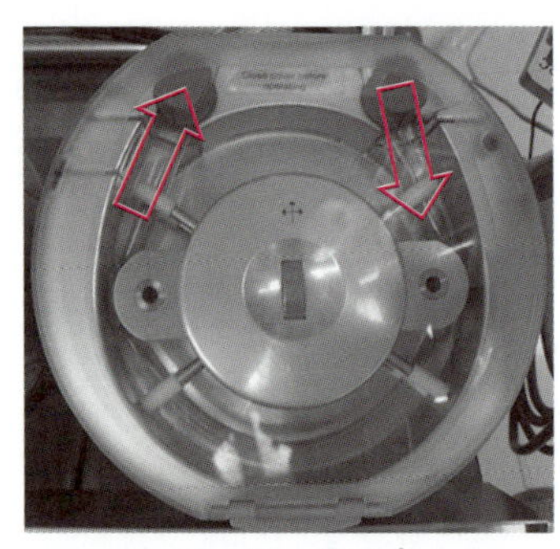

ローラーポンプ

図3 送血ポンプ

JCOPY 498-14563

小児でよく使用されるローラーポンプは，弾力性のある人工心肺回路を直接ローラーでしごいて送るポンプだ．流量は，ポンプヘッドのチューブ径，ポンプヘッドの大きさ，回転数で決定する[2]．ローラーポンプも体格にあわせ 2, 3 種類の大きさのポンプを使用する．

② 人工肺 図4

生体の肺では，呼吸により酸素加と二酸化炭素除去が行われている．肺に送られた酸素が血液に溶け込み，ヘモグロビンが末梢の組織に酸素を運ぶ．全身から運ばれてきた二酸化炭素は肺から排出される．人工肺はこれらを人工的に行う．人工肺に編み込まれた膜を通してこのガス交換が行われる．人工肺はガス交換膜により，血液相とガス相に分けられ，ガス交換膜はストロー状の中空糸で束ねた状態になっている．中空糸の内部をガスが流れ，外部を血液が流れ，ガス交換が行われる[3]．心臓手術中は，患者血液と異物である人工心肺が接触し，いろいろな異物反応が起こる．それらをできるだけ回避するため，人工肺の膜はヘパリンや生体適合性に優れた高分子コーティングが表面処理されている．当院では体格にあわせ 5 種類の人工肺を使用している．

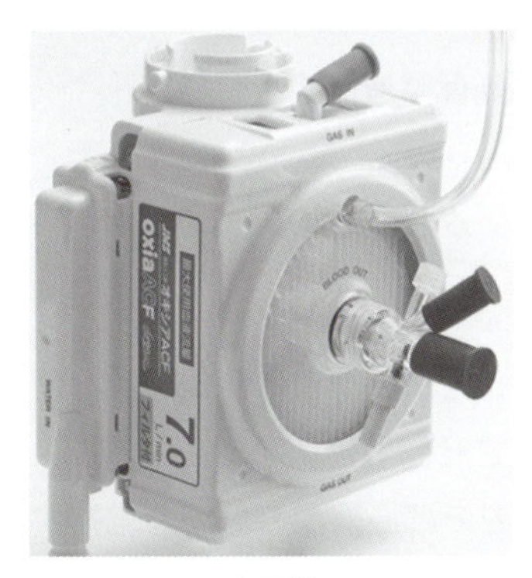

人工肺

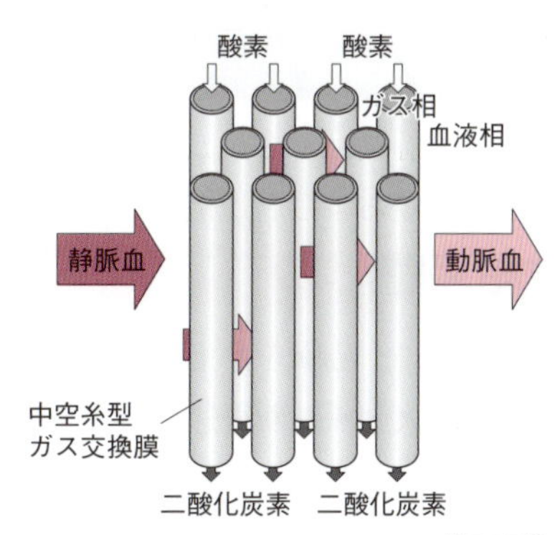

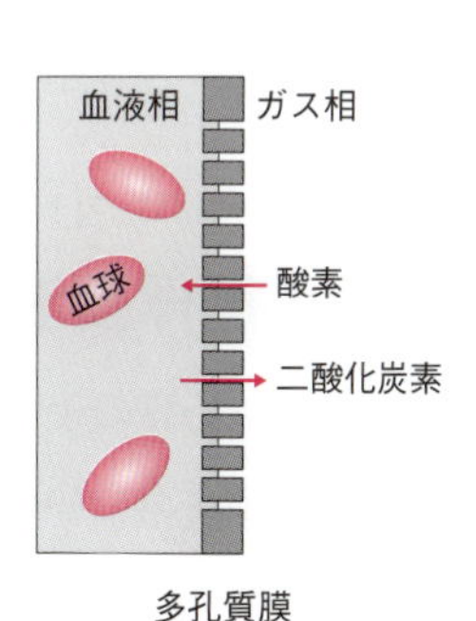

ガス交換

図4 人工肺のガス交換

③ 人工心肺回路

心臓に挿入された脱血管から血液を脱血し，大動脈に挿入された送血管から血液を送血する．その過程のなかで脱血管，静脈リザーバー，送血ポンプ，人工肺，送血管，それぞれと接続されている回路が人工心肺回路である．吸引（サクション）回路や左心ベント回路などが人工心肺回路に含まれる．材質には塩化ビニルが使用されることが多く，血液と接触する内面には人工肺同様に内面処理がされていることが多い．回路径は 4 ～ 12mm 程度の太さが使用されることが多く，当院では回路径の違う 5 種類のサイズを準備し，それぞれの患者にあった回路を使用する．

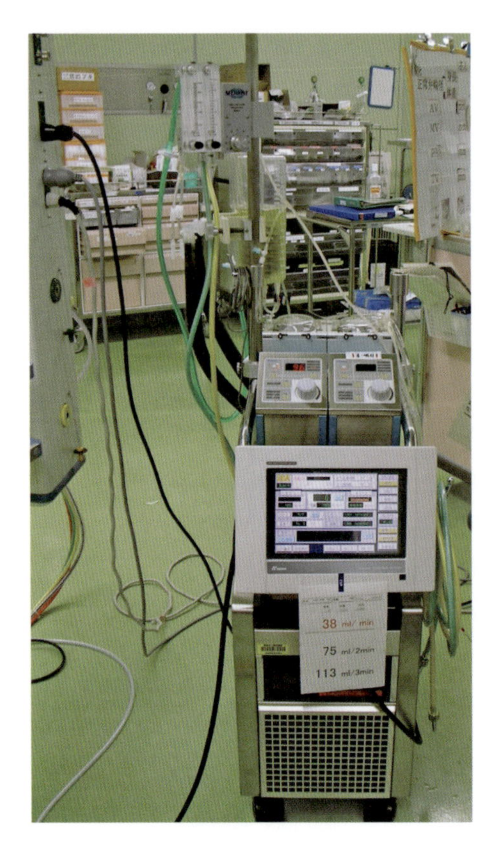

図5
心筋保護液供給装置

④ 心筋保護液（供給装置） 図5

心臓の手術を行うために，心臓を停止させる必要があり，そのときに心筋保護液を使用する．心筋保護液は，大動脈遮断後速やかに心臓を停止させ，心停止を維持することが重要で，心筋代謝を90％低下させることができる．小児では心筋温の低下を維持することも重要といわれ，これらにより心筋細胞のエネルギーを温存させることができる．心筋保護液を使用することにより，心臓は2～3時間程度の心停止が可能となる．

⑤ 心臓手術の実際の流れ（心室中隔欠損症の一例）[4)]

人工心肺開始前

（1）ヘパリンを患者に投与し，活性化全血凝固時間（ACT）が充分延長していることを確認する．

（2）吸引（サクション）ポンプを開始し，出血に備える．

（3）上行大動脈に送血管，右心房に脱血管を挿入し回路と接続する．

人工心肺開始

（1）送脱血量のバランスをとりながら開始する．血圧，中心静脈圧，脳内酸素飽和度を確認しながら，送血量を増やす．

（2）体外循環開始後，血液ガス，電解質，血算，ACTを測定する．ヘマトクリット値が低い場合，輸血を考慮する.

(3) 下大静脈に脱血管を挿入する.

(4) 体温は 32 ～ 34℃を目標に冷却する.

(5) 左心ベントを挿入し，上大静脈，下大静脈をターニケットで締め，完全体外循環に移行し，人工呼吸を中止する（自己の肺循環はなくなる).

大動脈遮断

(1) 大動脈遮断を行い，心筋保護液を注入する.

(2) 送血量は低体温を考慮し，血圧，混合静脈血酸素飽和度，脳内酸素飽和度，尿量，BE，乳酸値を確認しながら，適正な送血量を維持する．生体での酸素消費にみあった適正な送血量（酸素供給量）を維持することが重要である.

(3) 心室中隔欠損を閉鎖終了前に，左心内の空気を充分抜き閉鎖する（一般的な心室中隔欠損症の心停止時間は 60 分前後である).

大動脈遮断解除

(1) 送血量を戻し，体温 36 ～ 37℃に復温する．大動脈遮断解除後，1 分前後で心臓は動き出すことが多い.

(2) 復温時は，組織での酸素消費の増加，末梢血管の拡張が起こるため，血圧，混合静脈血酸素飽和度，脳内酸素飽和度を確認し，送血量を増加させ，酸素濃度やガス流量を調整する.

(3) 右心房を閉鎖後，上大静脈，下大静脈のターニケットを緩め，部分体外循環とする．部分体外循環になると自己の肺血流が再開されるため，人工呼吸を始める．経食道心エコーで左心内に空気がないことを確認し，左心ベントを抜去する.

人工心肺離脱

(1) 復温が完了し，出血のないことを確認，電解質補正終了，適正なヘマトクリット値で離脱する.

(2) 術前の肺血管抵抗値が高い患者では，一酸化窒素療法を行うこともある.

(3) 脱血量をゆっくり絞りながら，静脈リザーバー内の血液を患者に戻し，自己圧を出し，送血量を下げていく．血圧，中心静脈圧，混合静脈血酸素飽和度，脳内酸素飽和度を確認しながら，体外循環から離脱する（一般的な心室中隔欠損症の人工心肺時間は 100 分前後である).

人工心肺離脱後

(1) プロタミンを投与し，ヘパリンを中和する.

(2) プロタミン投与後，術野では送血管，脱血管が抜去される.

(3) 人工心肺離脱後，患者の血行動態が安定するまでは，いつでも再灌流が可能な状態で待機しておく．患者の状態が安定すると，人工心肺回路内残血を自己血回収装置にて濃縮洗浄し，必要なときは患者に投与される.

人工心肺は，心臓手術を行うための補助的な装置であるが，インシデントやアクシデントは大きな事故につながってしまう可能性がある．人工心肺操作を行う我々，臨床工学技士（体外循環技術認定士）は，人工心肺を注意深く観察しながら，心臓外科医，麻酔科医，看護師とコミュニケーションをとり，安全な人工心肺を患者に提供できるよう日々の努力を重ねている．

【参考文献】

1） 百瀬直樹．専門医が知っておきべき人工心肺の知識一成人編．In: 安達秀雄，他編．新心臓血管外科テキスト．東京：中外医学社；2016. p. 11-24.
2） Gravelee GP, Davis RF, Stammers AH, et al. 新見能成，監訳．人工心肺一その原理と実際．東京：メディカル・サイエンス・インターナショナル；2010. p.35-45.
3） 窪田將司．人工肺．In: 見目恭一，編集担当．新 ME 早わかり Q&A；2．人工心肺・補助循環装置．東京：南江堂；2017. p.30-2.
4） 岩城秀平，体外循環（小児体外循環）．In: 日比谷　信．CE 臨床実習ルートマップ．東京：メジカルビュー社；2016. p.142-54.

〈岩城秀平〉

JCOPY 498-14563

2

消化器疾患

1. 十二指腸閉鎖症・狭窄症

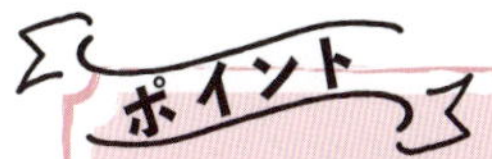

1…十二指腸閉鎖症または狭窄症は，21トリソミー児に最も高率に合併する消化管奇形である．

2…十二指腸閉鎖症の場合，生後早期の手術が必要である．

3…十二指腸狭窄症の場合，診断がつけば可及的速やかな手術が必要である．

4…十二指腸閉鎖症も狭窄症も手術がうまくいけば，長期的に問題となる症状はまれである．

十二指腸とは胃の次につながる消化管で，消化酵素である胆汁や膵液が流れ込む消化管のなかで最も重要な部分である．十二指腸閉鎖症は，その十二指腸が先天的に閉鎖している病気のことである．外側から十二指腸が圧迫されることによる外因性閉塞もあるが，多くは先天的な内因性閉塞である[1)]．閉鎖の型として，膜により閉鎖している膜様型，閉鎖部が索状物でつながっている索状型，閉鎖部が完全に離れている離断型がある 図1 ．十二指腸狭窄症に関しては，十二指腸内腔に存在する膜様の構造物により狭窄している膜様狭窄，膵臓の組織が十二指腸狭窄部を取り囲んでいる輪状膵などがある．前述のように通常，十二指腸には胆汁を排出する胆管，膵液を排出する膵管が開口しており，これらの管の開口位置と閉鎖・狭窄部の位置関係が根治手術を行う際に重要となってくる[1)]．

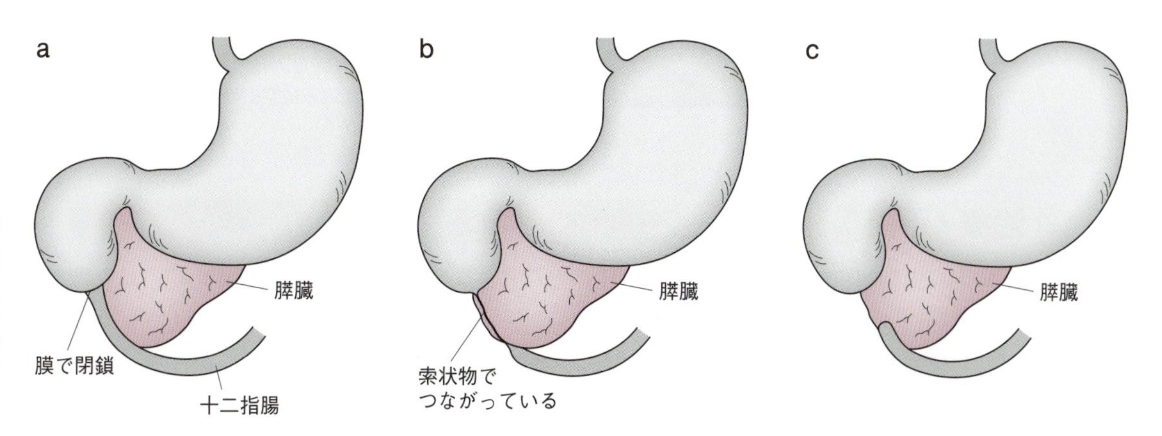

図1 a）膜様型，b）索状型，c）離断型

発生頻度は出生 6,000 〜 10,000 人に 1 人といわれており，約半数の十二指腸閉鎖症の患者には心疾患，食道奇形，鎖肛などの併存疾患を伴うとされている．また，十二指腸閉鎖症の約 40%が 21 トリソミー児であるとの報告もある [2)].

① 症状

十二指腸閉鎖症にみられる症状は，生まれてすぐからみられるお腹の張りと嘔吐である．最近では胎児の超音波検査で，赤ちゃんがお母さんのお腹のなかにいるときから，羊水が多く十二指腸の始めの部分が拡張していることで診断されることも多くなってきている（胎児診断）.

十二指腸狭窄症の場合は，生まれてすぐに症状が現れないこともある．離乳食を開始後に嘔吐が多いとのことで発症し，上部消化管造影検査でみつかることもある．

② 検査・診断

典型的には出生後の腹部 X 線で，胃と十二指腸のみに空気がみられる double bubble sign を呈する 図2 ．しかし，なかには特殊な経路から小腸に空気の流れ込む症例も少数存在している．上部消化管造影を行うことは基本的に少ない．

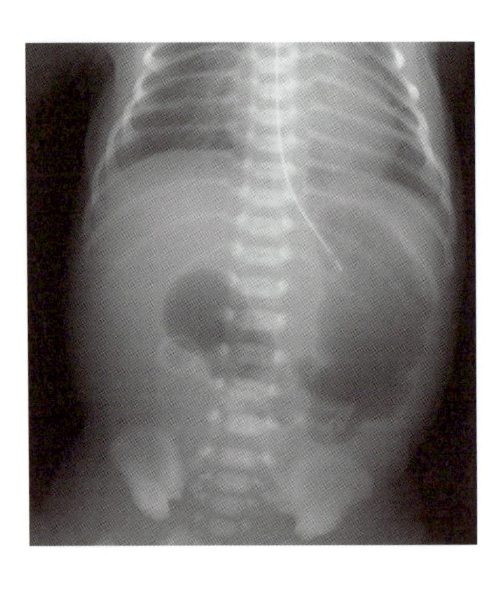

図2 十二指腸閉鎖症の X 線像
胃と十二指腸のみに空気がみられる．

③ 治療・手術

十二指腸閉鎖症の治療は基本的に手術となる．離断型・索状型の閉鎖症の場合は，閉鎖部の口側の拡張した十二指腸を短軸方向に，肛門側の細い十二指腸を長軸方向に切開し，狭窄部の上下で吻合する十二指腸十二指腸吻合（ダイアモンド吻合）を行う 図3 ．膜様型の場合は，前述のダイアモンド吻合を行う場合もあるが，閉鎖している膜のみ切除する術式をとることもある．その際，胆管・膵管の開口部が膜に開口することがあり，

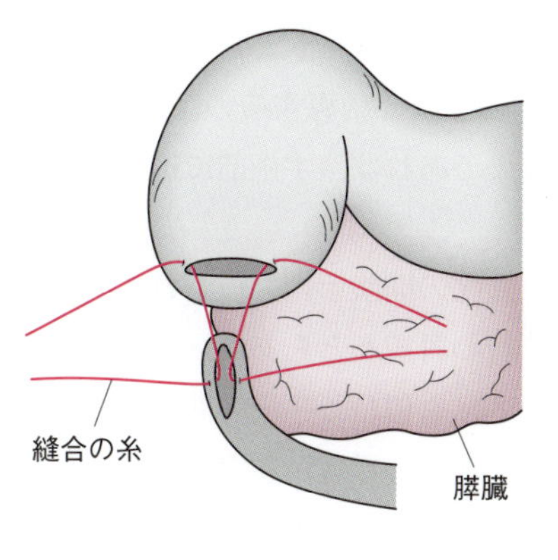

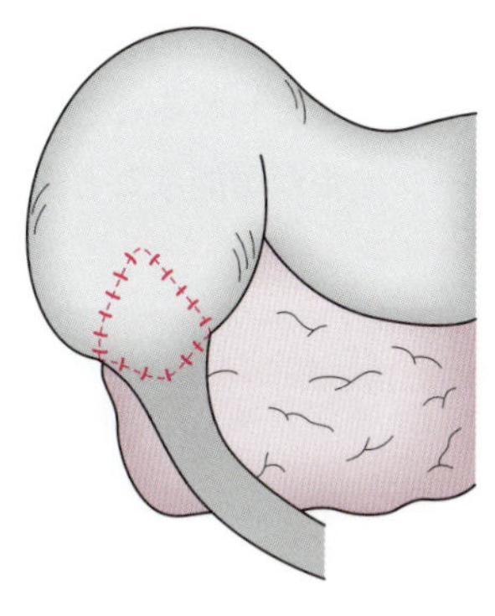

図3 ダイアモンド吻合
口側断端には短軸方向に，肛門側断端には長軸方向に切開を入れ吻合する.

これらの開口部に手術操作が加わらないように注意を払う必要がある．また，膜様閉鎖の十二指腸閉鎖症の一部の症例に，膜が肛門側の腸管内に伸びて広がり，腸管外からみると閉鎖位置を見誤る症例がある（wind sock type）図4．そのため，十二指腸閉鎖が膜様であったときは，膜の付着部を意識して手術を行うことが重要である.

十二指腸閉鎖症の症例のなかに，十二指腸もしくは小腸にさらに閉鎖もしくは狭窄を併存していることがある．十二指腸閉鎖症の手術の際に，この併存している閉鎖・狭窄を見落とさないことも大切である．そのため，十二指腸吻合を行う前に，肛門側の腸管に経腸栄養チューブ（ED チューブ）を挿入したり，生理食塩水もしくは空気を注入して腸管の通過障害のないことを確認しておくことも忘れてはいけない.

十二指腸閉鎖症の術後，吻合部の通過障害をきたすことがまれにあり，その場合，早期の哺乳が困難となる．そのために手術の際に鼻から挿入したEDチューブを，吻合部

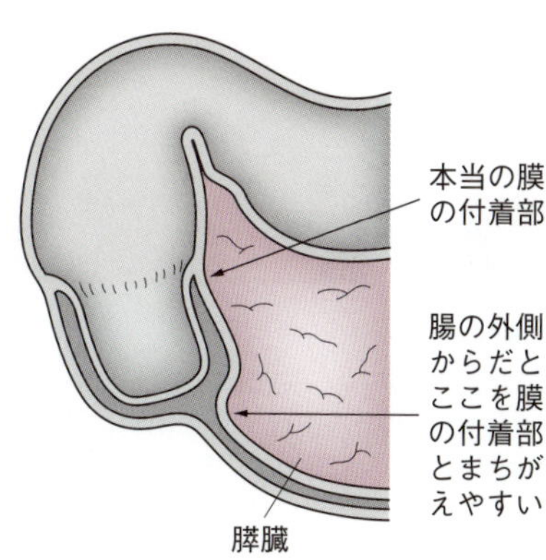

図4 Wind sock type

を通して小腸内に留置して，術後早期の栄養ルートとして活用する方法もある．その場合，手術中に経鼻的にチューブを吻合部まで誘導するのは困難なため，ED チューブを留置することを術前から考えているのであれば，手術前に透視下に十二指腸閉鎖部手前まで誘導しておくことが望ましい．

従来，十二指腸閉鎖症手術は右上腹部の開腹手術で行われていた．しかし近年，傷が目立たないように臍部の弧状切開で行われることもある．また，施設によっては腹腔鏡下に行われることもあり，今後美容的にも優れた手術の開発が期待される．

十二指腸狭窄症の治療に関しては，狭窄の程度，狭窄の型によっていくつか考えられる．まず，膵臓の組織が十二指腸を取り囲んでいる輪状膵の場合，症状改善には前述のダイアモンド吻合を行う必要がある．十二指腸内腔の膜様の組織が原因での狭窄の場合，一般的に膜切除もしくはダイアモンド吻合が行われることが多い．しかし，ある程度の体格があれば消化管内視鏡下のバルーン拡張が可能なこともある 図5 ．

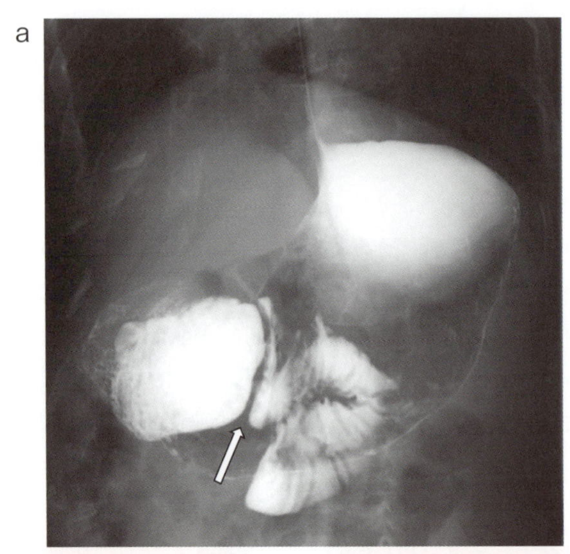

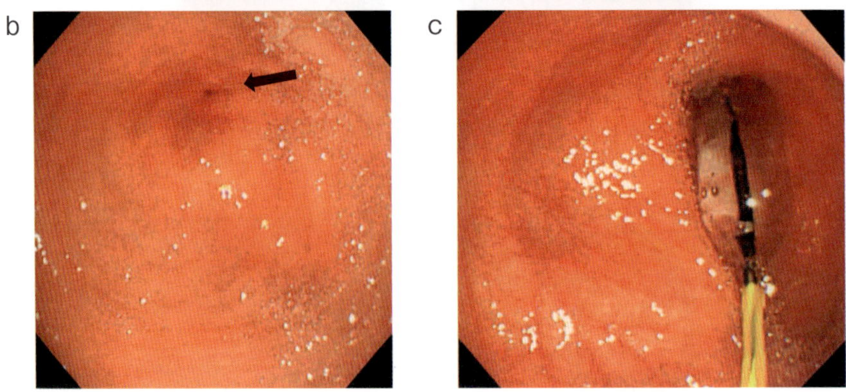

図5 内視鏡下の狭窄部バルーン拡張

a）1 歳 0 カ月の 21 トリソミーの十二指腸狭窄の児．矢印：上部消化管造影検査で膜様組織による十二指腸の狭窄がみられる．b）上部消化管内視鏡で十二指腸に狭窄を認める．矢印：膜様の狭窄部に非常に小さな開口部を認める．c）十二指腸の狭窄部をバルーンで拡張．

JCOPY 498-14563

④ 術後管理

術直後は一般的な消化管手術と同様に絶食・輸液を必要とする．十二指腸の通過が得られれば，X 線で小腸内に空気が流れ込んでいることが確認できるので，哺乳を開始していく．基本的に中心静脈からの高カロリー輸液は必要ない．術後早期の合併症としては，十二指腸をつないだ部分の通過障害と縫合不全があげられる．通過障害や縫合不全が起こった場合，しばらくは経口的な哺乳はできない．しかし，手術時に十二指腸の吻合部を通して ED チューブが挿入できていれば経腸栄養は開始できる．

⑤ 予後

十二指腸閉鎖症も十二指腸狭窄症も手術がうまくいけば将来大きな問題を起こしてくることは少ない．しかし，膵臓の組織が十二指腸を取り囲む輪状膵を併せ持っている症例のなかに，膵液を流す膵管にも奇形を伴っていることがある[3)]．その場合，術後長期にわたり膵炎を繰り返すことがあり，膵液の流れをよくするような手術が必要となることもある．

【参考文献】
1） 岡田　正．系統小児外科学．大阪：永井書店；2001. p.464-7.
2） Ashcraft KW, Holcomb GW, Murphy JP. Ashcraft's Pediatric Surgery. 4th ed. Philadelphia: Elsevirs Saunders; 2005. p.416-9.
3） Urushihara N, Fukumoto K, Fukuzawa H, et al. Recurrent pancreatitis caused by pancreatobiliary anomalies in children with annular pancreas. J Pediatr Surg. 2010; 45: 741-6.

〈福澤宏明〉

2

消化器疾患

2. 直腸肛門奇形（鎖肛）

ポイント

1…直腸肛門奇形（鎖肛）にはさまざまな病型があり，病型によって手術の方法や時期，術後の排便機能が異なる.

2…診断には視診 " 見た目 " が重要である.

3…手術では，排便機能に関わる直腸肛門筋群を温存し，その中心を通るように直腸を引き降ろし肛門を形成する.

4…術後は排便機能獲得に向けた長期間のフォローが必要である.

直腸肛門奇形（鎖肛）は，先天的な直腸および肛門の奇形の総称である．まったく肛門の形成がみられないものから会陰部の皮膚や泌尿生殖器に交通をもつものまでさまざまな病型をもつため，病型によって手術の方法や時期，術後の排便機能が異なる．21トリソミーで直腸肛門奇形を合併する頻度は0.36～2.7％とされており[1]，比較的頻度の高い合併奇形である.

① 病型

本邦で広く用いられているウィングスプレッド分類では，直腸盲端と排便のコントロールに重要な恥骨直腸筋の位置関係によって，直腸盲端が恥骨直腸筋の頭側にある高位，筋束内にとどまる中間位，さらに肛門側まで進展した低位の３つに大きく分類される.

② 診断

A. 視診

ほとんどの症例で，通常肛門のあるべき位置に肛門が存在しないため，出生直後の視診で直腸肛門奇形に気づかれる 図1 ．そして，視診の所見が病型診断や出生後すぐの管理方針決定にもつながるため，注意深く会陰部の観察を行う．21トリソミーの直腸肛門奇形の特徴として，本邦および海外の報告で瘻孔（腸管と泌尿生殖器や皮膚との交通）を伴わない症例が95％と非常に多いことが知られている[1,2]．瘻孔を伴う場合，男

JCOPY 498-14563

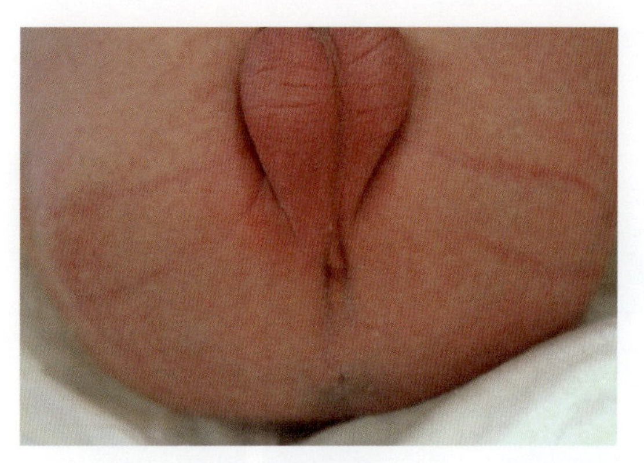

図1 21 トリソミー児，瘻孔を伴わない症例の会陰部

児の低位型である肛門会陰部皮膚瘻では肛門はみられず，その前方の会陰部皮膚に瘻孔が開口し胎便の排泄がみられる．尿道に瘻孔が開口している場合には，尿に胎便が混じることがある．また，女児の低位型である肛門膣前庭瘻では，膣前庭部（小陰唇の内側で膣口の外側）に瘻孔が開口している．体表に瘻孔があり胎便の排泄がみられる場合には，肛門の位置異常に気づかず診断が遅れることがあるので注意が必要である．

B. 倒立 X 線撮影

体表に瘻孔がない症例では，病型診断のために倒立 X 線撮影が行われる．倒立 X 線撮影では，患児を倒立させて側面から X 線写真を撮影することで，空気が到達した直腸盲端と周囲構造の位置を比較して，直腸盲端の高さを評価する 図2 ．恥骨中央と S5 の下端を結ぶ線を P–C 線，坐骨下端の I 点を通り P–C 線に平行な線を I 線，P–C 線と I 線の中間で両者に平行な線を m 線とする．m 線が排便のコントロールに重要な恥骨直腸筋が直腸に働くポイントを示している．直腸盲端が m 線より口側にあれば高位，m 線と I 線の間にあれば中間位，I 線より肛門側にあれば低位と判断する．

C. 造影検査

体表に瘻孔がある症例では，瘻孔からカテーテルを挿入し水溶性造影剤を注入することで瘻孔や直腸が描出され，瘻孔の走行や長さ，直腸盲端の高さを知ることができる．男児で体表に瘻孔がない症例では，尿道ならびに結腸造影が行われる 図3 ．直腸と尿道の間の瘻孔の有無，直腸盲端の高さ，下部尿路奇形合併の有無を評価する．

D. 合併奇形

直腸肛門奇形では約半数の症例で合併奇形を有するため，直腸肛門奇形と併せて全身の評価が必要である．心大血管奇形，食道閉鎖や十二指腸閉鎖などの消化管奇形，泌尿器系の異常，仙椎奇形の頻度が高く，複数の合併奇形をもつこともまれではない．

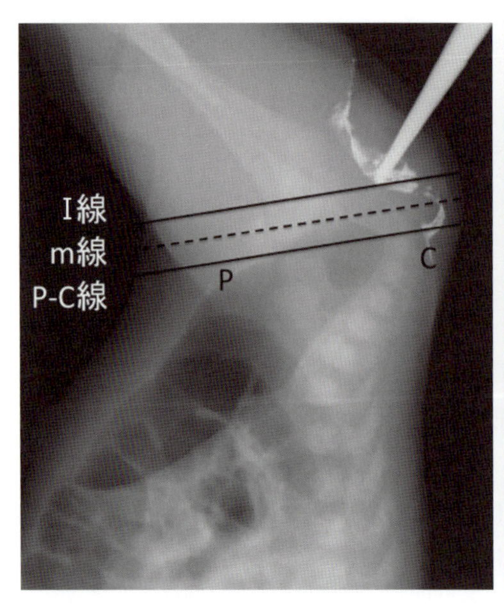

図2 倒立 X 線像

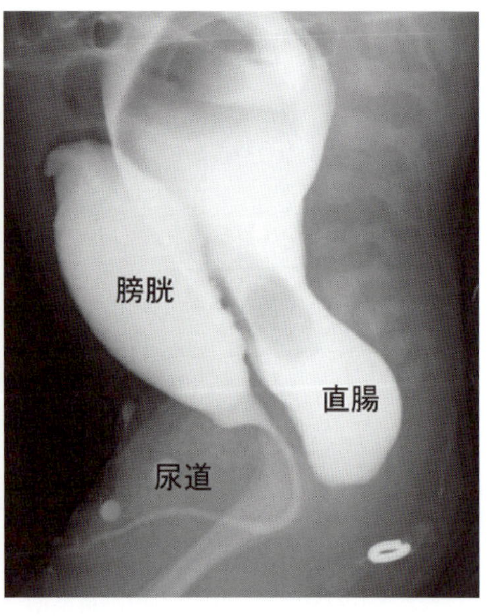

図3 尿道および人工肛門からの結腸造影像
(21 トリソミー児，瘻孔を伴わない症例)

③ 手術

手術の時期や方法は，病型によって異なる．また，先述のような合併奇形をもつ場合には，症例によって合併奇形の治療の優先順位が異なるため，関連する診療科と相談し治療方針を決定する．

新生児期には，肛門形成術，瘻孔を用いた排便管理，人工肛門造設術のいずれかを行い，排便を確立させる．男児の低位型である肛門会陰部皮膚瘻では，新生児期に肛門形成術を行う．瘻孔から肛門窩の皮膚，皮下組織，外肛門括約筋の一部を切開して，直腸粘膜と肛門皮膚を縫合し肛門を形成する（カットバック法）．女児の肛門膣前庭瘻では，新生児期は瘻孔を金属製のヘガールブジーなどで拡張して瘻孔を用いた排便管理を行うことが多い．21 トリソミー児で多くみられる瘻孔を伴わない症例や中間位･高位型では，多くの症例で人工肛門造設術が行われる．筆者は，右上腹部の皮膚切開で右側横行結腸を体外へループ状に挙上し人工肛門を造設している．心大血管奇形を合併し胸骨正中切開による手術を必要とするような症例では，胸部創の感染予防のため創から距離が遠い左下腹部に S 状結腸を用いて人工肛門を造設している．

女児の肛門膣前庭瘻や人工肛門を造設した症例では，乳児期以降に直腸肛門形成術を行う．直腸肛門形成術の時期や術式は施設によって異なり，筆者は生後 5 ～ 6 カ月，体重 6kg を目安として，1982 年に Peña が報告した posterior sagittal anorectoplasty（PSARP）を行っている．PSARP は，排便機能に関わる直腸肛門筋群を電気刺激装置で同定しながら正中で縦に切開し，直腸周囲の剝離と瘻孔の処理を行う．その後，直腸が直腸肛門筋群の中心を通るように，直腸を肛門部に引き降ろし，左右に分けた直腸肛門筋群で直腸を包み修復する．その他には，直腸肛門筋群を切開せず中心を通るトンネル

JCOPY 498-14563

を作成し直腸を引き抜く仙骨会陰式手術や腹腔鏡を用いて瘻孔の処理と直腸の会陰部への引き降ろしを行う手術などが行われている．いずれの術式においても，術後の排便機能向上のために，排便機能に関わる直腸肛門筋群を可能な限り温存し，その中心を通るように直腸を引き降ろし肛門を形成することが重要であることに変わりはない．人工肛門を有する症例では，直腸肛門形成術を行った後２〜３カ月後に人工肛門閉鎖術を行う．筆者の施設では，人工肛門閉鎖前に自宅でコンニャクを粉砕して作成した模擬便を肛門側人工肛門に注入し，排便状況を確認している．

④ 術後管理・予後

直腸肛門形成術の術後は，感染と創哆開が重要な問題で，特に人工肛門を有していない症例では術後早期から便による創部汚染が起こるため注意が必要である．感染予防のために，筆者の施設では第 2 世代セフェム系抗菌薬を術後 2 〜 5 日間投与し，肛門から便や粘液の排出があれば微温湯で洗浄を行う．さらに，創部の安静保持のため膀胱カテーテルを 1 週間留置し，症例によっては下肢にバスタオルを巻き 1 週間下肢の可動制限を行う．また，肛門狭窄の予防のために，術後 2 週間以降でヘガールブジーを用いた肛門の拡張を行う場合がある．排便が頻回であると肛門周囲に高度の皮膚障害をきたすことがあるので，亜鉛華軟膏などをあらかじめ塗布し発症を予防する．

直腸肛門奇形は重篤な合併奇形がなければ救命可能な疾患であり，予後について最も重要なことは排便機能の確立である．低位型の術後排便機能は多くの症例で健康小児と変わらないが，中間位・高位型では排便機能に関わる直腸肛門筋群の発育の程度や神経支配の異常によって便失禁などの排便障害をきたすことがあり，排便機能の確立に長い期間のフォローを要する．筆者はグリセリン浣腸（1 日 1 回，1mL/kg）を主体とした排便管理を行っている．グリセリン浣腸を行う目的は，直腸に貯留した便を確実に排出し排便の習慣を獲得することと，排便が頻回の症例では浣腸によって一度にまとまった排便を行うことで排便間隔をあけることにある．21 トリソミー児における直腸肛門奇形の術後排便機能については，便意の有無や便失禁，便秘について他の症例と差がないとの報告もあるが[1]，予後の詳細な報告は少ない．便失禁や便秘によって日常生活に支障をきたさぬよう本人の理解の成熟に合わせた排便管理を行っていく必要がある．

【参考文献】

1) Torres R, Levitt MA, Tovilla JM, et al. Anorectal malformations and Down's syndrome. J Pediatr Surg. 1998; 33: 194-7
2) Endo M, Hayashi A, Ishihara M, et al. Analysis of 1,992 patients with anorectal malformations over the past two decades in Japan. Steering Committee of Japanese Study Group of Anorectal Anomalies. J Pediatr Surg. 1999; 34: 435-41.

〈森田圭一〉

2

消化器疾患

3. ヒルシュスプルング病

ポイント

1…21トリソミー児の数%にヒルシュスプルング病を合併する.

2…ヒルシュスプルング病は，腸の中の神経節細胞がないため，重症の便秘症や腸閉塞で発症する.

3…治療は，手術で神経節細胞のない腸を切除し正常な腸を肛門につなぐ必要がある.

4…21トリソミー児は通常のヒルシュスプルング病の患児より，術前・術後の腸炎や排便障害が発症しやすい.

ヒルシュスプルング病は，腸管壁内の神経節細胞が先天的に欠如しており，そのため腸の内容物を送る動きに障害（蠕動障害）を起こす疾患である[1]．一般的な発症頻度は5,000人に1人といわれているが[2-4]，21トリソミー児におけるヒルシュスプルング病の発症頻度は2.6～6.16％との報告もあり，一般的な頻度より高いと考えられる．基本的に病変腸管は肛門から口側に連続して伸びており，重症の便秘や腸閉塞で発症する．病変腸管の長さは種々であり，80％はS状結腸以下の症例だが，大腸の全体や小腸にまで及ぶ重症例も存在している[2]．21トリソミー児においては通常児よりも，S状結腸よりも病変の長いタイプの率が高いとの報告がある．

① 症状

一般的に新生児期から排便困難があり，腹部膨満・嘔吐がみられる．しかし，まれに新生児・乳児期には発見されず，幼児期，学童期，さらには成人になってから発見されるケースもある．その場合，新生児期からの単純な便秘と思われており，経過の長い便秘の児をみたときは，ヒルシュスプルング病の可能性を考慮する必要がある．

排便障害により腸管内に便が長時間うっ滞した場合，腸内細菌の増殖から重篤な腸炎へ進行する症例もある[2]．21トリソミー児は，通常のヒルシュスプルング病の患者より腸炎の発症頻度が高いとされており，急激に重篤化することもあるため，特に注意が必要である．

JCOPY 498-14563

② 検査・診断

A. 腹部単純 X 線検査

一般的にガスで異常に拡張した腸管の像がみられる. この所見がみられたら, ヒルシュスプルング病を疑い, 次の検査に進む必要がある.

B. 注腸造影検査

肛門から造影剤を注入し結腸の形を映す検査である. 典型例では肛門から細い腸管(病変腸管) がみられ, その口側に大きく拡張した腸管を認める. 細い腸管から拡張した腸管への, 腸管口径の急激な変化 (caliber change) が特徴的である 図1 . しかし, なかには非常に病変の長いタイプや新生児早期の症例では, caliber change がはっきりしないものも含まれており疑わしいときは繰り返し行うことも重要である.

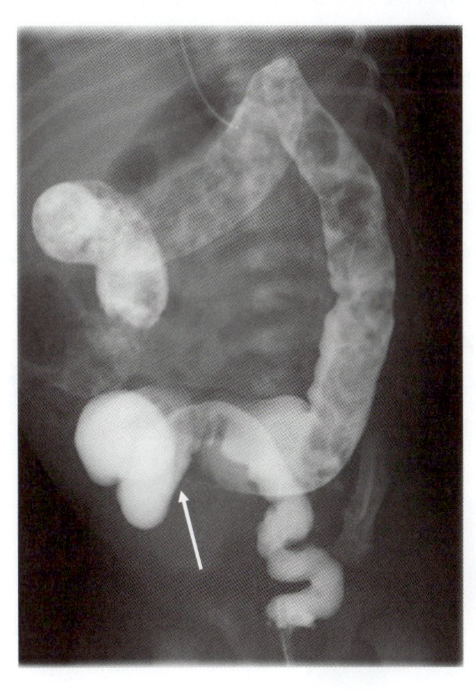

図1 注腸造影検査
肛門から造影剤を注入すると, 腸管の口径は肛門から矢印までは非常に細く, その口側腸管は拡張している. 矢印: 腸管の口径が急激に変化している.

C. 直腸粘膜生検

ヒルシュスプルング病の病変腸管の組織を顕微鏡で調べることにより確定診断が得られる. 直腸粘膜生検は麻酔も必要なく, 病棟で簡便に施行できる. 非常に信頼性が高くヒルシュスプルング病と診断するには必ず行われなければならない検査である. 基本的に病変腸管は肛門から口側に連続的に存在するので, 肛門近くの直腸壁を採取する必要がある. 採取した組織内に粘膜下層以下 (粘膜より深い部分) の組織が採取されていれば, 神経節細胞がないことを確認する. また, 通常病変腸管の粘膜部分には異常な外来神経の増生がみられる. この異常な外来神経を特殊な染色方法 (アセチルコリンエステラーゼ染色) で調べることにより確定診断に至る.

D. 直腸肛門内圧検査

病変腸管には腸を動かす神経がないため，通常みられる肛門の反射が欠如する．正常児では，直腸壁をバルーンで伸展させると，肛門が弛緩して肛門内圧が降下する直腸肛門反射が起こる．しかし，ヒルシュスプルング病児では直腸肛門反射はみられない．しかし，直腸肛門内圧検査は手技に少し慣れが必要で，これだけでヒルシュスプルング病と診断することはできない．

③ 治療・手術

A. 術前管理

ヒルシュスプルング病と診断されれば，そのままでは自力排便は困難であり手術が必要となる．手術の時期は，通常生後 3 カ月以降になることが多いが，施設によっては新生児期に行われることもある．診断がついてから手術までの期間は排便の補助を行う必要がある．病変腸管が短い場合は，浣腸や肛門からチューブを挿入しての洗腸を行うことで排便コントロールが可能である．病変腸管が長く通常の排便補助では難しい場合は，太めの経腸栄養チューブ（ED チューブ）を肛門から拡張腸管まで透視下に留置しておき，そこから洗腸を行うことで排便管理を行うこともある 図2．病変が非常に長く肛門からのチューブ挿入で排便管理ができないときは，手術まで一時的な人工肛門を置く必要がある．

術前の排便管理がうまくいかないと，腸管内の便のうっ滞が起こり，重篤な腸炎を起こすことがある．前述のように 21 トリソミー児はうっ滞性腸炎を発症するリスクが高

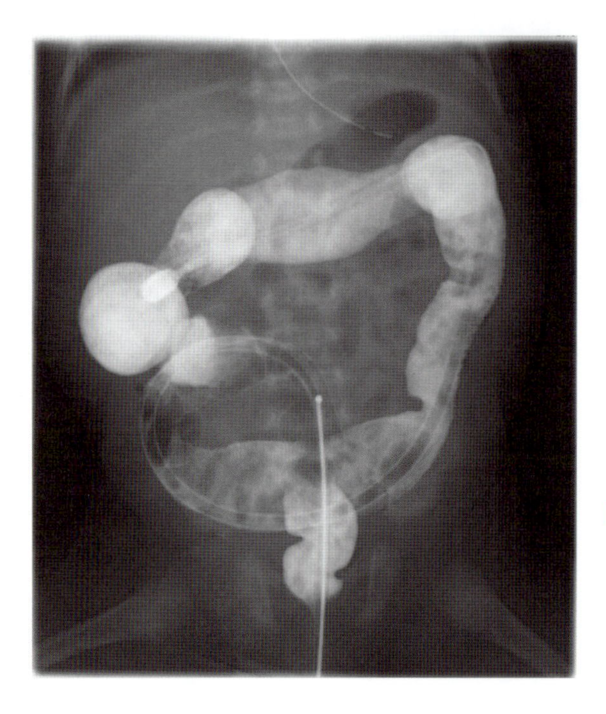

図2 肛門より長い経腸栄養チューブを留置

病変腸管の長い症例では，太めの経腸栄養チューブ（ED チューブ）を肛門から拡張腸管まで留置し，そこから洗腸を行う．

JCOPY 498-14563

いため，特に注意が必要である．

B. 手術

手術は，基本的に肛門から連続する神経節細胞のない病変腸管を全切除し，口側の正常な腸管を肛門に吻合する方法が一般的である．切除後の再建方法は大きく分けてSwenson 法, Soave 法, Duhamel 法の 3 つがある．Swenson 法は病変腸管を切除した後，正常腸管を肛門に直接吻合する再建方法である 図3 ．それに対し，Soave 法は病変腸管の切除に際し，肛門付近の病変腸管の筋層のみを残す．その後，正常腸管を筋肉の筒のなかを通し肛門に引き下ろし吻合する方法である 図4 ．この方法は直腸周囲の組織を剥離しないので，骨盤内の神経損傷が少ないとされている．Duhamel 法は，直腸の病変腸管を短く残し，その背側に正常腸管を引き下ろし，病変腸管と正常腸管を合わせて 1 つの腸管にする方法である 図5 ．他の術式より直腸に便の貯留する部分が大きくなるので，術後便秘傾向になるが，その反面便失禁が少ないとされている．それぞれの詳しい術式は成書に譲る．

以前はどの術式も開腹で行われていたが，近年ヒルシュスプルング病手術にも腹腔鏡手術が普及してきており，どの施設でも通常の病型であれば腹腔鏡での手術が標準となっている．また最近では，病変の短い症例に限り肛門からすべての操作を行う術式も開発され広まってきている 図6 ．

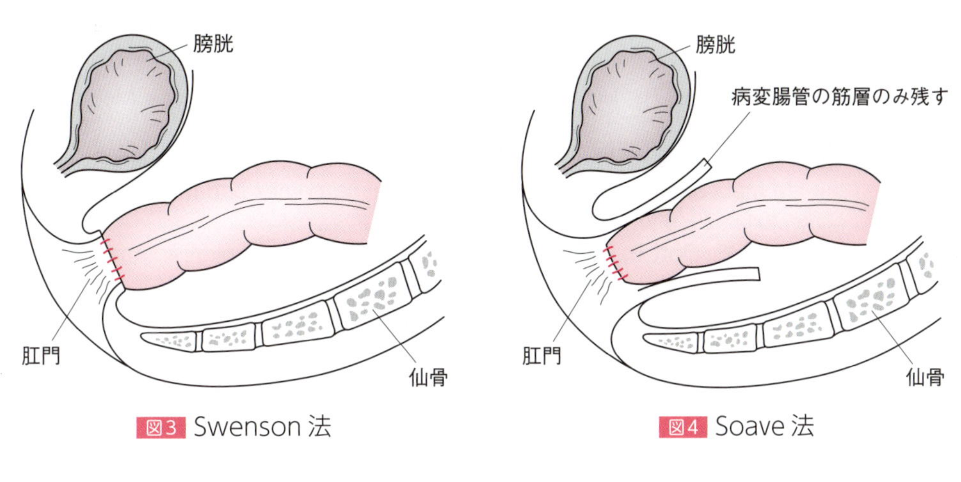

図3 Swenson 法　　図4 Soave 法

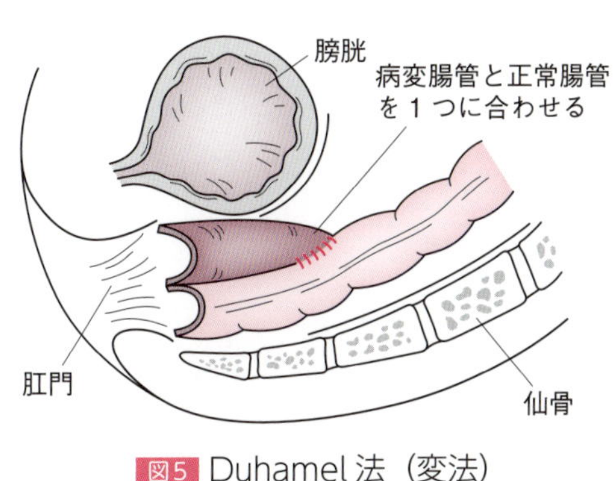

図5 Duhamel 法（変法）

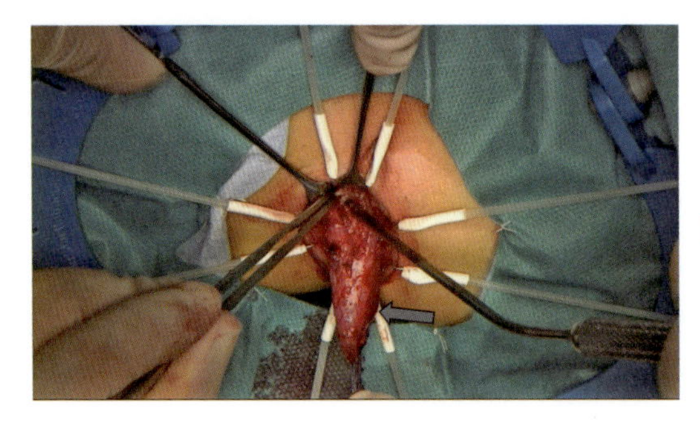

図6 経肛門的ヒルシュスプルング病根治術

病変腸管の短いものに限っては，肛門からのみの操作で手術を行うこともある．
矢印：肛門から引き出した病変腸管(直腸)．

C. 術後経過

手術で病変腸管を切除して，正常腸管を肛門に吻合するが，肛門自体の機能に障害が残っているため，排便の障害が残存することがある．再建方法によっては，便秘傾向になる場合があり，緩下剤や浣腸を適宜使用しなければならないことがある．また，逆に便の回数が多くなることもあり，肛門周囲の皮膚のただれをきたす．その場合は，浣腸を併用しまとまって排便することで便の出ない時間を作り，肛門周囲が乾燥している時間をとる必要が出てくる．

また，ヒルシュスプルング病術後も，腸のうっ滞が起こり腸炎を発症する可能性がある[2)]．21トリソミー児は，術後の腸炎の発症リスクが，通常のヒルシュスプルング病児よりも高いとされており，特に注意する必要がある．

【参考文献】

1) Ehrenpreis TH. Hirschsprung's disease. Chicago: Year book Medical Publisher's; 1970.
2) Friedmacher F, Puri P. Hirschsprung's disease associated with Down syndrome: a meta-analysis of incidence, functional outcomes and mortality. Pediatr Surg Int. 2013; 29: 937-46.
3) Stoll C, Dott B, Alembik Y, et al. Associated congenital anomalies among cases with Down syndrome. Eur J Med Genet. 2015; 58: 674-80.
4) 岡田　正. 系統小児外科学. 大阪：永井書店；2001. p.541-52.

〈福澤宏明〉

JCOPY 498-14563

2

消化器疾患

4. 便秘症

1 …便秘により腹痛や腹部膨満などの身体的な症状が現れ，診療を必要とする状態を便秘“症”という.

2 …21トリソミー児では，一般的に筋肉の緊張が弱く腹圧がかかりづらいために便が結腸に貯留しやすく，便秘症をきたしやすい.

3 …便秘症の治療は，直腸に貯留した便塊の除去とその後の維持療法からなる.

4 …便秘症の治療では，症状が再燃しないよう長い診療期間が必要であることを医療者，家族がともに理解する必要がある.

便秘とは，排便の回数や便量が減少した状態や排便をするのに努力や苦痛を伴い便が出にくい状態である．これにより腹痛や腹部膨満などの身体的な症状が現れ，診療を必要とする状態を便秘症という[1)]．便が結腸内に長く貯留すると水分が吸収されて硬く大きな便塊が形成される．便塊を排泄する際には痛みが生じるために排便を嫌がり，便秘が増悪するという悪循環に陥る．また，便意を感じるメカニズムの1つに便により直腸壁が引き伸ばされる刺激や直腸の内圧上昇があるが，便塊が直腸に貯留した状態が長く続くと直腸が慢性的に拡張し便意を感じにくくなり便秘はさらに増悪する．21トリソミー児では，一般的に筋肉の緊張が弱く腹圧がかかりづらいために便が結腸に貯留しやすく，便秘症をきたしやすい．したがって，便秘の悪循環に陥らないように早期からの対応が重要である．

① 症状

便秘によって腹痛や腹部膨満，排便をする際の痛みや出血，硬い便により肛門部が切れる裂肛や直腸が反転して肛門から脱出する直腸脱を生じ得る．また，大きな便塊が長期にわたり直腸内に停滞していると，内肛門括約筋が緩み無意識に腸内容物が便塊の脇を通って肛門から漏れ下着の汚染や便失禁をきたす遺糞症をきたすことがある．

② 診断

便秘症の診断について，本邦の「小児慢性機能性便秘症診療ガイドライン」[1)]では国際的な ROME Ⅲの診断基準を引用しており，表1，表2 の項目を中心に問診を行い便秘症であるかを判断する．身体診察では，腹部膨満の程度や圧痛の有無，下腹部を中心とした触診で便塊を触れるかどうか，裂肛や直腸脱など肛門病変の有無，便失禁による肛門周囲の便付着や皮膚障害の有無を確認する．さらに，直腸に貯留した便塊や直腸の拡張を直接的に確認する方法として直腸肛門指診が有用である．画像検査としては腹部単純 X 線写真が用いられることがあり，直腸内の便塊貯留の有無やその拡がりを確認することができる 図1．また，便秘症をきたす基礎疾患の除外も重要である．21 トリソミー児では，先述の直腸肛門奇形（鎖肛）やヒルシュスプルング病に加えて，甲状腺機能低下症にも注意が必要である．

表1 慢性機能性便秘症の診断基準（4 歳未満の小児）

以下の項目の 2 つ以上が 1 カ月以上認められる．
1. 1 週間に 2 回以下の排便
2. トイレでの排便を習得した後，少なくとも週に 1 回の便失禁
3. 過度の便の貯留の既往
4. 痛みを伴う，あるいは硬い便通の既往
5. 直腸に大きな便塊の存在
6. トイレが詰まるくらい大きな便の既往

表2 慢性機能性便秘症の診断基準（4 歳以上の小児）

以下の項目の 2 つ以上が 2 カ月以上にわたり，週 1 回以上は認める． 過敏性腸症候群の基準を満たさない．
1. 1 週間に 2 回以下のトイレでの排便
2. 少なくとも週に 1 回の便失禁
3. 便を我慢する姿勢や過度の自発的便の貯留の既往
4. 痛みを伴う，あるいは硬い便通の既往
5. 直腸に大きな便塊の存在
6. トイレが詰まるくらい大きな便の既往

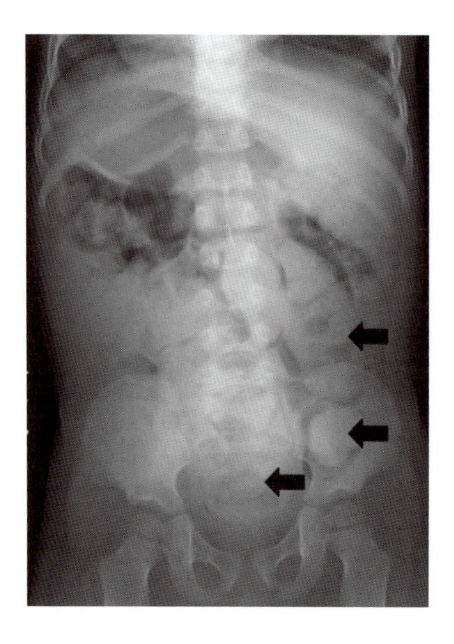

図1 便秘症の腹部単純 X 線像
直腸から下行結腸にかけて多数の便塊貯留（矢印）を認める．

JCOPY 498-14563

③ 治療

直腸に便塊が貯留している場合には，まず便塊の除去が行われる[1]．便塊除去の方法は浣腸や経口薬，坐薬，摘便などさまざまである．筆者の施設では，夕にオリーブ油注腸（1～2mL/kg）を行い，翌朝にグリセリン浣腸（1mL/kg）で軟らかくなった便塊を排泄するという方法を行い，これを数日繰り返すことで摘便を行うことなく便塊を除去できることが多い[2]．

便塊の貯留がない場合や便塊を除去した後には，維持療法を行う[1]．脱水にならない充分な水分摂取や食物繊維を含むバランスのとれた食事，規則正しい日常生活や適度な運動は便秘を予防する．また，薬物療法としては，酸化マグネシウムやラクツロースなどの浸透圧性下剤やピコスルファートナトリウムやビサコジル坐薬などの刺激性下剤，グリセリン浣腸などを用いる．家族からは，「薬は癖になり，やめられなくなりませんか？」との質問がある．維持療法が長期に奏効すれば薬物療法の減量，終了は可能であり，直腸に便を貯めない排便習慣を確立することが優先される．筆者は，酸化マグネシウム 50mg/kg/ 日内服と 1 日 1 回のグリセリン浣腸 1mL/kg で薬物療法を始めることが多い．薬物療法で肝要な点は，便秘症の治療には数カ月から年単位の時間が必要であることを医療者，家族がともに理解し，患児や家族の状況に合わせて長期間継続可能な剤形や服用方法を選択することである．

【参考文献】

1) 日本小児栄養消化器肝臓学会，日本小児消化管機能研究会．小児慢性機能性便秘症診療ガイドライン．東京：診断と治療社；2013.
2) 西島英治，横井暁子，中尾　真，他．糞便閉塞遺糞症児の閉塞している糞便に対する外来でのオリーブオイル処置．日小外会誌．2011; 6: 970.

〈森田圭一〉

2

消化器疾患

5. 腹部手術の鎮痛

ポイント

1 …区域麻酔って？　硬膜外ブロック，脊髄くも膜下ブロック，末梢神経ブロック.
2 …上気道閉塞の懸念があるため，区域麻酔がとても有用である.
3 …消化管手術では経口薬や坐薬は使用しづらいため，各種ブロックが有用である.
4 …軽い鎮静が必要なら，デクスメデトミジンがおすすめ.

21 トリソミー児で手術が必要となる消化管疾患は，前述した十二指腸狭窄・閉鎖，鎖肛，ヒルシュスプルング病などがある.

手術の麻酔をする際，麻酔科医は麻酔計画のなかでも鎮痛について熟考する．手術部位や切開創の大きさや深さ，術後消化管機能など，手術がもたらす侵襲を予想し，さまざまな方法で疼痛管理を積極的に行う.

周術期の鎮痛には，静脈麻酔，吸入麻酔，区域麻酔，局所麻酔などさまざまな方法がある．これらの鎮痛作用と副作用をよく理解し，手術の疼痛に対する効果と，呼吸・循環に対する影響を鑑みて，最善な選択をしたい.

手術麻酔では，一般的に静脈麻酔や吸入麻酔を使用した全身麻酔に加えて，局所麻酔薬を使った鎮痛を行うことが多い．区域麻酔や浸潤麻酔といった方法である．区域麻酔には硬膜外ブロック，脊髄くも膜下ブロック，末梢神経ブロックなどがある 表1 .

術後鎮痛は，特に 21 トリソミー児では巨舌による舌根沈下や上気道閉塞など呼吸リスクが高いため，鎮痛鎮静のためのオピオイドや一般的な鎮静剤を全身投与する場合，なるべく投与量を減らしたい．また，肺高血圧を合併している患児は疼痛刺激や痛みによる低換気から高二酸化炭素血症となり肺高血圧クリーゼを引き起こす原因ともなり，良質な疼痛管理が必須である．そのため，呼吸や循環に対する影響が少ない区域麻酔や局所麻酔による術後鎮痛方法はとても理にかなっており有用である.

表1 麻酔の種類

全身麻酔	
区域麻酔	硬膜外ブロック 脊髄くも膜下ブロック 末梢神経ブロック
局所麻酔	表面麻酔 浸潤麻酔

JCOPY 498-14563

① 硬膜外ブロック[1)]

硬膜外腔に局所麻酔薬やオピオイドを単回もしくは持続投与する鎮痛方法である 図1．手術部位に合わせて，胸部，腰部，仙椎椎間，仙骨の硬膜外ブロックを行う 図2a，図3．カテーテルを留置することにより長時間の手術や術後鎮痛にも利用できることが硬膜外ブロックの最大の魅力である．小児では，仙椎が癒合していないためS2/3など仙椎椎間からも硬膜外カテーテルを留置できるのが特徴である 図2b．硬膜外ブロックを行った患者は，腸管血流が改善し術後の消化管機能回復が早い．ごくまれだが，硬膜外血腫や膿瘍，神経損傷の可能性があるため，重症感染症や血液凝固異常，脊椎脊髄の異常がある場合は，硬膜外ブロックの適応がない．

当院での硬膜外ブロック使用例

0.2％ロピバカインを胸椎で 0.7mL/kg，腰椎以下で 1.0mL/kg（最大 20mL）をボーラス投与し，0.2mL/kg/h（最大 5mL/h）で持続投与する．

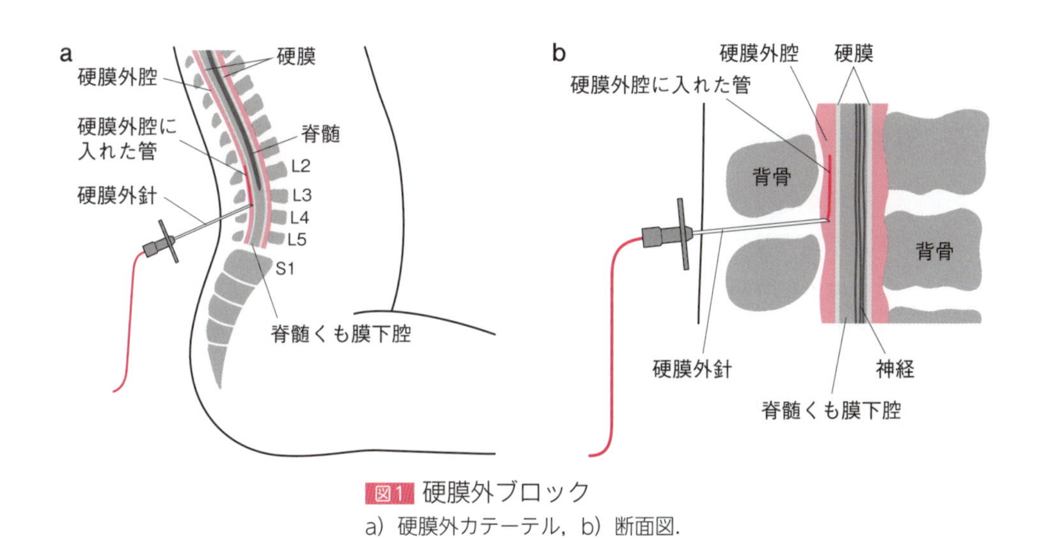

図1 硬膜外ブロック
a）硬膜外カテーテル，b）断面図．

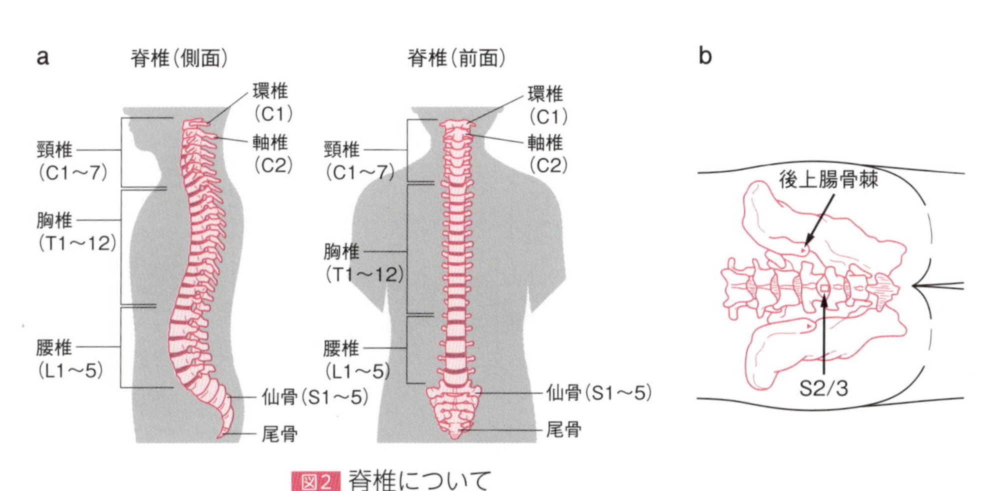

図2 脊椎について
a）脊椎の解剖，b）仙椎椎間硬膜外ブロック．

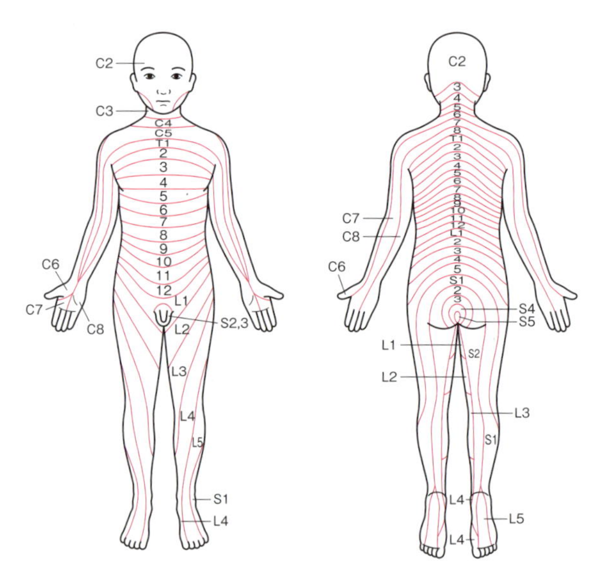

図3 デルマトーム

② 脊髄くも膜下ブロック 図4

脊髄くも膜下ブロックは，局所麻酔薬をくも膜下腔に注入し，脊髄神経の伝達を遮断する鎮痛方法である．とにかく素晴らしい先取り鎮痛である[2)]．作用時間が60～90分程度と短時間ではあるが，手術部位や術式を選び，年齢や髄液量に合わせた投薬を行うことで，術中の麻酔薬を減らすことができ，早期抜管，早期離床，早期経口開始が期待できる．小児の脊髄くも膜下ブロックによる低血圧は頻度が少なく，下がったとしても下がり幅が少ない．また，成人に比べ頭痛の頻度も少ない．確実な鎮痛と簡便で安全な脊髄くも膜下ブロックは，上気道リスクがある21トリソミーのこどもの腹部以下の手術にうってつけの麻酔だろう．また，心疾患を合併した児の，非心臓手術にも安全に施行できると報告されている[3)]．このブロックも血液凝固異常や脊椎脊髄の異常がある

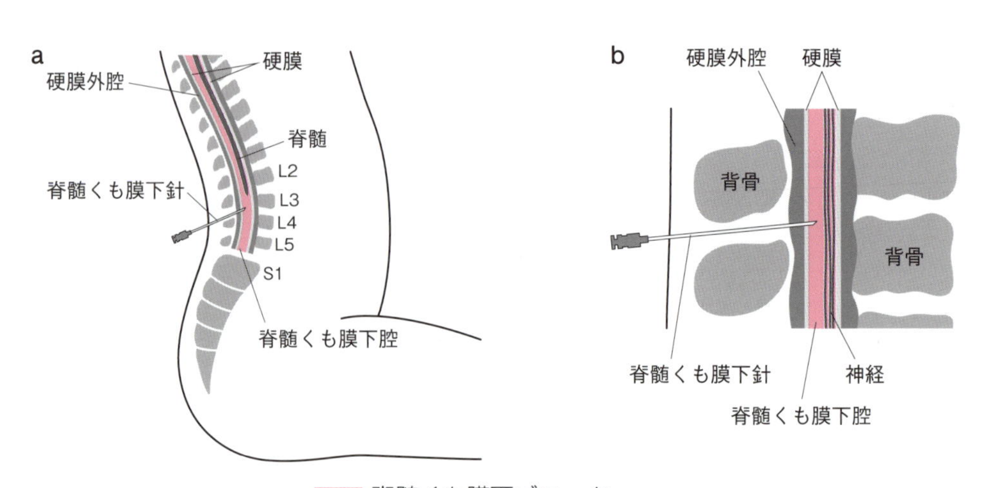

図4 脊髄くも膜下ブロック
a）脊髄くも膜下ブロック，b）断面図．

JCOPY 498-14563

場合は適応がない．

当院での脊髄くも膜下ブロック使用例

十二指腸狭窄・閉鎖根治術，臍ヘルニア，胃瘻造設，鼠径ヘルニア，停留精巣などに，全身麻酔下で，高比重ブピバカイン 0.08 ～ 0.2mL/kg（0.4 ～ 1mg/kg）をくも膜下投与する．

③ 末梢神経ブロック

末梢神経ブロックは，超音波ガイド下で体表から局所麻酔薬を注入する鎮痛方法で，腹部や四肢などの手術鎮痛に利用できる．腹部手術の末梢神経ブロックには，腸骨鼠径・腸骨下腹神経ブロック，腹直筋鞘ブロックや腹横筋膜面ブロックなどがある[4]．近年は小児でも腹腔鏡の使用が増加しており，手術部位や短時間手術には有用な鎮痛方法である．硬膜外ブロックができないような凝固異常や脊椎の異常がある患児でも安全に使用できる．

当院での臍ヘルニアへの腹直筋鞘ブロック例

0.15 ～ 0.2％ロピバカインを左右に総量で 0.5 ～ 1.0mL/kg（最大 20mL）を投与．ブロックの効果は 5 ～ 6 時間である．

④ 静脈鎮痛

アセトアミノフェン，NSAIDs の定時もしくは必要時投与を行う．それでも疼痛が強い場合はオピオイドの持続投与が必要となることもある．オピオイドは呼吸抑制作用があるため，まずは非オピオイド鎮痛薬から計画していく．

当院での使用例（3 歳 10kg 小児）

アセトアミノフェン 10 ～ 15mg/kg を 6 時間ごと 4 回静注およびフルルビプロフェン 1mg/kg を 6 時間毎 4 回静注する．これを 3 時間毎に交互投与すれば，血中濃度も保たれ患児の満足度も上がる．

当院での使用例

フェンタニル 0.5 ～ 0.8（～ 1.5）μg/kg/h を持続静注する．呼吸循環を確認しながら必要あれば増量してゆく．

⑤ 静脈鎮静

小児術後患者では術創安静やドレーンや点滴の誤抜去防止のため鎮静が必要となることが少なくない．呼吸抑制がほとんどなく鎮痛作用もあるデクスメデトミジンは 21 トリソミーの患児で使用しやすい鎮静薬である[5]．

当院での使用例

デクスメデトミジン 1μg/kg を 10 分間でボーラスした後に 0.5 ～ 0.7μg/kg/h で持続静注する．徐脈や低血圧に注意する．

【参考文献】
1) Goeller JK, Bhalla T, Tobias JD. Combined use of neuraxial and general anesthesia during major abdominal procedures in neonates and infants. Paediatr Anaesth. 2014; 24: 553-60.
2) Kokki H. Spinal blocks. Paediatr Anaesth. 2012; 22: 56-64.
3) Kachko L, Birk E, Simhi E, et al. Spinal anesthesia for noncardiac surgery in infants with congenital heart diseases. Paediatr Anaesth. 2012; 22: 647-53.
4) Bakshi SG, Doctor JR, Trivedi BD, et al. Transversus abdominis plane catheters for postoperative pain relief in pediatric patients. J Anaesthesiol Clin Pharmacol. 2017; 33: 121-2.
5) 中村文人，竹内　護．デクスメデトミジン．In: 堀本　洋，他編．小児の検査と処置の鎮静・鎮痛．中外医学社；2013.

〈諏訪まゆみ〉

JCOPY 498-14563

3

呼吸器疾患

1. 呼吸器感染症：気管支炎・細気管支炎・肺炎など

ポイント

1 …ダウン症児は気管支炎・細気管支炎・肺炎が重症化しやすい.

2 …呼吸器感染症により上気道狭窄を中心とした気道狭窄が増加しやすい.

3 …重症管理ではダウン症の特徴を意識して呼吸管理を行う.

4 …予防は治療以上に大切で，特に定期予防接種やパリビズマブ投与は確実に実施する.

5 …食欲・睡眠・機嫌（活気）に懸念がでたら医療機関受診を考慮する.

【本文で使用している略語一覧】

ARDS	(acute respiratory distress syndrome)	：急性呼吸窮迫症候群
CAUTI	(catheter-associated urinary tract infection)	：カテーテル関連尿路感染症
CHDF	(continuous hemodiafiltration)	：持続的血液濾過透析
COVID-19	(coronavirus disease 2019)	：新型コロナウイルス感染症
CRBSI	(catheter-related bloodstream infection)	：カテーテル関連血流感染症
ECMO	(extracorporeal membrane oxygenation)	：体外式膜型人工肺
HFNC	(high flow nasal cannula)	：高流量鼻カニュラ酸素療法
MDRPU	(medical device-related pressure ulcer)	：医療関連機器圧迫創傷
NIV	(noninvasive ventilation)	：非侵襲的換気法
NO	(nitric oxide)	：一酸化窒素
PEEP	(positive end-expiratory pressure)	：呼吸終末陽圧
QOL	(quality of life)	：生活の質
VAP	(ventilator-associated pneumonia)	：人工呼吸器関連肺炎
VILI	(ventilator-induced lung injury)	：人工呼吸器関連肺損傷

① 呼吸器感染症に影響を及ぼしうるダウン症の特徴 表1

ダウン症は，呼吸器系の解剖学的特徴だけでなく，筋緊張低下や精神運動発達遅滞，免疫機能異常，肺高血圧症などの特徴も呼吸器感染症の重症化に影響を与える可能性がある．これらの特徴を 表1 にまとめた.

A. 解剖学的特徴

多くのダウン症児は鞍鼻，狭口蓋，巨舌，口蓋扁桃腫大，喉頭軟化症など上気道の開通性を妨げやすい特徴を有している．また，下気道にも声門下狭窄，先天性気管狭窄，気管・気管支軟化症など狭窄の原因となる特徴を約 25％に認め，感染を契機に気道開通性が不良となりやすい[1]．気管挿管歴のあるダウン症児では，気管挿管に伴う後天的な声門下狭窄をきたしやすく，これが下気道狭窄症状の原因になることもある．肺実質には肺胞数の減少や肺胞道の拡大など肺胞表面積が先天的に減少する肺低形成・異形成を認める[1,2]．さらに，未熟な嚥下機能による慢性的な誤嚥や胃食道逆流症は，しばしば慢性咳嗽，遷延する喘鳴，繰り返す呼吸器感染症の原因となる．

表1 呼吸器感染症に影響を及ぼしうるダウン症の特徴

上気道狭窄・閉塞	鞍鼻 狭口蓋 巨舌・舌突出 口蓋扁桃腫大・アデノイド肥大 浅い下咽頭腔・小さい喉頭径 喉頭軟化症 閉塞性睡眠時無呼吸症候群
下気道狭窄・閉塞	声門下狭窄症 気管・気管支軟化症 気管狭窄症 　完全気管輪 　肺動脈スリング 　血管輪　など 気管気管支（無気肺形成）
肺実質異常	肺低形成・異形成（肺胞表面積の減少） 　肺胞と肺胞道の拡大 　肺胞数の減少 胸膜下嚢胞（気腫様変化）
免疫機能の脆弱性	自然免疫の低下 　リンパ球・単球の減少 　好中球接着性の低下 獲得免疫の低下 　胸腺の発達不良・成熟T細胞の減少 　B細胞の減少 　IgG4欠損 　唾液中のIgA・IgGの減少 その他 　リンパ球の増殖を促す反応の低下 　リンパ球の早期アポトーシスの亢進　など
その他	筋緊張低下 低栄養（主に乳児期）・肥満（主に学童期） 未熟な嚥下機能による慢性誤嚥 胃食道逆流症 肺血流増加型先天性心疾患 　房室中隔欠損症 　心房中隔欠損症 　心室中隔欠損症　など 肺高血圧症 　先天性心疾患 　新生児遷延性肺高血圧症 　慢性肺疾患 　閉塞性睡眠時無呼吸症候群　など

(McDowell KM, et al. J Pediatr. 2011; 158: 319-25[1], Pandit C, et al. J Paediatr Child Health. 2012; 48: E147-52[2] を参考に作成)

JCOPY 498-14563

B. 生理学的特徴

ダウン症児には自然免疫のみならず獲得免疫も含め様々な免疫機能異常を認めることが知られている．これらの免疫機能異常が感染の増加に関連していると考えられているものの，呼吸器感染症の重症化のリスクを上げるかについては不明である[1)]．

筋緊張低下や肥満は上気道の開通性に関与する．そのうえ，筋緊張低下は，十分な排痰維持を困難にし，呼吸仕事量増加に対して早期に代償が破綻する原因にもなるため，重症化の一因となる可能性がある．

肺高血圧症を認める症例では，気管支炎・細気管支炎（下気道炎）や肺炎による低酸素血症により末梢肺血管のれん縮に伴って肺血管抵抗が上昇するため，急性期に肺高血圧が増悪しやすい．急激な肺高血圧の増悪は，右心室後負荷の増大や著明な心拍出量低下をきたし，心停止も危ぶまれる状態となる（肺高血圧発作）．たとえ心房間や心室間に短絡があって右心室後負荷が増大時も右左短絡により体血流量が保たれたとしても，低酸素血症が極度に進行するため心停止に至る可能性があることに変わりはない．

② ダウン症と上気道炎

通常上気道炎は鼻汁・咳嗽などの感冒症状で始まる．発熱は認めても数日以内に解熱し，感冒症状も 1 週間ほどで自然軽快する．感染に伴い上気道狭窄が増悪すると，犬吠様咳嗽や嗄声，吸気性喘鳴を認める．身体診察上は，胸骨上窩や肋間に陥没呼吸，胸鎖乳突筋などの呼吸補助筋を使用した吸気努力，聴診では stridor（ストライダー）などが上気道狭窄の程度に応じて認められる．

ダウン症児は上気道狭窄をきたしやすいため，上気道炎の際には上気道狭窄に伴う呼吸仕事量の増大にも注意して診察をする．上気道炎による高熱・鼻閉・咽頭痛で経口摂取不良や呼吸窮迫を認める場合，上気道狭窄により低酸素血症もきたしている場合など，たとえ上気道炎であっても点滴加療や酸素療法のため入院加療が必要となることもある．

③ ダウン症と下気道炎・肺炎

ダウン症児は下気道炎や肺炎に罹患するリスクが高く，ダウン症でない児よりも重症化しやすく死亡することさえあることが知られている．さらに，先天性心疾患や消化器疾患を合併するダウン症児は，手術の既往にかかわらず，呼吸器感染症で入院するリスクが高くなることが示されている[1)]．

A. 症状・身体所見

一般に下気道炎・肺炎の身体所見では発熱，咳嗽，気道分泌物の増加，頻呼吸，経皮的動脈血酸素飽和度（SpO_2）の低下などを認める．加えて炎症が下気道へ進展すると，下気道狭窄を反映して陥没呼吸や肩呼吸，鼻翼呼吸といった吸気努力，呼気延長，内肋間筋や腹筋群などの呼吸補助筋を使用した呼気努力，呻吟などが認められる．

聴診では，気管・主気管支など太い気道の狭窄で低調な rhonchus（類鼾音・いびき音）が，気管支・細気管支など細い気道の狭窄で高調な wheeze（笛声音）が聴取される．炎症が肺胞にまで及ぶと，聴診では呼吸音の減弱，肺胞呼吸音の消失，coarse crackle（水泡音）を中心とした副雑音を認める．

B. 画像所見 図1

身体所見で下気道炎・肺炎が疑われる場合に胸部 X 線を施行する．気管支炎は胸部 X 線上異常を認めない 図1a が，細気管支炎では下気道狭窄による両肺野の含気増加を反映して両肺野の過膨張所見（肺野の X 線透過性亢進や横隔膜の平坦化）を認める 図1b ．肺炎では原因や炎症の程度により様々な程度の浸潤影が出現する 図1c ， 図1d ．

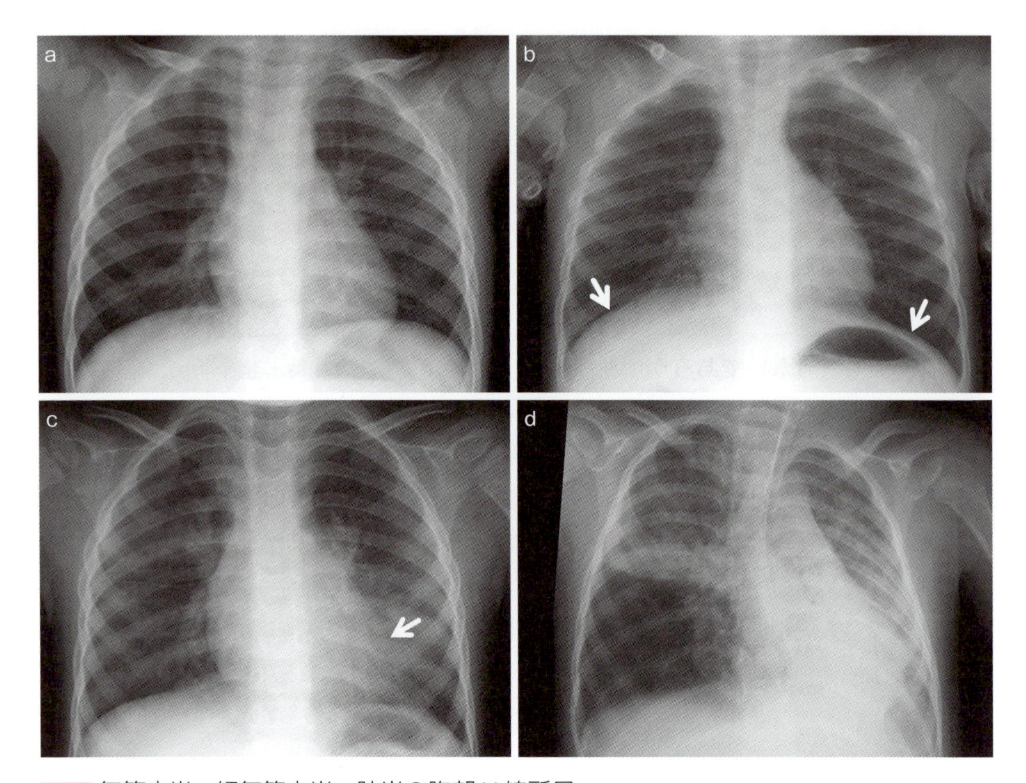

図1 気管支炎・細気管支炎・肺炎の胸部 X 線所見

a) 急性気管支炎（1 歳 2 カ月男児）．胸部 X 線上はほぼ正常な所見．
b) RS ウイルスによる急性細気管支炎（1 歳 6 カ月女児）．両側横隔膜が平坦化（矢印）し肺野は過膨張を呈している．
c) 急性肺炎（2 歳 4 カ月男児）．左下肺野に限局した肺炎による浸潤影で心臓左縁のシルエットが不明瞭になっている（矢印）．
d) RS ウイルスによる急性肺炎・重症 ARDS（2 歳 10 カ月女児）．左肺は肺野全体に右肺は上肺野に様々な濃度の浸潤影を認める．気管挿管後のため気管チューブならびに経鼻胃管が挿入されている．

C. 経過

下気道炎・肺炎はウイルス感染によることも多いが，細菌感染が疑われる場合には好発する原因微生物を想定し抗菌薬治療を開始する．その後，分泌物の増多や気道線毛機

JCOPY 498-14563

能障害を伴い一般的に５～７日程度で解熱するが，咳嗽や喀痰の改善までには時間を要することが多く，気道過敏性を伴って３週間以上持続することも経験する．

ダウン症児では下気道炎・肺炎での入院日数が有意に長くなることが報告されている[1)]．その要因として，気道の軟化症・狭窄症に加え感染での気道粘膜浮腫による気道狭窄の増悪，筋緊張低下に起因した排痰力の弱さ，肺胞形成異常に起因した呼吸予備力の低さ，免疫機能異常による病原微生物の排除遅延などの関与が示唆される．一方で，ダウン症児に対して早期に抗菌薬を投与しても呼吸器感染症の予防や罹患率を減少させる効果はないため，ウイルス感染に対しての安易な抗菌薬使用は慎むべきである[1)]．下気道炎・肺炎を反復するダウン症児には，嚥下機能評価，胃食道逆流症の評価，気道の形態的異常の精査，免疫機能異常の精査を検討する[1,2)]．

④ ダウン症児と新型コロナウイルス感染症（COVID-19）

2019年11月末に発生し，瞬く間に世界中に広がりこれまでの生活様式を一変させてしまったCOVID-19だが，2020年7月末の時点でダウン症児のCOVID-19罹患については数例が報告されているにとどまっている．現在，小児への感染リスクは成人より低い[3)]とされているが，ダウン症児で感染リスクが高くなるという証拠はない．しかしながら，表1 でまとめたような特徴は，COVID-19罹患とその重症化にも影響を及ぼしうる特徴とも考えられるため，ダウン症児はCOVID-19に対しても注意するに越したことはないであろう．

⑤ ダウン症児の重症管理

A. 高流量鼻カニュラ酸素療法（HFNC）と非侵襲的換気法（NIV） 表2

ダウン症児に限らず，呼吸障害の進行に伴い酸素療法に加え呼吸仕事量の軽減を図るために呼吸サポートが必要となることをしばしば経験する．HFNCやNIVは気管挿管をせずにガス交換の改善が期待できる呼吸管理方法で，気管挿管の手技やチューブ留置による合併症の心配がない．気道が開通していること，十分な自発呼吸があること，プロング・マスク装着が継続できることなど導入には一定の条件がある．HFNCやNIVの特徴を 表2 にまとめたが，大切なことはHFNCやNIVで呼吸サポートが不十分な症例に対して気管挿管のタイミングを逸しないことである．

B. 気管挿管による人工呼吸管理

重症肺炎や**急性呼吸窮迫症候群（ARDS）** 解説① によって呼吸不全をきたした場合に，気管挿管による人工呼吸管理の適応となる．呼吸不全に対する人工呼吸器のモードに決まりはないが，ガス交換のみならず，呼吸仕事量の軽減，肺胞虚脱防止や肺リクルートメントなどの肺保護，人工呼吸器との同調性，陽圧換気による循環への影響などにも配慮し，病態に応じた呼吸管理が要求される．

表2 高流量鼻カニュラ酸素療法（HFNC）と非侵襲的換気法（NIV）の比較

	利点	欠点
HFNC	● 会話や食事が容易 ● 上気道抵抗および解剖学的死腔減少により通常の酸素療法と比べていくらか呼吸仕事量の軽減が期待できる	● 基本的には換気補助を目的とはしていない ● 回路圧モニタリングができない ● 開口すると陽圧がかからない ● 閉口時にも 3 ～ 5cmH_2O 程度の気道内圧とされる ● 鼻中隔損傷
NIV	● 確実な陽圧呼吸管理が可能 ● 比較的高い圧もかけられる ● 換気補助が可能 ● 鼻マスク，口鼻マスク，顔マスクが選べる（写真は顔マスク）	● マスク装着に手間がかかりずれやすい ● 吸引時はマスクを外すことが必要 ● 顔面の皮膚潰瘍形成

（南野初香．徹底ガイド小児の呼吸管理 Q&A．3 版．東京：総合医学社；2016. p.67-71[4]，米国集中治療医学会（SCCM）．PFCCS プロバイダーマニュアル．東京：メディカル・サイエンス・インターナショナル；2015. p.5-1 ～ 5-23[5] を参照して作成）

気管挿管下の人工呼吸管理は，苦痛を伴う侵襲的な呼吸管理である．その維持には，非薬物的アプローチとして人工呼吸器との同調性を高めたり，ベッド周囲の環境を調整したりする以外に，小児では薬物的アプローチによる鎮静と鎮痛が必要となることが多い．当院でも鎮静作用のあるベンゾジアゼピン（ミダゾラムなど），デクスメデトメジン（プレセデックス®），トリクロホス（トリクロリール®）などと鎮痛・鎮静作用のあるオピオイド（フェンタニル・モルヒネなど）を単独または複数組み合わせて鎮静深度を維持している．浅鎮静では患者の快適性が損なわれるだけでなく計画外抜管などの事故につながる可能性が，過鎮静では鎮静に伴う合併症に加え人工呼吸期間が長くなる可能性が考えられる．適切な鎮静深度を維持するための鎮痛・鎮静薬の必要量は個人によってばらつきが大きいため，適切なツールを使用して深度を調整する必要がある．

人工呼吸管理に関連した合併症には，気管挿管に伴うものと人工呼吸器に伴うものがある．前者では喉頭・声門損傷や気管・気管支肉芽，人工呼吸器関連肺炎（VAP）などが問題となり，後者では圧損傷による気胸や肺胞損傷，過膨張や虚脱による損傷，高濃度酸素による酸素毒性といった人工呼吸器関連肺損傷（VILI）が知られている．

C. ダウン症児の集中治療管理の実際 表3

集中治療管理中は，原疾患に伴う問題だけでなく，治療介入に伴う問題などに遭遇するため適切な対応が求められる．例えば，人工呼吸管理中には前述のような VILI といった問題が生じる可能性がある．重症管理中に遭遇しうるダウン症の特徴に関連した問題点を 表3 にまとめた．

気道管理には常に注意深い観察と速やかな対応が要求される．上気道狭窄をきたしやすいダウン症児を自然気道で管理する際には，体位変換や吸引により開通性の保持に努める必要がある．呼吸サポートが必要な場合，当院でも気管挿管を第 1 選択とせず HFNC や NIV による呼吸管理をまず選択する症例が近年増えているが，鎮静薬を安易に用い

JCOPY 498-14563

解説① 急性呼吸窮迫症候群（ARDS）

ARDSは，肺に対する直接的・間接的な侵襲により急性かつ広範囲に肺胞が炎症によって傷害され深刻な酸素化障害をきたす病態で，近年でも成人の病院死亡率は30～40％程度と報告されている．診断は2012年に改訂された定義（Berlin definition）が用いられている．

ARDSは広範な肺実質の炎症が引き起こす非心原性の肺水腫と肺胞虚脱により肺内シャントや換気血流不均衡が原因で重篤な低酸素血症をきたす．胸部X線上は主に両側性の浸潤影を認める（**図a・c**）が，胸部単純CT上では肺胞が虚脱した領域と含気が保たれた領域が併存する所見を呈する（**図b**）．ARDSの原因には肺炎，誤嚥，溺水，肺挫傷などよる直接損傷と，敗血症や熱傷，重症外傷，急性膵炎などによる間接損傷があり，成人・小児共に肺炎による直接損傷型ARDSが最も多い．

ARDSの治療は，①原因疾患の検索と治療，②肺保護を意識した人工呼吸管理（低容量換気・過剰な気道内圧の回避・肺胞虚脱を防ぐ高PEEP），③集中治療による全身管理を同時に進めていく必要がある．ARDS回復には数週間を要することもまれではないが，成人領域では生存退院しても身体機能・認知機能低下や精神障害などに苦しみ長期にわたり健康関連QOLが損なわれることが近年明らかになってきた[6]．

ARDSの定義（Berlin definition）

発症	症状出現から7日以内
酸素化*	軽　症：PaO_2/F_IO_2 比 201～300 中等症：PaO_2/F_IO_2 比 101～200 重　症：PaO_2/F_IO_2 比≦100
胸部X線	胸水，無気肺または小結節影のみでは説明のつかない両側浸潤影
肺水腫の原因	心不全や輸液過剰だけでは説明できない肺水腫 疑わしい場合はエコーなどの客観的指標を用いて評価

* PEEP≧5cmH_2Oで測定
PaO_2：動脈血酸素分圧，F_IO_2：吸入気酸素濃度

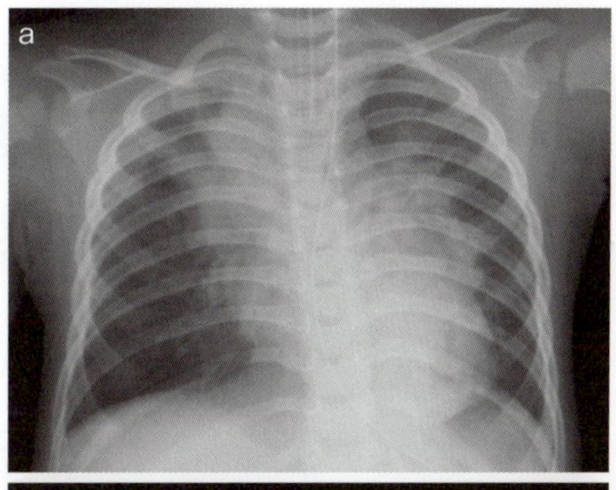

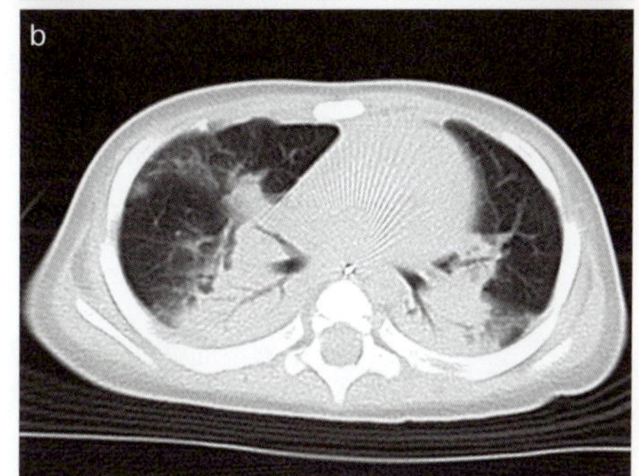

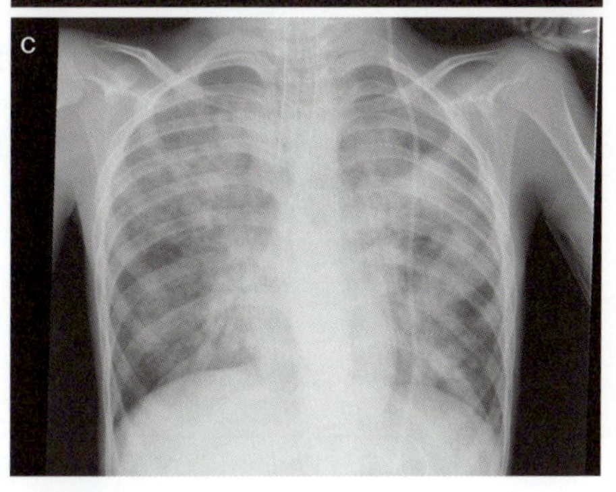

■直接型ARDS
1歳3カ月男児
アデノウイルス肺炎
a）入院2日目胸部X線
b）入院3日目胸部単純CT

■間接型ARDS
7歳女児
菌血症（インフルエンザ菌）
敗血症性ショック
c）入院直後胸部X線

表3 ダウン症の特徴から見た感染・集中治療管理に伴う問題点

	ダウン症の特徴	病態・原因	問題点	介入
気道	上気道狭窄 下気道狭窄 筋緊張低下	気道狭窄 / 閉塞の増悪 感染に伴う気道粘膜浮腫 気道分泌物の増加 舌根沈下 呼吸努力に伴う軟化症状の増悪 気管チューブによる声門下狭窄（抜管後）	呼吸仕事量増大	体位調整 吸引（口腔・鼻腔・気管） 経鼻エアウェイ 喉頭・軟性気管支鏡による精査 CPAP 療法 気管挿管 細めの気管チューブを選択 鎮静深度調整
	環軸関節の不安定性	気管挿管に伴う頭部後屈	脱臼・頸髄損傷の可能性	愛護的な気管挿管 頸部過伸展の防止 ビデオ喉頭鏡の使用
呼吸	筋緊張低下 気管気管支	無気肺形成による肺内シャント 気管気管支による頑固な無気肺 気道分泌物の増加 貧弱な咳嗽反射	低酸素血症	呼吸理学療法 体位ドレナージ 吸気介助 バッグ加圧　など 腹臥位療法 過鎮静の回避
循環	高肺血流を伴う先天性心疾患 肺高血圧症	低酸素血症，気道閉塞増悪による肺血管抵抗増大	肺高血圧発作（肺高血圧クライシス）	高濃度酸素吸入 NO 吸入療法 輸液蘇生 代謝性アシドーシスの補正 昇圧薬・肺血管拡張薬 鎮静深化 ECMO
感染	免疫機能異常 入院の長期化	デバイス*留置の長期化の可能性	VAP CRBSI CAUTI	早期認知・各種培養検査 抗菌薬治療 早期抜管の可能性の評価 早期デバイス*抜去・カテーテル交換の可能性の評価
その他	低栄養 肥満 精神発達遅滞	デバイス*による皮膚圧迫 デバイス*留置の長期化の可能性 最低限度の身体抑制の利用	MDRPU	除圧・減圧 スキンケア 呼吸・循環状態の安定化 栄養状態の改善

(McDowell KM, et al. J Pediatr. 2011; 158: 319-25[1]，Pandit C, et al. J Paediatr Child Health. 2012; 48: E147-52[2] を参考に作成)
*デバイス：気管チューブ，中心静脈カテーテル，動脈留置針，尿道カテーテルなどの医療関連機器のこと

ることは慎むべきである．鎮静薬による呼吸抑制で自発呼吸が消失するだけでなく，意識レベル低下による舌根沈下で気道が閉塞するリスクがあるためである．

気管挿管を行う際には，ダウン症児に多い環軸関節の不安定性に留意して用手気道確保や気管挿管時の頭部後屈を愛護的に行う必要がある．気管チューブの選択についても注意が必要である．ダウン症児は抜管後声門下狭窄をきたしやすいが，その理由は喉頭径が小さいためと考えられており，年齢相応と思われる気管チューブサイズであっても相対的に太すぎて声門下狭窄をきたすと考えられている．そのため，年齢相応と思われるサイズより細いチューブを選択することが勧められる[1]．

気道や呼吸の問題に対する非薬物的アプローチとしては，急性期からの呼吸理学療法の実施を考慮する．呼吸理学療法による入院日数の短縮や死亡率の改善を示した大規模

JCOPY 498-14563

研究はないが，例えば，徒手や機械による咳介助では咳ピークフローの増加，再挿管率の改善，抜管後のICU滞在日数の短縮などの効果が報告されている[7)]．適応は気道狭窄，肺容量の低下，呼吸筋力の低下（ポンプ機能の低下）を認める症例で，吸気・呼気の補助，肺容量の増加，筋緊張の軽減，筋力増強（ポンプ機能の補助）を目的に体位調整，吸気・呼気介助，ストレッチング，咳介助などが行われる[8)]が，ダウン症児にお

解説② 体外式膜型人工肺（ECMO）

ECMOは高度な知識と技術による管理能力，多職種連携，経済力が要求される生命維持法であるため，すべての施設で実施できるわけではない．重症呼吸不全患者について，その時点でECMOの適応がなくても，悪化した場合に備えて早期に実施可能施設へ転院を実施することが望ましい．

ECMOの構造は心臓の役割を果たす血液ポンプと肺の役割を果たす人工肺から成り，圧モニターや流量計，回路内血栓を予防するための抗凝固薬ルートなどが付属する．また，当院では全例に水分・電解質管理目的で持続的血液濾過透析（CHDF）を併用している（**下図**）．

ECMOはあくまで一時的なサポートが目的であり，原疾患に対しての治療ではないため，治療不可能な原疾患に対してECMOを導入した場合には離脱が困難になることが予想される．ECMOの導入に当たっては，呼吸不全の程度だけでなく原疾患が治療可能であることや良好な神経学的予後が見込めることなども加味して決定する必要がある．

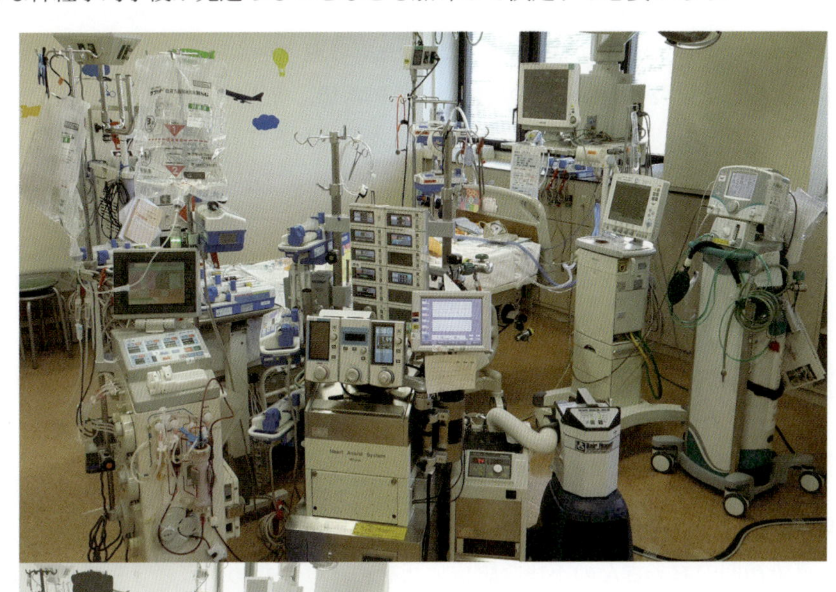

① ② ③ ④

《実際のECMO管理の様子》
① ECMO
② CHDF
③ 人工呼吸器
④ 一酸化窒素（NO）療法

患者はECMO（①）の奥のベッド上にいる

いても例外ではない．

肺高血圧発作は速やかに介入を開始しないと心停止をきたしかねない緊急性の高い循環不全である．感染による低酸素血症に加え，気管挿管中は気管吸引などがきっかけとなることも経験する．そのため，高肺血流を伴う先天性心疾患や肺高血圧のある症例では，動脈圧モニタリングを含めたモニタリング下に厳重に管理する．発作時には高濃度酸素吸入，一酸化窒素（NO）吸入療法，鎮静深化，輸液蘇生と昇圧薬，肺血管拡張薬，代謝性アシドーシスの補正などの治療を速やかに開始する．

呼吸不全が進行し人工呼吸器では管理困難な場合や重度の肺高血圧発作を認めた場合には，状態が改善するまでの一時的な呼吸循環サポートを目的に**体外式膜型人工肺（ECMO）**の導入が検討される 解説② ．

⑥ ダウン症と感染予防

呼吸器感染症が重症化しやすいダウン症児において，感染予防は感染後の治療以上に大切である．呼吸器感染症は接触感染と飛沫感染が関係するため，児に接触する保護者や関係者は，流行期には接触感染対策として手指衛生（流水石鹸手洗いやアルコール消毒）を励行し，有症状時には飛沫感染対策としてマスク着用に努める．さらに，COVID-19については，密閉・密集・密接（いわゆる「3密」）を避け，人との距離（ソーシャル・ディスタンス）を保つことも推奨されている．

COVID-19予防のための対策も必要だが，日本小児科学会では定期予防接種を回避するデメリットの大きさから接種スケジュールの遵守を強調している[9]．また，RSウイルスよる下気道炎・肺炎については，慢性肺疾患，先天性心疾患，神経筋疾患，免疫不全，早産などを認める乳児で重症化のリスクが高いとされ，ダウン症児は先天性心疾患の有無にかかわらず，入院率が増加することが複数の研究で報告されている[10]．そのため，本邦でも24カ月齢以下のダウン症児に対してのパリビズマブ（シナジス®）の予防投与が保険診療で認められている．

⑦ 家族，学校関係者など医療に従事していない方へ

A. 家庭でできる呼吸器感染症への対処

非薬物的アプローチ 表4

感染初期のお子さんの不快な感冒症状を和らげるため，家庭でもできる介入方法を 表4 に示す．これらの多くは医学的に有効性が証明されたものではないが，比較的安全で安価なため家庭で最初に開始する方法として勧められる[11]．

特に鼻閉は，口呼吸が確立していない乳幼児にとって食欲低下や睡眠の妨げとなり不機嫌の一因となる厄介な症状である．鼻閉に対して市販の鼻汁吸引器を用いて鼻腔の開通性を保つことは鼻閉の管理に有用な方法である．

室内の加湿は，鼻汁の粘稠度を下げる可能性があるが十分な研究は行われていない．

JCOPY 498-14563

表4 家庭でできる呼吸器感染症に対する非薬物的アプローチ

方法	期待できる効果	副作用・合併症	備考
適切な水分補給	気道分泌物の粘稠度低下 粘膜炎症の緩和	なし	
温かい飲み物の摂取（お茶・スープなど）	鼻閉の改善 気道分泌物の粘稠度低下 咽頭痛の緩和	なし	
鼻汁吸引	鼻閉の改善	なし	吸引器が必要 効果は一時的
生理食塩水*による鼻洗浄	鼻汁の排出と鼻閉の改善 粘膜クリアランスの改善 鼻粘膜充血の改善	粘膜刺激による疼痛 鼻出血 誤嚥（特に乳児）	点鼻用スプレーや洗浄器が必要 効果は一時的

(Dudley NC. Textbook of pediatric emergency medicine. 6th ed. Philadelphia: Lippincott Williams & Wilkins; 2010. p.1894[11] を参考に作成)
*生理食塩水：0.9%食塩水

加湿器は機種により蒸気による熱傷や不適切な洗浄による感染のリスクとなるため，これらに注意して使用する必要がある[11].

薬物的アプローチ

小児の感冒症状に対して有効性が確認されている内服薬はほぼない．鼻汁に対してしばしば使用される第1世代抗ヒスタミン薬〔クロルフェニラミンマレイン酸塩（アレルギン®）など〕については有効性が示されていないだけでなく，鎮静作用，痙攣誘発作用，気道分泌抑制作用による排痰困難，口渇など多くの副作用がある．また，咳嗽に対するコデイン類の鎮咳薬（コデインリン酸塩・ジヒドロコデインリン酸塩）は，呼吸抑制の副作用が問題となり2017年7月に国内での12歳未満への使用が事実上禁止された．ダウン症児だけの話ではないが，感冒症状に対する薬剤については副作用に留意して使用するべきである．

さらに，抗菌薬はウイルス感染には効かない．つまり，ウイルス感染によることが多い上気道炎や入院の必要のない下気道炎のほとんどに抗菌薬は無効である．インフルエンザウイルスにはオセルタミビル（タミフル®）などの治療薬があるが，自然治癒が期待できるため軽症の治療に必須ではない．

B. 医療機関受診のタイミング

上気道炎でも高熱を認めることはあるため，高熱だけを理由に医療機関を受診する必要はない．医療機関へ受診は，(1) 食事・睡眠に支障がでているような場合，(2) 不機嫌・ぐったり感が持続する場合，(3) 元気だが高熱が3日以上持続している場合などに考慮する．この他，3カ月未満の乳児の高熱や，保護者が強い不安を感じている場合なども受診の適応と考えるが，医療機関で新たに感染するリスクも考慮しなければならない．ただし，周囲の流行状況や濃厚接触歴からCOVID-19を疑う場合には，医療機関を受診する前に各市町村に設けられている電話相談窓口に相談することが望ましい．

【参考文献】

1) McDowell KM, Craven DI. Pulmonary complications of Down syndrome during childhood. J Pediatr. 2011; 158: 319-25.
2) Pandit C, Fitzgerald DA. Respiratory problems in children with Down syndrome. J Paediatr Child Health. 2012; 48: E147-52.
3) Davies NG, Klepac P, Liu Y, et al. Age-dependent effects in the transmission and control of COVID-19 epidemics. Nat Med. 2020; 26: 1205-11.
4) 南野初香．10. 高流量鼻カニュラ（HFNC）．In: 植田育也，編．徹底ガイド小児の呼吸管理 Q&A．3 版．東京：総合医学社；2016. p.67-71.
5) 米国集中治療医学会（SCCM）．5 章 人工呼吸．In: FCCS 運営委員会・JSEPTIC（日本集中治療教育研究会）監修．PFCCS プロバイダーマニュアル．東京：メディカル・サイエンス・インターナショナル；2015. p.5-1-5-23.
6) 永田　功，武居哲洋．ARDS の疫学．発症率，発症トリガー / 危険因子，死亡率と長期予後．Intensivist. 2015; 7: 9-17.
7) 三浦利彦，石川悠加．乳幼児呼吸管理中の呼吸理学療法．ICU と CCU．2017; 41: 187-92.
8) 上田康久．小児呼吸理学療法～より効果的に行うために考えてほしいこと～．日本小児呼吸器学会雑誌．2017; 28: 135-8.
9) 日本小児科学会．新型コロナウイルス感染症に関する Q&A. 2020. https://www.jpeds.or.jp/modules/activity/index.php?content_id=326
10) Stagliano DR, Nylund CM, Eide MB, et al. Children with Down syndrome are high-risk for severe respiratory syncytial virus disease. J Pediatr. 2015; 166: 703-9.
11) Dudley NC. Parental instruction sheets. In: Fleisher GR, Ludwig S. Textbook of pediatric emergency medicine. 6th ed. Philadelphia: Lippincott Williams & Wilkins; 2010. p.1894.

〈小林 匡　川崎達也〉

JCOPY 498-14563

呼吸器疾患

2. 気道狭窄

ポイント

1…診断にはファイバースコピーと CT を用いる.

2…喉頭軟化症で気管切開を考えるようなら，まず喉頭形成術を行う.

3…舌根沈下は成長を待つ.

4…喉頭狭窄・声門下狭窄の治療は状況次第で大きく異なる.

気道狭窄は吸気時または呼気時の喘鳴や陥没呼吸などで気付かれることが多い．21 トリソミーでは，アデノイド増殖症および口蓋扁桃の肥大，筋緊張の低下などにより，吸気時に咽頭レベルで狭窄を起こしやすいことが知られており，睡眠時無呼吸症候群を認めることも多い．この点については，別項で詳述されているので，本稿では，喉頭から気管・気管支レベルでの狭窄についてとりあげる．

喉頭の狭窄をきたす疾患は，喉頭軟化症（喉頭軟弱症），舌根沈下，両側声帯麻痺，先天性または後天性の声門上狭窄・声門狭窄・声門下狭窄などがあげられ，気管・気管支の狭窄をきたす疾患は気管・気管支軟化症，先天性気管（気管支）狭窄などがあげられる．それぞれの疾患が単独で見られる場合もあれば，複合して認められる場合もあり，1 つの疾患を治療している間または治療後に他の疾患に気付く場合もある．21 トリソミーで起こしやすいとされている疾患は，巨舌や下顎の低形成による舌根沈下以外にはないが，これらの疾患をもつ症例のなかに 21 トリソミーの患児も一定の割合で存在する．我々の経験では，喉頭軟化症や先天性気管狭窄のなかに，21 トリソミーが比較的多く見られる．

① 症状

狭窄が軽度または中等度の場合は，吸気時または呼気時の喘鳴や陥没呼吸が現れる．喉頭での狭窄や気管でも頸部に限局した狭窄では，吸気時の喘鳴が主体となる．下部気管や気管支では呼気時の喘鳴が増えていくが，吸気呼気ともに見られることも多い．また，他の疾患の手術時に気管内挿管が試みられ，挿管チューブが入らないことで気付かれることもある．重度の狭窄ではチアノーゼ発作や無呼吸を認める．上気道感染を契機にして呼吸困難が出現し気付かれることもある．

② 診断

喉頭軟化症，舌根沈下，声門上狭窄，両側声帯麻痺，声門狭窄など声門部から頭側の狭窄については，ファイバースコピーにて診断を行う 図1 ．覚醒時に行った方が診断しやすい側面もあるが，基本的に患児の協力は得られないため，不安定な視野での短時

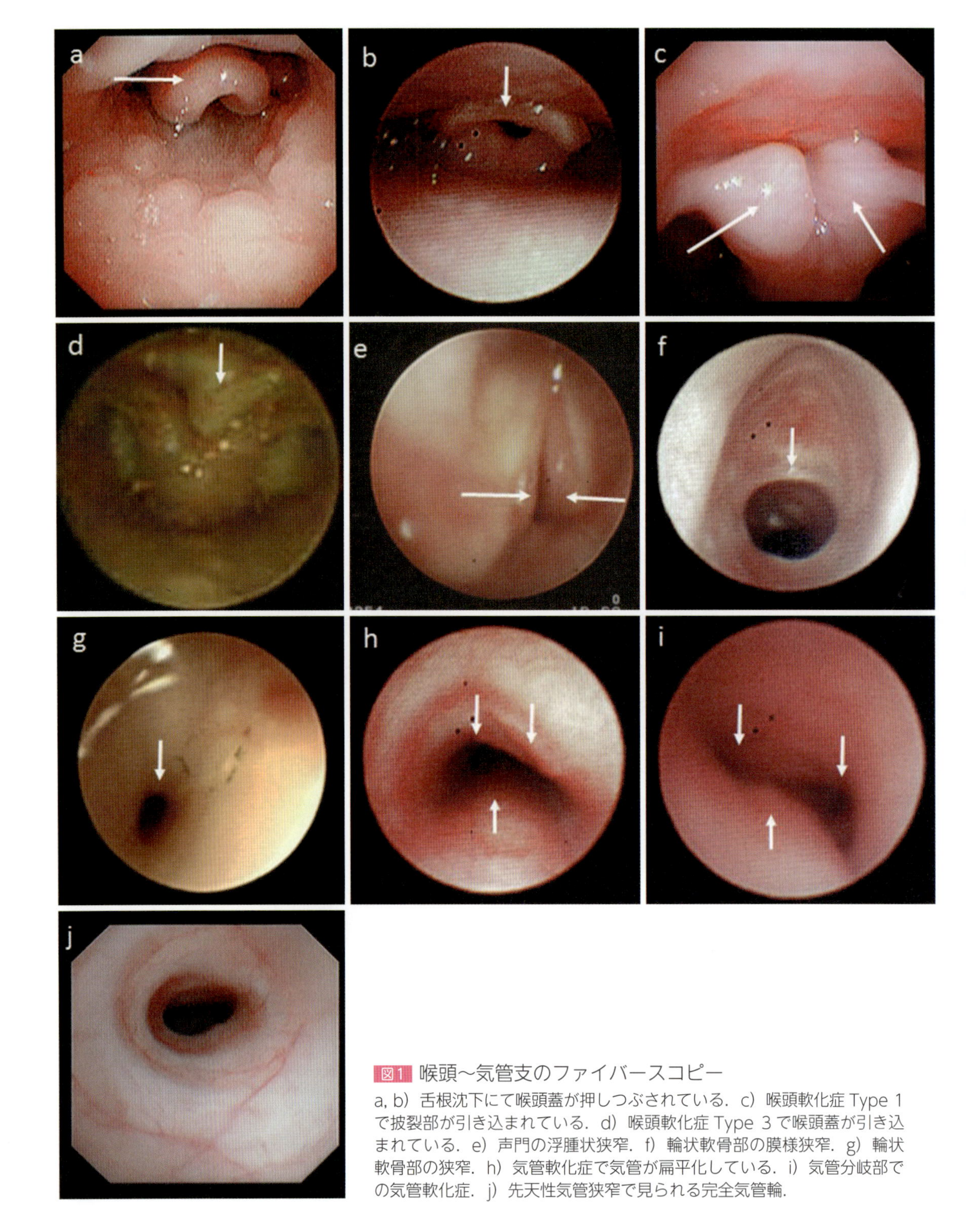

図1 喉頭～気管支のファイバースコピー

a, b）舌根沈下にて喉頭蓋が押しつぶされている．c）喉頭軟化症 Type 1 で披裂部が引き込まれている．d）喉頭軟化症 Type 3 で喉頭蓋が引き込まれている．e）声門の浮腫状狭窄．f）輪状軟骨部の膜様狭窄．g）輪状軟骨部の狭窄．h）気管軟化症で気管が扁平化している．i）気管分岐部での気管軟化症．j）先天性気管狭窄で見られる完全気管輪．

JCOPY 498-14563

間の検査となることが多い．そのため，我々は基本的に手術室で，麻酔科医師による鎮静管理の元で，自発呼吸下にファイバースコピーを行っている．その際に，声門下腔から気管・気管支の検索も同時に行う．両側声帯麻痺では発声時の所見がとれないため，呼吸性の動きのみで診断を行うことになり，正確性に欠ける可能性がある．臨床所見と併せて判断することが多いが，覚醒時のファイバースコピーを追加で行う場合もある．

声門下狭窄，気管・気管支軟化症，先天性気管（気管支）狭窄など声門部より尾側の狭窄については，造影 CT とファイバースコピーにて診断を行う．造影 CT にて狭窄部位，範囲，程度と血管の走行を確認する 図2 ．ファイバースコピーは，声門を通過する際に喉頭痙攣を起こす可能性もあるため，全例手術室で，麻酔科医師による鎮静管理下に行う．狭窄の程度と部位によっては気管切開の準備下に行うこともある．ファイバースコピーでは，狭窄の質を判断することになる．喉頭・声門下狭窄の場合は，浮腫の可能性が高いか，瘢痕狭窄などの基質的な狭窄を疑うのかを判断する．また，気管・気管支では，完全気管輪の存在を確認して先天性気管狭窄と診断するか，気管・気管支の軟化所見を確認する．

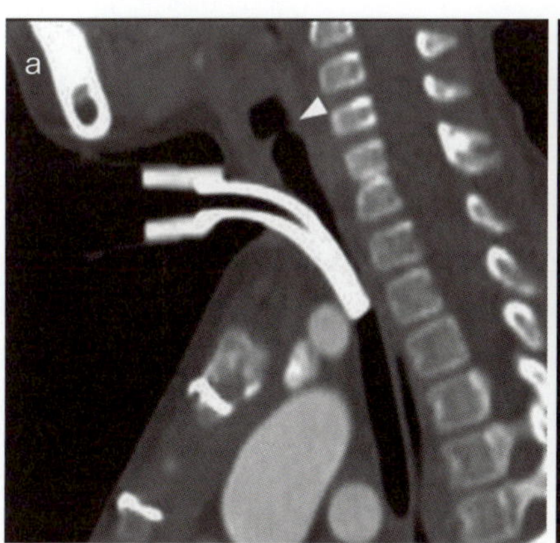

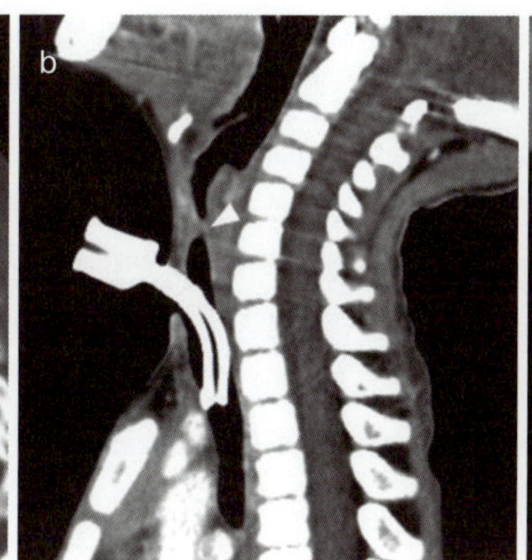

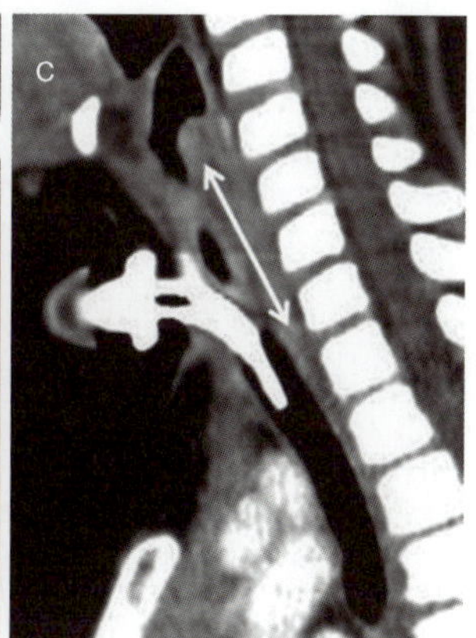

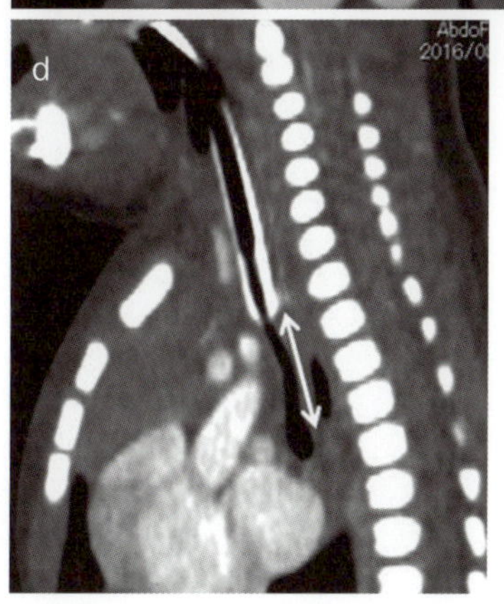

図2 造影 CT

a）輪状軟骨部の声門下膜様狭窄．b）輪状軟骨部の声門下狭窄．c）声門から気管切開口までの長域狭窄．d）下部気管の先天性気管狭窄．

③ 治療

A. 喉頭軟化症（喉頭軟弱症）

我々が手術を行った症例の約 10％が 21 トリソミーであり，比較的高率であった．多くの症例では 2 歳頃までに自然治癒するために，軽症～中等症例では保存的治療を行う．軽症例では定期的な経過観察，中等症例では腹臥位管理，うつぶせ飲み，少量頻回哺乳，経管栄養などが行われる．5 ～ 10％の重症例で，外科治療を必要とする場合がある．喉頭軟化症は吸気時に引き込まれる部位によって分類され，外科治療にあたっては，それぞれの病態に応じた術式を喉頭顕微鏡下に行っている[1)]図3．

Type 1（披裂部型）：吸気時に披裂部の余剰粘膜が喉頭内に引き込まれるタイプで喉頭軟化症の中では最も多い．余剰粘膜を鋭匙鉗子にて切除し，10 万倍ボスミン綿球や電気メスにて止血を行う．

Type 2（披裂喉頭蓋ヒダ型）：披裂喉頭蓋ヒダが元々短縮化しており，吸気時に左右の披裂喉頭蓋ヒダが正中方向に引き込まれるタイプ．披裂喉頭蓋ヒダ短縮部をラリンゴ剪刀にて切離し，綿球にて短縮部を鈍的に拡げた後，生じた余剰粘膜を鋭匙鉗子にて切除し，ボスミン綿球や電気メスにて止血する．

Type 3（喉頭蓋型）：喉頭蓋が吸気時に喉頭内に引き込まれるタイプ．把持鉗子にて喉頭蓋の脆弱性を確認した後，吸収糸にて喉頭蓋の舌根部への吊り上げ縫合を行う．吸収糸の張力が保たれている間，喉頭蓋が保持されていると喉頭蓋軟骨の脆弱性が改善され，喉頭蓋が引き込まれなくなる．しかし，吸収糸の張力がなくなるとともに再発をきたす重症例もある．この場合は，再手術で喉頭蓋と舌根部の接する部分の粘膜を薄く切除した後に縫合し，癒着させることで喉頭蓋が引き込まれるのを防いでいる．

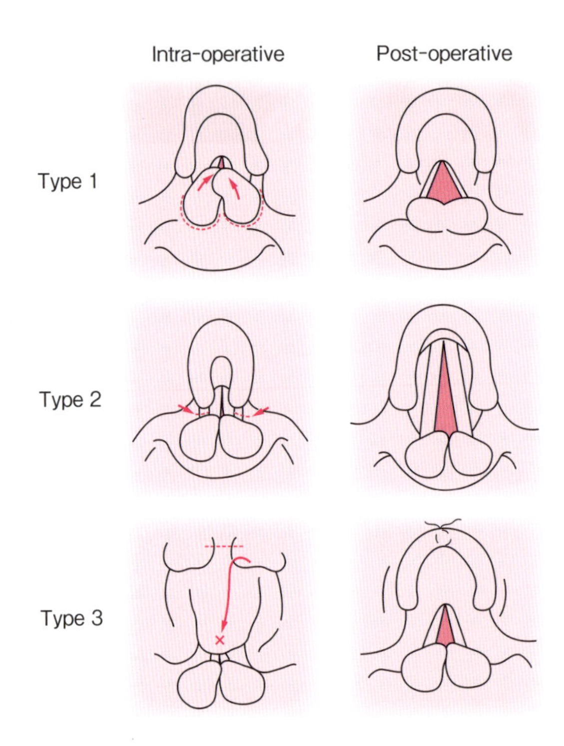

図3
喉頭軟化症各 Type に応じた手術
(Olney DR, et al. Laryngoscope. 1999; 109: 1770-5[1)]より改変)

これら3つのタイプは複数が重複していることも多い．また，1つのタイプを手術した後に他のタイプに気付き再手術を行うこともある．

術後合併症で最もよく認めるのは誤嚥である．ゆっくりと哺乳をしなければむせてしまう程度の軽いものから，とろみ付ミルクを用いてリハビリを必要とするものまで，様々であるが，多くは2カ月程度で軽快する．術後も喘鳴が残存する場合は，ファイバースコピーにて状況を確認する必要がある．その他にまれであるが，声門上狭窄，肉芽腫の形成があげられる．

B. 舌根沈下

21トリソミーにおける喘鳴や呼吸困難の原因としては，よく知られたものである．舌根部が喉頭蓋を押しつぶし，声門上で気道を塞いでしまうが，入眠時や睡眠時により強く認められることが多い．重症例では気管切開が必要となるが，軽症例ではうつ伏せ寝や横向き寝で保存的に経過をみることができる．現在のところ，有効な外科治療として広く知られる術式はない．成長とともに舌根沈下自体が軽快していかないかどうか，また成長に伴って押しつぶされた喉頭蓋の背側にスペースがとれるようになってこないか，定期的に経過をみていくことになる．成長後も睡眠時無呼吸の原因となる．

C. 両側声帯麻痺

声帯の動きが左右ともになく固定された状態である．どの位置で固定されているかで症状が異なるが，気道狭窄をきたすのは，声帯が閉じた状態で固定された場合である．先天性の場合と手術や挿管操作に伴う後天性の場合がある．我々は，21トリソミーでは後天性の1例を経験したのみで，特に起きやすいということはないと思われる．手術は4～5歳以降に声門開大術を行うが，小児ではEjnell法による声帯外方移動術[2] 図4 がよく選択される．ナイロン糸を甲状軟骨から声帯をまたぐように刺入し糸で声帯を牽引する術式で，当院でもこの手術を行っている．

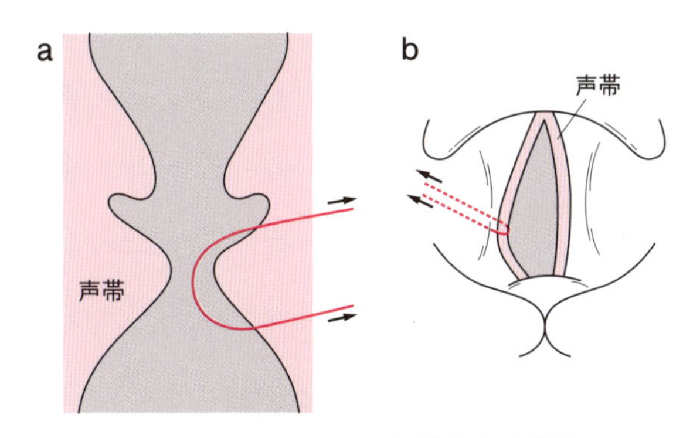

図4 Ejnell法による声帯外方移動術

D. 喉頭狭窄・声門下狭窄

喉頭蓋から輪状軟骨までのいずれかの部位で狭窄を起こしている状態であるが，器質的狭窄を指すことが多い．声門より尾側の狭窄は声門下狭窄として区別することが多く，気管切開口までの頭側気管に狭窄が及んでいることもある．先天性と後天性があり，21 トリソミーに認められる気道疾患の中では頻度が高いとの報告もある．治療は狭窄の部位と程度で異なる 図5．

声門上の狭窄は披裂喉頭蓋ヒダの短縮が多く，喉頭軟化症 Type 2 の手術に準じる．瘢痕性や肥厚性の狭窄の場合は，喉頭顕微鏡下に瘢痕部・肥厚部の切除や部分切除を行う．声門部の狭窄は，ほとんどが挿管操作や手術に伴う瘢痕性狭窄である．瘢痕部の切除を行うが，声門開大術を併用する場合や，T チューブでのステントを必要とする場合がある．

声門下の狭窄は，輪状軟骨部での狭窄が多いが，声門や声門上から輪状軟骨まで連続性に狭窄を認めることも多く，声門直下のみの狭窄の場合もある．また，さらに気管切開口まで狭窄が及んでいる場合や，気管切開口周辺が肉芽や気管軟化で閉塞している場合もある．我々はまず狭窄部位が声門を含むかどうかで治療方針を分けている．声門が開いていて，輪状軟骨部が主な狭窄部位の場合は，膜様の狭窄であれば喉頭顕微鏡下の膜切除を行う．厚みのある狭窄であれば，基本的には輪状軟骨前後壁への肋軟骨移植術を行う 図6．ただし，輪状軟骨の肥厚による狭窄でなく低形成による狭窄の場合，および気管切開口周辺の問題が大きな場合は，輪状軟骨の部分切除および気管切開口までの気管を切除し端々吻合を行う喉頭気管部分切除術[3] 図7 を選択している．狭窄部位が声門を含む場合は，ファイバースコピーの所見で声門の狭窄が浮腫か器質的狭窄かを判断する．浮腫と判断した場合は，長期作用型のステロイドを 3 ～ 4 週間毎に 10 回局注している．軽快した場合は，輪状軟骨部の狭窄が残存するかどうかで肋軟骨移植術などを検討する．軽快しない場合は，輪状軟骨後壁への肋軟骨移植を含む拡大喉頭気管部分切除術 図8 を選択する．

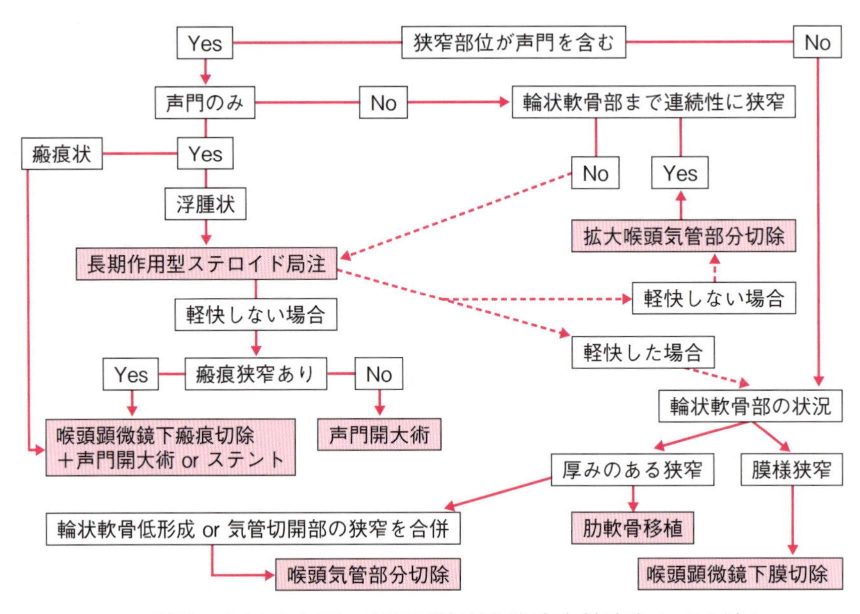

図5 当院における声門・声門下狭窄の治療方針決定までの流れ

JCOPY 498-14563

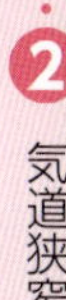

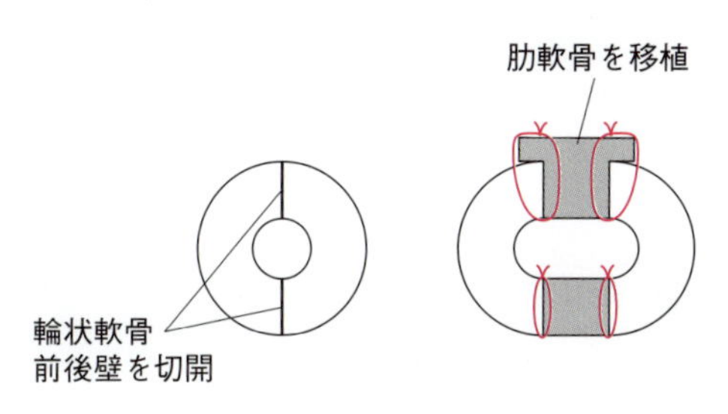

図6 肋軟骨移植術

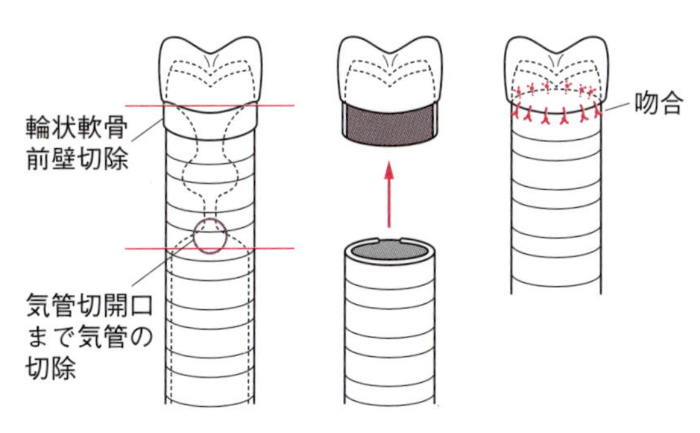

図7 喉頭気管部分切除術

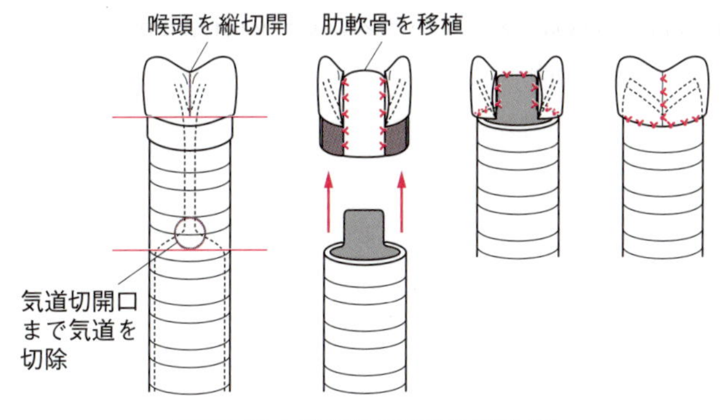

図8 拡大喉頭気管部分切除術

E. 気管・気管支軟化症

一般に 21 トリソミーで起こしやすいとされてはいないが，呼吸器症状を有する 21 トリソミーの場合は，気管・気管支軟化症を合併する頻度が高いと言われている．21 トリソミーで多くみられる先天性心疾患では，心大血管の拡張に附随してみられることがある．膜様部が広く気管軟骨が軟らかいために内腔がつぶれる場合と，心疾患に伴って拡張した心臓や大血管に外から圧迫される形でつぶれる場合とがある．治療としては，気管内挿管や気管切開下に気道内圧を高く保つ保存的治療がまず選択される．外科治療としては，大動脈吊り上げ術と気管外ステント術がある[4]．心疾患を合併している場合は，その治療と同時に吊り上げ術が選択されることが多い．基本的には大静脈をナイロン糸で胸骨に吊り上げる 図9 が，軟化部位によっては気管や気管支を直接吊り上

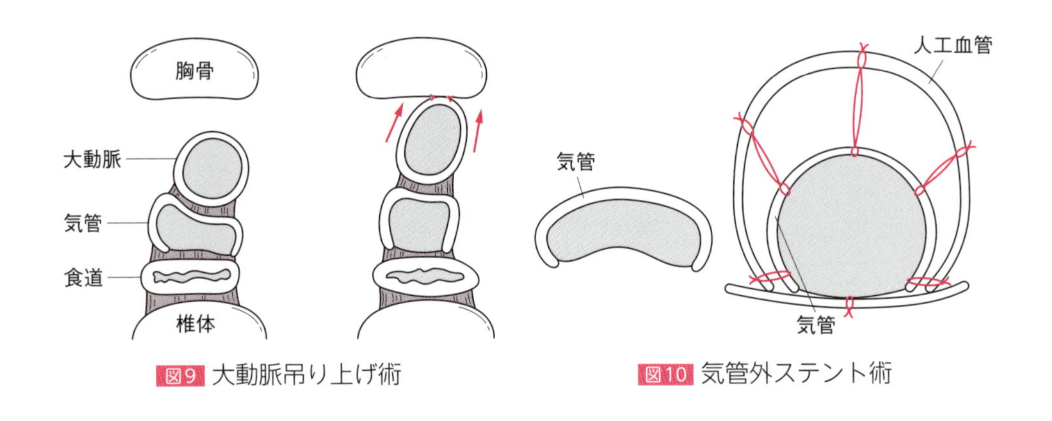

図9 大動脈吊り上げ術

図10 気管外ステント術

げる場合もある．気管外ステント術は，リング付き人工血管を用いて気管の外側に覆いを作り，その覆いに気管を吊り上げる手術である 図10 ．

F. 先天性気管（気管支）狭窄

我々が手術を行った症例の約15％が21トリソミーで，比較的高率であった．軽症例では経過観察されるが，感染などで呼吸管理を要する場合や換気困難な症例では手術を行う．手術はスライド気管形成術が主流となっている．気管狭窄部の中央で気管をいったん切断し，頭側気管の後壁正中と尾側気管の前壁正中を狭窄部全長にわたって縦切開する．頭側と尾側の気管をスライドさせて切開部同士を縫合し1本の太い気管を形成する手術である[5] 図11 ．狭窄部が気管全長におよぶほど長くても，気管のみを用いて形成ができるという利点がある．しかし気管気管支がある場合は，かならずしも気管狭窄部の中央で切断するとは限らない．狭窄部と気管気管支との位置関係からどこをスライドさせるかを症例毎に検討する必要がある．狭窄範囲が短い例では，狭窄部の切除端々吻合が選択されることがある．これは非常にシンプルな手術だが，縫合部が短軸上に並ばないように少し斜めに切除して吻合する場合もある．

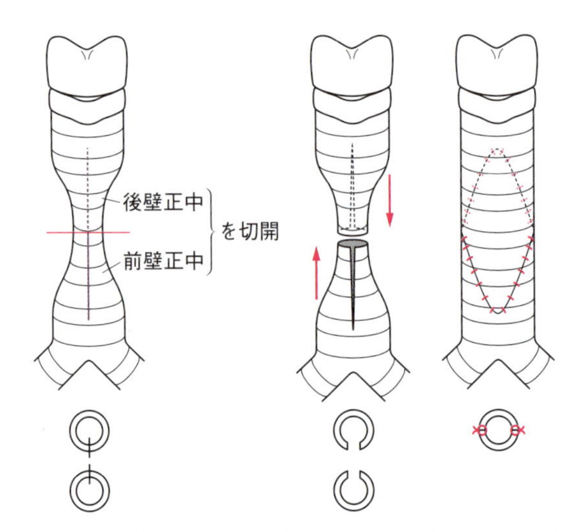

図11 先天性気管狭窄に対するスライド気管形成術

JCOPY 498-14563

【参考文献】

1) Olney DR, Greinwald JH, Smith RJH, et al. Laryngomalacia and its treatment. Laryngoscope. 1999; 109: 1770-5.
2) Ejnell H, Mansson I, Hallen O, et al. A simple operation for bilateral vocal cord paralysis. Laryngoscope. 1984; 94: 954-8.
3) Monnier P, Savary M, Chapuis G, et al. Cricotracheal resection for pediatric subglottic stenosis: update of Lausanne experience. Acta Otorhinolaryngol. 1995; 49: 373-82.
4) 長谷川久弥．新生児・乳児の気管・気管支軟化症．人工呼吸．1999; 16: 90-4.
5) Tsang V, Murday A, Gilles C, et al. Slide tracheoplasty for congenital funnel-shaped stenosis. Ann Thorac Surg. 1989; 48: 632-5.

〈福本弘二〉

3

呼吸器疾患

3. 気道疾患の麻酔管理

ポイント

1…一般的な気道の知識に加えて，21トリソミーの気道の特徴を理解する．
2…それぞれの患者のベストな気道開通体位や頭位がわかるようになる．
3…検査や手術に合わせた気道デバイスや麻酔方法を選択する．
4…気道検査には，キシロカインスプレー噴霧が超絶有効！！！

① 気道の検査の麻酔

A. 自然気道・自発呼吸の観察

重度の陥没呼吸や低酸素血症などの呼吸障害がある場合，形態的異常，機能的異常がないか気道精査を行うことがある 図1 ．この際は自発呼吸時の喉頭や気管の形や動きをみたいため自発呼吸を温存した状態での観察が必要となる．気道疾患の麻酔のポイントは，やはり気道管理で，目的によって気道デバイスや麻酔方法を選択する（ 図2 および 表1 ）．

前投薬

ダウン症児の呼吸障害では，喉頭・気管軟化症，巨舌による舌根沈下や閉塞性無呼吸などが多く合併する[1]．一般的には，喉頭軟化症は啼泣時など呼吸努力が強いほうが呼吸障害が強く現れるため，前投薬は有効であるが，ダウン症児の気道特徴に配慮した投

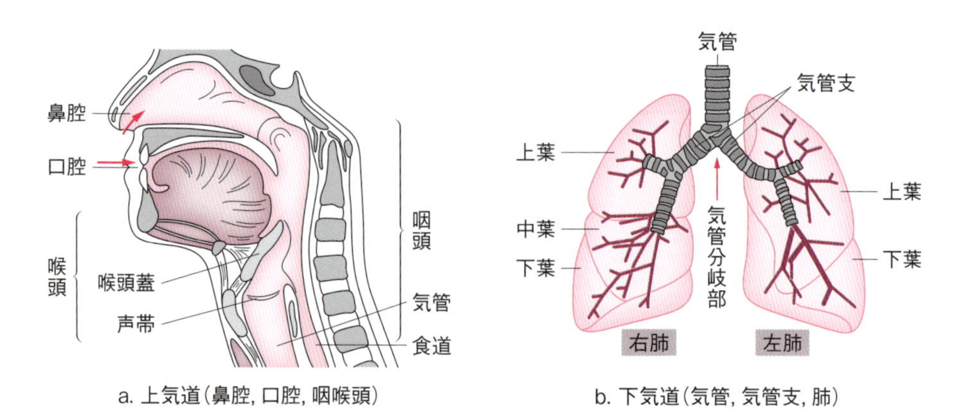

a. 上気道（鼻腔，口腔，咽喉頭）　b. 下気道（気管，気管支，肺）

図1 気道の解剖

JCOPY 498-14563

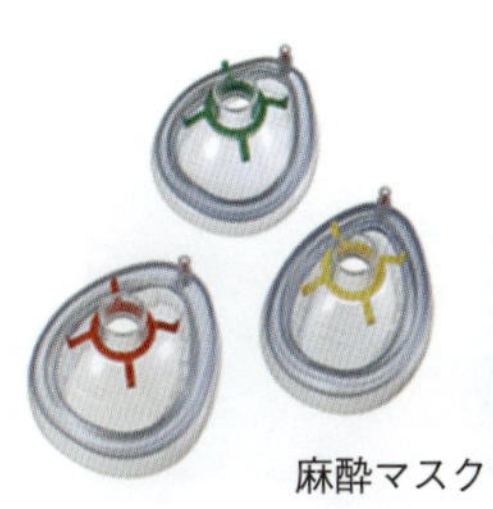

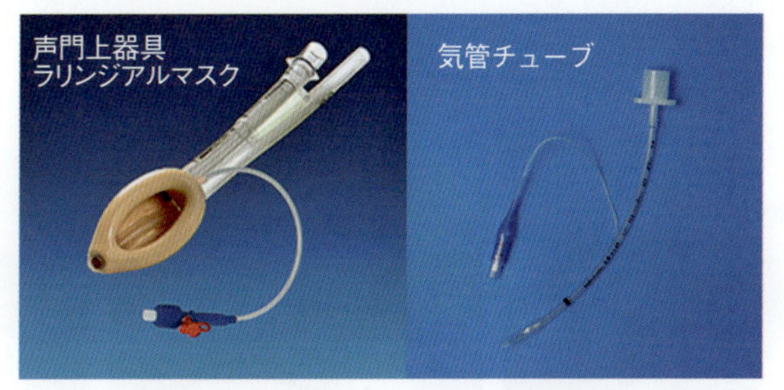

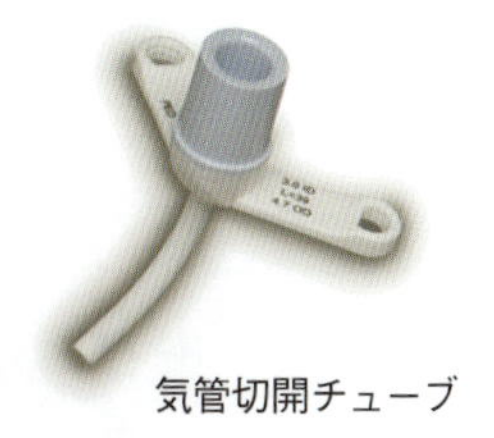

図2 気道デバイスの種類

表1 気道観察時の気道デバイスの選択

観察部位	気道デバイス
声門上（喉頭蓋，声門周囲，披裂部など）	マスク
声帯，声門直下	マスク 声門上デバイス（LMA）
声門下，気管，気管支	マスク 声門上デバイス（LMA） 気管挿管チューブ 気管切開チューブ

与条件や投与量を計画する必要がある．たとえば，人見知りが強かったり，極端に怖がりであったり暴れてしまう場合は，用量を減らして投与することもある．しかし基本的には，ダウン症児で未診断の気道障害を合併している場合の初回麻酔では，前投薬をしないという選択が無難かもしれない．もし投与する場合は，ミダゾラムの注腸（経口）投与を 0.3 ～ 0.5mg/kg と少なめに投与している．

気道開通体位

新生児から乳幼児では，特に頭部が大きく，後頭部・下顎・体幹などのバランスも個人差が強い．患児のサイズに合った適切な首枕，肩枕を使用して喉頭のスペースがなるべく広くなり良好な気道開通性が保たれる頸部後屈位で麻酔を開始する 図3 ．個人差が大きいうえで目安となるのが，首と顎のラインの角度である．図3 a.1 のように横から見て，90°以上を目安に首枕・肩枕・背中枕を整えると，喉頭スペースは保たれ，喉頭蓋も持ち上がり，加えて口唇も自然と開き，気道開通性に最もよいポジショニングとなる．頸部過伸展は，喉頭や声門下腔を前後に潰してしまうことがある．適切な体位で良好な気道開通性を保つことで，結果的に低圧で効率よく換気が行え，胃への送気も抑えられる．全身麻酔中に機能的残気量の低下が成人に比べて著しい小児において，気道開通体位はよい換気の土台となる．これは自然気道（気道チューブが入っていない呼吸のこと）の場合だけではなく，気管挿管や声門上デバイスを入れた場合も同じである．図3 の b.2 や c.2 をみれば，頸部屈曲位で，気道デバイスがどれだけ咽喉頭，声帯，声帯周囲を圧迫したり圧排しているかイメージできるだろう．また，環軸椎亜脱臼患者は頸部前屈を避け，その診断を受けていない患者でも，頸椎の脆弱性の可能性があるため，

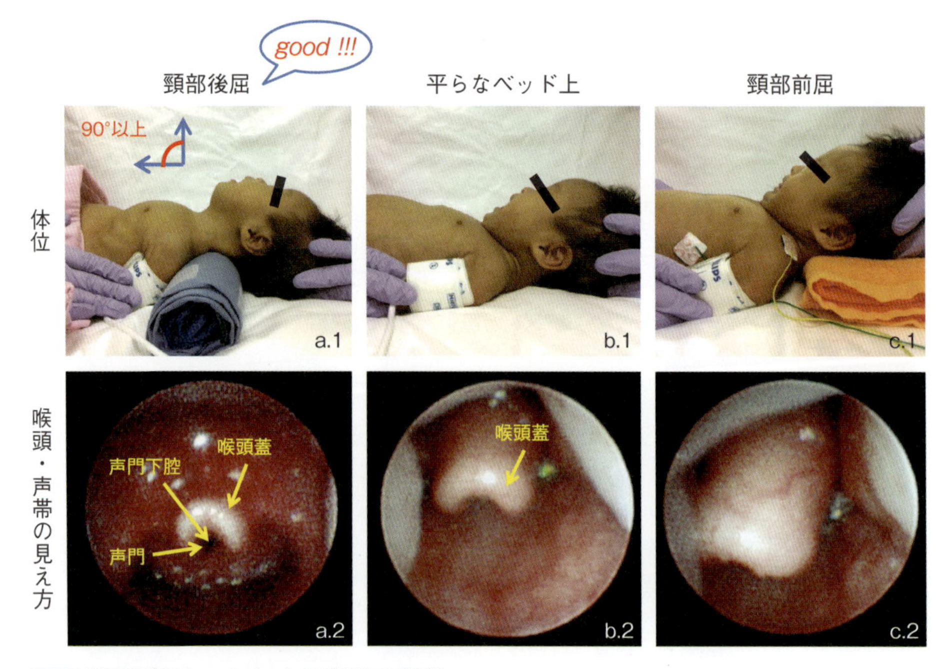

図3 頸部ポジションによる喉頭の形態

a.1）首枕をいれた頸部後屈位．首と顎ラインの角度は 90° 以上に．a.2）喉頭蓋が持ち上がり気道が開通している．声門下腔が見えている．b.1）平らなベッドでの体位．b.2）喉頭蓋が倒れ，気道が閉塞しかかっている．声帯は見えない．c.1）頭部に枕を入れた頸部前屈位．c.2）喉頭蓋が気道に蓋をするように倒れ，喉頭スペースがかなり狭く，気道が閉塞している．

極端な前屈は避けたほうがよい．

気道開通性の確認

麻酔薬を投与する前にマスクフィットを試して呼気と吸気を麻酔バッグを持った手で感じるか確認する．

麻酔薬

いったん深麻酔で，8％キシロカイン（スプレー）などを，ファイバーを通す鼻孔や後鼻腔，後咽頭，声門周囲，声門，声門下，気切孔，つまり検査で刺激が入る箇所に，喉頭展開も行って噴霧する．局所麻酔はかなり効果的である！ 注意点は，局所麻酔薬の極量に気を付けることと，浅麻酔での噴霧は喉頭痙攣など気道の spasm の原因となるため必ず深麻酔で噴霧することである．ポイントは局所麻酔薬を最大限有効活用できるように，きちんと喉頭展開まで行って，目視しながら噴霧し，しっかり効果発現を待つことである．麻酔薬の例としては，プロポフォールやセボフルランを使用している．

合併症

先天性心疾患や肺高血圧患者は，その管理に準じた呼吸循環管理を行う．特に肺高血圧症のある患者では，肺胞は虚脱しやすく，こまめに肺リクルートメントを行う必要がある[2]．

B. 気管切開がある場合の麻酔

気管切開がある場合の，気管の検査も鼻腔などからファイバー検査をすることが多い．

JCOPY 498-14563

上記した，首枕，肩枕で体位を整え，キシロカイン局所噴霧での麻酔が有効である．プロポフォールとセボフルランを使用している．自発呼吸がいらない場合は筋弛緩薬を使用してもよい．麻酔導入で，気管切開チューブから換気する際に，口側への空気の漏れが多くて換気に困ることがあるが，鼻と口を閉鎖する目的で麻酔マスクの上部の穴をテープなどで閉鎖してマスクフィットさせるテクニックを行うことで換気を維持できる．気切がある児の呼吸管理は，気切口と口や鼻とどちらで主に呼吸をしているか，またそれぞれどれくらいの割合で呼吸しているかを事前に観察しておくことも麻酔をするうえで役に立つ．

C. 気管挿管する気道検査麻酔

下部の気管形成後の経過観察など，気管だけ限定して観察するならば気管挿管しても観察可能である．しかしたいていは，喉頭，声帯，声門下も確認で観察することが多いため，観察したい部位，自発呼吸の有無を検査者と確認して，気道デバイスを選択する．図3 を参考にすれば，気管挿管した場合でも，首枕を入れた気道開通体位で管理したほうが，気管チューブの圧排による声帯，声帯周囲，喉頭蓋の物理的損傷を少しでも予防できることは明白である．

② 気管支ファイバー治療の麻酔

A. 肉芽焼灼

気道内肉芽により呼吸障害が起きている場合は，肉芽を切除したり焼却したりすることがある．この場合は強い疼痛も伴う検査であるため，できれば気管挿管や声門上デバイスなどの気道確保をしたい．局所麻酔や麻薬による充分な鎮痛が必須である．

気管内での焼灼時，可燃性物質（アルコール系消毒剤，可燃性気管チューブ，凝血塊など）や助燃性気体〔30％以上の酸素濃度や亜酸化窒素（笑気）〕は引火事故の要因となるため，使用を制限する．

焼灼の範囲や気道狭窄の度合いによっては，術後気道浮腫が懸念されるため，気管挿管のまま集中治療室に帰室することも考慮する．

B. ステロイド局所注射

気管狭窄部位や肉芽箇所，粘膜浮腫に対して，気道粘膜に，ファイバーを使用してステロイド局注・散布を行うことがある．手術時間が長い場合は，麻薬や筋弛緩薬も使用し気管挿管や声門上デバイスで呼吸管理するのがよいだろう．術野が咽頭であれば，マスク換気での注射・散布もあり得る．

C. 気道異物除去

気道異物の麻酔は，麻酔科医が避けて通りたい麻酔の 1 つである．換気の維持が最優先で，基本的には筋弛緩薬や麻薬を使用した，自発呼吸のない，喉頭痙攣・気管（気管支）痙攣の危険性も排除した深麻酔での処置が最善である．気管挿管での呼吸管理が原則である．異物除去中の呼吸・換気状態は，異物除去中も急変する．また，ファイバーの鉗子で把持した異物が挿管チューブ内を通過できないほど大きければ，挿管チューブを異物とともに抜かなければならない事態も発生する．異物除去は，術者とコミュニケーションをとって慎重に行う．気道粘膜浮腫の程度で，気管挿管のまま集中治療室へ帰室が必要となる．

③ 気管切開の麻酔

高度の上気道閉塞や気管軟化の場合，気管切開が必要となることがある．あらかじめ気管挿管されている場合は，鎮静薬，麻薬，筋弛緩薬などを使用し麻酔導入を行う．気管切開の体位は，術野を確保するため，大きめの首枕を入れて，かなり頸部を伸展した体位となる．カフなし気管チューブで呼吸管理した場合，この体位では，気管チューブのリークが多くなりやすい．体位をとってみて充分な換気が確保できない場合はチューブをカフ付きに交換するなど，サイズアップを考慮する．再挿管困難症例やチューブサイズφ2.5などカフ付きがない場合は，従圧換気を行ったり，咽頭ガーゼパッキングなどの工夫をする．高度声門下狭窄など，気管挿管が困難な症例は，声門上デバイスを使用することもある．

気管切開を電気メスで行う場合は，酸素濃度を30％以下に下げ亜酸化窒素（笑気）は使用せず，引火事故を回避する．酸素濃度が下げられないような酸素化不良の患者では，剝離を充分に行った後，いよいよ気管切開のときはメスを使用してもらうよう外科医に相談しておく．気管切開を行い，気切チューブを挿入するときに，もともと入っていた気管チューブをゆっくり抜去してくる．この際，完全に気管チューブを抜いてしまわずに先端は声門下に残しておくと，気切チューブ挿入に難渋した場合に，再び気管チューブを押し入れれば換気を再開できる．

④ 気管手術の麻酔

A. 顕微鏡下喉頭手術

適応は喉頭形成術や声門開大術（エイネル法）や喉頭肉芽切除などである．顕微鏡を利用して，術者は口腔から直線的に視野を得るため，かなりの頸部伸展位を必要とする．呼吸管理は気管切開があれば気切チューブで行い，口側へのリークが多ければ気切孔にカフ付き気管挿管チューブを挿入して換気するが，いずれにしても充分な視野が確保できる．気管切開がない場合で，気管挿管での呼吸管理の場合は，手術部位が声門下部（背側）であれば経口挿管，声門の上部（腹側）であれば経鼻挿管が術野を確保しやすい．いずれにしても，換気に支障が出ない可能な限り細めのカフ付き気管チューブを使用すれば，広めの視野がとれる．

JCOPY 498-14563

B. 気管形成手術（気管狭窄に対する端々吻合，気管スライド形成術）

先天性気管狭窄症に対して，肋軟骨移植，気管切開術が行われてきた．近年では，パッチ拡大形成術や気管狭窄部端々吻合やスライド気管形成術により気道根治を目指せるようになってきた[3]．原因には，完全気管輪や血管輪・大血管による圧迫圧排によるものが多い 図4 ．

気管狭窄の気道管理は体格相応サイズの気管チューブが挿入できなかったり，適切な位置まで気管チューブを挿入できなかったりする．たとえば，気管チューブ先端が気管狭窄部手前で呼吸管理する場合，先端位置が深めになると気管狭窄部で気管チューブの閉塞・気管壁損傷・肉芽形成のリスクがある．逆に，浅めになると事故抜管という，非常に繊細な位置調整が必須となる．一方，体格不相応の細い気管チューブで狭窄部を越えて管理するならば，気道内圧上昇・呼気障害・高二酸化炭素血症など懸念事項が多い．首の前後屈でも大きく位置がずれてしまう危険がある．気道管理の困難具合により，人工心肺を必要とする場合もある．

気管狭窄部位が短い場合は端々吻合術を，長い狭窄ならスライド形成術を施行する．気管狭窄部を切開し，即座に遠位肺側気管に気管チューブを挿入し換気は再開される．狭窄部が短い場合は狭窄部位を切除し，スライド形成の場合はある程度気管形成を行った後，近位口側気管より逆行挿管する．この際，気管チューブ口側を斜めに切断し，頸部前屈しながら進めると，鼻孔より気管チューブが出てきて経鼻挿管になりやすい．術後の絶対安静・長期挿管・ベストなETT位置を保つためには経鼻挿管のメリットが大きい．気管支ファイバーやチューブエクスチェンジャーなども経鼻挿管にするために有用である．術後はICUで，体動による縫合不全を回避するために筋弛緩薬を併用した深鎮静が必要となる．

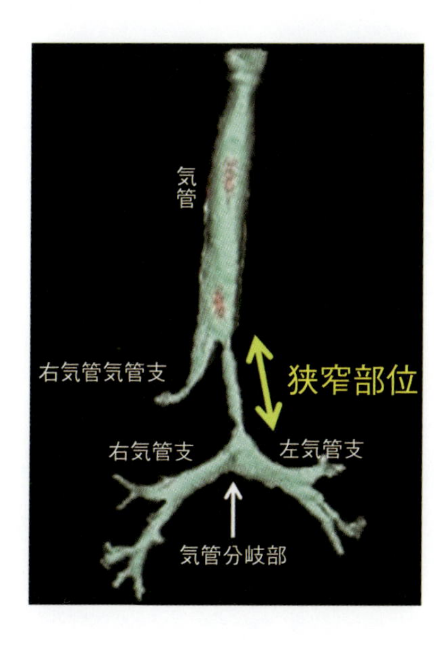

図4
気管狭窄（3DCT画像）

C. 喉頭気管分離手術

気管への分泌物や胃液などの垂れ込みを防止するため，気管を上下に切り分け上部口側は閉鎖し，下部肺側の気管に気切孔を作る手術である．体位は頸部伸展位である．気管切開後の患者が多いが，気管切開孔周囲が術野となるため，いったん気切チューブから経口挿管に変更し，気管の分離や気管口側の処理のための剝離を行った後，最終的に下部気管に気管チューブを挿入して呼吸管理を行うことが多い．手術終了時に気切チューブに入れ替えて帰室し，術後疼痛による体動は縫合不全のリスクであるため，しっかりと鎮痛管理を行い，安静が保てるようにする．

【参考文献】

1) Bertrand P, Navarro H, Caussade S, et al. Airway anomalies in children with Down syndrome: endoscopic findings. Pediatr Pulmonol. 2003; 36: 137-41.
2) Lewanda AF, Matisoff A, Revenis M, et al. Preoperative evaluation and comprehensive risk assessment for children with Down syndrome. Paediatr Anaesth. 2016; 26: 356-62.
3) Bravo MN, Kaul A, Rutter MJ, et al. Down syndrome and complete tracheal rings. J Pediatr. 2006; 148: 392-5.

〈諏訪まゆみ〉

JCOPY 498-14563

4

眼科疾患

ポイント

1 …眼科でダウン症候群特有の顔貌には眼瞼裂斜上，眼瞼贅皮，睫毛内反症，内眼角贅皮，両眼隔離症がある．

2 …早期から，眼鏡による屈折矯正や斜視の治療を行うことで良好な視覚発達を促す．

3 …思春期以降に進行する白内障や円錐角膜，緑内障にも注意が必要である．

ダウン症候群は顔面中央部分の成熟が遅く，特有な顔貌を示す．特徴的なのは，丸くて起伏のない顔，つり上がった目，目と目の間隔が広い，目頭を覆うひだ状の皮膚，幅広くて低い鼻，下あごが小さい，耳が小さい，巨大な舌などがある．眼科ではダウン症候群に特有な眼奇形に合併する症状と視覚発達について長期的に経過観察をする必要がある．

アメリカ小児科学会がダウン症児の健康管理ガイドラインを示している[1]．眼に関する内容は以下の通りである．

（1）出生から生後1カ月までの間：小児科医が眼底からのred reflexを確認し，白内障がある場合は小児眼科医に紹介する．

（2）生後6カ月まで：斜視，白内障，眼振について眼科で検査を行う．小児科医は受診の度に視力の評価を行う．鼻涙管閉塞が生後9～12カ月まで改善しない場合には精査加療を依頼する．

（3）1～5歳まで：小児科医は視力を評価して，毎年小児眼科医に紹介する．ダウン症児では50％に屈折異常があり，弱視につながる可能性があり早期治療が必要である．

（4）5～13歳は2年ごと，13歳以降は3年ごとに眼科を受診し，白内障の進行や屈折異常，円錐角膜など思春期以降に生じる変化の経過観察が必要である．

① 眼瞼 図1

A. 眼瞼裂斜上（slanting palpebral fissure）

外眼角が内眼角より2mm以上挙上している，または眼瞼が外側に10～15°以上つり上がっている．

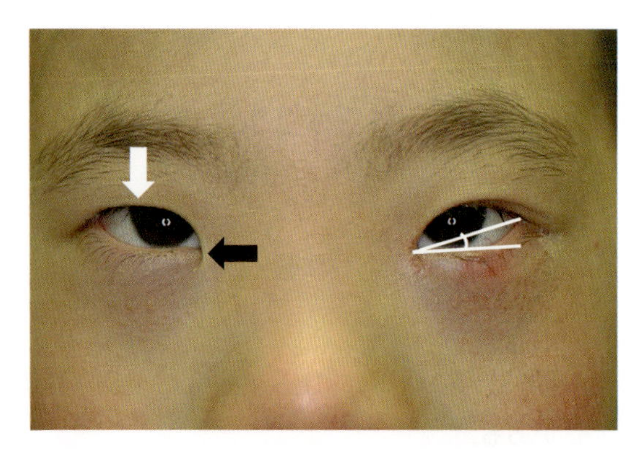

図1 ダウン症候群に特徴的な眼瞼の異常
左眼：眼瞼裂斜上（内眼角と外眼角の角度が 15.5°），
右眼：白矢印は眼瞼贅皮により睫毛が角膜側に押され
睫毛内反症を生じている．黒矢印は内眼角贅皮．

B. 眼瞼贅皮，睫毛内反症（epiblepharon）

アジア人に特徴的な眼瞼贅皮は，上眼瞼挙筋腱膜や下眼瞼牽引腱膜の皮膚穿通枝の欠損などが原因である．眼瞼が睫毛を押さえることで睫毛内反症を生じ，角膜を障害する．

C. 内眼角贅皮（epicanthus fold）

内眼角贅皮もアジア人に多く，高率に眼瞼贅皮を合併する．内眼角贅皮は眼輪筋，皮膚，線維組織からなる比較的強固な構造で，垂直方向への皮膚の緊張を強め，眼瞼内側の睫毛内反を増悪させる．

D. 両眼隔離症（hypertelorism）

白人とアジア人で異なるが日本人の場合は，内眼角間距離 / 瞳孔間距離がおおよそ 0.6 以上であると両眼隔離症と判断する．

E. 治療

眉毛を上方に挙上させたときに，内眼角贅皮が眼瞼を牽引して内反症を生じる場合（roll up sign 陽性）は内反症の治療に加え，内眼角形成術（内田法，Z 形成術）を行う．内眼角形成術は内眼角贅皮の皮膚と同部の眼輪筋を切除することで，整容的な改善とともに上下方向の牽引を解除する．それにより，単独手術では高頻度で生じる再発を抑制することができる．小範囲の睫毛内反症に対しては睫毛列切除術も有用である 図2，図3．

JCOPY 498-14563

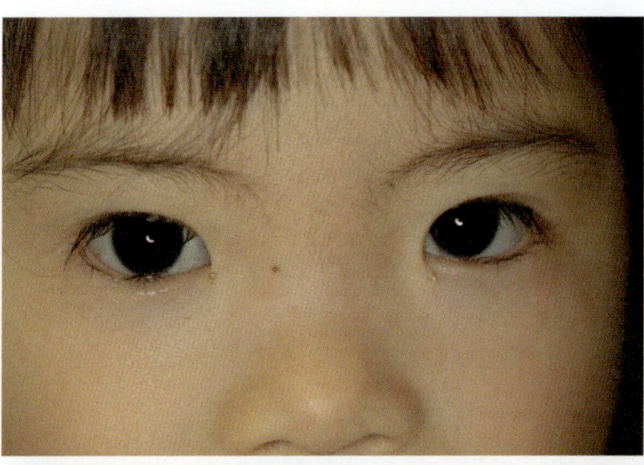
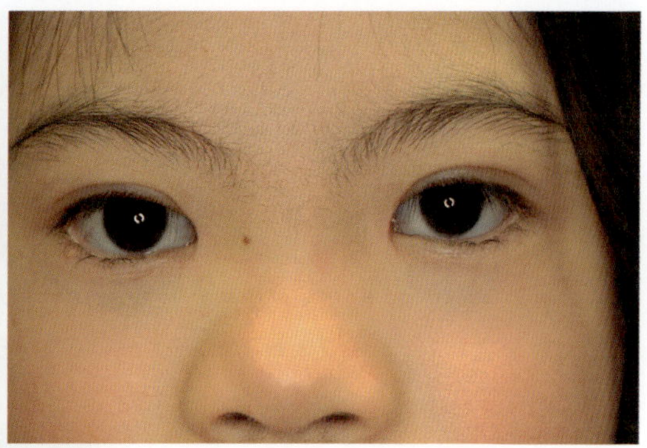
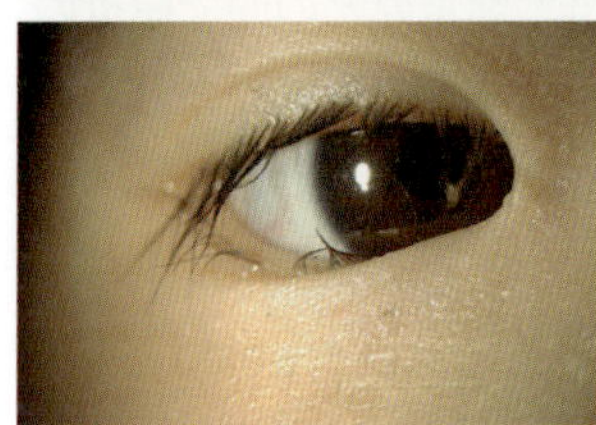
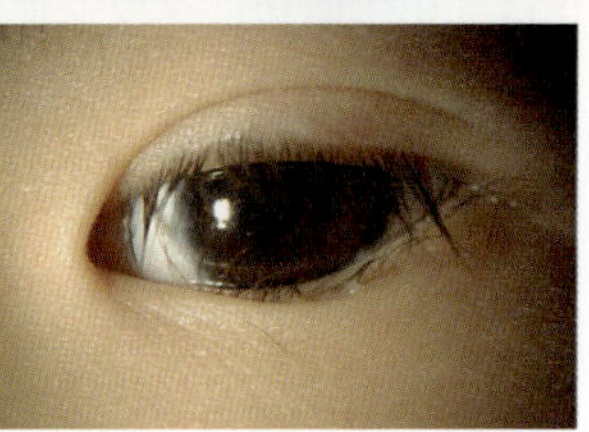

図2 睫毛内反症と内眼角贅皮の術前後写真（聖隷浜松病院 嘉鳥信忠先生提供）
上段左）術前写真：睫毛内反症と内眼角贅皮を認める．上段右）内田法とホッツ変法術後写真：睫毛内反症は改善し，整容的に満足も得られた．
下段）前眼部術前写真：両眼内側の上眼瞼睫毛が角膜に接触して点状角膜炎を生じている．

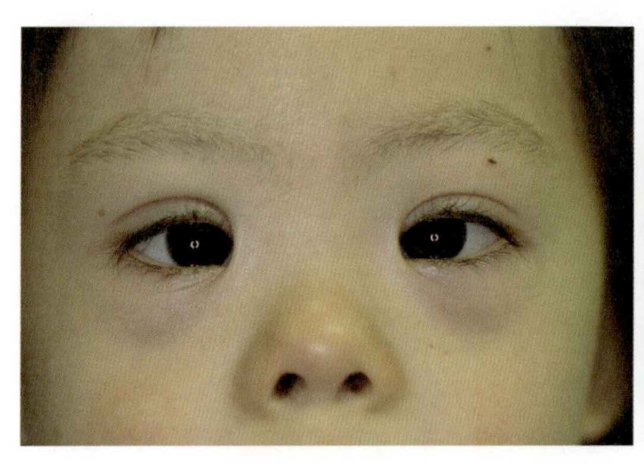
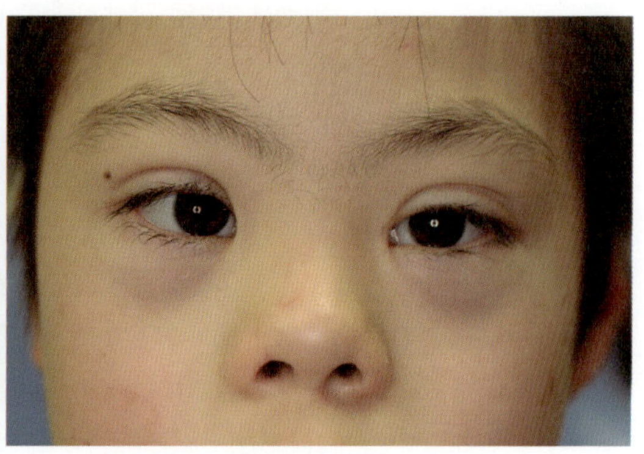

図3 内眼角贅皮単独の写真（聖隷浜松病院 嘉鳥信忠先生提供）
左）術前写真，右）内田法術後写真．上下に長い内眼角贅皮が解消されている．

② 屈折異常

ダウン症候群では多くの症例で遠視，近視，乱視などの屈折異常を伴う．屈折検査は調節麻痺薬を用いて行う．ダウン症児ではアトロピンの心臓刺激作用が健常児より強く現れる，散瞳，麻痺性効果が過度に延長されることから，アトロピンは使用せずにサイプレジン点眼薬を使用すべきとの報告もある．しかし，点眼の場合には一度に体内に吸収される量が少なく，副作用が出ることが少ないためアトロピンを用いて屈折検査を行うことが多い[2)]．

ダウン症候群の屈折異常で最も多いのは遠視であり，しばしば調節性因子を伴う．乱視は直乱視が多いが，ダウン症候群に特徴的な乱視として瞼裂の形に沿って斜乱視を示

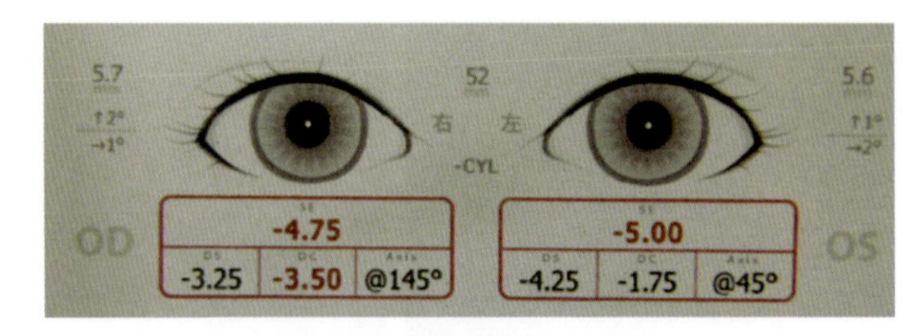

図4 ダウン症候群に特徴的な斜乱視
フォトスクリーナーの結果：右眼は 145°，左眼は 45°の斜乱視である．

すことがある 図4 ．屈折の変化は，出生直後にダウン症候群と健常児との間で屈折の値は変わらないが，2 歳を超えると屈折差が出現する．また，健常児では成長とともに遠視は正視化する傾向があるが，ダウン症候群では遠視が残存して，成長とともに斜乱視が強くなる傾向がある [3]．

③ 視力

ダウン症候群では一般的に視力が不良である．原因として中枢性障害，斜視，屈折異常，眼振，白内障などの関与が考えられる．早期に屈折異常や斜視治療を開始することで，よりよい視機能獲得の可能性が高くなる．

④ 調節

ダウン症候群では多くの症例で調節力が低下しているが，輻湊機能や瞳孔反応は健常児と変わらない [4]．ダウン症候群の患者は，平滑筋である毛様体筋が障害されるが外眼筋などの骨格筋は正常であるため，調節をしようとすると過剰な輻湊が生じることが推察されている．調節障害による近見障害は学習障害につながるため，単焦点眼鏡がかけられない，動的検影法で調節障害が疑われる場合には二重焦点眼鏡の装用が必要である．

⑤ 斜視

ダウン症候群では内斜視が多くみられ，調節性因子を伴うことが多い．外斜視，下斜筋過動，交代性上斜位も合併する．手術は，ダウン症候群では斜視手術の結果が過矯正の傾向があるとの報告もあるが，通常の手術と同様の定量で同等の結果を得ることができる．

⑥ 眼振

ダウン症候群では水平性の振幅の小さな早い眼振が多くみられる．性状はさまざまであるが，成長とともに眼振が改善することもある．通常，治療を必要としないものが多い．

JCOPY 498-14563

⑦ 涙道

通常の鼻涙管閉塞は，月齢 18 カ月までに保存的治療のみで 80 〜 90%の治癒が期待できるが, 中顔面の成熟が遅い未熟児やダウン症候群では治癒が遅くなる可能性がある. 画像検査を行い下鼻道が形成されていない場合はプロービングで改善する可能性は低く，4 〜 5 歳で鼻腔が成長することで自然治癒した症例もある．無理に早期プロービングを行わず経過をみて，月齢 18 カ月以降も症状が持続する場合は全身麻酔下で内視鏡を用いてプロービングや涙嚢鼻腔吻合術を行う場合もある[5].

⑧ 角膜

ダウン症候群では円錐角膜，大角膜など生じる．角膜厚は健常児と比較すると薄いことが多く，薄い場合は円錐角膜の出現に注意を要する．円錐角膜の治療はハードコンタクトレンズの装用，角膜移植，角膜 cross linking 法などがある.

⑨ 虹彩

Brushfield spots は白，灰色または茶色い虹彩の周辺に存在する斑である．虹彩実質結合組織の低形成（機能的には問題なし）で，ダウン症候群で多くみられるが特異的ではない．色素の薄い青や緑色の眼に多くみられるが，有色人種でみられることはほとんどない.

⑩ 水晶体

ダウン症候群では点状の白内障が多く，視力に影響の出にくいものが多い．先天性白内障と成長とともに生じる発達白内障があり，発達白内障は通常 12 〜 15 歳頃に現れることが多い．手術は通常の先天白内障や発達白内障と同様に行う.

⑪ 眼底

特異的な症状はないが，網膜有髄神経線維や網膜剝離，網脈絡膜欠損，先天性停止性夜盲，網膜が細胞腫などの報告がある．ダウン症候群では白血病の合併が非常に高く，白血病の場合は眼底検査も定期的に行う.

⑫ 視神経

ダウン症候群では視神経の血管が車軸状に多分岐していることがある 図5 ．その他に近視性乳頭変化，視神経萎縮，乳頭浮腫などがみられる．乳頭浮腫がみられる場合は，高度遠視やドルーゼンによる偽乳頭浮腫が多いが，超音波検査でドルーゼンなどがみられない場合は偽脳腫瘍を考え髄液圧などの検査を行う.

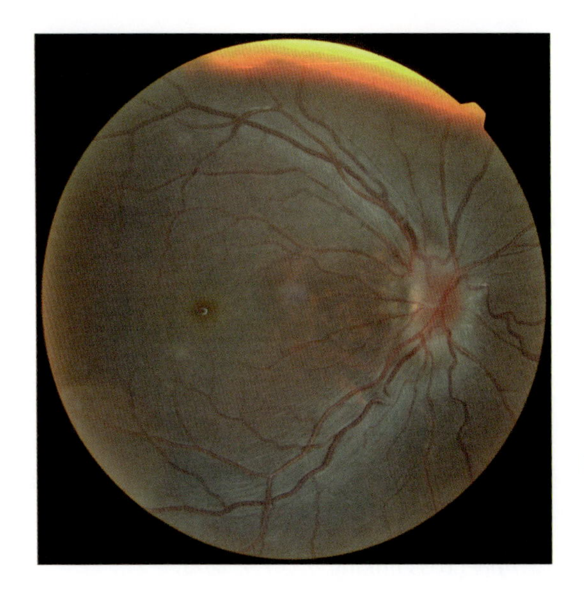

図5 偽乳頭浮腫
ダウン症児の視神経．視神経は小乳頭で血管が多分岐している．遠視の合併があり偽乳頭浮腫を呈している．

⑬ 緑内障

ダウン症候群の小児に緑内障は非常にまれであるが，成人では明らかに同年齢と比較して緑内障の発症率が高い．緑内障患者は正常眼圧であることが多いが，角膜が薄いため値が低く測定されている可能性がある．定期的に眼圧だけではなくOCT（光干渉断層検査）における視神経検査も重要である．

ダウン症候群では乳幼児期には中顔面の発育異常による眼瞼，涙道の治療や，視力発達のために斜視や屈折矯正治療が必要である．さらに，成長とともに生じる白内障や緑内障の治療など長期にわたって管理が必要である．

【参考文献】
1） Bull MJ; Committee on Genetics. Health supervision for children with Down syndrome. Pediatrics. 2011; 128: 393-406.
2） Parsa CF, Adyanthaya R. Why atropine drops should be used in Down syndrome. Br J Ophthalmol. 2008; 92: 295-6.
3） Watt T, Robertson K, Jacobs RJ. Refractive error, binocular vision and accommodation of children with Down syndrome. Exp Optom. 2015; 98: 3-11.
4） Doyle L, Saunders KJ, Little JA. Trying to see, failing to focus: near visual impairment in Down syndrome. Sci Rep. 2016; 6: 20444.
5） 嘉鳥信忠．小児の涙道疾患―先天鼻涙管閉塞の治療戦略．MB OCULI. 2016; 35: 65-8.

〈西村香澄〉

5

耳鼻咽喉科疾患

1. 聴覚障害

ポイント

1 …ダウン症児では，伝音難聴，感音難聴，混合難聴のどれも起こる．

2 …ダウン症児では聴覚路の髄鞘化の遅延が起こる．

聴覚障害とは，聴覚の機能に何らかの障害が起こり，音が聴こえにくい状態になっていることを示す．その原因によって大きく3つに分類され，(1) 伝音難聴，(2) 感音難聴，(3) 混合難聴に分けられる．ダウン症児においては，これらのどの難聴も起こることがある．

難聴や言語発達で受診したダウン症児を精査したところ，聴力正常が31.8%，伝音難聴が34.5%，感音難聴が33.6%と3つの群の比率はほぼ同じであったとする報告がある．

① 伝音難聴

伝音難聴は外耳から中耳までの障害で起こる．ダウン症児では外耳道が狭いため，耳垢がたまりやすく，耳垢栓塞で外耳道が閉塞し聴力が低下することがある．そのため，耳鼻咽喉科で定期的に耳掃除が必要になることがある．また，特に幼少期には風邪をひきやすく，風邪をひいた際には治りにくい傾向にある．さらに，ダウン症による筋緊張低下に起因する耳管機能の不良により，中耳炎に罹患しやすく，中耳炎も治りにくい傾向がある．中耳炎では，中耳に滲出液や膿がたまり，耳小骨や鼓膜の振動を妨げ，聴力が悪くなる．中耳炎の治療で中耳炎が改善すると聴力も改善する．

慢性中耳炎や真珠腫性中耳炎になると，手術が必要になることがある．

耳鼻咽喉科での定期的な診察と耳そうじをおすすめしたい．

② 感音難聴

感音難聴は内耳から聴神経に障害があると起こる．その原因としては内耳奇形や髄鞘化の遅延などがある．内耳奇形のなかには蝸牛低形成，半規管や前庭の奇形，蝸牛神経の低形成が認められる．

Intrapiromkul らは感音難聴のないダウン症児の半数以上が外側半規管奇形 57%，蝸

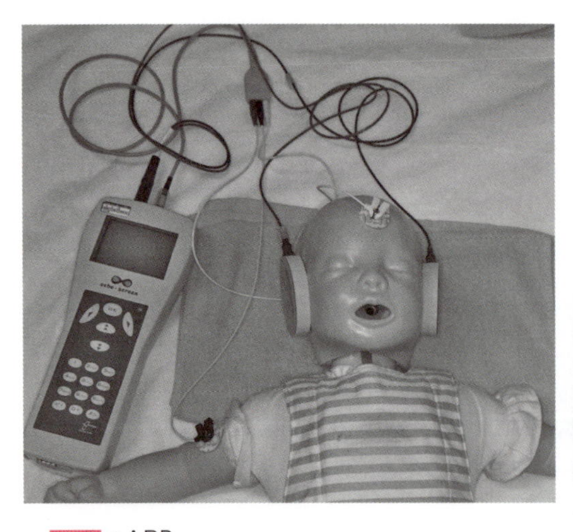

図1 aABR
aABR 結果は pass か refer（要再検）で示される.

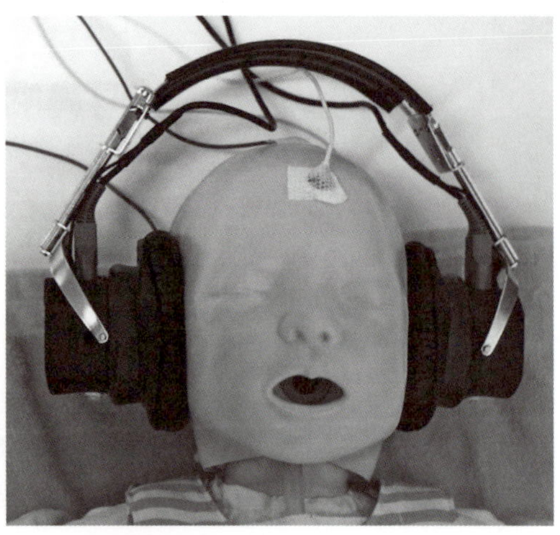

図2 ABR
ABR：Ⅰ～Ⅴ波の波形で示される.
波形の潜時，閾値を計測できる.

牛神経管狭窄 25%，前庭水管拡大 3.6%など何らかの内耳奇形を合併したと報告している[2]．聴覚路は 5 歳まで髄鞘化が進むとされている．近年，新生児聴覚スクリーニングが普及してきており，aABR（自動聴性脳幹反応検査）図1 や DPOAE（耳音響反射検査）などで難聴の早期診断，早期治療が可能となってきている．ダウン症児においては発達の問題や聴覚路の髄鞘化の遅延によって aABR で refer（要再検）となることも多く，refer となった後の精査の ABR（聴性脳幹反応）図2 でも反応が出にくいことがあり，経過観察中に波形が正常化することがある．難聴の診断には時間がかかることも多い．

【参考文献】

1） 針谷しげ子．長期観察によるダウン症難聴児の研究．日耳鼻会報．1994; 97: 2208-18.
2） Intrapiromkul J, Aygun N, Tunkel DE, et al. Inner ear anomalies seen on CT images in people with Down syndrome. Pediatr Radiol. 2012; 42: 1449-55.
3） 守本倫子．小児耳鼻咽喉科領域における遺伝子医療 ムコ多糖症とダウン症―耳鼻咽喉科の立場から．小児耳鼻．2015; 36: 286-90.
4） 新鍋晶浩．先天異常をもつ症例の病態とその対応 ダウン症児．JOHNS. 2014; 30: 83-8.
5） 伊藤真人．耳・聴覚・言語発達 ダウン症などの染色体異常児の滲出性中耳炎対策は？ JOHNS. 2017; 33: 1430-2.
6） 守本倫子．小児の中耳炎の診断と治療 全身疾患と中耳炎．耳鼻・頭頸外科．2016; 88: 52-5.

〈橋本亜矢子〉

JCOPY 498-14563

耳鼻咽喉科疾患

2. 中耳炎

ポイント

1 …中耳炎には急性中耳炎，慢性中耳炎，滲出性中耳炎，真珠腫性中耳炎がある．
2 …ダウン症児では耳管機能の低下により中耳炎になりやすく，治りにくい．
3 …ダウン症児では鼓膜穿孔が残りやすい．
4 …ダウン症児のマスク麻酔はリスクあり．

① 症状

中耳に滲出液や膿が貯留することで聴力低下が起こる．中耳炎により鼓膜穿孔が起こることでも聴力低下が起こる．これらは伝音難聴であるが，真珠腫性中耳炎では，その進展の程度により伝音難聴，内耳まで進展した場合には感音難聴や混合難聴となる．難聴の程度も高度になる．中耳炎が内耳まで進展した場合は，めまい症状が起こることもある．

② 診断・分類

鼓膜を診察することで診断する．ダウン症児の場合，外耳道が狭いため，鼓膜の観察が困難なことがある．可能であれば，顕微鏡下での観察が望ましく，顕微鏡下であっても観察が困難なこともある．

A. 滲出性中耳炎

ダウン症児においては，筋緊張の低下による耳管機能の低下と易感染性により滲出性中耳炎になりやすい．透明な滲出液が中耳にたまることによって聴力が低下する状態である．痛み，発熱は伴わない．2～3カ月の経過観察で改善することが多いが，改善しない場合は鼓膜換気ドレーンチューブを留置する 図1 ．

B. 急性中耳炎

風邪に引き続き起こることが多い．痛みを伴う聴力低下が起こる．ときに発熱も伴う．

a

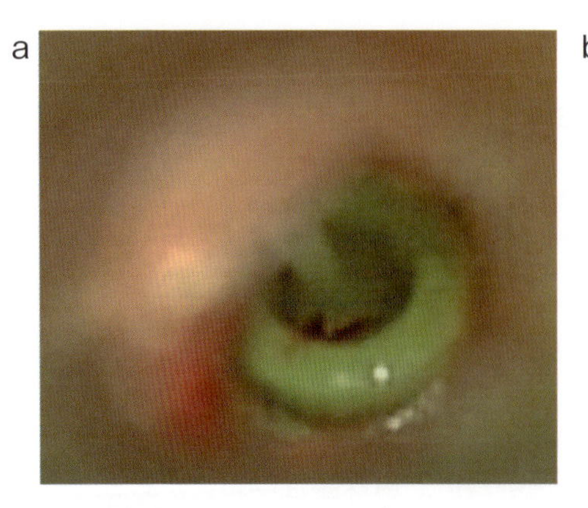

b

図1 鼓膜ドレーンチューブ

a）ダウン症児の耳内の鼓膜チューブ，b）鼓膜ドレーンチューブ．外耳道が狭く，1 つの視野では鼓膜の一部しか観察できない．外耳道狭窄のため，鼓膜チューブも一部がみえない．

C. 慢性中耳炎

鼓膜穿孔を伴う中耳炎である．風邪などをきっかけに耳だれを繰り返す．鼓膜穿孔を閉鎖する手術が必要となるが，ダウン症児の場合は，耳管機能の低下で再穿孔を起こすなど閉鎖が困難なことも多い．

D. 真珠腫性中耳炎

耳管機能の低下により起こりやすいと考えられ，ダウン症児のなかでも年長児に多い．真珠腫が中耳周囲の骨を壊しながら進展していくため，進展する範囲によって症状は異なる．聴力低下が起こる場合もある．感染を伴わなければ痛みはない．摘出をする手術が必要である．

③ 治療・手術

A. 滲出性中耳炎

鼻症状などに合わせて必要があれば内服をしながら 2 ～ 3 カ月経過観察をする．改善がなかった場合，聴力低下がある場合，鼓膜の色が病的変化をした場合，鼓膜の陥凹がみられる場合には，鼓膜換気ドレーンチューブの留置術を行う．

小児，特にダウン症児においては外来処置ではじっとしていられないため，全身麻酔下での鼓膜換気ドレーンチューブの留置術が必要になることが多い．

鼓膜換気ドレーンチューブ留置の合併症として耳だれが続いたり，鼓膜穿孔が残ったりすることがある．ダウン症児においては比較的合併症の可能性が高くなる．

日帰り手術が可能な施設もあるが，後述の通り，ダウン症児においては上気道狭窄を起こしていることが多く，周術期の全身管理には注意が必要である．

JCOPY 498-14563

B. 急性中耳炎

抗生剤，去痰剤などを内服する．5日前後で効果をみる．1～2週間前後で改善する．鼓膜の炎症所見が強い場合，発熱が続いている場合は，鼓膜切開が必要なことがある．外来での処置が可能である．

C. 慢性中耳炎

耳だれが出ているときには耳だれを細菌検査に提出し，細菌検査の結果に合わせ，感受性のある抗生剤などを内服し，抗生剤入り点耳を使用する．耳だれを頻回に繰り返す場合，聴力低下がある場合には鼓膜閉鎖術を検討する．ダウン症児ではその耳管機能の低下，易感染性により再穿孔することもある．

D. 真珠腫性中耳炎

治療は全身麻酔下での摘出術である．進展の具合により，しばらく経過観察が可能なこともある．

④ 麻酔，術後管理，鎮静鎮痛

A. 術前評価

反復する上気道感染や，それに伴う中耳炎により，発熱や風邪症状を伴っていることが多い．アデノイド肥大が原因となっていることもあり，特にダウン症児では，閉塞性睡眠時無呼吸症候群（OSA）の合併の有無を術前にチェックすることが大切である．重症なOSAを合併している場合には，感染が落ち着いているときに手術を行うほうが安全である．また，術中は頭部を回旋させる頭位となるので，頸椎の異常の有無も確認しておく．

B. 麻酔管理

鼓膜切開術や鼓膜チューブ挿入術は，短時間手術であり，フェイスマスクによる気道確保で麻酔管理されることが多い．しかし，特にダウン症児では，マスク換気困難のリスクが高いため，気道確保法については健常児と区別して準備計画する必要がある．ダウン症にアデノイド肥大を合併している場合には特に，鼻気道の開通性が悪いため，オーラルエアウェイを用いた口気道の確保がより有効と考えられる．ただし，浅麻酔下でのエアウェイ挿入は喉頭痙攣を誘発する危険も伴うことに注意する．両手法によるフェイスマスク保持も，気道確保には有効であるが，手術操作の妨げになってしまうため，片手法で充分な気道確保が難しい場合には声門上器具や気管挿管による気道確保を選択すべきである．自発呼吸を温存した呼吸管理を行う場合にも，5～10cmH_2O程度のCPAP（Continuous Positive Airway Pressure）による陽圧サポートを加えることは，気道開通性の維持と改善に有効である．特に声門上器具を用いる場合，手術操作のために頭部を左右に向けることによる器具のずれに注意する必要がある．換気状態のモニタリングには呼気二酸化炭素分圧の測定が有効であるので，マスク麻酔で管理する場合にもマスクのフィッティング維持に努めることはモニタリングの観点からも大切である．

C. 鎮痛鎮静

通常，鼓膜切開や鼓膜チューブ挿入の術後疼痛はNSAIDsやアセトアミノフェンで鎮痛可能であり，オピオイドが必要となることはまれである．覚醒時興奮を予防する目的で，術中に少量のフェンタニルを併用することには意義があるが，重症なOSAを合併したダウン症児では慎重に行う必要がある．デクスメデトミジンの経鼻投与が覚醒時興奮予防に有効であるとする報告があるが，ダウン症児でも安全であるかは不明である．

D. 術後管理

特にダウン症児では，全身麻酔後の呼吸監視が重要である．中耳炎に伴う風邪症状の残存，3歳未満や重症OSA合併症例ではさらに，術後の呼吸トラブルのリスクが高いため，日帰りの可否も含めて慎重に判断する必要がある．

【参考文献】
1）針谷しげ子．長期観察によるダウン症難聴児の研究．日耳鼻会報．1994; 97: 2208-18.
2）Intrapiromkul J, Aygun N, Tunkel DE, et al. Inner ear anomalies seen on CT images in people with Down syndrome. Pediatr Radiol. 2012; 42: 1449-55.
3）守本倫子．小児耳鼻咽喉科領域における遺伝子医療 ムコ多糖症とダウン症—耳鼻咽喉科の立場から．小児耳鼻．2015; 36: 286-90.
4）新鍋晶浩．先天異常をもつ症例の病態とその対応 ダウン症児．JOHNS. 2014; 30: 83-8.
5）伊藤真人．耳・聴覚・言語発達 ダウン症などの染色体異常児の滲出性中耳炎対策は？ JOHNS. 2017; 33: 1430-2.
6）守本倫子．小児の中耳炎の診断と治療 全身疾患と中耳炎．耳鼻・頭頸外科．2016; 88: 52-5.

〈橋本亜矢子（①～③） 北村祐司（④）〉

JCOPY 498-14563

5

耳鼻咽喉科疾患

3. 閉塞性睡眠時無呼吸症候群（OSA）

ポイント

1…ダウン症児は舌肥大，鼻咽頭腔の狭さ，筋緊張低下から OSA になりやすい．
2…OSA は脳機能，身体発育，心血管に影響を及ぼす．
3…術直後は悪化することがあるため，周術期は注意が必要である．
4…OSA 重症度を意識した周術期管理が重要である．
5…重症 OSA，3 歳未満，ダウン症は周術期有害呼吸イベントのリスク因子．

① 症状

眠っている間にいびきをかいたり呼吸が止まったりする．小児の閉塞性睡眠時無呼吸症候群（OSA）は注意欠如多動，集中力低下，感情や行動の不安定性，記憶力，学習能力の低下が生じること，心血管への影響が生じること，身体発育への影響も指摘されている．ダウン症児では，頭蓋骨が短形で鼻咽腔が狭いこと，口腔内が狭い割に相対的に舌が肥大していること，筋緊張低下により舌根沈下がしやすいことから睡眠時に気道狭窄が起こりやすく，さらにアデノイドや口蓋扁桃の肥大により咽頭の狭窄が起こりやすい．また，年齢とともに肥満の傾向があり，年長児も OSA になりやすい．

② 診断

OSA の診断は基本的には睡眠時ポリグラフィー（PSG）で行うが，ダウン症児の場合，装着が困難なこと，簡易ポリグラフィーでもある程度の診断ができることから当院では簡易ポリグラフィー検査を行っている 図1 ．血中酸素濃度，胸，腹の呼吸努力の動き，体動，必要があれば心電図のセンサーを装着する．小児の場合，AHI（無呼吸低呼吸指数）1 以上が睡眠時無呼吸の診断となる．1 ～ 5 未満は軽症と考えられ，5 ～ 10 未満が中等症，10 以上が重症である．施設により手術適応を 5 以上とする施設，10 以上とする施設がある．

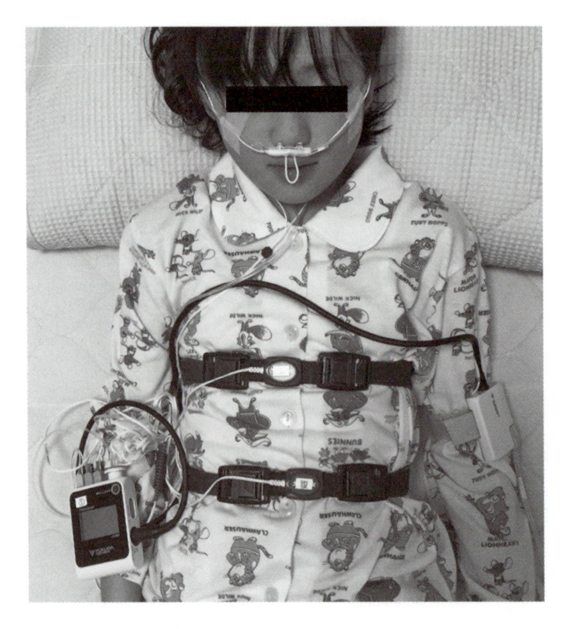

図1 簡易 PSG 検査

③ 治療・手術

治療は主に手術治療である．基本的には上気道の狭いところを広くする手術で，アデノイド増殖症があれば，アデノイド切除術，口蓋扁桃肥大があれば口蓋扁桃摘出術，両方を同時に行うことも多い．

術直後から 2, 3 日は手術の影響により，創部の腫脹が引くまで睡眠時無呼吸が悪化することがあり，注意が必要である．合併症としては術後出血，鼻咽腔閉鎖機能の低下があり，術後出血は，最も重篤な場合は死亡することもある．これは，口蓋扁桃摘出術もアデノイド切除術も創部の瘡蓋が剝がれ落ちるときに出血が起こることがあるためで，出血が多い場合には気道が閉塞し，窒息に至ることがある．

慢性鼻炎が気道狭窄の原因となっていれば，鼻炎の治療を行う．

特に年長児で肥満や舌根沈下が OSA の原因となっている場合はアデノイド切除術や口蓋扁桃摘出術で効果がみられないことがあり，CPAP（持続式陽圧呼吸療法）を使用することもある．装着に慣れるまで時間がかかること，発達の程度により使用できないことがある．

④ 麻酔，術後管理，鎮静鎮痛

A. 前投薬と麻酔導入

特に OSA を合併したダウン症児では，鎮静薬の術前投与による上気道閉塞や麻酔導入時のマスク換気困難に注意が必要である．麻酔導入は吸入麻酔薬による緩徐導入が可能であるが，経口エアウェイや両手法のマスク保持がマスク換気困難の改善に有効である．特に 3 歳未満で重症な OSA を合併している場合には，喉頭痙攣などの有害呼吸イ

JCOPY 498-14563

ベントのリスクが高いため，麻酔導入前に末梢静脈ラインを確保することも考慮する．

B. 麻酔維持

OSA 患者では術後の速やかな覚醒が求められるので，レミフェンタニルのような短時間作用性薬剤の併用は有用である．一方で，特に口蓋扁桃摘出およびアデノイド切除（T&A）では，覚醒時興奮や術後の吐気嘔吐が術後の再出血リスクを高める可能性があるため，それらの予防対策も重要である．プロポフォールによる静脈麻酔薬維持は，吸入麻酔薬よりも覚醒時興奮が少ないことが複数の研究で証明されている．

C. 鎮痛

OSA が重症なほど，オピオイドに対する感受性が高いため，重症度に基づいて投与量を調節する必要がある．術者による局所麻酔薬の併用も術直後の鎮痛には有効であるが，正常な咽頭喉頭機能を抑制する可能性もあるので，高濃度の局所麻酔薬の使用は避けるべきである．ステロイド（デキサメタゾン 0.1 ～ 0.3mg/kg）の静脈投与は，制吐作用，鎮痛補助効果，粘膜浮腫予防が期待できるため，禁忌がなければ併用するのがよい．

D. 術後管理

OSA は T&A 術直後から改善するわけではなく，手術当日は麻酔，鎮痛薬などの影響により，むしろ悪化しているとの報告がある．特にダウン症児では，小顎と相対的な巨舌，中顔面低形成といった解剖学的特徴により，肥大した口蓋扁桃やアデノイドを取り除いても，OSA が残存する可能性がある．したがって，術後の管理病棟や監視体制は非常に重要である．より適切な術後管理体制の選択には，術前の OSA 重症度評価が役立つ．重症 OSA，3 歳未満，トリソミー 21 はいずれも周術期有害呼吸イベントの独立リスク因子である．ダウン症児では，重症 OSA あるいは 3 歳未満という因子が加わるだけで，複数のリスク因子を抱えることになる．T&A は小児では最も多い手術の 1 つであるが，術前に PSG による OSA 重症度評価されている症例は限られている．特にダウン症児では，たとえ PSG が難しくても，より安全な周術期管理のために夜間オキシメトリー検査による簡易睡眠検査を実施すべきである．

【参考文献】

1） 守本倫子．小児耳鼻咽喉科領域における遺伝子医療 ムコ多糖症とダウン症ー耳鼻咽喉科の立場から．小児耳鼻．2015; 36: 286-90.
2） 新鍋晶浩．先天異常をもつ症例の病態とその対応 ダウン症児．JOHNS. 2014; 30: 83-8.
3） 中田誠一．気道 睡眠呼吸障害をきたす先天性疾患とその評価は？ JOHNS. 2017; 33: 1453-61.
4） 森 健太郎，岩崎 聡，工 穣，他．ダウン症を伴った小児睡眠時無呼吸症候群に対する口蓋扁桃・アデノイド手術の検討．耳鼻臨床．2013; 106: 323-8.
5） 鈴木雅明．小児の睡眠時無呼吸症候群と手術適応．日耳鼻会報．2016; 119: 1444-5.

〈橋本亜矢子（①～③） 北村祐司（④）〉

6

整形外科疾患

ポイント

1…環軸椎亜脱臼の有無や程度は経年的にX線で確認する必要がある.
2…股関節や膝蓋骨も脱臼しやすいことを念頭におく.
3…外反扁平足の装具治療には時間がかかり，年単位が必要になる．治療効果に乏しいこともよくある.
4…手術をする際，体位変換のときに関節に不要な力がかからないようにする.
5…頸椎の手術では，麻酔導入，覚醒のときに頸部の扱いに注意する.

医療の進歩に伴い21トリソミーの寿命は確実に伸びてきているなかで，良好な運動機能の獲得・維持は社会生活を営むうえでますます重要である．21トリソミーの約20%に筋骨格系の問題を生じていると報告されている[1] 表1 .

整形外科治療を行ううえで21トリソミーの問題点は，心機能に加えて精神発達遅滞の程度，関節弛緩性，靭帯弛緩性，低緊張などである．整形外科治療，特に手術治療後は，何かしらの外固定（ハローベスト，ギプス，装具など）の使用が多いため，著しい精神発達遅滞を伴う場合には，治療を断念せざるを得ないこともある.

表1 21トリソミーに合併しやすい整形外科疾患

疾患	発生頻度（%）
環軸椎亜脱臼	10～30
脊柱側弯症（Cobb角20°以上）	10
習慣性股関節脱臼・亜脱臼	7～30
恒久性・習慣性膝蓋骨脱臼（亜脱臼）	4～ 8（20）
外反扁平足	～60
外反母趾	10～14

① 環軸椎亜脱臼

軸椎歯突起は，環椎前弓の後方に位置している．環椎横靭帯は頸部屈伸時に環椎と軸椎歯突起が一体となり運動するように，また，頸部の回旋時には歯突起を軸として環椎軸椎間での回旋運動を行うために歯突起の位置を保っている．疾患に起因する環椎横靭帯の靭帯弛緩性などのために，環軸椎間の不安定性を生じた状態が環軸椎亜脱臼である．X線頸椎側面像などでの不安定性の指標として環椎歯突起間距離（atlanto-dental interval; ADI）が使用される．環椎はリング状の形態をしておりADIが大きいことは,

JCOPY 498-14563

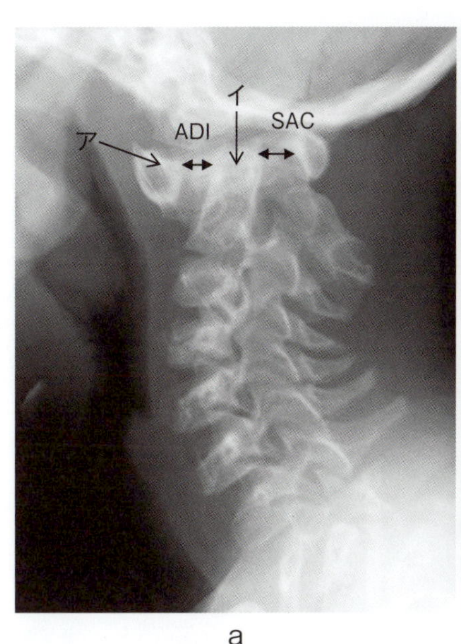

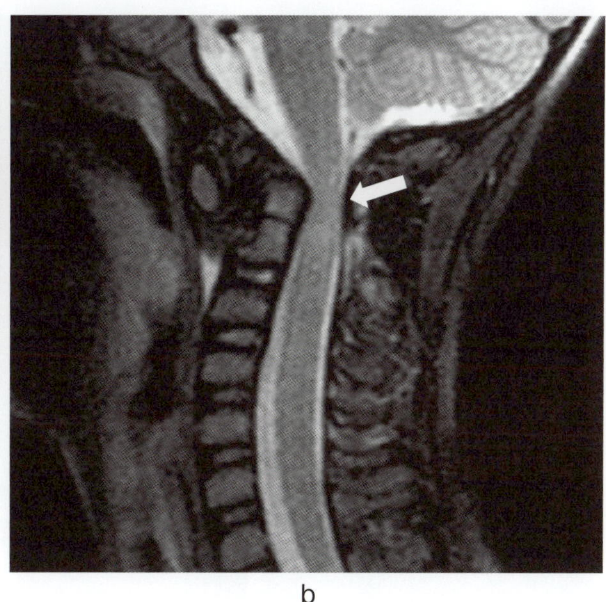

a　b

図1 環軸椎亜脱臼

a）10 歳男性，X 線頸椎側面中間位．ADI の拡大と SAC の狭小化．
b）9 歳，MRI 矢状面 T2．環椎高位での頸髄の圧迫像（白矢印）．
ア：環椎前弓，イ：軸椎歯突起．ADI：atlanto-dental interval，環椎歯突起間距離，
SAC：space available for spinal cord，脊髄余裕空間．

歯突起の後方に位置する脊髄余裕空間が小さいことを意味し環椎高位での脊髄圧迫の可能性を示唆している 図1 ．頸部の屈曲により ADI は増大する傾向にある．脊髄圧迫により，呼吸障害，歩行障害，四肢麻痺，直腸膀胱障害などの神経症状を呈する．

小児 ADI の正常値は 4mm 以下であるが，ADI 4 ～ 5mm 以上は，21 トリソミーの 10 ～ 30％に伴うといわれている．21 トリソミーでは，ADI の変化の有無や程度を X 線で経年的に観察する必要がある．ADI 4.5 ～ 10mm では，でんぐり返しなどの頸部の強い屈曲を伴う器械体操や柔道，サッカー，ラグビーなどの頸部に負担のかかる運動は禁止する．ADI 10mm 以上または無症候性の MRI での脊髄輝度変化では，手術治療を推奨する報告もある[2]．手術が必要な環軸椎亜脱臼は約 1％といわれている．手術には環軸椎間のスクリュー固定などが行われている．

② 脊柱側弯症

脊柱側弯症は脊椎が左右に弯曲した状態であり，最も傾斜の強い 2 椎体の角度（Cobb 角）が 10°以上のものと定義される．高度に進行すると呼吸不全や腰背部痛，神経障害をきたすため治療が必要となる．ダウン症に側弯症を合併する割合は約 10％と特発性側弯症（約 2％）に比して高いことが知られている．また，手術加療が考慮される Cobb 角 40°以上の側弯は約 2.2％に合併し，これも特発性側弯症（0.1％以下）に比して高い．特に心疾患術後の患者では側弯発症率が上がり，胸腰椎ダブルカーブが多いことが特徴である[3]．

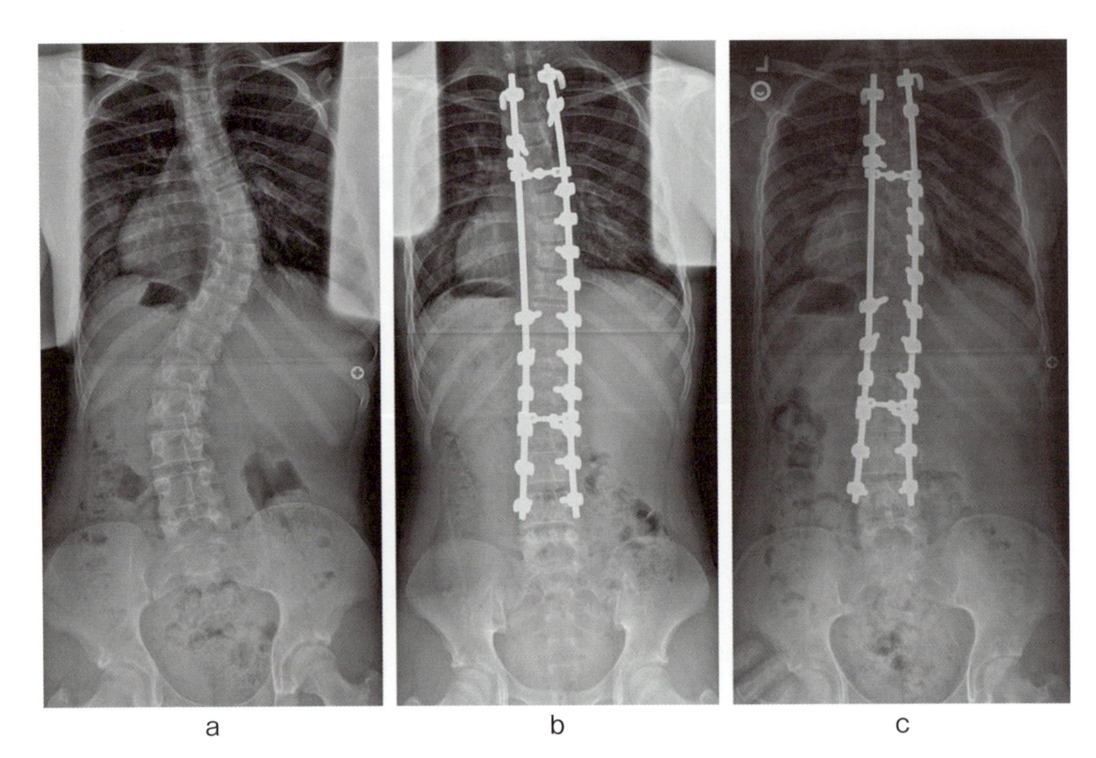

図2 11歳女児．胸腰椎ダブルカーブに対して手術を行った．
a）術前 b）術後 c）術後4年半．矯正は維持されている．
(Abousamra O, et al. J Pediatr Orthop B. 2017; 26: 383-7)[4]

一般的に骨年齢が未熟でCobb角が25°を超える患者は装具治療の対象となるが，その有効性はコンプライアンスに依存するため，患者の精神発達遅滞の程度により適応が分かれる．手術治療は近年，主に椎弓根スクリューを多用する側弯症矯正術が主流となり，以前の方法によるインプラント折損や脱転，偽関節などの高い合併症発生率（約40%）が改善した[4, 5]．患者の精神発達度や家族を含めた社会的背景などを考慮した上で治療方針を決定する．

③ 股関節疾患

成人の股関節疾患の有病率は28%にのぼり，股関節疾患の有無は歩行能力に大きな影響を与えることが報告されている．一般の発生率よりも21トリソミーでは大腿骨頭すべり症（1.3%）やペルテス病（2%）の発生率も高いことが知られているが，特に重要でかつ手術治療成績もよくないのが習慣性股関節脱臼・亜脱臼（以下，習慣性股関節脱臼という）である．

習慣性股関節脱臼とは，随意もしくは不随意にある肢位をとることで股関節の脱臼を生じる状態を指し，通常自力や他者による整復が可能である．しかし，思春期頃以降は，脱臼を自力や他力でも整復できなくなることもある．習慣性股関節脱臼は幼児期に発症することが多い．8歳以前に脱臼を繰り返すようになり，15歳前には症状が固定化する[6] 図3 ．脱臼は後方脱臼のため，初期では股関節の屈曲，内転を制御する目的で股

JCOPY 498-14563

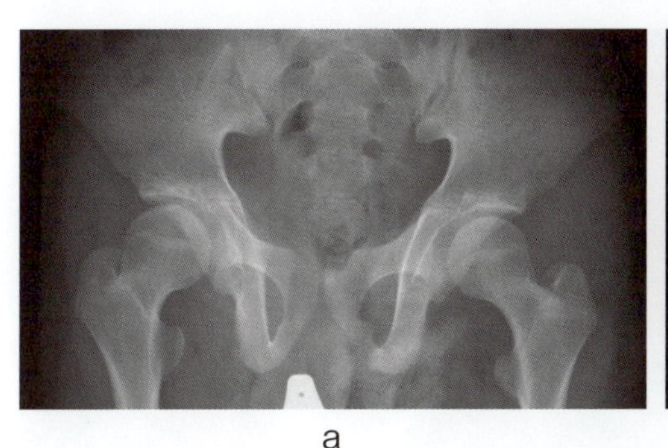
a

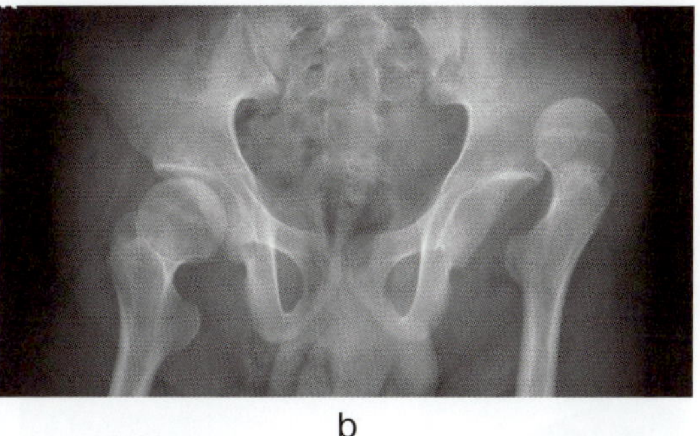
b

図3 左習慣性股関節脱臼例 X 線像
a）15 歳男性，左習慣性股関節脱臼非脱臼時．股関節形態に左右差はない．
b）16 歳，自己整復不能となり，全身麻酔下に徒手整復したが覚醒後すぐに再脱臼した．

関節装具が有効なことがある．しかし，精神発達遅滞の影響などで装具が装着できないこともよくある．

21 トリソミーの股関節形態の特徴は，水平臼蓋，臼蓋後捻，外反股で，脱臼を反復する症例では，さらに臼蓋後壁の形成不全を伴う．従来から 21 トリソミーに伴う習慣性股関節脱臼は整形外科領域の難治性疾患の 1 つであり，手術治療成績は不良である．股関節不安定性のある症例には，大腿骨減捻内反骨切り術を行う．この際の冠状面での術後大腿骨頸体角は 105° が目安となる．術後頸部前捻角が 20° 以上残るようにする．大腿骨頸部は細いため，小児用ロッキングヒッププレートよりもブレードプレートのほうが適合しやすい．大腿骨減捻内反骨切り術施行で股関節の不安定性が残存する場合は，triple osteotomy などで臼蓋後壁の被覆を改善する[6]．関節包縫縮術併用の有効性については議論がある．術後は 6 〜 8 週間の hip spica cast 固定を行うが，患肢の荷重制限を行うのは困難であることも多い．脱臼を反復する症例では臼底，大腿骨頭軟骨はともに損傷しやすく，早期に変形性股関節症に移行する．変形性股関節症による歩行能力低下に対して人工股関節全置換術が考慮される．疾患特有の問題点もあるが，概ね良好な治療成績が報告されている．

④ 恒久性・習慣性膝蓋骨脱臼（亜脱臼）

膝蓋骨が全ての膝関節屈曲角度で大腿骨膝蓋面から逸脱している恒久性膝蓋骨脱臼（亜脱臼）と，ある膝屈曲角度になると必ず逸脱する習慣性膝蓋骨脱臼（亜脱臼）がある．主な症状は跛行，易転倒性，膝くずれ，膝関節屈曲拘縮である．発症は幼少時のことが多いが，症状を自分で訴えることが困難な場合がほとんどで，発見まで時間を要する．診断は膝関節を屈伸しながら膝蓋骨の位置を触診して行う．X 線でスカイライン撮影を行えば診断は容易である 図4．膝蓋骨が未骨化な 4 〜 6 歳以下では，超音波による画像診断が有用である．膝蓋骨サポーターなどの保存的治療による整復位保持は困難で，手術治療が必要となる．長管骨の骨端線閉鎖前に治療が必要なことが多く，成人で広く行われている脛骨粗面移動術（Elmslie-Trillat 法など）は脛骨近位骨端線を損傷するた

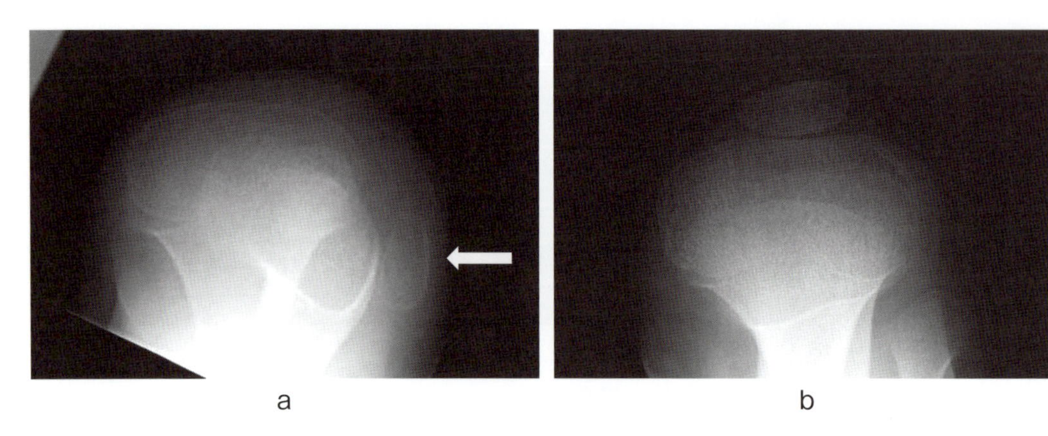

図4 左恒久性膝蓋骨脱臼 X 線スカイライン撮影 90°
a）9 歳男性術前．膝蓋骨は完全脱臼し大腿骨の外側に位置する（白矢印）．
b）術後 8 カ月．膝蓋骨は大腿骨膝蓋面に制動されている．

めに適応できない．したがって，proximal realignment，distal realignment を併用し可能なかぎり膝蓋骨近位・遠位，内・外側の軟部組織の緊張を調整し膝蓋骨を大腿骨膝蓋面に制動する．現在我々は，大腿四頭筋の malrotation を主に矯正する Stanisavljevic 法[7]に，大腿四頭筋 VY 延長または fractional 延長を併用した術式を行っている．関節弛緩性，靭帯弛緩性を考慮し術後の膝関節固定期間を長くすることも重要である（我々は，術後大腿から足趾までのギプス固定を 6 週間の後，少なくとも膝蓋骨脱臼用サポーターを半年間は装着している）．軟部組織手術による膝蓋骨の制動が不成功であった症例では，脛骨近位骨端線閉鎖以降に脛骨粗面移行術を併用した手術を考慮する．

⑤ 外反扁平足

関節や靭帯の弛緩性，低緊張，運動発達遅滞などのために足の縦アーチの形成は遅延することが多く，外反扁平足を生じやすい．後足部の外反程度や立位・歩行時の内側接地の有無などにより，アーチサポート，UCBL インサート*，ハイカットシューズなどを使い分けて治療を行うが，改善効果に乏しいことも多く，また，年単位の使用が必要である．

* UCBL インサート：カリフォルニア大学生体工学研究室（California University，Biomechanics Laboratory）で設計された足底板で縦アーチのみでなく後足部も保持する構造になっている．

⑥ 麻酔管理

ダウン症に特有の整形外科手術は，他の科に比べれば少ないほうである．

環軸椎亜脱臼に対する手術もまれである（ただし，神経症状の急激な増悪が認められた場合は，緊急手術の適応になり得る）．

整形外科手術は側臥位や腹臥位で行うことも多い．ダウン症児は概して筋力が弱く，体が柔らかいので[8]，体位変換をするときは関節に負担がかからないよう注意する．体

JCOPY 498-14563

位固定もしっかりと行う．

環軸椎亜脱臼に対する頸椎の手術（後方固定術）では，神経症状が進行しているので頸部を極力動かさないように細心の注意を払う．後屈よりも前屈に注意するべきとされる[9-11]．気道確保に際してハローベストを外すことはやむを得ないと思われる[12]．

マスク換気は頸部をあまり動かさず，下顎挙上をしながら行う．気管挿管はエアウェイスコープなどのビデオ喉頭鏡を用いることを推奨する．

麻酔からの覚醒のとき，頭を激しく動かされるのはできれば避けたい．

可能ならば，多少なりとも麻酔の効果を残して，半覚醒（刺激すれば起きるが，まだ眠っている）の状態で静かに抜管したいところである．

バッグマスク換気が容易であれば，深麻酔下の抜管を考慮してもよいと思われる．

ラリンジアルマスクなどの声門上デバイスに入れ替えてから覚醒を待つのもよいかもしれない．

抜管したあとは必要に応じてバッグマスクで自発呼吸のサポートを行い，自発呼吸がしっかりしてきたら患児自身の呼吸に任せる．

【参考文献】

1) Caird MS, Wills BP, Dormans JP. Down syndrome in children: the role of orthopaedic surgeon. J Am Acad Orthop Surg. 2006; 14: 610-9.
2) McKay SD, Al-Omari A, Tomlinson LA, et al. Review of cervical spine anomalies in genetic syndromes. Spine. 2006; 37: E269-77.
3) Milbrandt TA, Johnston CE. Down syndrome and scoliosis: a review of a 50-year experience at one institution. Spine (Phila Pa 1976). 2005; 30: 2051-5.
4) Abousamra O, Duque Orozco MDP, Er MS, et al. Scoliosis in Down's syndrome. J Pediatr Orthop B. 2017; 26: 383-7.
5) Chung AS, Renfree S, Lockwood DB, et al. Syndromic scoliosis: National trends in surgical management and inpatient hospital outcomes: A 12-year analysis. Spine (Phila Pa 1976). 2019; 44: 1564-70.
6) Kelly SP, Wedge JH. Management of hip instability in trisomy21. J Pediatr Orthop. 2013; 33: S33-8.
7) 芳賀信彦，滝川一晴，中村　茂，他．ダウン症候群に伴う膝蓋骨脱臼・亜脱臼の観血的手術．日小児整外会誌．1998; 7: 55-9.
8) Lin EP, Spaeth JP. 62 Down syndrome. In: Goldschneider KR, et al. editors. Clinical pediatric anesthesia. New York: Oxford University Press; 2012. p.621-30.
9) Jacobson BL, Wald SH, Manson LJ. Anesthesia for the patient with coexisting disease. In: Bissonnette B, et al, editors. Pediatric anesthesia: basic principles, state of the art, future. Shelton: People's Medical Publishing House; 2011. p.942-67.
10) Hata T, Todd MM. Cervical spine considerations when anesthetizing patients with Down syndrome. Anesthesiology. 2005; 122: 680-5.
11) 上北郁雄，香川哲郎．ダウン症候群患児の麻酔管理．日小児麻酔会誌．2015; 21: 229-33.
12) 自見宣郎，桶屋庸子，住吉理絵子，他．環軸椎亜脱臼を合併するダウン症候群患児の麻酔管理．臨麻．2005; 7: 1205-6.

〈滝川一晴（①，③～⑤）　藤本 陽（②）　平野博史（⑥）〉

7

血液疾患

1. 急性白血病

ポイント

1…ダウン症候群の児は，1～2%の児が急性骨髄性白血病（acute myeloid leukemia; AML）を，300人に1人が急性リンパ性白血病（acute lymphoblastic leukemia; ALL）を発症すると推定される．

2…AMLの生存率は80～90%と良好であるが，ALLの生存率は60～70%台と良好とは言えない．

3…AMLは*GATA-1*遺伝子がほぼすべての例でみられ，ALLでは*CRLF2*遺伝子高発現が約半数にみられる．

4…さらに予後を改善するためには，白血病のより深い分子病態の解明とともに，キメラ抗原受容体T（CAT-T）細胞療法や分子標的薬などの臨床応用が期待される．

5…AMLでは，日本小児がん研究グループ（Japan Children's Cancer Group; JCCG）の臨床試験（AML-D16）が，ALLではアジアの国際共同臨床試験が行われている．

① 疫学

ダウン症候群の児は，ダウン症候群でない児と比べて，10～20倍急性白血病を発症する頻度が高い．北欧の疾患登録のデータ[1]から5歳未満では，AMLは150倍，ALLでは40倍となる．この傾向は年齢の低い児ほど強くなり，4歳までに1.5%の児がAMLを，29歳までに0.6%がALLを発症する．AMLは発症年齢の中央値が1～1.8歳と低く，5歳を超えるとまれで，ALLは乳児例が少ない．4歳以下の発症はAMLがALLの3.8倍で，5～29歳ではほぼ同じになる[1]．一般的には，1～2%の児がAMLを，300人に1人がALLを発症すると考えられている．このことから，白血病のリスクが減少する4歳まで，出生時から3カ月毎の血液（像）の検査が勧められる．

ダウン症候群の児は，新生児期に一過性骨髄異常増殖症（transient abnormal myelopoiesis; TAM）がみられることがあるが，TAMの16～30%が後にAMLを発症する．TAMの時期を経ずにAMLを発症する場合もあるが，このなかには末梢血の芽球が少なく，症状のないsilent TAMの時期を経ているものが含まれる．

ダウン症候群に合併した急性白血病とダウン症候群でない白血病の比較（疫学，病態，検査，症状，予後）を 表1 （AML）と 表2 （ALL）に示す[2]．

JCOPY 498-14563

表1 ダウン症候群に合併したAMLとダウン症候群でないAMLの比較（O'Rafferty C, et al. Ir J Med Sci. 2015; 184: 877-82[2] より改変）

	ダウン症候群に合併したAML	ダウン症候群でないAML
頻度 / 小児AML	10%	90%
年齢	中央値1.8歳（1～4歳）	幼時に1つのピーク その後年齢とともに増加
性	均等	均等
発症前の状態	新生児期のTAM 白血病発症前に血球減少および異形成	なし
初診時白血球数	通常は低値	幅広い
初診時骨髄中芽球	少ない	多い
中枢神経浸潤	まれ	少ない
Subtype	AMKL ＞ 90%	AMLのすべてのsubtype AMKL ＜ 5%
核型	反復性染色体異常は通常みられない トリソミー8・11・21，dup 1p，del 6q，del 7p，del 7q，del 16q，-X，モノソミー5・7，5q-	反復性染色体異常50% 残りは正常核型
分子遺伝学	すべてに *GATA-1* 遺伝子変異	*GATA-1* 遺伝子変異はない *CEBPA*，*WT-1*，*FLT-3*，*NPM1*，*WT-1*，*IDH1/2* など，さまざまな変異がみられる
生存率	77～91%	70～80%（AMKLは35%）

AMKL: 急性巨核芽球性白血病

表2 ダウン症候群に合併したALLとダウン症候群でないALLの比較（O'Rafferty C, et al. Ir J Med Sci. 2015; 184: 877-82[2] より改変）

	ダウン症候群に合併したALL	ダウン症候群でないALL
頻度 / 小児ALL	2%	98%
年齢	分布は同じだが，乳児はまれ	中央値5歳
性	均等	均等
初診時白血球数	同様だが，5万/μL以上はまれ	幅広い
中枢神経浸潤	ほとんどみられない	1.5～10%
Subtype	ほとんどB前駆細胞性	85% B-ALL 15% T-ALL
予後良好核型 hyperdiploidyおよびt(12;21)	頻度低い（＜ 20%）	B前駆細胞性の60%
遺伝子 *CRLF2* 再構成 *IKZF1* 欠失（予後不良） *PAX5*（予後不良）	 60% 24～35% 12～22%	 ＜ 10% ＜ 15%
治療関連死亡	7%	2%
生存率	74%	89%
再発率	26%	15%

② 病態

TAM は，21 トリソミーと *GATA1* 遺伝子の変異により引き起こされるが，AML の発症には，*GATA1* に加えて新たな遺伝子変異を獲得することが必要と考えられている 図1 [3)]．TAM と AML の細胞の全エクソームシーケンスでは，1 症例あたりの体細胞遺伝子変異数は，TAM では 1.7 個と少なかったが，AML では 5.8 個とより有意に多く変異が認められた．コヒーシン複合体やエピゲノム制御因子，および RAS/ チロシンキナーゼをコードする遺伝子群に高頻度に変異が存在することが明らかになり，AML 発症への関与が推定された [4)]．また，ダウン症候群でない AML によくみられる染色体である t(8;21)，inv(16)，t(15;17) は通常みられない．乳幼児の急性巨核芽球性白血病（acute megakaryoblastic leukemia; AMKL）で頻度の高い t(1;22) はまれである．

ALL では，ダウン症候群でない場合と比べて予後良好因子とされる *ETV6-RUNX1* や高 2 倍体の頻度が低く，正常核型（21 トリソミーのみ）が多い．また，予後不良の染色体である t(4;11)，t(1;19)，および t(9;22) が少ない [5)]．分子遺伝学的異常の解析では，*CRLF2* の高発現が 50 ～ 60％にみられ，*JAK2* の変異は 20％あるが *CRLF2* と関連している．*RAS* 変異は 35％にみられるが，*CRLF2* と排他的に検出される．*IKZF1* および *PAX5* の欠失の頻度が高く，予後不良との関連が考えられている．

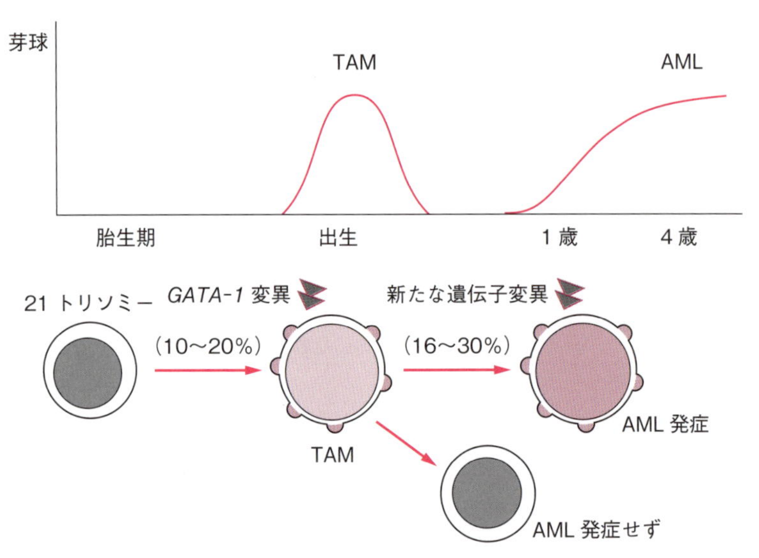

図1 ダウン症候群における一過性骨髄異常増殖症（TAM）と急性骨髄性白血病（AML）の発症シェーマ

AML 発症には TAM 芽球が新たな遺伝子変異を獲得するとともに，TAM の時期に存在していたサブクローンの選択と増殖が関与すると考えられる (Saida S, et al. Blood. 2013; 121: 4377-87).

③ 症状

顔色不良，倦怠感，出血斑，発熱，骨痛，食欲不振，肝脾腫大，リンパ節腫大，歯肉腫脹，皮下腫瘤などの症状がみられる．ダウン症候群でない場合に比べて，AML はリンパ節腫大と中枢神経浸潤が少ない．ALL では縦郭腫大および中枢神経浸潤が少ないと

JCOPY 498-14563

される[5].

AML では，発症前に血小板や白血球数（好中球数）の減少が数カ月にわたり続くことがある．

④ 診断，分類

血液検査で貧血や血小板減少，白血病細胞（芽球）の増加があり，ALL では骨髄検査で芽球が 20％以上で，ダウン症候群に合併する AML では 20％未満でも白血病と診断する．AML を発症前に，芽球が 20％未満で骨髄異形成症候群（myelodysplastic syndrome; MDS）の時期がみられることがある．MDS を経るものが 70％あるが，両者に病態の差はないと考えられている．AML は，骨髄の線維化により骨髄穿刺で骨髄液が採取できない dry tap のときがあり，そのような場合には骨髄生検や末梢血で診断する．AML は形態学的分類〔FAB（French-American-British）分類：M0 ～ M7〕によって分類されるが，ダウン症候群に合併する場合には M7（AMKL）が多い．

2008 年 WHO は，細胞遺伝学的異常や分子遺伝学的異常，およびそれに付随する臨床的特徴から AML の細分類を試みた（WHO 分類）．このなかで，ダウン症候群に関連する骨髄増殖症（myeloid proliferations related to Down syndrome）として，一過性骨髄異常増殖症（TAM）とダウン症候群に伴う骨髄性白血病（myeloid leukemia associated with Down syndrome; ML-DS）が分類されている．

ALL は，白血病細胞の細胞表面マーカーによって，大きく B 前駆細胞性，成熟 B 細胞性，T 細胞性の 3 つに分けられる．ダウン症候群に伴う ALL では，成熟 B 細胞性と T 細胞性が少なく，B 前駆細胞性の割合が高い．

⑤ 検査

AML では，血小板減少が先行し，白血球数の増多は少なく，貧血や好中球減少を伴ってくる．ALL では，芽球の増加を伴う白血球数の増多がみられるが，ダウン症候群のない ALL でみられる著明な増多〔＞白血球数（WBC）5 万 /μL〕は少ない．また，血小板数の減少や貧血，凝固障害もみられることもある．LDH，尿酸，カリウム，ビリルビン値の上昇もみられる．

形態学的に AML の芽球は巨核芽球様であり，細胞質は好塩基性でときに細胞質に突起（bleb）を有する 図2 が，典型的でない場合もある．ミエロペルオキシダーゼ（MPO）染色は陰性である．MDS の時期には骨髄中の芽球は少なく，巨核芽球と赤芽球に異形成を認める．ALL の芽球はダウン症候群のない ALL と同様の形態を示す 図2 ．

骨髄検査では，フローサイトメトリー（flow cytometry; FCM）を用いた表面マーカー解析，染色体分析，分子遺伝学的検査も行う．AML の芽球は，形態および表面マーカーからは TAM の芽球と区別できない．表面マーカーは，CD41，CD42，CD61 などの巨核芽球系抗原に加え，CD33，CD7，CD36，glycophrin A，CD34，CD117，CD56，HLA-DR，CD38，CD45 の抗原発現がみられる．芽球は遺伝学的に赤芽球の性質をもち，

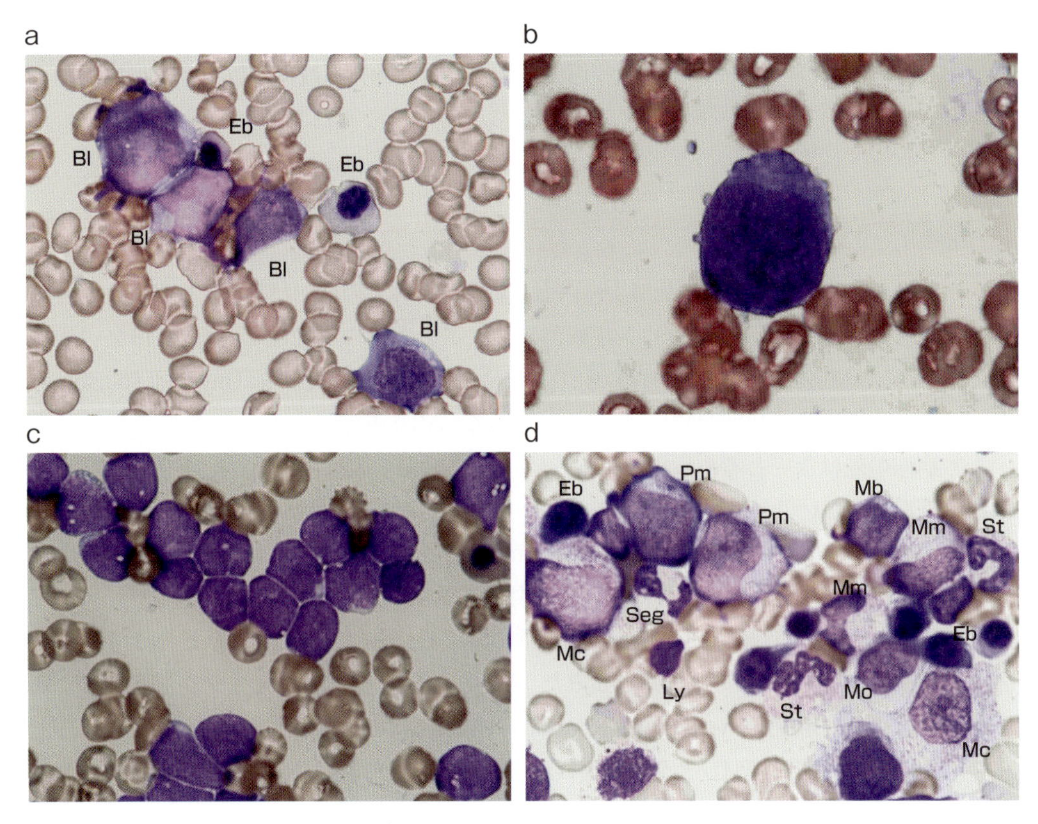

図2 骨髄像（AML，ALL，寛解時）

a）AML の芽球（Bl）は，核小体のある繊細の核と好塩基性を示す細胞質を有する．b）AML の芽球は，細胞質が突起状の構造物（bleb）がみられ，巨核芽球に由来していると考えられる．c）ALL の芽球は小型で均一，N/C 比が大きい．核は円形から卵円形でありときに切れ込みを有する．d）寛解時の骨髄は，骨髄球系（Mc: 骨髄球，Pm: 前骨髄球，Mm: 後骨髄球，Mb: 骨髄芽球，St: 桿状核球，Seg: 分葉核球），赤芽球系（Eb: 赤芽球），単球（Mo），マクロファージ（Mc），リンパ球（Ly）など各種細胞が増生し芽球は消失している．

赤芽球 / 巨核芽球の共通の前駆細胞に由来すると考えられている [6]．ALL では，B 前駆細胞性が多く，CD10，CD19，CD22 などが陽性になる．

TAM と AML 発症時の検体を用いた遺伝子解析による白血病進展の分子生物学的研究はきわめて大切である．

⑥ 治療

A. ダウン症候群の児の薬理学的特性

ビンクリスチン，ドキソルビシン，エトポシド，ブスルファンの薬物動態は，ダウン症候群のない児と同等である．一方，メトトレキサート（MTX）では，活性化 MTX の細胞内蓄積濃度が高く，また，細胞の感受性も高いことが毒性の強く出る原因と考えられている．口内炎などの粘膜障害や消化器症状が生じやすく，リンパ球機能や貪食能の低下もあるため，感染症の合併が多くなる．プレドニゾロンや L-アスパラギナーゼで高血糖になりやすい．AML の白血病細胞は，種々の抗がん剤に対する感受性が高い [7]．

JCOPY 498-14563

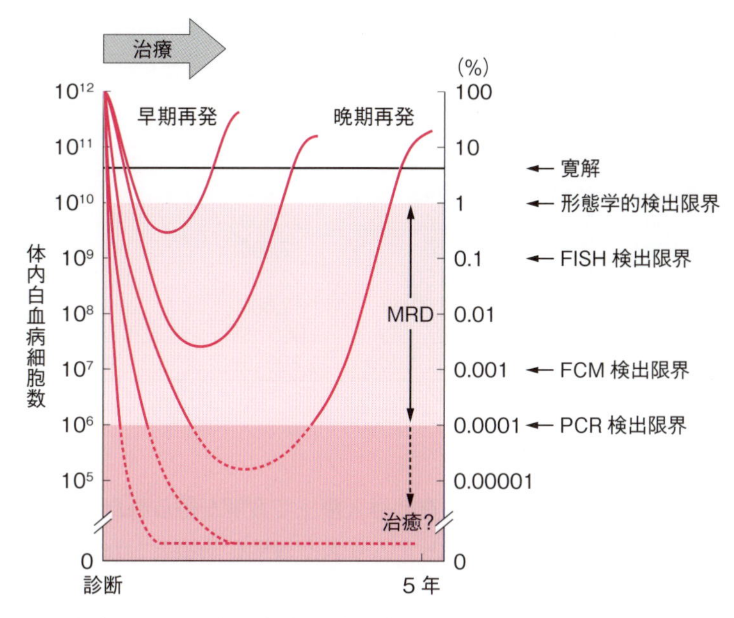

図3 治療による体内白血病細胞の変化と微小残存病変

化学療法（AML は約半年間，ALL は約 2 年間）により，体内の白血病細胞数を減少させることで治癒を目指す．一度寛解に入ってから白血病細胞が増加すると再発がみられる．微小残存病変（MRD）の評価は大切であり，治療の指標となる．
FISH: fluorescence in situ hybridization，FCM: flow cytometry，
PCR: polymerase chain reaction.

B. 白血病の化学療法と微小残存病変

抗がん剤は細胞増殖期（S 期）に効果が高く，休止期である G0 期には感受性が低いとされる．化学療法を繰り返すことで白血病細胞を減少させ，治癒に至ると考えられている 図3 ．一定の期間治療を行うことは，すべての白血病細胞が S 期になり，より効果が高まるとされる．抗がん剤の副作用からみると，S 期が多い細胞（頭髪，消化管粘膜，血球など）ほど副作用が生じやすい[8]．

微小残存病変（minimum residual disease; MRD）は，体内に残る白血病細胞のことで MRD の有無や程度により治療反応性を知ることができる．MRD は白血病細胞の染色体や遺伝子とともに重要な予後因子であり，治療の層別化や移植適応の判定に用いられる．

C. AML の化学療法とその成績

白血病細胞の抗がん剤による治療反応性は良好であるが，治療関連毒性は強い．これらを考慮し，ダウン症候群のない AML に比べ強度を減弱した治療が行われる．一般に，シタラビン，アントラサイクリン系薬剤，エトポシドを中心とした化学療法を，約 1 カ月間隔で 4 ～ 5 回繰り返す．各国の寛解導入率は 90%以上となり無病生存率（event free survival; EFS）も 80%以上となった 表3 [9]．

欧米ではダウン症候群でない AML と骨格は同じで，投与量を減量したものが行われる．本邦では ML-DS に特化した治療である AML-D05 が行われた．これは，これまで

表3 ダウン症候群に合併したAMLの臨床研究

研究名	登録期間	N	ダウノルビシン [ピラルビシン] (mg/m²)	シタラビン (mg/m²)	エトポシド (mg/m²)	治療関連死 (%)	全生存率 (5年) (%)	無病生存率 (5年) (%)
BFM98 for DS[15]	1998～2003	67	220～240	23,000～29,000	950	5	91	89（3年）
ML-DS 2006[16]	2006～2015	170	240	27,400	450	2.9	89	87
COG AAML0431[17]	2007～2011	204	240	27,800	750	1	93	89.9
LD-cytarabine[18]	1990～2003	18	0	7,400	0	0	77	67
AML99 DS[10]	2000～2004	72	[250]	3,500	2,250	1.4	84	83（4年）
JCCLSG 9805DS[11]	1998～2006	24	[190]	12,600	200	12.5	88	83
JPLSG AML D05[12]	2008～2010	72	[250]（SR） [170]（HR）	3,500（SR） 12,800（HR）	1,350（SR） 1,050（HR）	1.4	88	83（3年）

LD: low dose, SR: standard risk, HR: high risk.

の治療研究[10, 11]をもとに，寛解導入療法で寛解が得られたものを標準リスク群（SR），非寛解を高リスク群（HR）とするリスク層別化治療とした．SRには治療軽減，HRには持続および大量シタラビンによる救済療法を行った．72例の登録があり3年EFS 83.3%，全生存率（OS）87.5%であった[12]．HRは2例で，リスク層別化は評価不能であるが，SRは治療を軽減したが成績の低下はみられなかった．しかし，再発・寛解導入不能例は極めて予後不良[13]であり，MRDの評価を行うべくAML-D11が施行され，3年EFS 87.2%，OS 89.7%で，寛解導入後のMRDと予後との関係が明らかにされた[14]．現在MRDによる層別化を用いたAML-D16が行われている．海外では，治療成績がよいとされるBFMの研究[15]をもとに，エトポシドを減量したML-DS 2006研究が行われ5年EFS 87%，5年OS 88%と報告された[16]．米国COGからは，シタラビン大量療法を2コース目に用いることで，ダウノルビシンの投与量や髄注回数を減じても5年EFS 89.9%，5年OS 93%の成績が示された[17]．また，ビンクリスチンとシタラビン少量療法で5年OS 67%という報告[18]もあり，さらに治療強度を低くできる可能性もある．

中枢神経の再発予防は，海外では用いられるが，再発はまれでありJCCGでは行われない．5歳以上が予後不良であり，臨床特性がダウン症候群のないAMLに近くなるとされる．その他，染色体正常核型，8番染色体の異常，GATA-1sの変異量[19]と予後との関係が指摘されている．また，TAMを経て発症するほうが予後がよいとの報告もある．

初発時，血小板が長い間かけて減少することがある．末梢血に芽球がみられても，全身状態が保たれていれば治療開始を遅らせることができる．輸血が必要になるまで待つ場合もあり，心合併症の有無や児の特性を考慮して化学療法の開始時期を検討する．

D. ALLの化学療法とその成績[20, 21]

ダウン症候群のない場合と同様に寛解導入療法，強化療法，維持療法が行われる．寛解とは，骨髄の芽球が5%未満で，白血病細胞による症状が消失した状態をいう．寛解導入療法は，プレドニゾロン，ビンクリスチン，L-アスパラギナーゼ，およびアントラサイクリン系の4種類の薬剤を4～5週間かけて投与する．また，中枢神経系への白血病細胞の浸潤を予防するため，MTXやシタラビンなどの薬剤の髄注も行う．強化

JCOPY 498-14563

療法は，白血病細胞をさらに減少させるために行われる．MTX 大量療法は，中枢神経白血病の予防や睾丸など聖域の白血病細胞の根絶も目的としている．MTX の毒性が高いので，MTX 大量療法は 1 ～ 2g/m^2 とすることが多い．維持療法はメルカプトプリンを連日，MTX を週 1 回の内服を行い，全治療期間は最低 2 年間が必要になる．

治療成績は，ダウン症候群のない ALL と比べて EFS，OS ともに 10 ～ 20％低く，OS は 60 ～ 70％台である．ダウン症候群に合併した ALL は再発率が高いこと，寛解導入不能例が多いこと，合併症死亡が多いことが理由にあげられる．しかし，むやみに減量をせずに適切な治療を行い，支持療法に努めることで，成績の改善が期待される．また，ALL では 6 歳未満かつ白血球数 2 万 /μL 未満の群で予後のよい可能性が示唆された．最近では，大量 MTX 療法の投与量を漸増させ，臓器障害に対する減量基準を厳格化することで良好な成績も報告されている[22]．日本小児がん研究グループ（JCCG）では，アジアの国際共同臨床試験（DS-ALL）が行われている．本研究では，MTX を 0.5g/m^2 まで減量し，フローサイトメトリー法による MRD によるリスク最適化治療を採用している[23]．

E. 造血幹細胞移植（stem cell transplantation; SCT）

SCT はときに致死的で晩期障害があり得るので，初回寛解導入不能例および第二寛解期以降で行われる．ダウン症候群の AML および ALL は，いずれも再発すると OS は極めて低くなる．SCT を行っても救済されることは少なく，その OS は AML が 26％，ALL は 21 ～ 26％である．死因の内訳では，再発が多いが合併症による死亡も高い[24]．

近年，ハプロ一致移植や KIR（キラー細胞免疫グロブリン様受容体）リガンドミスマッチ移植法なども検討されているが，ダウン症候群の児に対する評価はまだない．一方，AML に対して，強度減弱前処置を用いた良好な成績の報告[25]もあり，再発例や治療抵抗例に対する移植方法は検討課題である．

F. 再寛解導入療法，新規治療

AML の再寛解導入療法は，エトポシド，シタラビン，ミトキサントロンなどが行われる．シタラビンは通常量だけでなく，intermediate dose（500mg ～ 1g/m^2）も用いられる．また，AML-D05 の HR に対する治療も考慮される．FLAG〔フルダラビン＋シタラビン＋顆粒球コロニー刺激因子（granulocyte colony-stimulating factor; G-CSF)〕，それにイダルビシンやミトキサントロンを加えた FLAG-IDA，FLAG-MIT が行われることもある．しかし，わが国ではフルダラビンは適応外で，G-CSF と化学療法の併用も禁忌となっている．CD33 モノクローナル抗体とカリケアマイシンを結合させたゲムツズマブオゾガマイシンは，単剤での有効性は 20％前後と限られる．クロファラビンやアザシチジンも適応外ながら一定の有効性が見込まれる．

ALL は通常の再寛解導入療法が行われるが，AML 型の治療が有効なこともある．心毒性の蓄積が問題になり，ピラルビシンが用いられることもある．また，クロファラビンやボルテゾミブ，抗体製剤であるブリナツモマブも有効な可能性がある．

難治例に対しては新規治療として，AML ではヒストン脱アセチル化酵素阻害薬や

WEE1 阻害薬[17]，遺伝子変異をターゲットとする分子標的薬の開発が必要である．ALLではCD19を標的として認識するよう遺伝子操作した患者本人のT細胞を培養して体内に戻すCAT-T細胞療法が期待される．JAK2 阻害剤であるルキソリチニブは*CRLF2*を発現するALLなどに候補になる．

G. 合併症とその対策

ダウン症候群の児は，細菌感染症を中心に頻度が高く，維持療法も含めたどの時期にもみられる．真菌やウイルス感染症，ニューモシスチス肺炎にも注意する．発熱がなくても重症感染症に進展することがある[26]．粘膜障害時に亜鉛の低下がみられ，亜鉛の補充が有効なこともある．先天性心疾患の根治術前のときには，心機能のモニターや水分管理など循環器科と協議が必要になる．ALLでは糖尿病の合併率も高く，糖尿病性昏睡やケトアシドーシスが急速に進むことがあり，薬剤の減量・休止だけでなくインスリンの早期介入も考慮する．SCT時は，肺を筆頭にあらゆる臓器で合併症を生じやすく綿密な治療管理が必要になる．

「小児白血病・リンパ腫診療ガイドライン」[27]や発熱性好中球減少症[28]や輸血療法[29]も各学会のガイドラインが参考になる．また，RS（respiratory syncytial）ウイルス感染の重症化予防に，24カ月以下の免疫不全症（化学療法や移植後）にパリビズマブが使用される．

【参考文献】

1) Hasle H, Clemmensen IH, Mikkelsen M, et al. Risks of leukaemia and solid tumours in individuals with Down's syndrome. Lancet. 2000; 355: 165-9.
2) O'Rafferty C, Kelly J, Storey L, et al. Child and adolescent Down syndrome-associated leukaemia: the Irish experience. Ir J Med Sci. 2015; 184: 877-82.
3) Bhatnagar N, Nizery L, Tunstall O, et al. Transient abnormal myelopoiesis and AML in Down syndrome: an update. Curr Hematol Malig Rep. 2016; 11: 333-41.
4) Yoshida K, Toki T, Okuno Y, et al. The landscape of somatic mutations in Down syndrome-related myeloid disorders. Nat Genet. 2013; 45: 1293-9.
5) Lee P, Bhansali R, Izraeli S, et al. The biology, pathogenesis and clinical aspects of acute lymphoblastic leukemia in children with Down syndrome. Leukemia. 2016; 30: 1816-23.
6) Ito E, Kasai M, Hayashi Y, et al. Expression of erythroid-specific genes in acute megakaryoblastic leukaemia and transient myeloproliferative disorder in Down's syndrome. Br J Haematol. 1995; 90: 607-14.
7) Yamada S, Hongo T, Okada S, et al. Distinctive multidrug sensitivity and outcome of acute erythroblastic and megakaryoblastic leukemia in children with Down syndrome. Int J Hematol. 2001; 74: 428-36.
8) 別所文雄．白血病に対する新しい治療と長期予後．小児看護．1988; 11: 1459-65.
9) 多賀 崇．ダウン症候群に合併した急性骨髄性白血病に対する本邦での前方視的研究．日小児血がん会誌．2016; 53: 203-7.
10) Kudo K, Kojima S, Tabuchi K, et al. Prospective study of a pirarubicin, intermediate-dose cytarabine, and etoposide regimen in children with Down syndrome and acute myeloid leukemia: the Japanese Childhood AML Cooperative Study Group. J Clin Oncol. 2007; 25: 5442-7.
11) Taga T, Shimomura Y, Horikoshi Y, et al. Continuous and high-dose cytarabine combined chemotherapy in children with down syndrome and acute myeloid

JCOPY 498-14563

leukemia: Report from the Japanese children's cancer and leukemia study group (JCCLSG) AML 9805 down study. Pediatr Blood Cancer. 2011; 57: 36-40.
12) Taga T, Watanabe T, Tomizawa D, et al. Preserved high probability of overall survival with significant reduction of chemotherapy for myeloid leukemia in Down syndrome: a nationwide prospective study in Japan. Pediatr Blood Cancer. 2016; 63: 248-54.
13) Taga T, Saito AM, Kudo K, et al. Clinical characteristics and outcome of refractory/relapsed myeloid leukemia in children with Down syndrome. Blood. 2012; 120: 1810-5.
14) Taga T, Tanaka S, Terui K, et al. Post-induction minimal residual disease measured by flow cytometry and deep sequencing of mutant *GATA1* are both significant prognostic factors for children with myeloid leukemia and Down syndrome: A Nationwide Prospective Study of the Japanese Pediatric Leukemia/Lymphoma Study Group. Blood. 2019; 134(Suppl_1): 384.
15) Creutzig U, Zimmermann M, Ritter J, et al. Treatment strategies and long-term results in paediatric patients treated in four consecutive AML-BFM trials. Leukemia. 2005; 19: 2030-42.
16) Uffmann M, Rasche M, Zimmermann M, et al. Therapy reduction in patients with Down syndrome and myeloid leukemia: the international ML-DS 2006 trial. Blood. 2017; 129: 3314-21.
17) Taub JW, Beman JN, Hitzler JK, et al. Improved outcomes for myeloid leukemia of Down syndrome: a report from the Children's Oncology Group AAML0431 trial. Blood. 2017; 129: 3304-13.
18) Al-Ahmari A, Shah N, Sung L, et al. Long-term results of an ultra low-dose cytarabine-based regimen for the treatment of acute megakaryoblastic leukaemia in children with Down syndrome. Br J Haematol. 2006; 133: 646-8.
19) Kanezaki R, Toki T, Terui K, et al. Down syndrome and GATA1 mutations in transient abnormal myeloproliferative disorder: mutation classes correlate with progression to myeloid leukemia. Blood. 2010; 116: 4631-8.
20) 後藤裕明. ダウン症候群に合併した急性リンパ性白血病 どのように治療をするべきか. 日小児血がん会誌. 2016; 53: 196-202.
21) Buitenkamp TD, Izraeli S, Zimmermann M, et al. Acute lymphoblastic leukemia in children with Down syndrome: a retrospective analysis from the Ponte di Legno study group. Blood. 2014; 123: 70-7.
22) Matloub Y, Rabin KR, Ji L, et al. Excellent long-term survival of children with Down syndrome and standard-risk ALL: a report from the Children's Oncology Group. Blood Adv. 2019; 3: 1647-56.
23) 岡本康裕. Down 症候群の急性リンパ性白血病. 小児内科. 2019; 51: 813-6.
24) Goto H, Kaneko T, Shioda Y, et al. Hematopoietic stem cell transplantation for patients with acute lymphoblastic leukemia and Down syndrome. Pediatr Blood Cancer. 2015; 62: 148-52.
25) Muramatsu H, Sakaguchi H, Taga T, et al. Reduced intensity conditioning in allogeneic stem cell transplantation for AML with Down syndrome. Pediatr Blood Cancer. 2014; 61: 925-7.
26) Ceppi F, Stephens D, den Hollander BS, et al. Clinical presentation and risk factors of serious infections in children with Down syndrome treated for acute lymphoblastic leukemia. Pediatr Blood Cancer. 2016; 63: 1949-53.
27) 日本小児血液・がん学会, 編. 小児白血病・リンパ腫診療ガイドライン 2016 年版. 3 版. 金原出版; 2016.
28) http://minds.jcqhc.or.jp/n/med/4/med0145/G0000520/0001
29) http://yuketsu.jstmct.or.jp/medical/guidelines/

〈堀越泰雄〉

7

血液疾患

2. 一過性骨髄異常増殖症

ポイント

1…一過性骨髄異常増殖症 (transient abnormal myelopoiesis; TAM) では，末梢血に *GATA1* 遺伝子変異をもつ芽球が増加する．

2…肝腫大，脾腫大，黄疸，心嚢水，胸水，腹水，皮疹，出血傾向，呼吸障害，浮腫などの症状がみられることがある．

3…ほとんどの場合は治療を要せず症状は自然に改善するが，ときに致死的となる．

4…*GATA1* 遺伝子変異の確認は確定診断となるが，その確認がなくても末梢血の芽球および症状により総合的に診断する．

5…重症例では早期からの治療介入や強力な支持療法が必要になる．

① 病態

TAM は，21 トリソミーと *GATA1* 遺伝子変異により引き起こされると考えられている[1]．*GATA1* 遺伝子は 21 番染色体上にあり，巨核芽球や赤芽球の分化に重要な転写因子である．TAM では胎生期の造血の場である肝細胞が *GATA1* 遺伝子の変異を獲得する．*GATA1* 遺伝子のエクソン 2 の遺伝子変異により，正常な 40kDa の GATA1 蛋白ではなく，通常より短い 34kDa の GATA1s が産生される．ダウン症候群は 21 番染色体が 3 本あることにより，胎児肝で巨核芽球 / 赤芽球の前駆細胞や造血幹細胞が増幅する．さらに，GATA1s は巨核球の分化を障害し，異常な巨核芽球を増加させる．この異常巨核芽球が増殖したものが TAM であると考えられている．iPS 細胞を用いた疾患モデルの解析では，21 トリソミー上の *RUNX1* 遺伝子は胎児造血の亢進と，*RUNX1*，*ETS2*，*ERG* の各遺伝子は GATA1s の発現の亢進に関与していることが示された[2]．しかし，なぜ *GATA1* 遺伝子が変異を獲得するかについては未解明である．TAM の自然寛解は，出生後は造血の場が肝臓から骨髄に移ることとの関連があるとされる．

TAM の症状は，芽球が各臓器に浸潤することにより出現する．肝細胞では芽球の血管壁および血管外への浸潤が確認されている．肝線維化は，肝での巨核芽球に由来する platelet-derived growth factor および transforming growth factor-β1 などのサイトカインの関与が考えられている．心嚢水は TAM の芽球により分泌される高サイトカイン血症との関係が指摘されている．胎児水腫は，貧血による心不全や門脈圧亢進，低アルブミン血症によるとされる．

JCOPY 498-14563

TAMをもつダウン症候群の児の16～30%が5歳までにダウン症候群に伴う骨髄性白血病（myeloid leukemia associated with Down syndrome; ML-DS）を発症する．それには，*GATA1*に加えて新たな遺伝子変異を獲得することが必要と考えられている[1)]．

② 疫学

ダウン症候群の児の4～10%がTAMを発症する．約80%は自然寛解するが，約20%は多臓器不全などで死亡する．モザイク型ダウン症児はTAMの7～16%とされる．また，ダウン症でない児が後天的に獲得した21トリソミーに*GATA1*遺伝子変異が加わる例や，他の遺伝子異常でTAMと同じ病態を示した例の報告もみられる[3)]．診断日の中央値は生後3～7日で，ほとんどの児が生後2カ月までに診断される．

③ 症状 表1 [4)]

無症状でたまたま血液検査の芽球でみつかる場合（10～25%）から，芽球の浸潤による症状が強くでる場合（10～25%）まで症状に幅がある．症状がある場合には，肝腫大，脾腫大，黄疸，心嚢水，胸水，腹水，呼吸症状，出血傾向，皮疹などのうち1つ，あるいは複数の症状がみられる．頻度は少ないが肝線維症，胎児水腫，腎不全などもみられることもある．芽球の増加があっても無症状であることも多い．黄疸はTAMのないダウン症候群の児にもみられるが，TAMでは遅発性や遷延する黄疸となり，肝線維症を併発してときに致死的となる．また，膵臓の線維化がみられることもある．症状の多くは生後数日以内に現れるが，2カ月で診断される場合もある．生直後に症状がある場合は重症のことが多い．胎児水腫のように胎生期からみられることもあり，子宮内死亡の報告もある．ほとんどの場合は治療を要せず症状は1～3カ月までに自然に改善する．末梢血の芽球も，38日（8～67日）で消失するが，肝不全の症状はその後も進行することがある．TAMの児の死因は肝不全によるものが多いが，白血球増多による過粘度症候群による呼吸不全や先天性心疾患と関連した心不全，多臓器不全や出血，

表1 病型と臨床症状の出現頻度（Bhatnagar N, et al. Curr Hematol Malig Rep. 2016; 11: 333-41[4)]）

臨床症状（%新生児）	TAM[a)]	Silent TAM[b)]	ダウン症（*GATA1*遺伝子変異のない）
肝腫大	40	5	4
脾腫大	30	＜1	＜1
皮疹	11	＜1	＜1
心嚢水/胸水	9	＜1	＜1
黄疸	70	60	50～60
トランスアミナーゼ値上昇	25	＜10	＜10
凝固障害	10～25	～5	～5
血小板減少（$< 10 \times 10^4/\mu L$）	50	50	50
白血球増多（$> 2.6 \times 10^4/\mu L$）	～50	10	10～15
貧血（＜13g/dL）	5～10	＜5	1～5

[a)] 末梢血の芽球＞10%かつ，1つまたは複数の*GATA1*遺伝子変異をもつ．
[b)] 末梢血の芽球≦10%かつ，1つまたは複数の*GATA1*遺伝子変異をもつ．

ダウン症候群のその他の合併症，治療による骨髄抑制で生じた感染症などがある．

④ 診断[4)]

末梢血に芽球の増加があり *GATA1* 遺伝子変異をもつ場合を TAM と診断する．2008 年の WHO 分類の骨髄系腫瘍では，TAM は ML-DS とともにダウン症候群関連骨髄増殖症に分類されている．末梢血の芽球の定義に世界的なコンセンサスはないが，＞ 10 %が 1 つの基準として用いられる．末梢血の芽球が≦ 10%でも *GATA1* 変異をもつ場合があり，症状からは TAM と考えにくい場合があり，そのような病態を “silent TAM” とよぶ．Oxford Imperial Down Syndrome Cohort（OIDSC）では，最も感度がよいとされる次世代シーケンサー（Next Generation Sequencer; NGS）を用いると，芽球が≦ 10% でも *GATA1* 遺伝子変異が 18/70（26%）の新生児にみられた[5)]．

末梢血の芽球は巨核芽球様であり，細胞質は好塩基性でときに細胞質に突起（bleb）を有する 図1 が典型的ではない場合もある．MPO 染色は陰性である．芽球は形態的にはダウン症候群の芽球と区別ができない．一般にダウン症候群の 10 ～ 25%の児で末梢血の芽球がみられるとされる．また，先の OIDSC では芽球の割合は少ないが 97.5 %に芽球をもつとされるが，新生児期特有の未熟な芽球が含まれている可能性もある．

芽球の表面マーカーは，CD41，CD42，CD61 などの巨核芽球系抗原に加え，CD33（骨髄系），CD7（T 細胞系），CD36，glycophrin A（赤芽球系），CD34，CD117（幹細胞），CD56（NK 細胞），HLA-DR，CD38，CD45 などの抗原発現がみられる．CD11b と CD13 は ML-DS と比べて陽性頻度が低いとされる[6)]．芽球は遺伝学的に赤芽球の性質をもち，

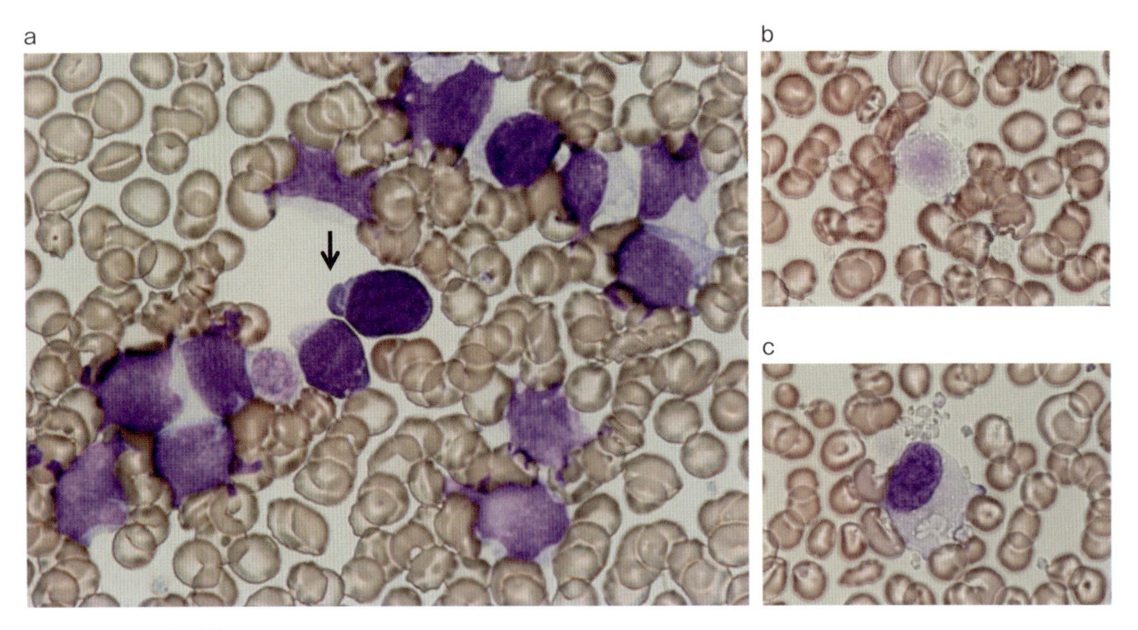

図1 末梢血液像

a）芽球は，核小体のある繊細の核と好塩基性を示す細胞質を有する．一部の芽球（矢印）は，細胞質が突起状の構造物（bleb）がみられる．b）ときに，大型血小板がみられることがある．c）細胞質内に血小板産生がみられる．このように末梢血液像からも芽球は巨核芽球に由来していることが考えられる．

JCOPY 498-14563

巨核芽球 / 赤芽球の共通の前駆細胞に由来すると考えられている[7].

染色体検査では，多くの場合 21 トリソミーのみであるが，付加的異常がみられることがある．末梢血の芽球の％に関係なく，また，*GATA1* 遺伝子変異の確認がなくても症状を含めて総合的に診断することが重要である．

⑤ 検査

血液学的異常の主なものは，末梢血中の芽球の増加を伴う白血球数の著明な増多である．WBC ＞ $10 \times 10^4/\mu L$ は TAM の約 20％でみられる．また，好中球，骨髄球，単球，好酸球，好塩基球の増加もみられる．血小板数は増加，あるいは減少する場合がある．ヘモグロビン値は TAM のないダウン症候群の児よりは減少するが，貧血はない場合が多い．胎児水腫では重度の貧血を伴う．凝固障害もみられるが，肝への芽球の浸潤による肝不全がみられる場合にはより顕著になる．また，LDH，尿酸，カリウム，ビリルビン値の上昇もみられる．

GATA1 遺伝子変異を検出する方法は，サンガー法，NGS がある．NGS は *GATA1* 遺伝子変異クローンが＜ 10％と少なくても検出できる．骨髄検査は末梢血ほど芽球の増加がみられないこともあり，診断には用いられない．*GATA1* 遺伝子変異やそれにより生じる GATA1s の種類と予後や白血病発症との関係は，重要な研究テーマである．肝線維症のマーカーとして，ヒアルロン酸，Ⅳ型コラーゲン，P-Ⅲ-P があるが，いずれも高値は死亡率が高くなるとの指摘がある[8]．肝不全の危険因子として，ヒアルロン酸高値（＞ 500IU/mL）や直接ビリルビン高値（＞ 3mg/dL）が 2 週間以上続く場合を肝生検の適応と考える報告もある[9]．

GATA-1 変異の解析は，JPLSG の中央診断施設である弘前大学小児科で行われている．

⑥ 治療

症状は自然に改善することも少なくないので，多くの場合で支持療法が中心となり，注意深く経過を観察する．しかし，胎児水腫，著明な白血球数の増多（WBC ＞ $10 \times 10^4/\mu L$），肝障害，播種性血管内凝固（DIC），腎不全，心不全などの進行性の生命に危険のある症状があり死亡率も 20％以上と考えられる場合には，化学療法による効果があるとされる[4]．TAM の芽球はシタラビンに感受性が高く，これまでの観察研究によればある一定の奏効率を有する．

東海地区における TAM 69 例のリスク分類による全生存率 図2 と日本小児血液学会 MDS 委員会の解析から，日本小児白血病リンパ腫研究グループ（Japan Pediatric Leukemia/Lymphoma Study Group; JPLSG）は次に示す治療を提奨した[10]．

低リスク群（在胎 38 週以上かつ WBC ＜ $10 \times 10^4/\mu L$）の症例は，無治療で経過観察する．WBC ＞ $10 \times 10^4/\mu L$ は治療対象とし，さらに在胎週数に応じて投与量を規定している．

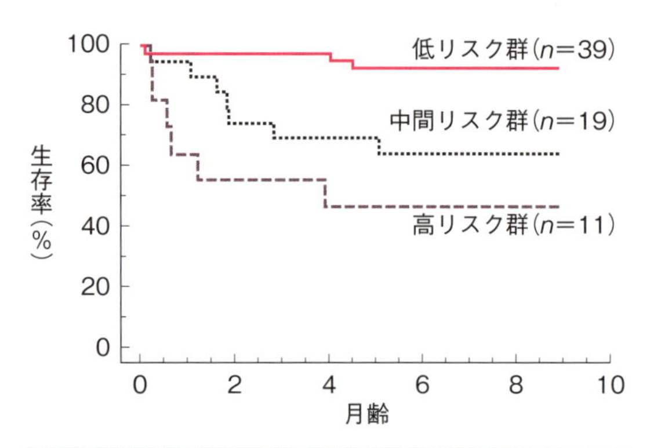

	n	WBC/μL	在胎週数	生存率
低リスク群	39	<100,000	>37 週	92.1%±4.4%
中間リスク群	19	<100,000	>37 週 <37 週	63.2%±11.1%
高リスク群	11	>100,000	<37 週	45.5%±15.0%

生存率は各グループで有意に異なる(p=0.001)

図2 リスク分類による生存率の比較

リスク分類を行うと生存率に差があることが示された.
(村松秀城, 他. 日小血誌. 2011; 25: 179-84[10] より改変)

修正週数 35 週以上

シタラビン　1mg/kg/ 回

適量の生理食塩水に溶解し，1 日 1 回，1 時間点滴静注（1 ～ 7 日間）

修正週数 35 週未満

シタラビン　0.5mg/kg/ 回

適量の生理食塩水に溶解し，1 日 1 回，1 時間点滴静注（1 ～ 7 日間）

注意事項

WBC 2 万 /μL 以下となったら投与をいったん中止する．再度芽球の増加がみられれば投与を再開する．

JPLSG の観察研究 TAM-10 では，シタラビンにより WBC > 10 × 10^4/μL の群で生存率の著明な改善がみられたが，胎児水腫ではその効果は限定的だった[11]．重度の胸水，肝不全，多臓器不全などの重症例ではシタラビンによる治療反応は不良であり，ステロイド，交換輸血，集中治療などの治療が必要であり，新規治療の開発が急務と考えられた[12]．JPLSG ではシタラビン療法の評価を目的とする臨床研究 TAM-18 が行われている．

プレドニゾロンは，高サイトカイン血症が病態に関与すると考えられる心嚢水や胸水，腹水や浮腫例に 1 ～ 2mg/kg/ 日（先の提奨では 1mg/kg/ 日）で用いられる．

支持療法も重要であり，輸血（赤血球，血小板および凝固障害に対する FFP）や DIC に対する治療，心不全に対するカテコラミン，呼吸障害による低酸素血症に対する酸素投与，肺高血圧症の時の一酸化窒素（NO）ガスの吸入療法，人工呼吸管理などが行われる．また，白血球増多による過粘度症候群で臓器障害（肺や脳など）が生じた場合に

JCOPY 498-14563

は交換輸血を行う．高サイトカイン血症による症状を緩和するために血漿交換も考慮される．高尿酸血症にはラスブリカーゼまたはアロプリノールを投与する．エリスロポエチンやG-CSF（顆粒球コロニー刺激因子）は芽球を刺激せず使用可能と考えられている[13]．腎不全時や敗血症などで血圧を維持するための持続的血液濾過透析（continuous hemodiafiltration; CHDF），酸素投与や人工呼吸管理で酸素化が得られない場合には体外膜型酸素付加装置（extracorporeal membrane oxygenation; ECMO）が用いられることがある．また，心嚢や胸水のドレナージ術も行われる．肝機能障害の進行には，早期の交換輸血やプレドニン，シタラビンが有効な可能性がある．補助的治療として，脂溶性ビタミン，MCT（中鎖脂肪酸）ミルクやウルソデオキシコール酸の投与を行うことができる[14]．ω3系脂肪乳剤[15]や茵蔯蒿湯[16]の有効例や肝移植[17]の報告もある．胎児治療[18]は症例数が少なく，至適分娩時期とともに今後の検討課題である．最後に，集学的治療により救命し得た児の経過を示す 図3．

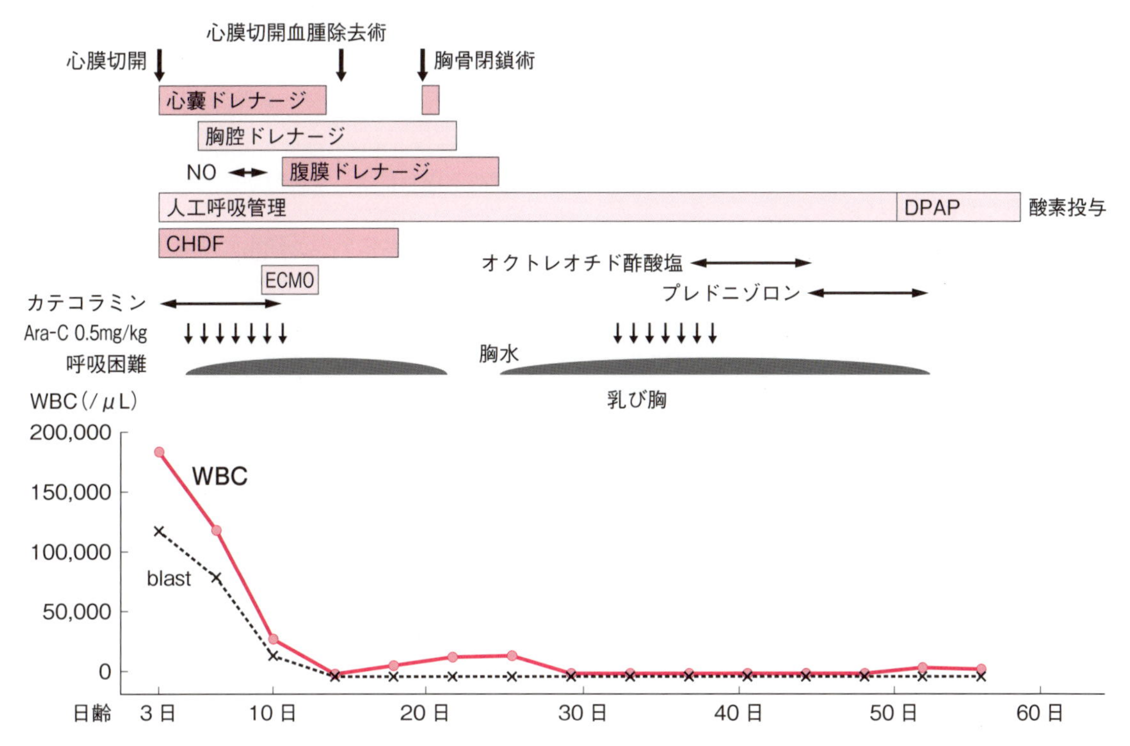

図3 集学的治療により救命された児の経過（自験例より）

在胎37週で出生．WBC 102,700/μL（芽球73%），呼吸障害は酸素投与で経過観察された．日齢3に多呼吸，SpO_2低下，心嚢液貯留がみられ救急搬送となる．人工呼吸管理，心嚢ドレナージ術，Ara-Cなどの治療を行い，ECMO，CHDFを併用して改善した．日齢24より胸水の貯留が増悪した．胸水中に芽球がみられ，Ara-C投与や併発した乳び胸の治療で胸水は減少した．

ECMO：extracorporeal membrane oxygenation，CHDF：continuous hemodiafiltration，NO：一酸化窒素吸入療法，DPAP：directional positive airway pressure，Ara-C：cytosine arabinoside（シタラビン）．

⑦ ガイドライン[19]

最近，TAM を精査・管理する上での英国血液学会のガイドラインが示された．主な推奨を 表2 に示す．Grade はエビデンスの強さを表している．

表2 TAM を精査・管理する上での英国血液学会のガイドライン（主な推奨文を示す）

〈定義〉

・TAM はダウン症候群またはモザイク型ダウン症児で，末梢血の芽球＞10%および / または，TAM に特徴的な症状に *GATA1* 変異を伴う場合と定義する（Grade 1B）．

〈観察・検査〉

・ダウン症候群（と考えられた）児は，TAM の症状（臓器腫大，胆汁うっ滞，肝障害，皮疹，心嚢水，胸水）がないか診察する．生後 3 日目までに血算・血液像を確認し，芽球比率から TAM と考えられた場合には，黄疸が強ければ，直接ビリルビン値を含めた肝機能検査，心エコー，腹部エコー検査を行う（Grade 1B）．

・TAM と考えられた児は，小児腫瘍センターと連絡を取り合い，*GATA1* 変異解析のための血液を送付する（Grade 1A）．

・生後 3 日目までに芽球の出現がなくても，子宮内胎児発育不全の程度が強い児は，4～8 週間は TAM の発症に注意し，*GATA1* 変異の解析を考慮する（Grade 1B）．

・silent TAM の児は AML 発症のリスクは高くない．末梢血芽球≦10%の場合には *GATA1* 変異の検査はルーチンには薦められない（Grade 2B）．

・TAM（が疑われる）新生児は，生命に危険な症状（Life Threatening Symptoms: LTS）* の出現を細やかに観察し，血液検査，血液像，肝機能検査を回復するまで行う．LTS が疑われる児には，至急のシタラビン投与を考慮する．直接ビリルビン値 8.3mg/dL，腹水，著明な肝腫大（臍下，呼吸・哺乳障害を伴う）を認める場合には，すみやかに治療を開始する（Grade 1B）．

・LTS を欠く TAM 例は，血液検査と直接ビリルビンを含めた肝機能検査を回復するまで続ける．血液検査の異常が続く場合には，*GATA1* 変異の解析を考慮する．しかし，TAM や silent TAM の児で *GATA1* 変異を持ち続けていることおよび，残存 *GATA1* 変異クローンの大きさを定量的にモニタリングすることの意味は明らかではない（Grade 2B）．

・TAM や silent TAM のすべての児は，ML-DS 発症のモニターに，2 歳（台）までは 3 カ月毎診察と血液像を含めた血液検査を行う．血液検査・血液像が正常であり ML-DS の症状がなければ，4 歳（台）までは 6 カ月毎にモニターする（Grade 2B）**．

〈治療〉

・治療の適応では，シタラビンは遅滞なく 1～1.5mg/kg/ 日を 5～7 日間点滴静注か皮下注で投与する（Grade B）．治療を受けた児はシタラビンによる敗血症のリスクに細心の注意を払う．肝疾患は末梢血芽球とは異なる自然経過を示すので，肝機能異常が続く場合には，コントロールするためにシタラビン投与を繰り返すことも考える．交換輸血や白血球除去は急性期の血球減少に用いられるが，確立された治療とは考えられていない（Grade C）．

・後の ML-DS 発症を予防するための新生児へのルーチンのシタラビン投与のエビデンスはない（Grade 2A）．

〈胎児例〉

・胎児エコーで TAM が疑われた場合，診断を確定するために胎児の血液検査，血液像，肝機能検査および *GATA1* 変異の解析を行う．胎児例は予後不良なので，迅速で確実な診断を行い，多職種（胎児医療のスペシャリスト，新生児科医と小児血液科医）が妊婦に関わることで，分娩のタイミングや輸血の適正な判断を通して児の予後を改善する可能性がある（Grade 2C）．

* Life Threatening Symptom（LTS）：多臓器不全，白血球数＞$10 \times 10^4/\mu L$，肝障害（直接ビリルビン値＞8.3mg/dL，腹水），肝脾腫大（臍下，呼吸障害，哺乳力低下），胎児水腫，胸水・心嚢水，腎不全，出血を伴う DIC

** この間隔は，ML-DS 307 名の発症時期が，1 歳台 150 名（49%），2 歳台 104 名（34%）で，次いで 1 歳未満，3 歳台，4 歳台の順で，5 歳以降が 5 名（1.6%）である報告（Hasle H. Lancet Oncol. 2001; 2: 429-36）に基づくものと考えられる．

JCOPY 498-14563

【参考文献】

1) Yoshida K, Toki T, Okuno Y, et al. The landscape of somatic mutations in Down syndrome-related myeloid disorders. Nat Genet. 2013; 45: 1293-9.
2) Banno K, Omori S, Hirata K, et al. Systematic cellular disease models reveal synergistic interactions of trisomy 21 and GATA1 mutations in hematopoietic abnormalities systematic cellular disease models reveal synergistic interactions of trisomy 21 and GATA1 mutations in hematopoietic abnormalities. Cell Reports. 2016; 15: 1228-41.
3) Carruthers V, Nicola M, Venugopal P, et al. Clinical implications of transient myeloproliferative disorder in a neonate without Down syndrome features. J Paediatr Child Health. 2017; 53: 1018-20.
4) Bhatnagar N, Nizery L, Tunstall O, et al. Transient abnormal myelopoiesis and AML in Down syndrome: an update. Curr Hematol Malig Rep. 2016; 11: 333-41.
5) Roberts I, Alford K, Hall G, et al. GATA1-mutant clones are frequent and often unsuspected in babies with Down syndrome: identification of a population at risk of leukemia. Blood. 2013; 122: 3908-17.
6) Karandikar NJ, Aquino DB, McKenna RW, et al. Transient myeloproliferative disorder and acute myeloid leukemia in Down syndrome. An immunophenotypic analysis. Am J Clin Pathol. 2001; 116: 204-10.
7) Ito E, Kasai M, Hayashi Y, et al. Expression of erythroid-specific genes in acute megakaryoblastic leukaemia and transient myeloproliferative disorder in Down's syndrome. Br J Haematol. 1995; 90: 607-14.
8) 塚本桂子，伊藤裕司，大石芳久，他．肝機能障害を伴う重症一過性骨髄異常増殖症症例の全国調査による検討．日周産期・新生児会誌．2007; 43: 85-91.
9) Hirabayashi K, Shiohara M, Takahashi D, et al. Retrospective analysis of risk factors for development of liver dysfunction in transient leukemia of Down syndrome. Leuk Lymphoma. 2011; 52: 1523-7.
10) 村松秀城，菊地　陽．一過性骨髄異常増殖症（TAM）の治療戦略．日小血誌．2011; 25: 179-84.
11) Muramatsu H, Watanabe T, Hasegawa D, et al. Prospective study of 168 infants with transient abnormal myelopoiesis with Down syndrome: Japan Pediatric Leukemia/Lymphoma Study Group, TAM-10 Study. Blood. 2015; 126: 1311.
12) Watanabe K. Recent advances in the understanding of transient abnormal myelopoiesis in Down syndrome. Pediatr Int. 2019; 61: 222-9.
13) 林　泰秀，伊藤裕司．「新生児科医のための TAM 診療ガイドライン」座長のまとめ．日周産期・新生児会誌．2013; 49: 17.
14) 朴　明子，林　泰秀．TAM に合併する肝機能障害について．日周産期・新生児会誌．2013; 49: 29-30.
15) Watanabe T, Amari S, Tsukamoto K, et al. Resolution of liver disease in transient abnormal myelopoiesis with fish oil emulsion. Pediatr Int. 2017; 59: 515-8.
16) Takeyama M, Uchida Y, Arai I, et al. Efficacy of inchinkoto for a patient with liver fibrosis complicated with transient abnormal myelopoiesis in Down's syndrome. Pediatr Int. 2011; 53: 1093-6.
17) Yasuoka K, Inoue H, Tanaka K, et al. Successful liver transplantation for transient abnormal myelopoiesis-associated liver failure. Neonatology. 2017; 112: 159-62,
18) Tamblyn JA, Norton A, Spurgeon L, et al. Prenatal therapy in transient abnormal myelopoiesis: a systematic review. Arch Dis Child Fetal Neonatal. 2016; 101: 67-71.
19) Tunstall O, Bhatnagar N, James B, et al. Guidelines for the investigation and management of Transient Leukaemia of Down syndrome. Br J Haematol. 2018; 182: 200-11.

〈堀越泰雄〉

7

血液疾患

3. 麻酔管理

ポイント

1 …体位変換のときに，関節に不要な力がかからないようにする．
2 …短時間の処置に対する麻酔計画を立てる．
3 …側臥位（または腹臥位）における呼吸管理の準備をする．

マルク（骨髄穿刺）とルンバール（髄液採取）は，短時間で終了する手技である．小児科医が病棟の処置室などで鎮静して行うことも多い．

チオペンタールナトリウムやケタミン塩酸塩，トリクロホスナトリウムなど，施行する医師の好みによって使用される鎮静薬はさまざまである．

鎮静はお手軽な印象もあるが，そのリスク（特に呼吸リスク）は全身麻酔となんら変わらないことを留意するべきである．

麻酔科に依頼された場合，（広義の）全身麻酔で行う施設が多いと思われる．

穿刺の刺激に対する充分な麻酔深度を得つつ，速くに覚醒して効果が残存しないような工夫が求められる．

静岡こども病院では低濃度の吸入麻酔薬（セボフルラン）と効果消失の速いプロポフォールを麻酔維持に用いている．

1％前後のセボフルランを投与しつつ，刺激が加わる直前などにプロポフォールの単回投与をしている（1～2mg/kg）．

多くの場合，プロポフォールの投与は1～2回程度で充分である．

鎮痛に関しては，術者である小児科医に局所麻酔薬を注入してもらっている．

たとえ使用する麻酔薬が少量であっても，呼吸のリスクは常に伴う．舌や扁桃が大きく，上気道が閉塞しやすいダウン症児ではなおのことである．

マルクやルンバールは大抵，側臥位（ときに腹臥位）で行われる．

側臥位の患児の自発呼吸を確認でき，かつ必要に応じてバッグマスクで自発呼吸をサポートできる技量が要求される．

もし呼吸管理に不安があるなら，ラリンジアルマスクなどの声門上デバイスを挿入するのもよいと思われる．安全に行うためならば決して大袈裟ではない．

腹臥位で行うことを要求された場合は，気管挿管することをお勧めする（その前に筆者は，なんとか側臥位で施行できないか主治医と交渉してみる）．

ダウン症児は首が悪いものとして扱うほうが無難である．また，ダウン症児は筋力が

JCOPY 498-14563

弱く，体が柔らかい．側臥位（または腹臥位）で施行する際は，頸部を含めて関節が過度に屈曲・伸展しないよう注意する[2,3]．

【参考文献】
1) Lin EP, Spaeth JP. 62 Down Syndrome. In: Goldschneider KR, et al. Editors. Clinical pediatric anesthesia. New York: Oxford University Press; 2012. p.621-30.
2) 上北郁雄，香川哲郎．ダウン症候群患児の麻酔管理．日小児麻酔会誌．2015; 21: 229-33.
3) 小児麻酔の基礎 ダウン症候群．In: Steward DJ, Lerman J，原著．宮坂勝之，山下正夫，共訳．小児麻酔マニュアル．改訂第５版．東京：克誠堂出版；2005. p.177-9.

〈平野博史〉

8

内分泌代謝疾患

ポイント

1…甲状腺疾患の合併が多い．

2…自己免疫疾患の合併が多い．

3…代謝異常の合併が多い．

① 甲状腺機能低下症

甲状腺機能低下症には，新生児マススクリーニングで発見されることの多い先天性甲状腺機能低下症と，年長になってから診断されることの多い自己免疫が関与している後天性甲状腺機能低下症（橋本病，慢性甲状腺炎）がある．ダウン症児の先天性甲状腺機能低下症の発症率は一般人口での発症率より高い（一般人口：出生 3,000 ～ 4,000 人に 1 人，ダウン症候群：1.5 ～ 6.1％）ことが，数多く報告されている．また，後天性のなかで自己免疫性甲状腺機能低下症の発症率も高いことが報告されている．

A. 症状

先天性甲状腺機能低下症

日本小児内分泌学会「先天性甲状腺機能低下症マススクリーニングガイドライン」先天性甲状腺機能低下症のチェックリストとして，遷延性黄疸，便秘，臍ヘルニア，体重増加不良，皮膚乾燥，不活発，巨舌，嗄声，四肢冷感，浮腫，小泉門開大，甲状腺腫があげられている．その他として，腹部膨満，低体温，呼吸障害などがみられることもある．また，先天性心疾患の合併率も高い．

後天性甲状腺機能低下症

びまん性甲状腺腫が主な臨床所見であり，その結果として頸部違和感や嚥下困難を訴えることがある．その他の症状としては，全身倦怠感（疲れやすい），体重増加，耐寒性低下（寒がる），便秘，月経不順などを認めることがある．

B. 診断

血液検査

いずれも甲状腺機能検査として，下垂体から分泌される TSH（甲状腺刺激ホルモン）と甲状腺ホルモンである FT_4（遊離サイロキシン）と FT_3（遊離トリヨードサイロニン）で評価する．典型例では，TSH 高値，FT_4・FT_3 低値を呈するが，軽症の場合や病初期には，TSH 高値のみや，TSH 高値，FT_4 低値のみのこともある．

JCOPY 498-14563

後天性の場合は自己免疫が関与していることが多いので，自己抗体として，抗甲状腺ペルオキシダーゼ抗体（抗 TPO 抗体），抗サイログロブリン抗体を測定する．ダウン症候群での抗 TPO 抗体について，その陽性率は 31％と高率の報告がある．

超音波検査

先天性甲状腺機能低下症では，超音波検査により，無形成，低形成，異所性（舌下部や舌根部）などの形成異常や甲状腺腫が診断できる．

後天性甲状腺機能低下症では，甲状腺腫や内部の粗雑化，不均一，血流の低下などが認められる．

C. 治療

甲状腺ホルモン製剤（レボチロキシンナトリウム；商品名チラーヂン®S）の内服を 1 日 1 回行う．定期的に血液検査を行い，投与量を調節する．

② 甲状腺機能亢進症（バセドウ病）

甲状腺機能低下症ほどには共通認識になっていないが，やはりダウン症候群での甲状腺機能亢進症（バセドウ病）の発症率は高いと報告されている．また，一般には女児の発症が多いが，ダウン症候群ではその発症率における男女差がないのも特徴である．

A. 症状

典型的にはびまん性の甲状腺腫大を呈する．しかし，肥満がある場合にはわかりにくいことも多い．

身体所見としては，代謝が亢進した状態，すなわち，発汗過多・暑がり，動悸・頻脈，食欲亢進，体重減少，排便回数増加や，手指振戦・成績低下，落ち着きがないなどを認める．

また，眼球突出を認めることも多く，過去の写真と比較するとわかりやすい．

B. 診断 表1

血液検査

甲状腺機能は，機能低下症の場合と同様に TSH，FT_4，FT_3 で評価する．

TSH の低下（感度以下のことが多い），FT_3，FT_4 の両方あるいはどちらか一方の高値を呈する．

代表的な自己免疫疾患であり，TRAb・TBII（抗甲状腺刺激ホルモン受容体抗体）や TSAb（TSH 刺激性レセプター抗体）などの甲状腺自己抗体を測定する．

超音波検査

甲状腺のびまん性腫大と血流増加を認める．

表1 バセドウ病の診断ガイドライン

a）臨床所見
　1．頻脈，体重減少，手指振戦，発汗増加等の甲状腺中毒症所見
　2．びまん性甲状腺腫大
　3．眼球突出または特有の眼症状
b）検査所見
　1．遊離 T_4，遊離 T_3 のいずれか一方または両方高値
　2．TSH 低値（0.1 μU/ml 以下）
　3．抗 TSH 受容体抗体（TRAb，TBII）陽性，または刺激抗体（TSAb）陽性
　4．放射性ヨード（またはテクネシウム）甲状腺摂取率高値，シンチグラフィでびまん性
1）バセドウ病
　a）の 1 つ以上に加えて，b）の 4 つを有するもの
2）確からしいバセドウ病
　a）の 1 つ以上に加えて，b）の 1, 2, 3 を有するもの
3）バセドウ病の疑い
　a）の 1 つ以上に加えて，b）の 1 と 2 を有し，遊離 T_4，遊離 T_3 高値が 3 ヶ月以上続くもの
[付記]
1．コレステロール低値，アルカリフォスターゼ高値を示すことが多い．
2．遊離 T_4 正常で遊離 T_3 のみが高値の場合が稀にある．
3．眼症状があり TRAb または TSAb 陽性であるが，遊離 T_4 および TSH が正常の例は euthyroid Graves' disease または euthyroid ophthalmopathy といわれる．
4．高齢者の場合，臨床症状が乏しく，甲状腺腫が明らかでないことが多いので注意をする．
5．小児では学力低下，身長促進，落ち着きの無さ等を認める．
6．遊離 T_3（pg/ml）/ 遊離 T_4（ng/dl）比は無痛性甲状腺炎の除外に参考となる．
7．甲状腺血流測定・尿中ヨウ素の測定が無痛性甲状腺炎との鑑別に有用である．

〔日本甲状腺学会．バセドウ病の診断ガイドライン（2013 年 6 月 24 日改定） http://www.japanthyroid.jp/doctor/guideline/japanese.html#basedou〕より転載

C. 治療 表2

治療指針として，2016 年に日本小児内分泌学会から「小児期発症バセドウ病診療のガイドライン 2016」が発表された[1)]．

抗甲状腺薬による内服治療，甲状腺摘出の外科治療，放射性ヨウ素によるアイソトープがある．小児では抗甲状腺薬による内服治療が第一選択である．

内服治療には抗甲状腺薬である thiamazole（MMI）を用いる．

Thiamazole の副作用として，好中球減少・無顆粒球症が重要である．特にダウン症児では，生来好中球数が少ない場合が多く，注意が必要である．

JCOPY 498-14563

表2 バセドウ病の薬物治療:「小児期発症バセドウ病診療のガイドライン 2016」より

バセドウ病の薬物療法
1. 小児期発症バセドウ病では，抗甲状腺薬による薬物治療を原則とする．
2. 抗甲状腺薬には Thiamazole［Methimazole（MMI），商品名：メルカゾール錠 5mg，チアマゾール錠 5mg］と Propylthiouracil（PTU）［商品名：チウラジール錠 50mg，プロパジール錠 50mg］がある．MMI を第一選択薬とする．小児バセドウ病に PTU を投与する場合，副作用として重篤な肝機能障害をきたす可能性を充分に説明し，同意を得たうえで慎重に投与する．
3. 初期投与量は MMI で 0.2～0.5mg/kg/ 日，分 1～2，PTU で 2～7.5mg/kg/ 日，分 3 とし，体重換算で成人の投与量を超える場合は原則として成人量（MMI 15mg/ 日，PTU 300mg/ 日）とする．ただし，重症例ではこの倍量を最大量とする．
4. 甲状腺中毒症状が強い症例では β 遮断薬を併用する．
5. 治療開始後少なくても 2～3 カ月間は 2～3 週毎に副作用をチェックし，甲状腺機能検査に加えて血液，尿検査を行う．

抗甲状腺薬の減量方法，維持療法，治療継続期間
1. 血清 FT_4 値，FT_3 値が正常化したら抗甲状腺薬を減量する．
2. 通常 2～3 カ月で甲状腺機能は安定し，維持量は MMI で通常 5mg/ 隔日～5mg/ 日程度である．
3. 少なくとも 3～4 カ月に一度の検査で甲状腺機能，一般血液検査を確認する．PTU 投与中は MPO-ANCA 関連血管炎症候群を見逃さないために，尿検査と年 1 回の MPO-ANCA 測定が必要である．
4. 機能安定化を目的に少量の MMI に LT_4 を併用することもある．
5. 少なくとも 18～24 カ月間は抗甲状腺薬による治療を継続し，寛解を維持する．
6. 抗甲状腺薬による治療を長期継続（5～10 年間）することにより寛解が得られることがある．

抗甲状腺薬の副作用
1. 軽度な副作用（皮疹，軽度肝障害，発熱，関節痛，筋肉痛など）出現時は治療をしばらく継続し，軽快しない場合薬剤を変更する．
2. 重篤な副作用（無顆粒球症，重症肝障害，MPO-ANCA 関連血管炎症候群など）出現時はただちに薬剤を中止し，甲状腺機能を悪化させないために無機ヨウ素剤を投与する．外科的治療，場合によりアイソトープ治療に変更する．
3. 妊娠第 1 三半期の MMI 投与は新生児の MMI embryopathy（頭皮欠損，臍帯ヘルニア，臍腸管遺残，気管食道瘻，食道閉鎖症，後鼻孔閉鎖症など）との関連性が示唆され，この時期は MMI 投与を避ける．

抗甲状腺薬の投与中止基準
1. 治療継続後，維持量（MMI で 5mg/ 隔日～5mg/ 日程度）で甲状腺機能正常が維持できていれば治療中止を考慮する．
2. 甲状腺腫大が改善し，TRAb 陰性が持続していれば寛解している可能性が高い．
3. 抗甲状腺薬隔日 1 錠を 6 カ月以上継続し，機能正常であれば中止する方法もある．
4. 受験などの学生生活を考慮して治療を継続することもある．
5. 再発は治療中止後 1 年以内に多いが，その後も再発する可能性はあり，寛解中も定期的な管理を要する．

（日本小児内分泌学会．小児期発症バセドウ病診療のガイドライン 2016 http://jspe.umin.jp/medical/gui.html[1] より作成）

③ 低身長

A. 症状

ダウン症候群では，低身長が知られている．わが国では，立花らによりダウン症候群の標準的成長曲線，成長率曲線が作成された[2]．その特徴は以下の通りである．

- 最終身長は男女ともに一般集団の－3SD 前後
- 思春期の成長率の増加（成長のスパート）の開始年齢が一般集団と比較し 1 年程度

早い

- スパートのピークを迎える年齢が一般集団と比較し 1 年程度早い
- 最終身長到達年齢が一般集団と比較し 1 年程度早い
- スパートのピーク時の成長率が一般集団に比較して低い

以上の結果，ダウン症候群では思春期前から低身長は認められるが，思春期にさらにその差は顕著になり，最終身長は男児 153.2cm，女児 141.9cm である．

B. 診断

ダウン症候群では基本的に成長ホルモン分泌不全は認められない．低身長に対する成長ホルモン治療適応を考える場合には，通常の成長ホルモン分泌不全性低身長症の診断基準に準じる．したがって，低身長の基準は横断的標準身長体重曲線を用い，身長が－2.5SD 以下を呈したときには，IGF-1（ソマトメジン C）を測定し，その値が基準以下（5 歳未満：150ng/mL 未満，5 歳以上：200ng/mL 未満）であれば，成長ホルモン分泌刺激試験を考慮する．

C. 治療

成長ホルモン分泌刺激試験で分泌不全を認め，成長ホルモン分泌不全性低身長症と診断された場合には，成長ホルモン治療の対象となる．診断基準としては，厚生労働省間脳下垂体機能障害調査研究班から「成長ホルモン分泌不全性低身長症の診断の手引き」が公表されているが，実際の治療は小児慢性特定疾患治療研究事業に基づく医療費助成で行うのが現状である．治療は在宅自己注射で，1 日 1 回成長ホルモンの皮下注射を行う．

④ 肥満

ダウン症候群で体重過多・肥満が多いことはよく知られている．23 ～ 70％に体重過多・肥満が認められるとの報告がある．その原因としては，レプチンの増加や基礎代謝率の低下，活動性の低下などが考えられている．肥満は，閉塞性睡眠時無呼吸症候群や脂質異常症，高インスリン血症，歩行障害の危険因子となるため，食事・運動療法を行い，改善・予防を行うことが大切である．

A. 症状

ダウン症児では低年齢では肥満の割合が少ないが，年齢とともに増加する傾向にある．わが国での報告でも高等学校では男児 43.3％，女児 46.5％が肥満との報告がある [3]．肥満度の高さに加えて，健常児と異なり，女児での肥満が多い特徴があるとされている [3]．

B. 診断

肥満を基礎としたメタボリックシンドロームの診断が重要である．

わが国の小児メタボリックシンドロームの診断基準は，2007 年に厚生労働省科学研

JCOPY 498-14563

表3 小児期（6～15歳）のメタボリック症候群の診断基準

1）があり，2）～4）のうち2項目を有する場合にメタボリック症候群と診断する	
1）腹囲	腹囲 80cm 以上[注1]
2）血清脂質	中性脂肪 120mg/dL 以上[注2] かつ／または HDL コレステロール 40mg/dL 未満
3）血圧	収縮期血圧 125mmHg 以上 かつ／または 拡張期血圧 70mmHg 以上
4）空腹時血糖	100mg/dL 以上[注2]

注1）腹囲／身長が0.5以上であれば項目1）に該当するとする．小学生では腹囲75cm以上で項目1）に該当するとする．
注2）食後2時間以降であれば，TG値150mg/dL以上，血糖100mg/dL以上でスクリーニングする．
注2は平成22年度総合研究報告で追加された．
〔厚生労働科学研究費補助金循環器疾患等生活習慣病対策総合研究事業「小児期メタボリック症候群の概念・病態・診断基準の確立及び効果的介入に関するコホート研究」（主任研究者：大関武彦）．平成18年度総合研究報告書；2007より作成〕

究班「小児期メタボリック症候群の概念・病態・診断基準の確立及び効果的介入に関するコホート研究」が提示された 表3 ．

ダウン症候群では，肥満に伴う腹囲増大，脂質異常，空腹時血糖上昇，高血圧の割合も高い傾向にある．

糖尿病については，自己免疫が関係することの多い1型糖尿病と，肥満に基づくメタボリックシンドロームの関係する2型糖尿病がある．ダウン症候群での自己免疫の関係した甲状腺疾患発症が多いのと同様に，自己免疫の関連した1型糖尿病の発症率は高いと報告されている．また，肥満傾向であることと関連して，2型糖尿病の発症率も高い．

血清尿酸値は年齢依存が高く，年齢とともに尿酸値も上昇する．久保田により，小児および思春期の年齢別基準値が提唱された[4]．この基準で評価した場合に30％前後のダウン症児で高尿酸血症と診断されたとの報告がある[5]．

C. 治療

各疾患の治療方針に準じる．体重過多が原因となっている場合には，食事療法・運動療法もあわせた体重コントロールが必要である．

【参考文献】

1） 日本小児内分泌学会．小児期発症バセドウ病診療のガイドライン 2016．
2） 木村順子，立花克彦．ダウン症候群と低身長．小児内科．2003; 35: 421-4．
3） 久保田 優．ダウン症候群における肥満と生活習慣病のリスク．日本ダウン症療育研究．2014; 7: 39-41．
4） 久保田 優．小児科領域の高尿酸血症．痛風と核酸代謝．2009; 33: 37-43．
5） 村松友佳子，山田裕一，若松延昭，他．ダウン症候群小児における血清尿酸値の検討．痛風と核酸代謝．2010; 34: 41．

〈上松あゆ美〉

9

神経疾患

ポイント

1…神経的発達遅滞は脳幹機能未熟性から起こる.

2…早期老化は病態に影響を与える.

3…年齢によっててんかんの特徴がちがう.

Dual-specificity tyrosine-(Y)-phosphorylation-regulated kinase 1A（DYRK1A）蛋白はダウン症候群（以下，ダウン症）の神経幹細胞の増殖を抑え，神経発達，脳形成において多大な影響を及ぼし，これを抑えることは重要である[1].

本書第1版本稿は，京都大学小林亜希子助教，荻原正敏教授らによるダウン症の出生前治療を可能にする物質「アルジャーノン」（ALGERNON: altered generation of neuron）の発見[2]から入った．これは21番染色体上の*DYRK1A*遺伝子の活性を抑え，神経細胞数を増加させて，脳構造の発達不全を改善させられる物質の1つである．実際には，そのような物質は様々な報告[1]がされており，実験動物での研究だけでなく，そのなかの1つepigallocatechin-3-gallate（EGCG）はヒトiPS細胞（DS-iPSCs: induced pluripotential stem cells）に使われている[3]．マウスではこれらは，脳の大きさ，容量など形態的な改善から，海馬，前頭葉の神経発達に影響を及ぼし，長期記憶，多動，協調運動障害などの改善が得られており，お茶など植物由来成分，海綿動物由来のものが多く，経口摂取により胎盤，脳血液関門も通過が期待されることから有望である.

ただ，対極にあるダウン症のもう1つの発達特性である「ゆったり」「のんびり」「やさしい」という人をほんわかさせてくれる性質への言及はなく，影響ははっきりしない.

ダウン症は，多くの染色体異常で問題となる遺伝子欠損でなく，いわゆる遺伝子が1本多いトリソミーの状態であるため，多彩な奇形症候群のある人から，まったく症候のない人までおり，どこが関与してどの症状が起こるかの解明の一端がひもとかれ，その後も続々レビューが出ていることはたのもしい.

本稿では，ダウン症の神経学的分野についての概説のために，ダウン症の人たちの，1）神経学的特性，2）脳の病気であるてんかん，血管奇形，3）早期老化に伴う問題について取り上げる.

① 神経学的特性に起因する症状

ダウン症の発達遅滞は特異的で，多様性がある.

- 知的障害（発達・知能指数低値，言語獲得の遅延）

JCOPY 498-14563

- 自閉スペクトラム症（ASD）および注意欠陥性多動症（ADHD）の傾向
- 筋緊張低下（粗大運動獲得遅延，他動的関節可動域の拡大，便秘）
- 発達に伴う反射の異常（パラシュート反射出現の遅延，足把握反射消失遅延など）
- 認知機能低下（早期老化，うつ病，青年期急激退行など）
- 睡眠障害（入眠困難，中途覚醒，睡眠時無呼吸）
- てんかん（乳児期のスパスムス，遅発性ミオクローヌスてんかん）
- 40歳代でのジスキネジア，パーキンソン症状

瀬川ら[4]は，神経学的特性の原因を脳幹神経系の異常〔5HT（セロトニン）ニューロンの活性低下〕が根幹にあると解析している．それは形態学的にも，小児期の頭部MRIで大脳神経発達を示す髄鞘化の遅延の少ない，脳幹，小脳の小ささが認められ[5]，病理学的にも大脳から下位脳幹神経細胞へ投射の見られる錐体細胞層の低形成を確認されている[6]．脳幹のみでなくセロトニンニューロンの活性低下は，言語発達遅滞，大脳半球の優位性獲得（ダウン症には左利きが多い），自閉スペクトラム症様症状，てんかん発症にも原因があると類推されている[4]．

A. 知的障害など，発達の遅れ

本書総論の項「Ⅰ-3．発育・発達」を参照いただきたい．

B. 自閉スペクトラム症（ASD）および注意欠陥性多動症（ADHD）の傾向

約6％で，一般の1％より高いといわれる．しかし，一般でも発達障害は増加傾向にある．症候だけでとらえれば，実際の率はさらに高く，1999年のKentらの報告[7]でも，調べた33人のダウン症の4人（7％）が当時のダウン症の基準を満たすとした一方で，強迫，儀式的行動など自閉傾向といわれる徴候を合わせると15人（45％）になり，2016年にはOxelgrenら[8]が小児のダウン症患児41人中，ASD 17人（42％），ADHD 14人（34％）と報告している．ただ，徴候のみでの判断であり，中等度から重度の知的障害の影響は否めず，正確にはASD，ADHD傾向と考えた方がよい．人懐こい，人情味のある子が多い反面，こだわりの強い子，社会適応の苦手な子もしばしば見かける．

ダウン症にはミトコンドリア機能異常の報告[9]もみられる．ミトコンドリア機能異常はASD，ADHDでも[10, 11]，アルツハイマー型認知症をはじめとした神経筋疾患の発症，進行の一因[9, 12]とも目されており，L-カルニチンを利用できないことによる脂質代謝異常，それに伴う神経の髄鞘形成，成熟不全が類推されている．

C. 筋緊張低下（粗大運動獲得遅延，他動的関節可動域の拡大，便秘）

知的障害に伴うものだけでなく，上記のセロトニン不足から全般的な筋緊張低下を認める．ダウン症に伴う摂食障害も，嚥下でなく取り込み，咀嚼の運動力に不具合が多い．上記の発達行動異常に伴う集中力のなさも摂食の障害にはなる．便秘もL-カルニチン欠乏との関係を示唆する報告もミトコンドリア機能異常に伴うものとして，L-カルニチンを補充してみてもよいかもしれない．

D. 睡眠障害

脳幹での交感神経の興奮，迷走神経の抑制が覚醒度を上げるために中途覚醒が起こると考えられる．睡眠中の筋緊張の低下から無呼吸なども起こってくると考えられている[4]．こういった意味からも，早期の日内リズムをつけることが療育では大切と思われ，メラトニンなどによる調節が，昼間のパフォーマンスを上げ，自律神経のバランスを整えることを実感している．ダウン症で起こるセロトニンの欠乏が，セロトニンとトリプトファンから生成されるメラトニンの分泌量低下の一因とも考えられる．2020 年 6 月長らく認可を得られなかった待望のメラトニン製剤が上市された．

摂取不足による鉄欠乏も不眠，いらつきなどの精神状態，むずむず脚症候群への影響があり，L-カルニチンの合成の触媒となる鉄欠乏で L-カルニチンの合成低下による自律神経不調，神経傷害も考え，鉄値や不飽和鉄結合能だけでなく，フェリチンなど内蔵鉄のチェックを要する．

② 早期認知機能低下，早老

成人の認知機能，老化の早さもダウン症では問題となることが多い．

ダウン症は，アルツハイマー型の認知障害を呈するといわれ，トリソミーの遺伝子部分にアミロイド前駆体蛋白の領域を含んだ場合，30 代にはアミロイド沈着老人斑や，神経原線維変化が認められ，年齢とともに増加する．実は組織上，それ以前の学童期から，神経伝達をする神経細胞の樹状突起が短くなり，シナプスの数が減っており，20 歳を過ぎると著明に少なくなることが報告[6]されている．

これらの変化は，長期にわたる身体運動の強化やその他の環境的な配慮で改善される報告もあり，生涯にわたる療育がダウン症の子どもたちの生活の質を改善する．

上記の脳の変化（認知機能の低下）は，6 ～ 20％にみられる思春期以降のうつ傾向，退行，引きこもりを引き起こし，機能上，ついていけない環境変化による認知の破綻が「青年期急激退行」を引き起こすと思われる[13]．アミロイドの沈着は，知能よりも，認知機能に相関することがわかっている[4]．

古い文献ではあるが，20 ～ 46 歳までの成人ダウン症患者の頭部 MRI で，淡蒼球，被殻の T2 強調画像の低信号は，ジスキネジアとパーキンソン症状と関連しており，早期の老化を示唆する[14]．

③ てんかん

ダウン症に伴うてんかん発症は，生涯では 1.4％といわれ一般人口と変わりない．しかし，5 ～ 10％と書いてある本がある．なぜだろう？ それは，1 歳までに，40％が発病し，30 歳以降に 40％が発病するという二峰性の発症を示すからに他ならない．実際，てんかんの有病率は加齢とともに増加し，35 歳以上で 12.2％，50 歳以上では 46％である[15]．

JCOPY 498-14563

統計上は，二峰性といわれるが，遅発である40歳以降までに，10～24歳の若年発症例も存在する．てんかん発症を，①乳幼児期発症てんかん（ウエスト症候群），②若年性発症てんかんと，③遅発性てんかんに分けて考える．

A. 乳幼児期のてんかん（ウエスト症候群）

別名は？

点頭てんかん

乳児スパスムス（一部例外もある）

症状は？

スパズムと呼ばれる頭を“カクン”という感じにたれて，あたかもおじぎ（点頭）をしているように見える発作である．臨床の現場では，“ビクッ”という感じで上肢を抱きつくように腕をのばす感じ 図1 で0.2～2秒間，約5～40秒くらいの間隔で，数回～数十回繰り返す．この一連の繰り返しをシリーズと呼び，問診では，どういったときに，1日何シリーズ起こすかと聞かれるので，動画とメモをとっておくとよい．眼は上転し，下肢は伸展していることもある．眼振といって目の震えを起こすこともある．

この発作は，本人にとっては不快なようである．泣き出す子も多く，発症すると笑わなくなる子もおり，「最近，笑わなくなった」ことが主訴のこともある．

診断は？

上記のスパスムスと，脳波でヒプスアリスミア 図2 ，発達の停滞・退行の3つがそろった場合に診断する．

ヒプスアリスミアは，脳の各所で脳波が様々な振幅，位相がバラバラで同期しない“不整なぐちゃぐちゃ”の状態のことをいう．ちょうど，心臓でいう“アリスミア＝不整脈”が脳に起こったような意味である．

どんなときに起こるか？

多くの場合，眠いときや，寝起きに起こす．

生後いつに起こるか？

大体生後3カ月頃から1歳くらい．特に6カ月以降が多く，年齢依存性てんかんの1つである．この時期はウエスト症候群で，後に他のてんかんに移行してしまうことが

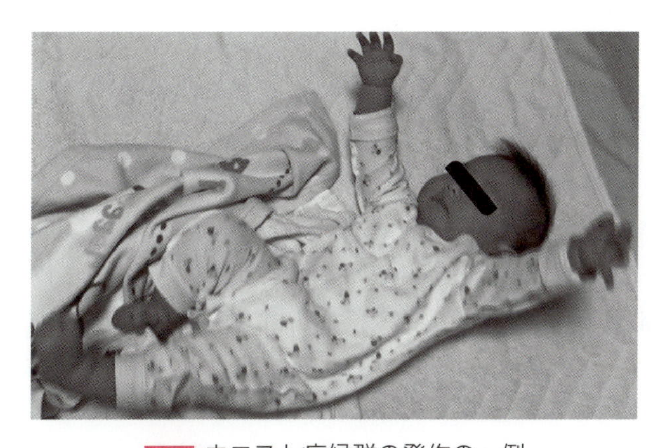

図1 ウエスト症候群の発作の一例

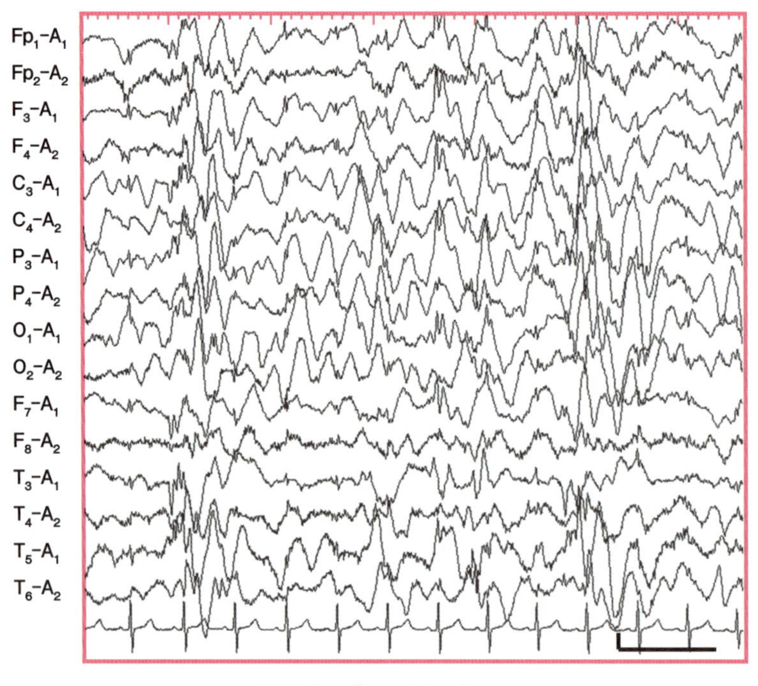

図2 ヒプスアリスミア

多い．この時期よりも早い，あるいは遅いときの発作予後はよくない．

ウエスト症候群は，ダウン症だけに起こるのか？

答えはいいえである．様々な病気で起こりうる．特に原因のわからないこと（潜因性），新生児仮死など脳にダメージを受けた状態（症候性），結節性硬化症など（疾患性）でも起こる．

頻度は，一般人口の出生 2,000 ～ 4,000 人に 1 人，有病率は小児 1 万人あたり 1.5 ～ 2 人である．ウエスト症候群は，ダウン症の 0.6 ～ 13%に起こるといわれ[16]，総じて 10%弱の報告が多い．上記のように様々な病態で起こることと，年齢依存性に発症することから考えると，この時期に誰にでも起こりうる症状の 1 つで，それを抑える脳幹発達（セロトニンニューロンの神経回路形成）が停滞しているために起こり．年齢が進むと遅れて発達して軽快するか，他のてんかんに移行するのではないかと筆者は思っている．

治療法は？

まず，内服療法を行う．ダウン症での効果は明らかではないが，ビタミン B_6 大量療法（大抵，嘔吐を誘発するために完遂できない），バルプロ酸ナトリウム，ゾニサミドなどが使われる．それでもだめな場合に ACTH（副腎皮質刺激ホルモン）を使った療法を行う．発作消失率 60 ～ 80%という有効な薬だが，ステロイドホルモンと同様の脳の萎縮，眼圧の上昇＝緑内障，高血圧，不整脈など，元々神経，心臓にハンデを持つダウン症の児には好ましくない副作用がある．循環器科の医師に相談しながら加療する．2016 年，効果は ACTH と同等という内服薬のビガバトリンが日本でも発売され，話題になっている．しかしながら，鼻の周辺の視野狭窄がほぼ必発とのことで，全例登録を

JCOPY 498-14563

して，負担のある眼科検査が定期的に必要で，発達予後のよい子どもたちには使いづらく，主治医と十分な相談が必要である．

予後

ウエスト症候群は，症候性の場合，知的予後も発作予後も悪いことが多いが，ダウン症の場合，上記の治療で，多くの場合発作は消失する．しかし，発達に重度の遅れのある子どもの場合，重い脳障害を併発していることも多く，症候性のウエスト症候群の子どもたちと同様に，年齢が過ぎると難治のてんかんに移行して，多彩な発作〔レノックス・ガストー（Lennox-Gastaut）症候群など〕を起こすこともある．ダウン症は，今までの総説でも述べられてきたように，神経の発達もてんかん発作の程度も個人差が多い．最初の時点で，全身が強直して固まったり，倒れたり，ボーとしてしまう発作が起こる場合，左右差のある焦点性の発作を起こした後スパスムスを起こす場合も，素因を持っている可能性が高く，難治性てんかんに移行しやすい．

最近は，日本でもドラッグラグという外国で効果があるといわれている薬が使えないという状態が改善し，新しい作用機序を持った新規抗てんかん薬が多数使えるようになり，発作減少率，寛解・消失率も改善してきた．

B. 若年期（10～24 歳）発症てんかん

発作は強直間代発作，強直，間代，ミオクローヌス，脱力，驚愕発作などの反射発作など多彩である．総じて難治性のことが多い．

総じて，ダウン症の神経発達に伴う器質的な変化が原因と思われる．実態は十分把握されていないが，症例は，乳児早期，遅発性のてんかんと同等数あり[15]，無視できないてんかんである．

C. 遅発性（40 歳以降）ミオクローヌスてんかん

最後に，老年期のてんかんについて述べる．老年期といっても，早老症の彼らにとっては 40 歳以上である．先にも述べたように，20 代といわれてきたダウン症の人たちの寿命は，大きな規定因子であった心奇形を手術により克服し，感染症対策も高度化，障害児・者施設の充実により，平均寿命が 60 歳に迫っている．一般人口 2/3 を占める高齢（一般は 65 歳以上）てんかん発症と同様に発症していると考えられる．

てんかん発作は，全般性強直間代けいれん，ミオクローヌスを特徴としている．

全例で大脳の著明な萎縮が見られ，進行性認知症が見られており，脳波は発作間欠期には脳機能の低下を示す背景波の全般性徐波化を見る．一見，アルツハイマー型認知症のようであるが，そのてんかん発症よりも 8 倍以上多く，アミロイド β の沈着や神経原線維変化だけでなく，神経細胞の形成，構築の異常も考えられ，21 番染色体上に先に述べたアミロイド前駆体蛋白だけでなく，ウンフェルリヒト-ルンドボルグ型（Unverricht-Lundborg type）の進行性ミオクローヌスてんかん，細胞膜の興奮に関与するグルタミン酸受容体 GluR5 の遺伝子座も関係している可能性が指摘されている[15]．

治療に，全般性発作にバルプロ酸ナトリウムが，ミオクローヌスには，レベチラセタムが奏効するが，レベチラセタムの精神症状は，治療の妨げになり，進行性であるため効果は続かない.

以上，ダウン症の人々の神経学的特徴，特に乳幼児期のてんかんについて書いた．欠失ではなく，過剰（トリソミー）は，逆に先進のゲノム編集などで補うことによっては解決できない難しさがある.

しかし，「障害」自体は害ではなく，その人の人格はうまくいかない障害を含めての個性なので，無理に変えようとしないでありのままに受け入れて，一緒に発展していく社会が望まれる.

【参考文献】

1) Feki A, Hibaoui Y. DYRK1A protein. A promising therapeutic target to improve cognitive deficits in down syndrome. Brain Sci. 2018; 8: 187.
2) Nakano-Kobayashi A, Awaya T, Kii I, et al. Prenatal neurogenesis induction therapy normalizes brain structure and function in Down syndrome mice. PNAS. 2017; 114: 10268-73.
3) Souchet B, Duchon A, Gu Y, et al. [HTML] Prenatal treatment with EGCG enriched green tea extract rescues GAD67 related developmental and cognitive defects in Down syndrome mouse models. Scientific Reports. 2019 - nature, com.
4) 瀬川昌也．6. ダウン症と神経発達．小児科臨床．2011; 64: 2131-6.
5) 小牧宏文，浜口　弘，橋本俊顕．Down 症候群児の脳幹・小脳病変．髄鞘化の MRI による検討．1999; 31: 422-7.
6) 高嶋美和，甲斐　悟，高橋精一郎，他．ダウン症候群の発達遅滞と早発認知症における大脳の可塑性に関する脳病理学的研究．理学療法科学．2011; 26: 347-52.
7) Kent L, Evans J, Paul M, et al. Comorbidity of autistic spectrum disorders in children with Down syndrome. Dev Med Child Neurol. 1999; 41: 153-8.
8) Oxelgren UW, Myrelid A, Annerén G, et al. Prevalence of autism and attention-deficit-hyperactivity disorder in Down syndrome: a population-based study. Dev Med Child Neurol. 2016; 59: 276-83.
9) Pagano G, Castello G. Oxidative Stress and mitochondrial dysfunction in Down syndrome. Neurodegenerative Diseases . 291-9. Part of the Advances in Experimental Medicine and Biology book series (AEMB, volume 724).
10) Van Oudheusden LJ, Scholte HR. Efficacy of carnitine in the treatment of children with attention-deficit hyperactivity disorder. Prostaglandins Leukot Essent Acids. 2002; 67: 33-8.
11) Filopek PA, Juranek J, Nguyen MT, et al. Relative carnitine deficiency in autism. J Autism Dev Disord. 2004; 34: 615-23.
12) Acetyl-L-carnitine. Monograph. Altern Med Rev. 2010; 1: 76-8.
13) 井上拓志，藤原千代，末光　茂．てんかん・ダウン症．さぽーと: 知的障害福祉研究．2009; 56: 22-6.
14) 村田哲人，越野好文，大森晶夫，他．成人のダウン症候群の頭部 MRI，CT 所見．特に早期老化についての検討．精神医．1993; 35: 1199-207.
15) 荒木邦彦，池田　仁，勝野雅央，他．Down 症候群と遅発性てんかん．Epilepsy. 2016; 10: 85-90.
16) Stafstrom CE, Konkol RJ. Infantile spasms in children with Down syndrome. Dev Med Child Neurol. 1994; 36: 576-85.

〈渡邉誠司〉

JCOPY 498-14563

10 形成外科疾患

ポイント

1…ダウン症の子どもの睫毛内反は，上眼瞼内側にも生じることが多く，自然治癒は難しい．

2…睫毛内反症に対する手術は，睫毛内反症の手術だけでなく，内眼角贅皮に対する内眼角形成術が必要になることが多い．

3…耳介変形により，マスク・メガネの装着困難などを起こすことがある．

4…体表における合併症としては，多母指，口唇口蓋裂が多い．

5…手術によりダウン症候群様特異的顔貌の特徴を緩和することは可能であるが，その適応には慎重になる必要がある．

形成外科でのダウン症に対する代表的な手術には，ダウン症候群様特異的顔貌に起因する睫毛内反や耳介変形，ダウン症に合併することが多い多母指症や口唇口蓋裂などがあげられる．このような機能的な治療以外にもダウン症患者のADL向上，社会性向上は，形成外科の治療における重要な目標である．ここでは，睫毛内反症，耳介変形，多母指症，口唇口蓋裂に対する治療について述べるとともに，ダウン症候群様特異的顔貌に対する整容的な手術ついても述べる．

① 睫毛内反症

睫毛内反症とは余乗な皮膚により睫毛（まつげ）が眼球方向に押されて眼瞼結膜（白眼）や角膜（黒眼）に接触している状態であり，結膜炎や角膜炎を引き起こすことがある[1]．

ダウン症では，睫毛内反が17.9％に合併するとする報告がある[2]．ダウン症候群様特異的顔貌である内眼角贅皮と眼瞼裂斜上により，一般的に多い下眼瞼内側だけでなく上眼瞼内眼角部に睫毛内反症を生じることが多く，自然治癒する割合は低い[3]．

睫毛内反症の手術には，縫合法（埋没法）と切開法が存在するが，睫毛内反の程度が強いことが多いダウン症では切開法のHotz変法で行われる．ダウン症では，睫毛内反症原因の1つである内眼角贅皮に対する内眼角形成を同時に行った方が治療効果が高い．内眼角形成術にはZ形成術などがある 図1 ．

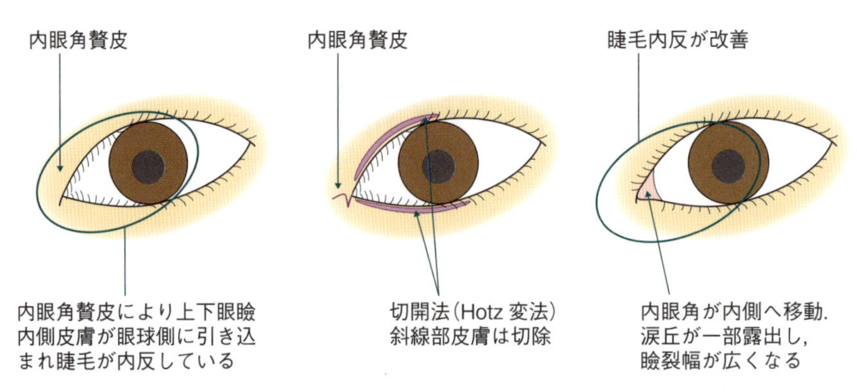

図1 睫毛内反症切開法（Hotz 変法），内眼角形成（Z 形成術）のシェーマ
内眼角贅皮により，上下眼瞼内側が眼球側に引き込まれており，内眼角形成でその引き込みを解除する．

② 耳介低位・耳介変形

ダウン症の子どもの耳介は低い位置にあることがあり，耳介低位と呼ばれる．ある程度までであれば手術により頭側へ移動させることは可能である．メガネのフレームの位置が低くなってしまうなど機能的問題が生じた場合に手術が考慮される．

ダウン症の子どもの耳介変形では折れ耳 図2 などが問題になることがある．ダウン症の子どもは屈折異常などの眼科的問題によりメガネを装着することが多いが，装着時の不安定性につながる．また，近年ウイルス感染症の流行によりマスクを装着する機会が増えているが，マスクが装着できないなどの問題も生じる．

治療は，生後早期であれば矯正装具による治療で改善することもある．新生児期は軟骨が柔らかく矯正器具の効果が高いためである [4]．可能であれば生後 1 週間以内から強制装具による治療を開始したい [5]．生後 6 週間から 6 カ月を過ぎた時期になると，耳介軟骨の可塑性減少だけでなく，矯正器具を自分で外すようになってしまうため，できるだけ早期に開始すると効果的である [5]．矯正器具で改善しなかったときや，ある程度成長した後の治療方法は手術となる．多くの場合小学校就学前に手術を行う．手術方法は，耳介変形の程度にもよるが，基本的に耳介の後面に切開を行い，変形した耳介軟骨の形態を修正する．場合により軟骨移植，皮弁を用いたりする [6]．

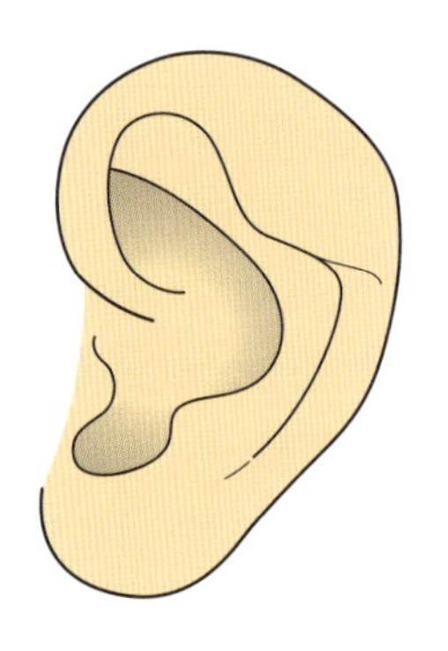

図2 折れ耳のシェーマ
切開は耳介後面に行われるため術後創部は目立たない．

JCOPY 498-14563

③ 多母指症

生まれつき母指が2つ存在する疾患である．多母指症 図3 は，もともと手の先天異常では最も多い疾患である．ダウン症ではその頻度が 10 ～ 30 倍増加するという報告がある[7]．母指は物を持つなど機能面で大変重要な役割を果たすだけでなく，整容的にも大切である．

手術時期は 1 歳くらいで行われる[8]．手術は重複した母指の一方を切除する．どちらを切除するかはX 線や発育状態をみて総合的に判断するが，多くの場合，橈側（小指と反対側の指）を切除する．場合により，関節の再建や切除する指に付着している筋肉の再建などが必要になることもある．

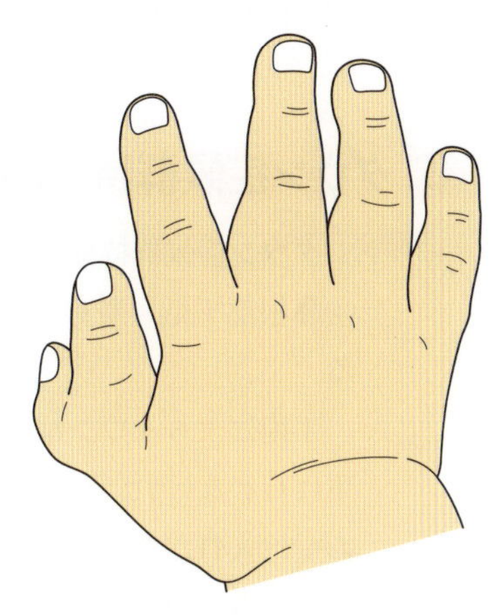

図3 多母指のシェーマ

④ 口唇口蓋裂

口唇口蓋裂とは，頭蓋顔面領域で最も多い先天異常であり，出生数 500 人に 1 人の割合で発生する．原因は現在のところ明確にはわかっていないが，遺伝要因と環境要因の多因子説が有力と考えられている．

ダウン症では口唇口蓋裂の発生頻度が 3 ～ 5 倍増加するという報告がある[7]．口蓋裂単独で発症することが多いが，口唇裂・顎裂を伴うこともある 図4 ．

口唇口蓋裂の治療は，形成外科，耳鼻咽喉科，遺伝染色体科，小児科，新生児科，歯科，言語聴覚士など多くの診療科による分野横断的な治療を成人になるまで継続的に行うことが重要である[9,10]．口蓋裂があると，直母や一般的な哺乳瓶では哺乳が困難である．口蓋裂用哺乳瓶で哺乳可能なことが多いが，必要に応じて哺乳指導が必要なことがある．成長にもよるが，一般的に生後 3 カ月程度での口唇形成術を，1 歳半程度で口蓋形成術を行うことが多い．3 歳程度から言語聴覚士による言語評価・言語リハビリテーションを行う．言語のフォローは，成長に伴う口腔内および咽頭の解剖学変化があり，ある程度成長が終了する 16 歳くらいまで継続する．歯科矯正治療が必要となることが

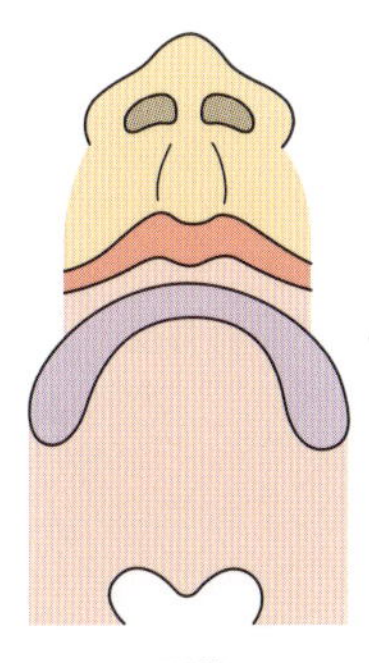

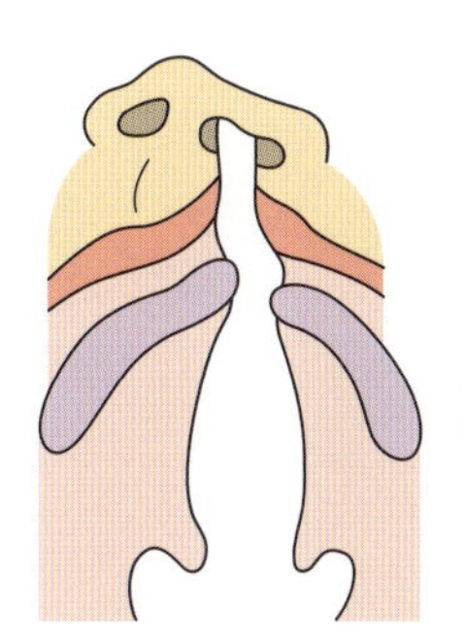

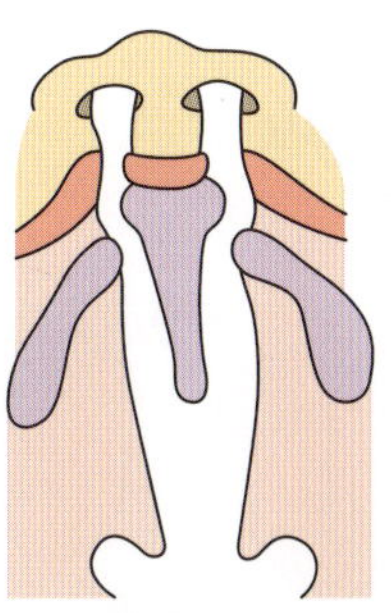

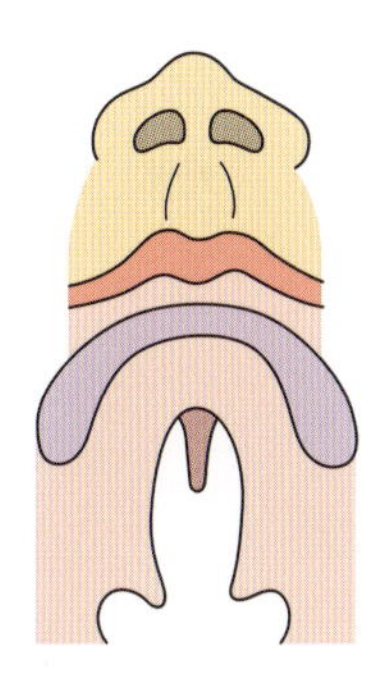

図4 口唇口蓋裂の分類

多い．顎裂がある場合は，側切歯もしくは犬歯萌出前での顎裂部への骨移植を行う．希望に応じて，成長終了した段階で整容的な手術を行う．

⑤ ダウン症候群特異的顔貌に対する整容的手術 図5

ダウン症候群特異的顔貌とは，①内眼角贅皮，②眼瞼裂斜上，③耳介低位・耳介変形，④鼻根部平低（鞍鼻），⑤巨舌，⑥小下顎，⑦下口唇外反，⑧頬部平坦化などあげられる．

手術によりダウン症候群様特異的顔貌を緩和することは可能であるが，その適応は慎重に行わなければならない．手術により社会の受け入れが変わる可能性はあるが，社会の受け入れが変わることが患者本人にとって良い選択なのか，本当に本人が希望しているかどうかを見極める必要がある．患者本人，家族，医師など医療従事者が十分話しあい，納得して手術するかどうか決定すべきである[11]．

ダウン症候群様特異的顔貌の各症状に対する主な手術方法を以下に示す．

- **内眼角贅皮**：内眼角部を皮膚が覆っており，その結果涙丘が見えなくなってしまっている状態である．東洋人には通常認められるが，ダウン症ではその程度が強い．Z形成術などを用いた内眼角形成術を行うことで，その程度を弱めることができる[12]．
- **眼瞼裂斜上**：眼瞼裂の外側が吊り上がっている状態である．眼瞼裂の外側を形成している外眼角靭帯を手術で尾側に移動させることで症状を緩和する[12]．
- **鼻根部平低**：ダウン症では中顔面低形成があり，その結果として鼻根部平低を生じる．

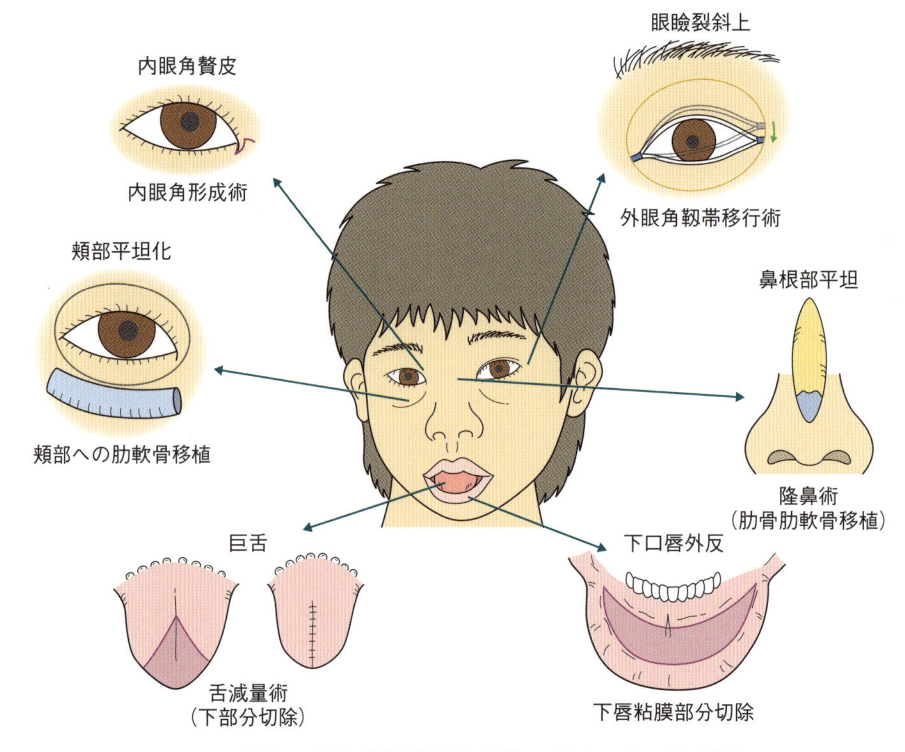

図5 ダウン症候群様特異的顔貌に対する整容的手術

JCOPY 498-14563

肋骨肋軟骨移植術や肋軟骨移植などの隆鼻術により症状緩和が可能である[12].

- **巨舌**：成長に伴う改善の可能性はある．しかし，巨舌による嚥下障害や上下顎変形の可能性がある場合は，早期での手術治療も考慮される．手術は，舌を部分切除することで舌の体積を減少させる[13].
- **下口唇外反**：下口唇筋緊張低下による下口唇外反が生じる．下口唇の部分切除することで下口唇の緊張を高め，下口唇外反を予防する[13].
- **頬部平坦化**：肋軟骨移植などの手術による症状緩和を行う[12].

【参考文献】

1) Bryan S. Congenital horizontal tarsal kink: clinical characteristics from large series. Ophthalmic Plast Reconstr Surg. 1999; 15: 355-9.
2) Kim JH, Hwab JM, Kim HJ, et al. Characteristic ocular findings in Asian children with Down syndrome. Eye. 2002; 16: 710-3.
3) Lee KM, Choung HK, Kim NJ, et al. Prognosis of upper eyelid epiblepharon repair in Down syndrome. Am J Ophthalmology. 2010; 150: 476-80.
4) Tan ST, Abramson DL, MacDonald DM, et al. Molding therapy for infants with deformational auricular anomalies. Ann Plast Surg. 1997; 38: 263-8.
5) Byrd HS, Langevin CJ, Ghidoni LA. Ear molding in newborn infants with auricular deformities. Plast Reconstr Surg. 2010; 126: 1192-200.
6) Nagata S. Alternative surgical methods of treatment for the constricted ear. Clin Plast Surg. 2002; 29: 301-15.
7) Källén B, Mastroiacovo P, Robert E. Major congenital malformations in Down syndrome. Am J Med Genetics. 1996; 65: 160-6.
8) Cheng JCY, Chan KM, Ma GFY, et al. Polydactyly of the thumb: a surgical plan based on ninety-five cases. J Hand Surg. 1984; 9A: 155-64.
9) Austin AA, Druschel CM, Tyler MC, et al. Interdisciplinary craniofacial teams compared with individual providers: is orofacial cleft care more comprehensive and do parents perceive better outcomes? Cleft Palate Craniofac J. 2010; 47: 1-8.
10) Chuo CB, Searle Y, Jermy A, et al. The continuing multidisciplinary needs of adult patients with cleft lip and/or palate. Cleft Palate Craniofac J. 2008; 45: 633-8.
11) Aylott J. Should children with Down's syndrome have cosmetic surgery? Br J Nurs. 1999; 8: 33-8.
12) Lewandowicz E, Kruk-Jeromin. The indication and the plan of plastic operations in children with Down's syndrome. Acta Chir Plast. 1995; 37: 40-4.
13) Lemperle G, Radu D. Facial plastic surgery in children with Down's syndrome. Plast Reconstr Surg. 1980; 66: 337-45.

〈加持秀明〉

11

歯科的特徴

ポイント

1 …歯科治療を行う際には全身の合併症について把握しておくことが必要である.

2 …歯周疾患の罹患率が高いため，早期からの口腔管理が必要である.

3 …摂食嚥下については舌突出や丸呑みなどの異常習癖を学習しないよう早期から適切な介入をしていく必要がある.

① 口腔内の特徴

歯の萌出

乳歯，永久歯ともに遅れ，順序や時期が不規則となる傾向にある.

歯の形態

短根，矮小歯，円錐歯，癒合歯および栓状歯などの形態異常がみられる.

歯の先天欠如

先天欠如が，23 ～ 47％に認められる.

歯列不正

上顎の低形成のためダウン症の 2/3 が反対咬合である．その他にも交叉咬合，叢生，前歯部開咬および空隙歯列などがある.

歯周疾患

加齢に伴う唾液分泌低下により口腔乾燥が顕著となる．口腔衛生不良，不正咬合などの局所要因に加え，免疫機能異常により歯周疾患への罹患率が高く，若年齢より歯牙の脱落がみられることがある.

う蝕

歯の形態が単純であること，歯の萌出遅延と先天欠如が多いことなどから，う蝕罹患率は低いとの報告が多い.

舌

溝状舌，地図状舌を認める．筋の低緊張や上顎低形成から相対的に舌が大きくみえる．そのため安静時から舌突出していることがある.

その他

筋の低緊張による口唇閉鎖不全がみられる．また，鼻閉やアデノイド増殖症を合併していることが多く，口呼吸による口唇乾燥や口腔乾燥が認められる.

JCOPY 498-14563

② 歯科診療における注意点

知的能力障害

歯科診療に対する協力が得られないため，一般歯科医院では診療ができないことがある．

歯列不正に対する矯正治療についても同様である．

先天性心疾患

診療中の啼泣のためチアノーゼを起こすことがある．観血的処置の際には，感染性心内膜炎を起こしやすいため，抗菌薬の前投与が必要なことがある．

頸椎亜脱臼

体動のコントロールを行う際には，頸椎の亜脱臼に注意が必要である．

まとめ

前述のような特徴があるため，家庭や施設での適切な口腔管理と，歯科医院への早期および定期的な受診が必要である．

③ 摂食嚥下障害

A. 一般的な摂食嚥下機能

ダウン症の摂食嚥下の問題を理解するためには一般的な摂食嚥下について知っておく必要がある．

哺乳から離乳食を経て自食できるようになるまでには，様々な機能を獲得する．

離乳食の準備をする時期は，指しゃぶりやおもちゃなめなど，乳汁以外のものを口に入れる感覚や口腔周囲の触覚や圧覚を経験することで，離乳食開始時のスプーンや食物の刺激に対して適切な運動を促すことができる．

発達の程度により個人差はあるが，おおよそ生後 2 カ月ごろとされている．

定頸し，支えてあげると座位がとれるようになる生後 5 カ月ごろになると，離乳食を開始できる．この時期には，食物をスプーンで下唇に付けると下唇を内側にめくれ込み（下唇内転）食物を口腔内に取り込む．取り込まれた食物は舌の前後運動により咽頭へ送り込まれ，嚥下を行う．嚥下時には哺乳時とは異なり口唇を閉じて飲み込むことができるようになる．

離乳食の摂取が進むと，口唇を閉鎖し，スプーン上の食物をこすり取ることができるようになる．口唇での取り込みにより食物の物性や温度の感知を行うことができる．

生後 7 カ月頃には，口唇で取り込まれた食物を舌と口蓋に押し付けてつぶすことにより，食物の硬さや大きさを感じるようになる．口唇を閉じた状態で処理を行い，嚥下へとつなげていく．

次に，上下の歯肉を使った食物のすりつぶしを行う．さらに硬い食物を食べられるようになる．舌は食物を左右の歯肉に運ぶため，左右に動くようになる．臼歯が生えている場合はさらに硬いものもすりつぶして食べることができる．

おおよそ 1 年をかけこの機能を獲得し，様々な形態の食物を取り込むことで，下顎や口唇を閉じ口唇の形を変えて密着させることができ，自食へと進んでいく．

まずは手づかみでの摂取を獲得し，手指機能の発達が進み，一口量のコントロールができるようになると，食具による摂取が可能となる．

食べることと同時に水分の摂取についても練習していく必要があるが，水分摂取時には下顎を固定した状態で口唇を使ってすすり飲むことが重要となる．

B. ダウン症児の摂食嚥下障害

ダウン症児は口腔周囲筋の低緊張のため舌が口腔外に出ていることが多く，口腔内への刺激が誘導されにくい．先天性心疾患を合併している場合にはチアノーゼを防ぐ目的で運動をコントロールされていることなどから，離乳食の開始準備ができていないことがある．準備が整うまで離乳食の開始を遅らせる必要がある．

離乳食を開始できても，安静時から舌を口腔外に出していることが多く，嚥下時にも舌を突出させる動きがみられることや，取り込みが困難な場合が多く認められる．口唇での取り込みがなされないことで，口腔内処理に発展せず丸呑みを助長することがある．舌の三次元的な運動が苦手で，前後運動が主体の舌の奥を使った処理となるため，押しつぶしやすりつぶしが不十分となる．

自食をするようになると，一口量のコントロールが難しく，筋の低緊張のため咀嚼力が弱いことから，詰め込み食べやかきこみ食べをすることが多くなり，丸呑みで処理することがある．水分摂取時にも同様に舌を突出させたままとなることが見られる．

舌突出による嚥下や丸呑みは誤嚥や窒息のリスクが高くなりやすい．また，丸呑みによる摂取量の増加は肥満を助長する一因になるため注意が必要である．

ダウン症は歯周炎に早期に罹患することがわかっており，比較的若年のうちに歯牙の脱落が生じることがあるため，咀嚼能力の低下やそれに伴う偏食の問題なども懸念されるためダウン症の口腔管理や摂食嚥下への専門的なアプローチは低年齢のうちから行っていくことが重要である．

【参考文献】

1） 池田正一，黒木良和．日本障害者歯科学会，編．口から診える症候群・病気．東京：口腔保健協会；2012. p.138.
2） 玄　景華．スペシャルニーズのある人へ．日本口腔ケア学会．ライフステージを考えた口腔ケア．東京：一般財団法人口腔保健協会；2018. p.112.
3） 田角　勝，向井美惠．小児の摂食・嚥下リハビリテーション．東京：医歯薬出版；2009. p.46-9, p.58-62.
4） 稲田　譲．歯科口腔ケア・咀嚼トレーニング．小児内科．2019; 51: 845-6.

〈渡邉桂太　竹下育男〉

JCOPY 498-14563

12

麻酔のトピックス

1. 呼吸管理

ポイント

1 …上気道閉塞のメカニズムを理解しよう.

2 …解剖学的バランスと神経性調節が上気道開通維持のカギ.

3 …成長発達に伴って 21 トリソミー患児の上気道開通性は変化する.

21 トリソミー患児では，新生児期あるいは乳幼児期以降，さまざまな理由で手術や検査のための麻酔管理が必要となることが多い．それぞれの麻酔・呼吸管理については，各論の別項で述べられているので，本稿では特に 21 トリソミー患児の呼吸管理で最も問題となりやすい上気道閉塞のメカニズムと成長発達過程での変化について解説する．

① 上気道閉塞のメカニズムを理解しよう

全身麻酔や鎮静の際に最も閉塞しやすいのは咽頭気道である．咽頭の解剖学的構造は，周囲を骨と筋肉などの軟部組織に囲まれた，柔らかいチューブのような臓器である．また，神経性調節によって，嚥下時や発声時などには，周囲の筋肉を複雑に活動させて咽頭の形態を大きく変化させているし，適切な呼吸活動を行うために，咽頭気道を維持するように働いている．したがって，咽頭気道の大きさや，つぶれやすさ，つぶれにくさは，咽頭の解剖学的構造と咽頭筋活動の神経性調節によって決まる．

② 解剖学的バランスと神経性調節が上気道開通維持のカギ

21 トリソミー患児では，上気道の解剖学的構造の特徴として，まず中顔面および下顎の低形成があり，これは咽頭気道を取り囲む骨の器が小さいことを意味する．この小さな器に，相対的あるいは絶対的に大きな舌や肥満に伴う脂肪組織が収納されているため，その余剰空間と考えられる咽頭気道は，当然小さくなる．ここに，口蓋扁桃肥大やアデノイド増殖による軟部組織の増大が加わると，さらに咽頭気道スペースは小さくなる．

しかしながら，21 トリソミー患児のように構造的に咽頭気道が閉塞しやすい小児でも，覚醒しているときに気道閉塞を起こすことはまれである．これは，このような小児では咽頭を開大させようとする神経筋活動を健常児よりも活発に行うことで，解剖学的

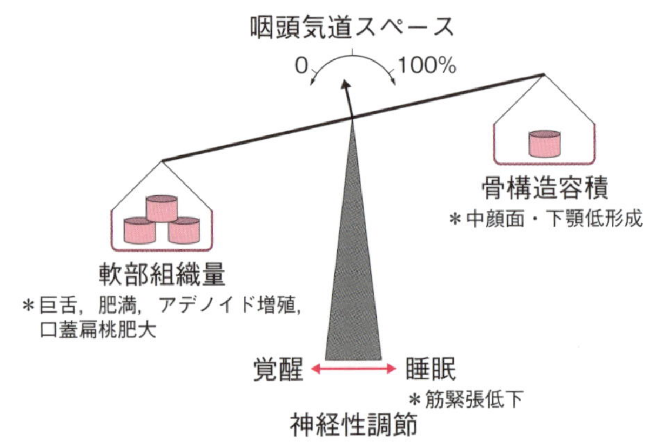

図1 21 トリソミー患児における咽頭気道バランス

に不利なアンバランスを代償しているためであると考えられている．では，睡眠時はどうかというと，入眠によって咽頭気道開大筋の活動は低下する．多くの上気道閉塞が睡眠時や鎮静，全身麻酔時に問題となるのはこのためである．覚醒時同様，解剖学的なアンバランスを代償する神経筋活動は健常児よりも働いているようであるが，もともと筋緊張の低い 21 トリソミー患児では，代償可能なレベルが低い可能性がある．

このように，21 トリソミー患児は，解剖学構造的にも神経性調節的にも上気道閉塞のリスクが高いと考えられるが，成長発達過程で両者は変化していく．

③ 成長発達に伴って 21 トリソミー患児の上気道開通性は変化する

成長発達に伴う解剖学的バランス変化についてみると，新生児は顎が小さく軟部組織量が多いが，成長とともに顎骨は大きくなり，相対的な軟部組織量は 5, 6 歳まで減少していく．つまり，咽頭気道からみた解剖学的バランスは新生児期にはよくないが，少なくとも就学時までは改善していくと考えられる．ただし，21 トリソミーのような症候群で認められる小顎は，成長しても正常レベルまで大きくなることはない．

一方，咽頭気道を開大させる神経性調節機能はというと，成長発達に伴い退化してしまう反射機構も存在するようである．解剖学的アンバランスの大きい新生児・乳児期に最もよく神経性調節による代償機構が働くことは理にかなっている．

乳児期に重症な閉塞性睡眠時無呼吸を呈した 21 トリソミー患児が，2 歳時には自然軽快しているということはあり得る．逆に，6 歳時に口蓋扁桃肥大とアデノイド増殖を手術治療したにもかかわらず，睡眠時無呼吸が残存するばかりか，成人後に再増悪することもあり得る．前者は，成長に伴って解剖学的アンバランスが改善し，神経性調節によって代償できるようになったと考えられる．しかし，中顔面や下顎の低形成は治療しない限り残存するため，後者のように咽頭閉塞の原因の一部を取り除いても完全な解決にはならないし，小児期によく機能していた神経調節性の代償機構が成長に伴って失われることで，再び顕在化する問題となる可能性もある．

JCOPY 498-14563

21 トリソミー患児の上気道閉塞性について，成長発達に伴う変化までを含めた理解を深めることは，麻酔管理の安全性を高めるばかりでなく，より適切な治療体制の確立にも役立つと考えられる．

〈北村祐司〉

12

麻酔のトピックス

2. 鎮静

ポイント

1 …容易に気道閉塞を起こし得るので，必ず気道確保物品の準備をして鎮静に臨む.

2 …21トリソミーをもつ児では，鎮静時・麻酔導入時に高度徐脈を起こす頻度が高い.

3 …鎮静時には，血圧，脈拍，経皮的酸素飽和度モニターに加え，呼気終末二酸化炭素濃度のモニタリングは必須である.

21トリソミーでは，巨舌，短頸，小顎，鼻咽頭腔狭小，扁桃・アデノイド肥大などの構造的要因に，筋緊張低下などの機能的要因が重なった複合要素により，気道閉塞や睡眠時無呼吸がみられることが多い．また，21トリソミーでない症例に比べて，喉頭軟化症，気管軟化症，声門下狭窄，気管狭窄などの合併頻度も多いと報告されている．喉頭軟化症，気管軟化症や気道狭窄のある症例では，啼泣により呼吸状態が悪化する可能性がある．啼泣を回避するためには，一般的に麻酔前投薬を行うことが多い．しかしながら，前投薬に用いられるベンゾジアゼピン系鎮静薬は，咽頭筋群に対する筋弛緩効果も併せもち，咽頭腔の狭小化をきたす可能性がある．上気道閉塞や睡眠時無呼吸を合併する場合，鎮静により上気道閉塞が増強される恐れがあるため，ミダゾラムなどの麻酔前投薬の投与可否については慎重に検討する．前投薬を投与する場合は，投与量を減量することが多い．

21トリソミーの児では，心臓の自律調節機能障害や交感神経活性鈍麻などの理由により，鎮静時や麻酔導入時に徐脈が起こりやすい．非心臓手術を受けた21トリソミーの児を対象とした研究では，高度徐脈が麻酔関連合併症として最もよくみられた（3.66%）[1]．一方，セボフルランによる麻酔導入時において，徐脈は起こりやすいものの，低血圧や薬物的介入の必要性は対照群と変わりないという報告もある[2]．徐脈発生時には，セボフルラン濃度を下げることや刺激を加えることにより心拍数の上昇が得られたとしている[2]．高濃度セボフルランやデクスメデトミジン，レミフェンタニルのような，徐脈を起こしやすい薬剤を使用する場合には特に注意が必要である．麻酔導入時に，セボフルラン濃度を徐々に上げていく（2%から4～6呼吸毎に2%ずつ，8%まで上げる）ことも考慮する．静脈路が確保されていれば，麻酔導入前にあらかじめ硫酸アトロピン（0.01～0.02mg/kg）を投与する方法もある．静脈路が確保されておらず，高度徐脈・低血圧をきたした場合には，硫酸アトロピンの筋注（0.02～0.03mg/kg）で対応する．21トリソミー症例の麻酔導入・鎮静時には，アトロピンをいつでも使用できるように

JCOPY 498-14563

準備しておくことが重要である.

① 術後鎮静

21 トリソミーをもつ患者の心臓術後人工呼吸中の鎮痛・鎮静薬必要量を非 21 トリソミー群と比較した研究では，術後 3 時間ごとの鎮静レベルと鎮痛・鎮静薬持続投与量，術後 12 時間の鎮痛・鎮静薬総投与量には両群で有意差がなかったと報告されている[3)].一方，21 トリソミー群における過去の他の後方視的研究では，非常に多量のオピオイド・鎮静薬を必要とした患者と，極少量で管理可能であった患者の両者が存在したとも報告されており，鎮痛・鎮静薬に対する耐性発生の程度や薬剤感受性には個人差が大きいことも示唆される[4)].21 トリソミーの児に対しても State Behavioral Scale（SBS），COMFORT Behavior Scale などの鎮静スケールは適用可能と考えられる.鎮静スケールを使用して鎮静レベルの評価を適宜行うことで，個人差に対応した鎮静薬投与量の調節が可能となる.

長期間の鎮静・鎮痛を行った症例では，薬物耐性や離脱症候群も問題となる.適切な減量計画を立てて，離脱症状の評価をしながら計画的に減量を進めていく.

② 検査鎮静

21 トリソミーでは先天性心疾患の合併症例も多い.発達障害などにより患者の協力が得られない場合には，経胸壁心臓超音波検査，CT，MRI などの非侵襲的検査でも鎮静や，ときに全身麻酔が必要となることもある.鎮静には各種方法がある 表1 [5, 6)].

デクスメデトミジンは，21 トリソミーの児の鎮静においても，上気道の反射を保ち，気道開存性を維持すると報告されている[7)].

表1 各種鎮静法（Miller J, et al. Paediatr Anaesth. 2017; 27: 531-9[5)]，Luscri N, et al. Paediatr Anaesth. 2006; 16: 782-6[6)]）

薬剤（量）	レスキュー投与量	初期投与量での成功率	HR＜60bpm 発生率	低血圧発生率	SpO_2＜92% 発生率
ペントバルビタール経口（5mg/kg）	2.5mg/kg	73%	0%	11.1%	14%
デクスメデトミジン経鼻（2.0～2.5mcg/kg）	1.0mcg/kg	90%	10%	30%	5%
抱水クロラール坐剤（30～50mg/kg）	—	—	—	—	—
トリクロホスナトリウム経口（20～80mg/kg，最大 2g）	—	—	—	—	—
ケタミン（1mg/kg），デクスメデトミジン（1μg/kg）静注後に，デクスメデトミジン（1μg/kg/h）持続静注	ケタミン 1mg/kg デクスメデトミジン 1μg/kg	—	—	—	—

レスキュー投与量は，初期投与 30 分後の時点で鎮静が不充分であった場合に投与を考慮する.
低血圧の定義：収縮期血圧＜70＋（年齢［歳］×2）mmHg

痛みを伴わない，比較的短時間で終わる非侵襲的検査・処置の鎮静として，2.0～2.5 μg/kgのデクスメデトミジン点鼻単回投与により，21トリソミーの患児においても他の鎮静法と比して徐脈のリスクが増えることなく，有効な鎮静を得ることができたという報告もある[5)]．しかし，30％の症例で低血圧，5％の症例で酸素飽和度低下がみられたとも報告されている．上気道狭窄をきたしやすい21トリソミー症例では，血圧，脈拍，経皮的酸素飽和度モニターに加え，呼気終末二酸化炭素濃度（end-tidal carbon dioxide; $EtCO_2$）のモニタリングは必須である．

【参考文献】

1) Borland LM, Colligan J, Brandom BW. Frequency of anesthesia-related complications in children with Down syndrome under general anesthesia for noncardiac procedures. Paediatr Anaesth. 2004; 14: 733-8.
2) Bai W, Voepel-Lewis T, Malviya S. Hemodynamic changes in children with Down syndrome during and following inhalation induction of anesthesia with sevoflurane. J Clin Anesth. 2010; 22: 592-7.
3) 寺田雄紀，橘　一也，竹内宗之，他．ダウン症候群児と非ダウン症候群児における心臓手術後急性期の人工呼吸中の鎮痛・鎮静薬必要量の比較．麻酔．2016; 65: 56-61.
4) Van Driest SL, Shah A, Marshall MD, et al. Opioid use after cardiac surgery in children with Down syndrome. Pediatr Crit Care Med. 2013; 14: 862-8.
5) Miller J, Ding L, Spaeth J, et al. Sedation methods for transthoracic echocardiography in children with trisomy 21−a retrospective study. Paediatr Anaesth. 2017; 27: 531-9.
6) Luscri N, Tobias JD. Monitored anesthesia care with a combination of ketamine and dexmedetomidine during magnetic resonance imaging in three children with trisomy 21 and obstructive sleep apnea. Paediatr Anaesth. 2006; 16: 782-6.
7) Mahmoud M, Ishman SL, McConnell K, et al. Upper airway reflexes are preserved during dexmedetomidine sedation in children with Down syndrome and obstructive sleep apnea. J Clin Sleep Med. 2017; 13: 721-7.

〈加古裕美〉

JCOPY 498-14563

12

麻酔のトピックス

3. 鎮痛

ポイント

1 …さまざまな鎮痛薬を組み合わせて使用することで，効果的に鎮痛を得るとともに，薬物による副作用の減少をはかる．

2 …気道閉塞や睡眠時無呼吸を合併した症例では，オピオイドに対する感受性が亢進しており，オピオイド必要量が減少している可能性がある．

3 …区域麻酔や末梢神経ブロックを積極的に用いる．

4 …コミュニケーションが困難な 21 トリソミー児には，個々人の発達段階を考慮した適切な疼痛評価スケールを使用する．

5 …患者自己調節鎮痛法 (patient-controlled analgesia; PCA) が術後に使用できるか，発達障害の程度を踏まえて，家族とともに術前に充分検討する．

6 …21 トリソミーの児に PCA を使用する場合には，薬液組成や使用方法に配慮が必要である．

① Multimodal analgesia

疼痛コントロールの際には，異なるメカニズムで働く鎮痛薬の組み合わせや異なる経路で薬物を投与することによって，効果的に鎮痛を得るとともに，薬物による副作用の減少を図る方法（multimodal analgesia）図1 [1] をとることが推奨されている [2]．

アセトアミノフェン，非ステロイド性抗炎症薬（nonsteroidal anti-inflammatory drugs; NSAIDs: フルルビプロフェン，ジクロフェナク，ロキソプロフェンなど），オピオイド（フェンタニル，レミフェンタニル，モルヒネなど），α_2 アゴニスト（デクスメデトミジンなど），NMDA レセプター拮抗薬（ケタミンなど）などを適宜組み合わせて使用する．

手術部位に応じて，硬膜外麻酔などの区域麻酔や，超音波ガイド下での末梢神経ブロック，術野での創部浸潤麻酔なども考慮する（詳しい内容は，本書各論「2．消化器疾患」の「5．腹部手術の鎮痛」を参照）．

21 トリソミーの児では，解剖学的理由により気道閉塞や睡眠時無呼吸症候群（obstructive sleep apnea syndrome; OSA）がよくみられる（本書各論「5．耳鼻咽喉科疾患」の「3．閉塞性睡眠時無呼吸症候群（OSA）」を参照）．OSA を合併した患者では，慢性

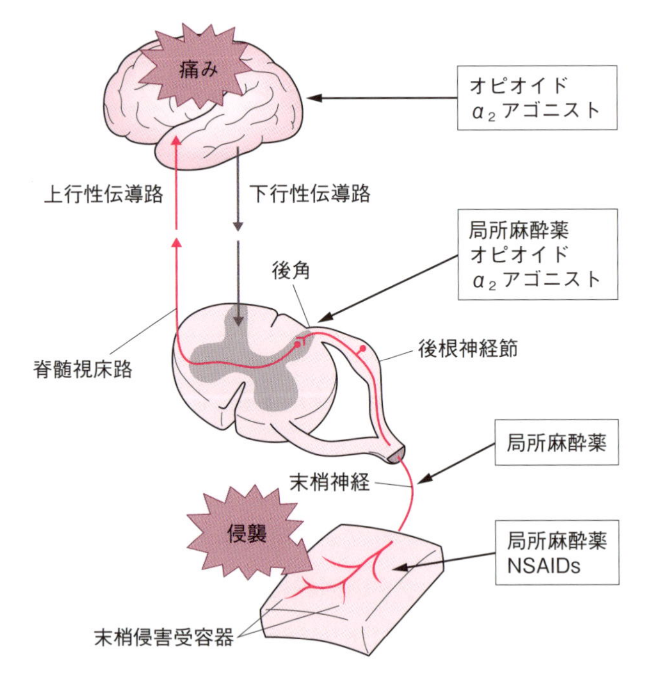

図1 Multimodal analgesia　痛みの経路とそれぞれの部位に働く鎮痛薬
(Kehlet H, et al. Anesth Analg. 1993; 77: 1048-56[1] より改変)

的な間欠的低酸素血症によりオピオイド受容体のアップレギュレーションが起こり，オピオイドに対する感受性が亢進すると報告されている[3]．このような症例では，術中・術後のオピオイド投与量を減量する必要がある．OSA 患者の術後オピオイド必要量は，年齢および夜間睡眠中の最低酸素飽和度に相関するという報告がある[3]．最低酸素飽和度が低いほど（OSA が重症なほど），年齢が小さいほど，術後のオピオイド必要量が少なくなる．

OSA を合併した 21 トリソミーの児では，オピオイド使用量を減らすため，multimodal analgesia を積極的に取り入れることが望ましい．

② 術後鎮痛

術後によく利用される疼痛評価スケールには，FLACC スケール（3 歳未満対象），FACES スケール（3 歳以上対象），VAS（8 歳以上対象）などがあり，年齢により使い分けることが一般的である．21 トリソミーの児は，程度の差はあるものの発達障害を合併することが多い．発達障害があり，コミュニケーションが困難な患者では，術後の疼痛評価が一層困難となる．21 トリソミーの児においても，疼痛評価スケールを使用することが望ましいが，使用する際には，年齢区分にとらわれず，発達障害の程度に応じた最適な，使いやすいスケールを選択するとよい．

術後鎮痛においても，multimodal analgesia の考えに基づいて鎮痛計画を立てる．アセトアミノフェンおよび NSAIDs 定期投与に加え，区域麻酔や末梢神経ブロックの持続

JCOPY 498-14563

投与を考慮するなど，オピオイド以外の方法をベース鎮痛とする．手術部位や手術侵襲の大きさにより，オピオイド投与の追加を検討する．オピオイド投与法としては，経静脈的PCA（patient-controlled analgesia，患者自己調節鎮痛法）の使用を考慮する．時間の経過に伴って変化する術後痛に対応しやすく，鎮痛薬必要量のばらつき（個人差）にも対応できるというのがPCAの利点である．患児の発達障害の程度をふまえて，術後にPCAが使用できるか，術前に患者家族とともに充分な時間をかけて検討することを推奨する．患児がPCAの操作ができない場合には，看護師（看護師調節鎮痛法，nurse-controlled analgesia; NCA）や教育を受けた特定の家族（介護者調節鎮痛法，caregiver-controlled analgesia; CCA）が，患者本人の代わりにボタンを押す方法を採用することもある．PCAを使用する際は，オピオイドが過量とならないよう，薬液の濃度や投与量に細心の注意が必要である．ベース維持量を流さず，ボタンによるレスキューボーラス投与のみとするのも1つの方法である．また，必要のないときに家族などの代理者が勝手にボーラスボタンを押してしまうと，「“痛いときにのみ押す”ことで保たれる安全機構」が働かなくなってしまう．PCAの使用方法について，看護師や家族に対して事前に説明をしておくことが大切である．

【参考文献】

1) Kehlet H, Dahl JB. The value of “multimodal” or “balanced analgesia” in postoperative pain treatment. Anesth Analg. 1993; 77: 1048-56.
2) American Society of Anesthesiologists Task Force on Acute Pain Management. Practice guidelines for acute pain management in the perioperative setting: an updated report by the American Society of Anesthesiologists Task Force on Acute Pain Management. Anesthesiology. 2012; 116: 248-73.
3) Brown KA, Laferrière A, Lakheeram I, et al. Recurrent hypoxemia in children is associated with increased analgesic sensitivity to opiates. Anesthesiology. 2006; 105: 665-9.

〈加古裕美〉

12

麻酔のトピックス

4. その他

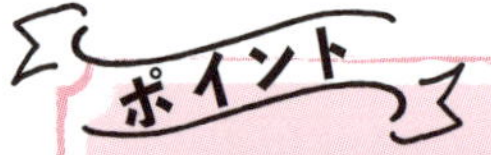

1…頸椎不安定性に注意が必要である.

2…挿管操作時や術中の体位作成時には，頸部屈曲を避け，正中位を保つ.

3…末梢動静脈路確保が難しい場合，超音波ガイド下での動静脈路確保が有用である.

① 頸椎不安定性（Ⅱ-6. 整形外科疾患も参照）

21 トリソミー児は関節の弛緩，筋緊張低下，骨格異常などの運動器疾患を合併することが多い．文献により頻度のばらつきが大きいが，上位頸椎不安定性は 21 トリソミーの 8 ～ 63％でみられると報告されている[1)]．上位頸椎不安定性には，環軸椎不安定性や後頭環椎不安定性などが含まれる．最も多いのは環軸椎不安定性で，21 トリソミーの 10 ～ 30％でみられ，歯突起の異常と歯突起を保持する環椎横靱帯のゆるみが原因とされている．頸部前屈により頭部と環椎が前方に滑り，環椎前弓と歯突起の間（anterior atlantodental interval; AADI）が広がり，脊髄を圧迫する恐れがある 図1 [2)]．神経学的な徴候がない場合は，麻酔中に環軸椎亜脱臼はほとんど起こらないとされる．しかしながら，頸部不安定性がある症例の 1 ～ 2％しか有意な自覚症状を示さないと推測する報告もあり，何らかの頸部不安定性をもつ患児の大部分は病歴や身体診察のみで発見するのは困難といわざるを得ない．また，患児の知的障害や発達遅滞により診察に協力が得られない場合や本人が症状をうまく伝えられない場合には，症状の発見はより困難になる．術前に神経学的な徴候（歩行異常，歩行困難，頸部不快感，頸部可動域制限，排尿異常，感覚障害，筋力低下，バビンスキー徴候陽性，深部腱反射亢進，クローヌス，筋緊張亢進など）がないかチェックし，徴候があれば整形外科にコンサルトする．術前に頸部可動域の評価を整形外科と一緒に行っておくとより安全である．3 ～ 5 歳では頸部 X 線写真によるスクリーニングが必要という意見も多いが，X 線写真による診断の信頼性に疑問を呈する声もある．X 線写真による初期評価では，頸部側面像を正中位（頸椎の先天性・変性異常の評価）と屈曲位（AADI は屈曲位で最も開大する）で撮影することが推奨されている[3)]．幼児期～就学前頃から環軸椎不安定性が問題になり始め，AADI が 5mm 以上で前屈を伴う運動の制限，10mm 以上で後方固定術の適応とする施設もある[4)]．術前診察や X 線撮影により頸部不安定性が疑われた症例では，整形外科医の診察や MRI などの追加の画像検査により，重症度や頸椎固定の必要性が評価され

JCOPY 498-14563

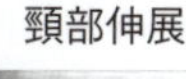

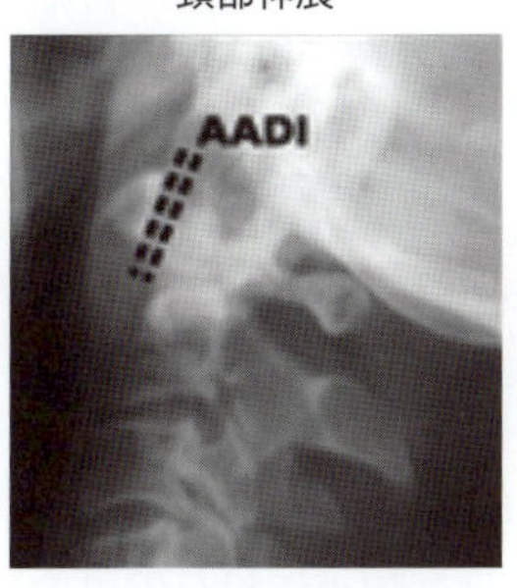

頸部屈曲

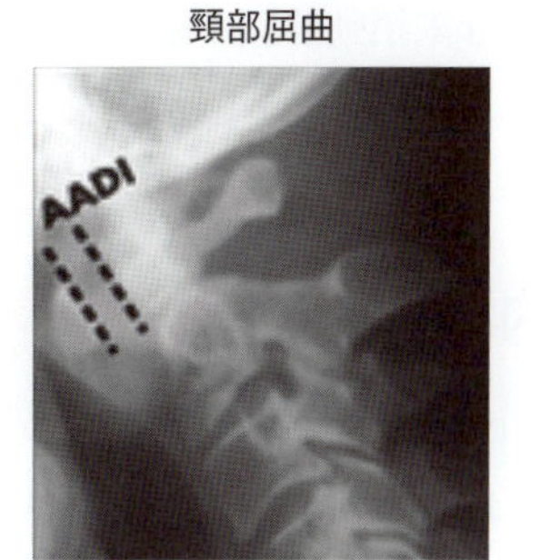

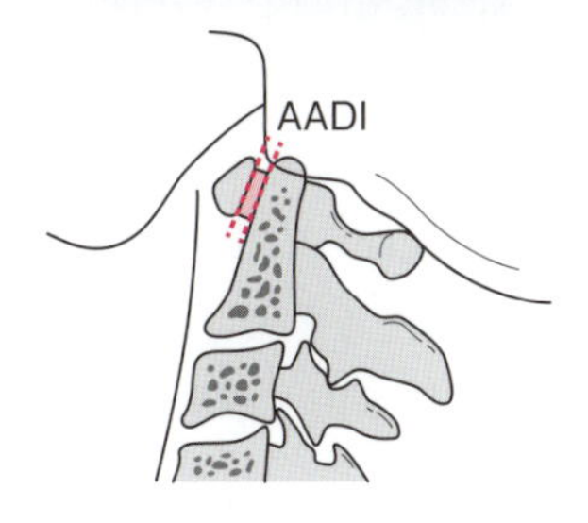

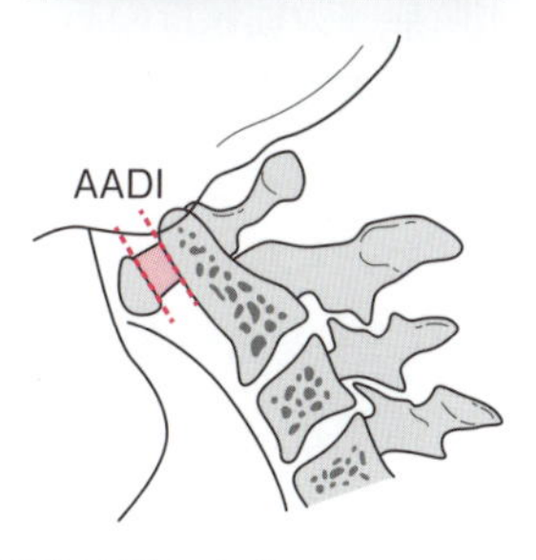

図1 頸部の動きに伴う環椎と歯突起の位置関係の変化

上）環軸椎不安定性のある患者における頸部伸展（左）と屈曲（右）時の側面X線写真.
下）頸部屈曲時に anterior atlantodental interval（AADI）が開大し，それにより歯突起後面と C1 の後弓の間の空間（ここを脊髄が通過する）が減少する.
（Hata T, et al. Anesthesiology. 2005; 102: 680-5[2] より改変）

るまで予定手術は延期するべきである[5].

詳細な術前評価に加えて，麻酔管理中に必要とされる頭頸部操作とそれに伴う環軸椎亜脱臼や神経障害などのリスクについて，患児の両親・保護者と充分に話し合っておくことも重要である[5].

術中管理では，前屈を避けることが基本である．急に大きく頭部を動かさないようにし，頸部を正中位に保つ．特に，環軸椎不安定性が問題になる幼児期以降では，たとえ術前に無症状であったとしても，挿管操作や手術の体位確保のために大きく頭部を動かしたり，枕を入れたりするときには細心の注意が必要である．麻酔導入後に頸部にソフトカラーを巻くことにより，頸部の過屈曲・伸展・回旋を防止することを推奨する意見もある．術後にカラーをしたままにすることで，患児の周術期のケアに関わる全ての人々に頸部不安定性に対する注意喚起としての役目も果たす[5].

② 末梢血管確保

21 トリソミーをもつ患者では，末梢動静脈路確保が難しいことが多い．特に，新生児から乳児期での心臓手術や心臓カテーテル検査のための麻酔において，ライン確保に難渋し，時間を要することがある．21 トリソミーでは，血管の走行異常，細い血管径や，動脈スパスム，硬い皮膚などの皮膚血管系の異常が指摘されている．肥満も難易度をさらに上げる．それに加えて，呼吸器や消化器などの感染症に罹患しやすく，補液や抗生剤の投与で点滴を頻回にすることや，複数回の検査・手術時の動静脈路確保により，確保可能な末梢動静脈が限定されていることが多い[4]．血管確保が困難な症例では，超音波ガイド下での動静脈路確保を考慮する．

③ 総合的な麻酔計画

21 トリソミーでは精神発達遅滞を伴うが，その程度はさまざまで，それぞれの児に対して個別の対応が必要である．協力を得るのに前投薬は有効かもしれないが，気道閉塞や睡眠時無呼吸症候群のある症例では，慎重に投与の可否を判断する必要がある．患児の発達や過去の麻酔歴などに応じたプレパレーションを工夫する．場合により，保護者同伴での麻酔導入も有効かもしれない．覚醒時興奮もよく起こり，激しい場合には鎮静を要することもあるが，やはり気道の問題から安易に鎮静することは危険である．

21 トリソミーをもつ患者には多臓器にわたるさまざまな問題点があり，長年にわたって多種の手術が必要で，その結果，複数回の手術・麻酔歴がある．これまでの麻酔での問題点や解決策などを参考にしながら，手術ごとに術前にそれぞれの問題点を 1 つずつ評価して麻酔計画を立てることが必要である．

【参考文献】

1） Hankinson TC, Anderson RCE. Craniovertebral junction abnormalities in Down syndrome. Neurosurgery. 2010; 66(Suppl. 3): A32-8.
2） Hata T, Todd MM. Cervical spine considerations when anesthetizing patients with Down syndrome. Anesthesiology. 2005; 102: 680-5.
3） Ali FE, Al-Bustan MA, Al-Busairi WA, et al. Cervical spine abnormalities associated with Down syndrome. Int Orthop. 2006; 30: 284-9.
4） 上北郁男，香川哲郎．ダウン症候群患児の麻酔管理．日小児麻酔会誌．2015; 21: 229-33.
5） Meitzner MC, Skurnowicz JA. Anesthetic considerations for patients with Down syndrome. AANA J. 2005; 73: 103-7.

〈加古裕美〉

JCOPY 498-14563

13

院内での心のサポート

1. CLS（Child Life Specialist）

ポイント

1 …遊びを通じて子どもが安心できる環境をつくる.

2 …個々の子どもにあわせた方法でプリパレーションを行う.

3 …子どもの力を育て，力を発揮できる方法をみつける.

遊びは，子どもにとって好奇心や探求心を満たす活動であり，子どもは遊びの過程で様々な発見をし，自分で考える力や主体性を身につけながら成長する．チャイルド・ライフ・スペシャリスト（Child Life Specialist: CLS）は，子どもとの遊びを大切にし，子どもが安心や楽しみを感じながら自分の力を上手に発揮することを手助けする[1]．病院に行く機会が多く，病院で様々なストレスを感じる可能性のあるダウン症の子どもに対しても，子どもが自分の力を発揮できるように，そして病院での経験が成長発達において肯定的な影響となるように支援を行う.

① 子どもの特徴を共有する

ダウン症の子どもにはいくつかの共通した特徴はあるが，1 人 1 人の個性は様々である[2]．子どものことを良く知っている保護者から，子どもの好きなことや安心できること，得意なコミュニケーション方法，日課やルーティン，不安や心配しているときの行動の変化，こだわり，苦手な医療処置などについて情報を得て，CLS は遊びながら子どもの特徴をアセスメントする．子どもの特徴は医療チームの中で共有し，それぞれの医療者が子どもと関わるときに，子どものペースを尊重し，こだわりは子どもの大切な行動として見守ることができるように配慮する.

② 子どもが安心できる環境をつくる

子どもにとって医療の場は非日常の世界であり，わからないことが多く，不安や怖い気持ちになりやすい．そのような場所で，子どもが居場所をみつけて安心感を得るためには，いつも行っている遊びをしたり，遊びに集中したりすることが効果的である[1]．子どもが自由に遊ぶことができるプレイルームを整備したり，ベッド上や点滴中などの制限がある場面でも遊びを届けたりして，子どもがいつもの姿で遊ぶことができるように促す．また，普段持ち歩いている物，例えば毛布やぬいぐるみを，子どもから離さないことも大切である．

病院の中には，モニターやアラーム音・泣き声・たくさんの人の声などの聞き慣れない音，特有の匂い，見慣れない大きな機械など，感覚的な刺激が多い．子どもが苦手とする刺激がある場合は，その刺激を和らげたり，遠ざけたりするなどの対策をする．

また，ダウン症の子どもは穏和な性格であり，人の気持ちや雰囲気に反応しやすい[2)]．周囲の人の不安やストレスに気づくと戸惑いを感じ，自分自身の不安を大きくさせてしまう可能性がある．保護者にとっても病院はストレスがかかる場所であるため，保護者の心配事を減らして，安心して過ごせるようにすることが大切である．医療者も，子どもの特徴を知り，ゆったりとした気持ちで子どもと関わることが望ましい．

③ 子どもとの効果的なコミュニケーション

ダウン症の子どもは，聞いたことを理解したり，聞いたことを覚えていたりすることが難しい．また，抽象的な言葉ではなく，見たり体験したりしながら具体的に伝えると理解が促される[2)]．ゆっくりとはっきり話し，一度で伝えようとせず，繰り返し伝えることが基本となる．子どもの理解や気持ちを確認したいときは，直接質問をするのではなく，子どもの様子を観察しながら，見ていることや感じていることを言葉にして伝えてみたり，選択肢を提示して選んでもらうと確認しやすい．覚えることを手助けするには，話しに関連した絵や写真を使い，それらの視覚情報を手元に残すなどの方法がある．また，一度にたくさんのことは理解できないので，1つのフレーズには1つの項目だけを入れ，その1つが伝わったら次の項目に進むようにする．

言語的な能力が発育途中であると，自分の気持ちや希望を伝えることが難しいこともある．遊びは子どものコミュニケーションの媒体になり，とくにごっこ遊びは，子どもの気持ちが表出されやすい[1)]．子どもが安心して遊ぶ様子を観察することで，子どものできごとに対する理解や気持ちを知る手がかりを見つけることができる．子どももまた，遊びのなかでできごとを再現することで，自分のペースで気持ちを整理していくことができる．

④ 医療を受ける子どもへのプリパレーション

子どもはわからないことに大きな不安を感じるため，“知る”ことは，子どもが安心するための第一歩である．また，“知る”ことで，子どもの好奇心や探求心が刺激される．そのため，子どもが今の状況や行われる医療行為について知り，主体的に取り組むことができるようにプリパレーションを行うと，子どもの不安やストレスは軽減する[1)]．

プリパレーションでは，子どもが実際に見聞きすることや体験することを，知りたいという気持ちを保ち，なるべく恐怖心や否定的な感情をもたないように伝える．具体的に伝えることが効果的であるため，ツアーなどの参加型の体験，模型や人形を使ったロールプレイ，絵本や映像を用いたモデリングなどを，遊びの要素を含みながら行う[3)]．

JCOPY 498-14563

子どもの恐怖心が強い場合や，子どもが苦手な刺激がある場合，子どもの拒否反応やストレスが大きくなりやすい．そのような場合は，怖いことや苦手なことに焦点をあて，どのように取り組むかを子どもと一緒に考える．その際は，医療行為の中で子どもができる事柄を示し，子どもが「できるかもしれない」「やってみよう」と思えることを大事にし，医療行為の手順や理想の姿を伝えることは最小限にする．実際に医療を受けるときは，泣いても暴れても，“できていること / できていたこと”を見つけて伝え，子どもが“できた”という気持ちをもてるような声掛けをする．“できた”という気持ちをもてない場合は，“次はできる”と感じられるように対策を練る．プリパレーションでは医療を受ける過程を通じて，子どもの不安を軽くし対処能力が育まれるように関わることが大切である．

【参考文献】

1) Ahmann E, Rollins JA. The child with special health-care needs. In: Rollins JA, Boling R, Mahan CC. Meeting Children's Psychosocial Needs. Across the health-care continuum. Texas: PRO-ED; 2005. p.175-212.
2) 池田由紀恵，菅野　敦，橋本創一．新生活と遊びのなかでダウン症児のことばを育てる．東京：福村出版；2010.
3) 相吉　恵．発達障害のある子どもへの対応．In: 原田香奈，相吉　恵，祖父江由紀子．医療を受ける子どもへの上手なかかわり方 チャイルド・ライフ・スペシャリストが伝える子ども・家族中心医療のコツ．東京：日本看護協会出版会；2013. p.177-80.

〈作田和代〉

13

院内での心のサポート

2. ファシリティドッグ

ポイント

1 …ファシリティドッグは医療施設で活動するために専門的に育成されたイヌ.

2 …ヒトの感染症をイヌが媒介しないための十分な感染対策.

3 …多職種の中でも非言語能力によるサポートに強み.

① 概要

ファシリティドッグ（Facility Dog: FD）とは，特定の施設や医療機関でハンドラーと一緒に働くように専門的に育成されたイヌである[1)]．盲導犬などの補助犬と異なり，施設内の様々な状況下で複数のクライアントとともにタスクを行う技術を習得し，ハンドラーも技術研修を修了する．セラピードッグが担ってきた心のケアをより実践できるとして，2000年頃より全米に広がった．日本では，2010年の静岡県立こども病院の初導入に続き[2)]，神奈川県立こども医療センター，東京都立小児総合医療センターに普及した．

② 感染症対策

ヒトの感染症をイヌが媒介することを防ぐことが重要となる．イヌに由来するリスクは，人獣共通感染症を含む定期的なワクチン接種や駆虫薬投与で予防する．毎朝の毛のブラッシング，週末のシャンプーなど，日々の積み重ねも欠かせない．病院ICTと連携してマニュアルを作成し，触る前後での手洗い，病棟に入るときの全身清拭といった対策を遵守する．導入1例目の検証[3)]に続き，導入2例目でも検出数などの推移の観察から，FD導入が菌検出数の推移に影響を与えていないことが報告されている 図1 ．メンタルヘルスのケアも怠らず，動物福祉の国際基準，通常の行動様式を発現する自由[4)]に則り配慮する 図2 ．

JCOPY 498-14563

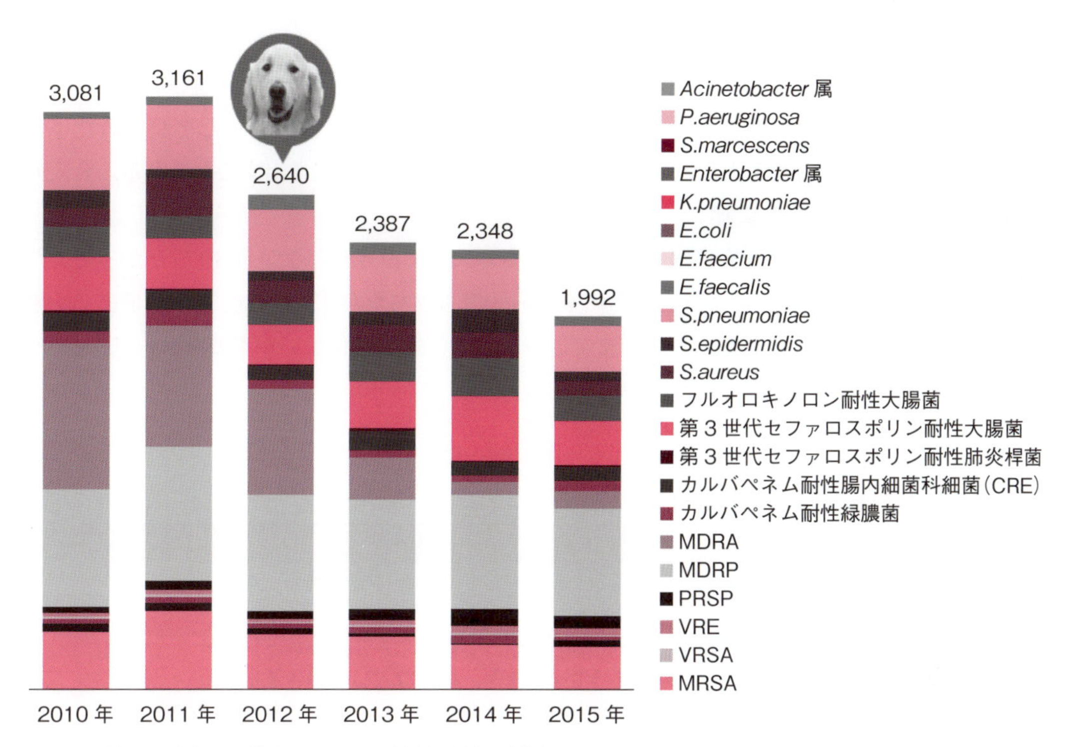

図1 導入 2 例目の施設における菌検出数の推移（提供：神奈川県立こども医療センター感染対策室，JANIS 報告より）

図2 休日に自然を満喫するファシリティドッグのヨギ

③ 実際の事例

役割は大きく2つある．1つは，ふれあいを楽しむ動物介在活動を通して，子どもたちやご家族を癒すこと．もう1つは動物介在療法として，癒しを通じて築かれた子どもとの信頼関係をもとに，処置や治療に同伴し，自発性を引き出すことである．介入方法は多岐にわたる 表1 ．

実際のダウン症介入事例では，手術室への入室に泣き叫びながら30分かかっていた子どもが，FD同伴により自分の病室から一度も立ち止らず，ずっと笑顔のままで手術エリアに到着，オペ室のドア前まで辿りつけた．家族の付添いが不要なケースもあり，心理面での効果が認められる．

表1 介入方法の具体例

介入の種類	具体例
動物介在活動	触る，撫でる，エサやおやつをあげる，見る
動物介在療法	経口摂取や内服支援 運動療法への参加（歩行訓練，ボール遊びなど） 病棟内処置（ルート確保，採血など）の付き添い 手術室や検査や治療（画像検査，リニアックなど）の付き添い 骨髄 / 腰椎穿刺 / 鎮静の付き添い，処置後の添い寝 院内イベント，院内学級参加 ターミナルケア，霊安室でのお別れ

図3
廊下を一緒に散歩する様子

JCOPY 498-14563

Aちゃん 図3 の場合は「FDが好きで触れあいたい」という思いを，いつも遠慮がちで上手く伝えられない様子が伺えていた．「一緒にお散歩してみる？」とハンドラーが促すと，嬉しそうに歩き始めた．1人でFDを散歩できる体験は，身体のリハビリだけでなく，子どもの自信に繋がるのである．

ダウン症では多くの場合，発達遅延が認められるが非言語能力は高く，入院中に見る機会のない犬（FD）を見ると，目を輝かせ，触れようと手を伸ばしてくる．多職種のなかでも非言語能力によるサポートに特化した強みをもつFDとの関わりは，彼らに視覚，触覚，聴覚などの感覚刺激を与え，知的機能への効果も期待できるだろう．

【参考文献】

1) Assistance Dogs International: ADI Terms & Definitions: https://assistancedogsinternational.org/resources/adi-terms-definitions/ accessed August 17, 2020.
2) Valiyamattam G, Yamamoto M, Fanucchi L, et al. Multicultural considerations in animal-assisted intervention. Human-Animal Interaction Bulletin 2018. Vol. 6, Special Edition. p.82-104.
3) 浜田真由美，木村光明．セラピードッグ導入が感染対策に及ぼす影響についての一考察．日本環境感染学会誌．2012; 27(suppl): 260.
4) The World Organisation for Animal Health: The OIE definition of animal welfare: https://www.oie.int/en/animal-welfare/animal-welfare-at-a-glance/ accessed August 17, 2020.

〈村田夏子　鈴木恵子〉

14

手術室ってどんなところ？

ポイント

1 …ダウン症児の特徴を理解し，その子自身が主体的に医療に参加できるような支援を考える.

2 …プレパレーションは言葉での説明より，見る・経験することを取り入れる.

3 …動作・行動はその子のペースを大切にする.

4 …動作が止まる，うずくまるなどの拒否時は無理強いをしない.

5 …行動や性格を理解しコミュニケーション方法を熟知している親の協力を得る.

手術室は見慣れない無機質な器械が多くあり，入口のドアが閉まると窓もない閉鎖的な空間で逃げ場がない．圧迫感や冷たい印象が強い．こどもにとってそのようなマイナスのイメージではなく「怖くない」,「痛いことをする場所ではない」,「元気になる場所」というプラスのイメージになるよう手術室の環境やこどもの頑張りを支援するケアを整えていく必要がある．手術室に来るこどもへの関わりについて,「術前」,「手術室で」,「術後」に分けて記載する.

① 術前

こどもが手術を受けるときに行うケアの基本姿勢は，ダウン症による知的障害の程度にかかわらず手術を受けるこどもの理解力や認知能力に合わせて，こども自身が主体的に手術治療へ参加できるような支援方法を計画していくことが大切である．ダウン症児は，知的発達の遅れから認知発達状況が年齢相応でなく個別性が大きい．そのため，個別性を踏まえた手術室でのケアを計画するには，成長・認知発達状況，コミュニケーション能力，言語発達，行動・運動発達，また，外来や病棟での診察，採血などの処置時の様子や言動，使用したディストラクションツールなどの情報を得ておくとよい.

手術室見学ツアーは小児の手術でよく実施されている術前プレパレーションの１つである．ダウン症児は言葉だけの説明ではなく視覚に訴える内容や，体験させておくことでの効果が高い．実際の手術室のなかや使用するモニターセンサーのシール，マスクなどを見る，触れるなどの体験をしておくとよい．そして,「モニターをつけることができた」,「血圧を測ることができた」,「マスク呼吸ができた」など実施した体験をその場でしっかりと褒め，本人が「できた」という実感をもつことが大切である．記憶に残る成功体験は翌日の手術当日の麻酔導入で同じ経験をするときに，こどもにとっても医療者にとってもスムーズに進むことが多い．また，特に近視や難聴などを合併している

JCOPY 498-14563

こどもとのコミュニケーションに親の協力は必須である．普段のこどもの性格や行動パターンなどを聞き取り，その子ならではのコミュニケーション方法，声掛けのタイミングなど具体的な支援を親と医療スタッフが共有しておくことで麻酔導入をスムーズに進めることにつながる．また，手術室ツアーのプレパレーションを終えた後病棟で，その内容を親とこどもで「イメージの振り返りをしてもらったり，渡したマスクでマスク呼吸の練習をしておくことも」麻酔導入への抵抗感を少なくするための１つの方法である．

② 手術室で

手術当日，親と一緒に手術室に入室時，麻酔導入を始めようとすると，こどもの動作が止まる，うずくまるなど強固な拒否が始まることがある．ダウン症児は，明るく茶目っ気のある性格で人との触れ合いが好きなこどもが多いが，頑固な一面をもち気持ちの切り替えが苦手なところがある．そのため，一度納得ができない状況になるとそこで立ち止まったまま前に進むことができなくなる．そのようなときには，手術室スタッフも無理に進めるのではなく，その子のペースに合わせてゆっくり進めていくことが大切である．特に成長に合わせて繰り返し手術が必要となる疾患をもつ場合には，一度無理強いをすると２度目の手術時はさらに強い拒否を表出することにつながることがあるため充分な配慮が必要である．拒否が強い場合には，プレメディを使用するなど，手術室入室を一度仕切り直すことも考慮する．プレメディは乳幼児を対象に行うことが多いが，ダウン症児の場合は，プレメディの処置を本人が嫌がらずできるようであれば，年齢にかかわらず使用を検討することもよい．ただし，プレメディ使用後は舌根沈下などにより呼吸状態は容易に変化しやすいため，使用後の呼吸状態の観察は充分行う必要がある．

③ 術後

術後全身麻酔から覚醒したときに，手術が終わったことを説明しても自分の置かれている状況を認知，理解ができず，暴れてしまうことがある．術後点滴ルートや，ドレーン類などの体内に留置されているものについて説明を行っても自己抜去などの事故は発生しやすい．覚醒後，事故が発生しないための対策として，点滴ルートやドレーン類などの固定を確実に実施しておくことが大切である．ルートの刺入部はタオルなどで覆い本人の目に触れないようにしておくことも対策の１つである．また，自分で痛みや苦痛などの身体症状を表現できず，術後のストレスにつながりやすい．言葉でのコミュニケーションは苦手なことが多いので，言葉での表現以外で，絵や図を用いたカードなどを利用したりすることで本人の表現を助けていく．その子ならではのサインを見逃さず観察を行い痛みや苦痛の軽減を図る．

ケアを実施するときのコミュニケーション方法と，ケア実施時の反応や言動を部署間で共有し，継続したケアが提供できるような連携を図っていくことが重要である．

図1 手術室の入り口は，季節に合わせた飾り付けをしている

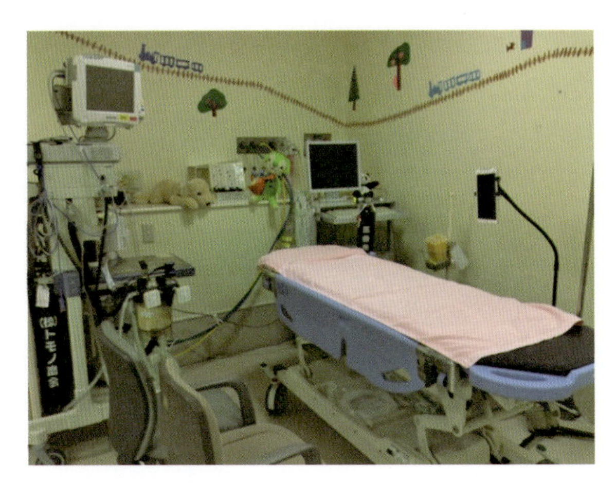

図2 親同伴麻酔導入を行う場所もプレイルームに近い環境に整えてある

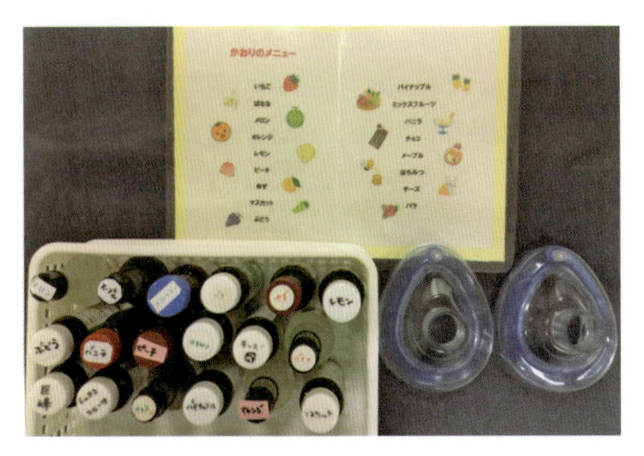

図3 マスクに付ける香りのエッセンス各種（プレパレーションで使用する）

〈古賀里恵〉

JCOPY 498-14563

15

新生児期・乳児期の発育発達，早産児

ポイント

1…ダウン症児の発育発達は合併症の有無，重症度と関係する.

2…ダウン症児は，日常生活の多くのことができるようになるが，時間はかかる.

3…早期療育の必要性.

① 発育発達に関わる因子

近年，出生前診断が進歩し，出生時にダウン症の診断がついている場合も少なくない．出生後は，特異顔貌や筋緊張低下，身体的特徴などから，診察のみでダウン症を診断することは，小児科医にとってはそう難しくない．インターネットなどを通じて，いろいろな情報が収集できる現代では，医療者からの告知前に，両親がダウン症を疑い出したり，また，不正確な情報や誤った情報から不安が増大することもあるため，できるだけ早めの告知が望ましいと思われる.

出生時，ダウン症が疑われた場合，新生児期の発育発達は，合併症の有無，重症度と大きく関係するため，ダウン症に起こりやすい合併症のスクリーニングが必要である．ダウン症児に多い合併症を表に示す 表1 ．新生児早期に介入を要し，生命予後や発達予後に関わってくる重大な合併症の主なものは，心疾患と消化管疾患である．出生前の精査の有無にかかわらず，出生時，初診時には心疾患と消化管のスクリーニングを行うことは必須である．また，甲状腺機能は成長発達に関わる因子であり，ダウン症児で甲

表1 ダウン症児に多い合併症

先天性心疾患 ダウン症の 50%に合併	房室中隔欠損　45%
	心室中隔欠損　35%
	心房中隔欠損　8%
	動脈管開存　7%
	ファロー四徴症　4%
	その他　1%
消化管疾患 ダウン症の 12%に合併	十二指腸閉鎖　5～8%
	鎖肛
	食道閉鎖
	ヒルシュスプルング病
一過性骨髄異常増殖症	ダウン症の 10%
先天性甲状腺機能低下症	ダウン症の 1%

(Clinicalkey. Clinical overview Down syndrome[1] より)

状腺機能低下は1％と頻度が高いため，マススクリーニングの結果に異常がなくても定期的にフォローすることが望ましい．また，ダウン症児は難聴のリスクが高く，新生児期の聴力検査と耳鼻科受診は重要である．乳児期以降は，滲出性中耳炎による難聴もよくみられる．聴こえの問題は，発達に大きく影響するので，新生児期の聴覚スクリーニングで問題がなくても，定期的な聴力検査，耳鼻科受診は重要である．舌が大きいことによる上気道狭窄症状についても観察が必要で，睡眠時無呼吸も成長発達に影響を及ぼすことがあるので，疑われる場合は検査，介入を考慮する．その他の合併症については他項に譲る．

② 身体発育

ダウン症新生児は，筋緊張が弱く，舌が大きい，口腔が小さい，鼻腔が狭い，といった特徴から，初期の哺乳が難しいことがある．同じ理由で，離乳食の開始が遅れることがある[2)]．哺乳前に，鼻口腔の分泌物をとり除く，しっかりと覚醒しているときに哺乳させる，下顎を適切に保持する，排気を促す，など少し手伝ってあげるだけで哺乳可能となることが多いが，それでも哺乳が難しい場合は，専門家による指導や胃管からの注入が必要になることもある．

身長は一般の成長曲線を下回り，最終到達点はダウン症児の平均が標準の－2SDを下回る程度である．新生児期，乳児期は，哺乳が上手にできない，離乳食が進まないことによる体重増加不良が問題となることが多く，この時期から体格は標準成長曲線を下回る．一方で，体重は思春期，青年期で一般とほぼ同程度かむしろダウン症児で上回る．思春期，青年期以降は，食べ過ぎ，肥満が問題となる．肥満からくる運動不足や糖尿病などはQOLに直結するので，肥満への対策は小さいうちから留意する．離乳食の進みが悪いこともあって，食べるようになると家族は嬉しくて，つい多くを与えがちであるが，小さいうちからの栄養管理が将来の体格，成人病に関わることを心に留め，適切な食事量を心がけたい．また，顎が小さく，咀嚼筋が弱いため，咀嚼の練習も，丸のみ，過食を避けるために重要である．

③ 発達[2)]

ダウン症児の発達の特徴は，「時間はかかっても，日常生活の多くのことができるようになる」ということである．また，同じダウン症でも個人差が大きく，同じことができるようになるまでの時間も個々で大きく異なる．

新生児期は，筋緊張低下があり，動きが少なくおとなしい傾向があるが，一般の赤ちゃんと大きくは違わない．表情の作り方や発声の仕方は，標準的な発達と同様であるが，頻度は少なく，声を出している時間も短い傾向にあり，母に対する発声も弱めである[2)]．

一般的な発達のマイルストーンとダウン症児のそれの比較[3)]を 表2 に記した．粗大運動はゆっくりだが，確実に進み，ダウン症児の92％が36カ月までに独歩可能となる．言葉の遅れがあるが，その一因として，口腔や顎のつくりの特徴や筋緊張低下などがあ

JCOPY 498-14563

表2 発達のマイルストーンの比較

マイルストーン	ダウン症児の到達時期	一般的な到達時期
粗大運動		
ひとりで座る	6～30カ月	5～9カ月
はいはい	8～22カ月	6～12カ月
つかまり立ち	12～39カ月	8～17カ月
独歩	1～4歳	9～18カ月
言語		
初語	1～4歳	1～3歳
2語文	2～7.5歳	15～32カ月
社会性		
反応して笑う	1.5～5カ月	1～3カ月
手で食べる	10～24カ月	7～14カ月
コップで飲む	12～32カ月	9～17カ月
スプーンを使う	13～39カ月	12～20カ月
排便	2～7歳	16～42カ月
洋服を着る	3.5～8.5歳	3.25～5歳

(National Down Syndrome Society ホームページ．http://www.ndss.org/resources/early-intervention/[4] より)

げられる．口の周りの筋力の弱さや構造から，明瞭な発音が難しく，そのため他人に通じにくい．喃語（なんご）もしばしば遅れる．

④ 早産，低出生体重児

ダウン症児では，在胎34～36週で少し早めに出生，ということは多いが，極端な早産はあまりみられない．401～1,500gで出生した極低出生体重児の研究によると，うち0.28%がダウン症で，その死亡率は38%であった．これは，染色体異常のない極低出生体重児の死亡率19%と比較すると2倍であった[5]．

⑤ 早期療育の重要性

療育とは治療教育の略で，障がいのあるこどもたちが生活するうえで，不自由をなくし，社会的に自立することを目的とした教育，トレーニングのプログラムで，専門の施設で，保育士や看護師，理学療法士，作業療法士，言語聴覚士などにより，集団や個別で，発達に必要な働きかけを行い，児の能力を最大限に引き出すことを目的としている．周りの出来事に対する反応が弱い，筋力が弱いために運動発達が遅れる，ことばを話すことが苦手，といったダウン症児の苦手とするところを伸ばす手伝いをする．療育によって，こども自身の力を引き出す手助けをするのである．早期療育の効果はある程度認められており，「ダウン症だからできないだろう」と思われていたことが早期療育によってできるようになることがわかってきた．

療育は乳児期早期から可能で，早期療育に通うことは，付き添う親にとっても勉強になり，職員や他の家族からのいろいろな情報を得ることもできる．療育の場で過ごす時間に比べると，家で過ごし，家族と接する時間のほうが断然長いのだから，療育で得たことを家庭で実践的に応用していくことはとても重要なことである．専門家だけに任せるのではなく，家族も療育の場で勉強し，家庭での日常生活のなかで，児が力をつけていけるよう関わっていくことが，児の発達につながるはずである．ダウン症児の発達に早期療育は重要であるが，早期療育は，家庭での児との触れ合い，語りかけあってこそのものである．

心臓病や消化管の疾患のために，なかなか療育に通えない場合でも，可能な範囲での早期療育を行うことで，発達を促すことができる．ダウン症の早期療育は，「早ければ早いほどよい．しかし，いつ始めても遅すぎることはない」．

新生児期，乳児期のダウン症児の発育発達には，他の新生児，乳児と同様，家族からの関わり，愛情が必要不可欠である．ダウン症児の家族が，安心して子育てをするためにはダウン症児に関わる医療者，コミュニティ，行政が協力してそれぞれの面から家族をサポートすることが求められる．家族が児を受け入れることができているのか，悩んでいることはないかを気にかけ，家族を孤独にしないことが，ひいては児の発達を後押しすることになる．

【参考文献】

1) Clinicalkey. Clinical overview Down syndrome.
2) Hunter AGW. Down Syndrome. In: Cassidy SB, et al. Editors. Management of genetic syndromes. 3rd ed. New Jursey: Wiley-Blackwell; 2010. p.309-36.
3) Palisano RJ, Walter SD, Russell DJ, et al. Gross motor function of children with down syndrome: creation of motor growth curves. Arch Phys Med Rehabil. 2001; 82: 494-500.
4) National Down syndrome society ホームページ．http://www.ndss.org/resources/early-intervention/
5) Boghossian NS, Hansen NI, Bell EF, et al; National Institute of Child Health and Human Development Neonatal Research Network. Mortality and morbidity of VLBW infant with trisomy 13 or trisomy 18. Pediatrics. 2014; 133: 226-35.
6) 玉井邦夫．本当はあまり知られていないダウン症のはなし．神奈川LD協会；2015.
7) 池田由紀江，監修．ダウン症のすべてがわかる本（健康ライブラリーイラスト版）．講談社；2007.

〈伴　由布子〉

JCOPY 498-14563

16

理学療法・作業療法・言語聴覚療法

1. 理学療法

ポイント

1…ダウン症は筋力，巧緻性，平衡性，敏捷性といった運動能力の低さを示し運動機能のピークは 15 歳前後である．

2…ダウン症は生直後より低緊張を呈し，乳児期早期から重力に対する運動発達が遅れる傾向がある．

3…発達援助では早期に座位や立位をとりすぎずに，四つ這い獲得を優先した適切な発達援助が有効である．

4…心疾患や白血病などの合併症がある場合，その治療により長期的な安静臥床が続くため，早期から座位保持椅子などを用いた抗重力的な活動援助へのかかわりが必要である．

① ダウン症の運動発達特性

ダウン症児では健常児と比して粗大運動発達の遅れを認め，頸定 6 カ月，寝返り 6 ～ 7 カ月，四つ這い 16 ～ 19 カ月，座位 12 ～ 16 カ月，独歩獲得 28 ～ 30 カ月であるが，個人差が大きい．また，低出生体重や心疾患，白血病などの合併症とその治療によりさらに発達の遅れが助長される．乳児期早期ほど低緊張が強く乳児期早期からの発達援助が望まれる．以下にダウン症児の発達特性と発達援助のポイントについて述べる．

② 低緊張に対する乳児期早期の姿勢ケア

低緊張により出生直後より重力の影響で床に四肢が貼り付くような蛙様姿勢をとることが多く，体幹の安定性も乏しいため屈曲位からの安定した重力方向への伸展活動が出現しにくい．新生児期では仰臥位でも手足が床を這うような動きになり，顔を一方のみしか向けないことがある．このため早期からのポジショニングにより重力方向に働く筋肉を使いやすくし良好な活動の頻度を増すことにより強化が可能である．

③ 頸定発達

仰臥位で頭部の向きは一方に偏っている状態が続きやすいため，反対側に向けて声がけや音の出るおもちゃでの刺激が役立つ．仰臥位での正中位保持と自由な回旋が頸定の第一歩である．さらに抱っこで前後左右 30°ほどの傾斜でも安定できるような視聴覚刺激とともに前庭刺激による立ち直り反応を用いた練習が有効である．

④ 寝返りについて

ダウン症児は物の探索活動などの認知活動が粗大運動に比して活発なことが多いため，側臥位になると欲しいものに手を伸ばすことで 4 〜 6 カ月ごろには反射的に寝返る．しかし，上肢支持性低下や体幹骨盤周囲の筋力低下などの抗重力位姿勢保持が不良のため腹臥位を嫌う傾向があり，機能的に寝返りの準備ができているにもかかわらずあえて行わないこともある．このため早期から腹臥位練習は有効である．いったん寝返りが確立すると腹臥位での移動（腹這い移動や四つ這い移動）に発展するが寝返りを行わなければ腹臥位での移動の発達は停滞する．

⑤ シャフリングについて

上記の理由により腹這いや四つ這いに発展できず，両親が「発達が伸びていない」と思い，安易に座位をとらせてしまう傾向がある．座位が可能になると探索活動が活発なため前進の意欲が高まることによりシャフリングが起きやすい．

ダウン症のシャフリングベビーの割合は未療育では 31.8%，2 歳以降に療育を開始した群では 27.6%，0 歳から療育を開始した群では 10.5%の報告があり，早期療育により減少している．しかし，早期療育にもかかわらずシャフリングがある場合には手や足底の過敏性や強いこだわり傾向などを示す自閉症スペクトラム（autism spectrum disorder; ASD）の側面としての現れの可能性が高い．シャフリングを獲得しても歩行開始は数カ月の遅れにとどまることが多いため，あえて移動手段を奪うような指導を両親へする必要はない．しかし，歩行獲得後の転倒時の保護伸展反応と支持能力やそれに伴う上肢機能の向上のために手支持練習はリハビリテーションとして行うことが必要である．

⑥ 座位の発達

健常児では自分で座り上がるために四つ這い位の獲得が必要である．ダウン症児では四つ這い位よりも座位獲得が先行する場合，自分で座位をとるために腹臥位から両手をついて股関節を過開排し下肢を前に出して座り上がる．このような起き上がりの初期には座位での両手離しができないことが多い．

また，ダウン症では腹這いや四つ這い移動を獲得したにもかかわらず，なかなか座り上がらない場合がある．健常児では座位は体幹の支持性が発達した後，実際の座位でバランスを獲得していくが，ダウン症の場合はどちらの発達も遅れ，特に前頭葉と小脳の低形成の影響によるバランス反応の未発達による不安定性が持続する．認知能力が先行

JCOPY 498-14563

している場合にはこの不安定性を嫌い座位や独歩をあえて行いたがらないこともある．

介助しての座位練習や座位保持用の椅子の使用時期は，月齢や体重ではなく認知活動として仰臥位で別々におもちゃを把持して打ち合わせて遊ぶ頃を目安とする．この遊びは物と物との関係と長期記憶に関連しており，臥位での手指動作の発達の最終課題である．このため，この後は重力と物との関係を学ぶために座位に起きて重力方向での遊びの経験が必要となる．

⑦ 立位歩行の発達

健常児では四つ這いが可能となると間もなく台などに手をついて膝立ち位になり，その後つかまり立ちが可能となる．四つ這いが未発達な場合やシャフリングを行っている場合などは，体の腹側の筋活動が連動して活動するため，「体幹・股関節伸展」＋「膝関節屈曲」の組み合わせが難しく，四つ這い位同様，膝立ち位自体が難しい．このため低い台に手をついて四つ這い位になるような練習や床上に横になったお母さんの体を登り上がるような家庭指導が有効である．また，他にこの時期の立位準備の練習はセラピストの膝上に座らせて「体幹伸展」＋「股・膝関節屈曲」の組み合わせでの支持性の練習が有効である．このような体幹と下肢の支持性と協調性が未発達で立位練習を急ぐと反張膝や外反扁平足を助長することもある．

ダウン症児の療育にあたっては，ダウン症の特性を大切に一人ひとりの発達特性を保護者と共有しながら運動と精神の両面の発達支援を行うことが大切である．

【参考文献】

1） 齋藤和代，渡邉幸恵．Down 症児の早期療育とシャフリングベビーの検討．脳と発達．2016: 48: 122-6.

〈稲員恵美〉

16

理学療法・作業療法・言語聴覚療法

2. 作業療法

ポイント

1…子どもの年齢ではなく，発達特性を理解しつつ発達段階に合わせた支援が大切になる．ライフステージごとに支援の目標を変え，社会に適応できる力を育てていく．

作業療法は，新生児期から学齢期，就労までの人生のすべてのステージにわたり，生活を円滑に過ごせるように関わることになる．主に日常生活動作や学習や就労に必要な動作や道具の使用などについて支援を行う．

① ダウン症の特徴

(1) 筋肉の緊張度が低い（筋力低下），(2) 知的な発達の遅れ，(3) 不器用さ，(4) 頑固さなどがある．この特徴を踏まえながら進めていく（詳細な合併症は別項を参照）．

② 新生児期・乳児期の作業療法

抱き方や関わり方を通じて，養育者と子どもの関係性を高めていく．障害受容が進むことにより，その後の発達支援が円滑に進む．必要に応じて哺乳や食事指導も行う．

③ 幼児期から学齢期の作業療法

食事や着替え，排泄動作の自立や，学習で使用する道具操作の向上に向けて支援する[1]．性格的に頑固な面もあるので，無理強いをせず本人のペースに合わせてゆっくりと支援していく必要がある．

④ 食事について

筋力低下のために姿勢が崩れやすく，円背になる．そのために顔が上を向きやすく口を開いた状態でいることがある．舌が口に対して大きく，前後の動きが続きやすいために，食事の形態の進み具合もゆっくりになる．口腔機能に合った食形態を用意することはもちろんだが，食べるときの姿勢や食べさせ方が重要になる．姿勢がよくなる椅子の

JCOPY 498-14563

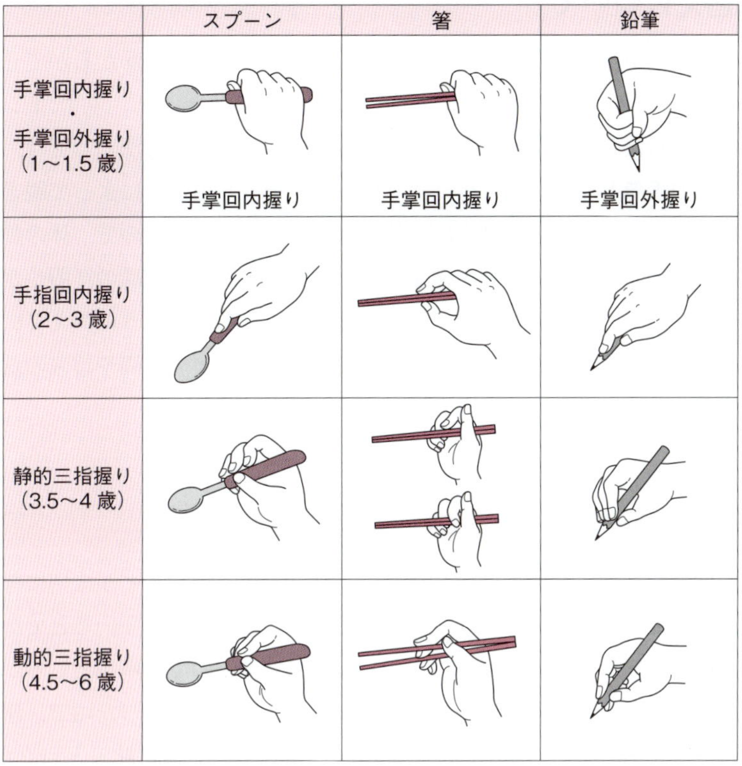

	スプーン	箸	鉛筆
手掌回内握り・手掌回外握り（1～1.5 歳）	手掌回内握り	手掌回内握り	手掌回外握り
手指回内握り（2～3 歳）			
静的三指握り（3.5～4 歳）			
動的三指握り（4.5～6 歳）			

図1 握りの発達
（鴨下賢一，他．発達が気になる子への生活動作の教え方．中央法規出版；2013[1]より改変）

工夫や日常の運動が大切で，姿勢がよくなることで口も閉じやすい状態になる．スプーンや食器などの食具もこどもの手の機能の発達段階に合わせて用意する 図1 ．そして，かき込み食べや詰め込み食べにならないように，一口ずつしっかりと咀嚼嚥下するようにする．よく噛むためには，かじりとり食べも重要である．この時期の経験が，学齢期以降の食べ方に影響を与えるので，注意する必要がある．噛む力が弱いことから繊維質の多い葉物野菜などが苦手な場合がある．そのようなときには細かくして食べやすい工夫が必要になる．偏食の原因に感覚の受け取り方の偏りがある場合がある[2]．たとえば，つぶつぶした物が苦手な場合に食形態を上げにくかったり，特定の味に苦手さがあることで，食べられる物が限定されることもある．べとべとした物が苦手な場合には，手にご飯などがつくことを嫌がることもある．食事を落ち着いて食べられるようになると普段の行動も落ち着くことがでるので，集中して食べやすい環境や道具の工夫と関わりが大切になる．食事の後の歯磨きも習慣化する必要がある．

⑤ 着替えについて

筋力低下や不器用さがあるために，自立までに時間がかかるができるようになる．初めは，靴下やズボンやパンツなどを脱ぐところから始める．次に，T シャツやトレーナーなどを着たり脱いだりできるようにしていく．介助の方法としては，難しいところは子どもの手をとって一緒に行うようにする．そうすることによって脱ぎ方や着方を学ぶことができる．着替えの動作は自分の体を用いたパズルなので，体の動きだけでなく，算数などの学習の基礎の力を学ぶことができる．次第に羽織の洋服やボタンもできるようにしていく．洋服などを脱ぐときは裏返しにならないように教えていく．脱いだ洋服を洗濯かごに入れることや，洗濯物を畳むなども学習の基礎や将来の就労につながる力を育てる．

⑥ 排泄について

就学や社会に参加していくために，自立できていくことが大切になる．排泄のトレーニングで最も重要なことは，無理に進めないことと叱らないことである．まずは，子ども用の便座やおまるを用意して，1 日 1 回でよいので，座るところから始める．始めるタイミングは出た後に様子が変わったり教えるようになった頃で，座るタイミングは寝起き，食後になる．出るまで座らせたり，失敗したときに叱ると自立が遅れるので，焦ってしつけそうになるようであれば一度練習をやめるようにする．暖かい時期に布パンツにパットをつけて不快を感じる経験も自立につながることもあるので，試してみる．清拭動作も少しずつ一緒に行う．学年が上がってきたら，男子であればズボンとパンツを前だけ下ろして排尿できるようにしていく．

⑦ 学習に使用する道具操作について

鉛筆，はさみ，定規，コンパスなどの道具使用の練習も必要に応じて行う．直接的に練習する方法と，使いやすい道具の工夫や補助具の提案を行う．筆者らが開発した特別支援用具 Q シリーズ[3] がある．

⑧ 就労に向けての作業療法

学校と協力しながら，就労するために必要なソーシャルスキルの指導[4] を行う．作業を行いやすくするための作業手順の工夫や治具の作製や提案を行う．必要に応じてジョブコーチと協力して支援することもある．

ダウン症といっても 1 人ひとり発達の状態が異なり特徴がある．個々に合った発達支援が必要になるので，主治医や作業療法士に相談しながら進めていくとよいだろう．

JCOPY 498-14563

【参考文献】

1）鴨下賢一，中島そのみ，立石加奈子．発達が気になる子への生活動作の教え方．中央法規出版；2013.
2）鴨下賢一，池田千紗，小玉武志，他．発達が気になる子の脳と体をそだてる感覚遊び．合同出版；2017.
3）ゴムＱホームページ．http://www.gomuq.com/
4）鴨下賢一，中島そのみ，立石加奈子．発達が気になる子へのソーシャルスキルの教え方．中央法規出版；2013.

〈鴨下賢一〉

16

理学療法・作業療法・言語聴覚療法

3. 言語聴覚療法

ポイント

1…ことばの発達はダウン症でも個人差が大.
2…言語聴覚療法は乳児期から開始することが有効.
3…聴こえの検査は必ず受けておくことが必要.
4…ことばや知的発達の土台となる「見る（観察)」,「聴く（傾聴)」力を養う遊びが大切.
5…合併症のあるダウン症児への対応は慎重に.

21トリソミー児（ダウン症児）の特徴として，人懐こい，コミュニケーション能力が高いといった傾向が述べられることが多いが，実際は個々人で多様である．日常生活上支障がない程度の発話能力をもち，読み書きも充分に行える場合がある一方，「お喋りできない」,「よく喋るが理解力が育たない」ために生活面で多くの困難を伴う場合もある．よって，言語聴覚療法を実施する際には，当然ながら眼前の児の特徴をよく把握することが必要である．出発点はダウン症児であるということではなく，あくまでもその児が示す特徴である，ということを押さえたい．また，以下に述べるように言語発達というのは運動能力，情緒，社会性，行動のコントロールといった生活全般の上に成り立っているものであり，決していわゆる「言語訓練」のみによって促されるものではないことを強調しておきたい．そのために家族への助言指導は対象児への直接指導以上に重要である．

① ダウン症児の言葉の特徴

多くのダウン症児は元来人懐こく,コミュニケーション能力が高い傾向にある．一方，全身の筋肉が低緊張で，口唇，舌といった発話時に動かす部位の筋肉も弱いことが共通点として認められる．そのため言葉がはっきりしない，口をポカンと開けている，舌が突出して流涎が目立つ，といった特徴がある．加えて，知的障害に伴う理解力や記憶力の低下により，語彙が乏しく，話の要領を得ない，ということも多くみられる．

JCOPY 498-14563

② 基礎的な関わり方

A. 非言語的側面へのアプローチ

言葉を話し始める以前の乳児期から，非言語能力すなわち視線（アイコンタクト），指差し，身振り，表情などを用いて，他者と豊かな交流をもてるように意図して関わることが大切である．

B. 口腔機能を育てる

口唇，舌，頬筋などの筋力が弱いので，早期からこれらを動かす遊びを用いて発達を促す．ラッパ，笛，シャボン玉などはもちろん，「アップップ」といった遊びや，歯磨き時に口のなかに水を溜めてクチュクチュする，口唇を舐める，といった日常生活動作が口腔機能を育てることにつながる．また食事についても口腔機能に合わせた食形態を選択することが重要である．月齢や年齢だけをみて，口腔機能が育たないうちに食形態を上げてしまうと，丸呑みなどの問題が生じるため注意が必要である．

C. 見ることを育てる

ダウン症児は比較的模倣能力が高い場合が多く，他者の行動をよく見て真似ることも多い．この多くは本人が興味関心をもった対象に対する対人的な状況が多い．この見る能力を対物的な場面でも発揮できるよう，パズルやペグ刺しといった知育玩具を用いて，手元をしっかり見続ける（目と手の協応）ことを促す．大切なことは，玩具操作を 1 人でできたかどうかの結果ではなく，一生懸命取り組んで完成させた，という過程である．そのために大いに介助し，成功体験に導きつつ，本人を充分に褒めることである．

D. 聴くことを育てる

乳幼児期から童謡を聞かせたり本の読み聞かせを行うことは大切である．重要なことは反復であり，習慣化である．

E. 事物の扱いを体験させる

幼いときから事物の扱いを体験させ，適切に扱うとはどういうことかを体感させていく．たとえば，靴を履く，スプーンを使うといった道具の使用を，充分に手伝いながら，成功体験させるように導いていく．幼児期になると，癇癪を起こして玩具を投げる，本を破るといった事物の乱暴な扱いをする児がいるが，この子どもたちは，その前段階で適切な行動を（手伝われながらも）体験したことがない場合が多い．そして，入園などにより急に自立的な行動を要求されて，失敗を経験し，情緒的に不安定になって不適切な行動を行う場合が多い．

以上のような基礎的な関わりを通じて，他者に対する信頼感や関心を育てていく．また，粘り強さや我慢強さなどを通じて，他者の話しかけをしっかり聞き取り，理解力や発話力が育つように環境を整えることが大切である．

③ 聴力検査について

詳細は本書各論「5 耳鼻咽喉科疾患」で述べられているが，聴こえの問題は音声言語発達の根幹であるので必ず押さえておく．

④ 合併症を考慮した関わり

ダウン症児には合併症があることが多いので，合併疾患を充分に理解したうえで関わることが必要である．たとえば，白血病などで治療中の場合は，全体の体力が低下しており，先に述べたような「粘り強さ」などを求める関わりは本人にとっては負担である．また，自閉症スペクトラムを合併している場合もあるので，対象児の特徴を充分把握する必要がある．

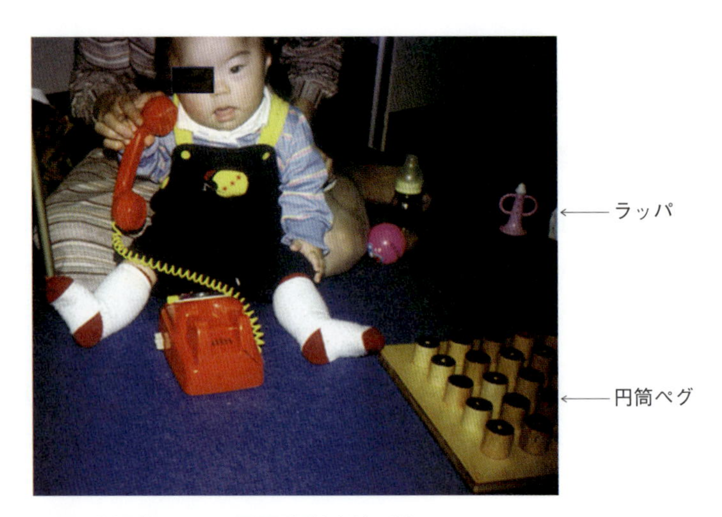

図1 乳児期からの言語聴覚療法 例
- 事物（写真の場合は電話の受話器）の扱い
- 背後から介助して適切な扱いを促す
- 円筒ペグなどの知育玩具操作
- ラッパなど口腔機能を促す遊び

〈北野市子　鈴木 藍〉

17

読書

ポイント

1…乳幼児期ははっきりした色と形，繰り返しの言葉のリズムがよい．

2…幼児学童期は，発達や好みに合わせて好きな本を選ぶ．

3…美しい色彩やデザインで感性を引き出す．

4…読み手自身にも癒し効果がある．

5…周囲の人にも知ってもらうためのおすすめ資料．

① ダウン症の子に本を読むこと

ダウン症の子も絵本を読んでもらうのが大好き．視覚から情報を得ることが多いので絵本はうってつけである．絵を指差して言葉を繰り返すなど言語の発達にも役立つ[1]．先天異常の診断を受け，育児に悩む保護者にとって，絵本を楽しむことは子育ての自信につながる．

当院で人気の絵本の例（0～2歳）

(1)『もいもい』（市原　淳，作．関　一夫，監修．東京：ディスカヴァー・トゥエンティワン；2017．図1）

当院で圧倒的人気，東大赤ちゃんラボの関一夫先生監修．

(2)『じゃあじゃあ びりびり』（まついのりこ，作絵．東京：偕成社；1983．図2）

0～2歳の子に人気の絵本，擬音語の繰り返しがとても心地よい．はっきりした色・形が目をひく．装丁が丈夫で角を面取りしてあるのもよい．

(3)『しましまぐるぐる』（柏原晃夫，絵．東京：学研プラス；2009．図3）

赤ちゃんの目をひくコントラストのはっきりした絵柄がよい．

図1

図2

図3

② 実は読む人にも良い効果がある

泰羅によると「絵本を読み聞かせしている母親は，脳の前頭前野が活発に活動していることがわかった．つまり読み聞かせは，読み手の脳にいいことなのだ」とある[2)]．告知を受けて不安なとき，心臓の手術を受けるとき，絵本を読み聞かせることは，保護者の心にも安定をもたらす効果が期待できる．

当院ではすべての病棟にブックトラックで絵本を配置している．集中治療室においても同様であり，保護者から好評を得ている．ファミリーセンタードケアとしてお勧めである．

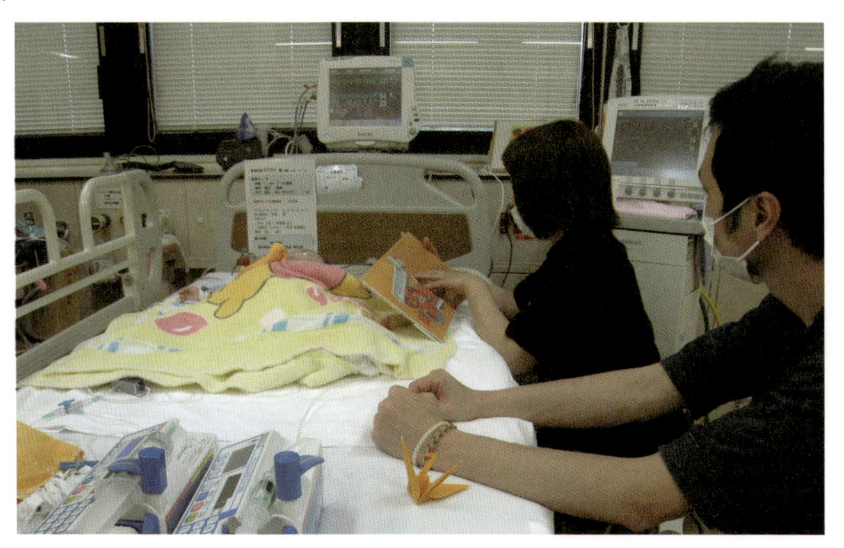

図4 心臓手術後，CCU で絵本を読む親子

③ ダウン症児は感性豊か

佐久間によると「ダウン症の人たちの作品は，すぐれた敏感な感性で描かれ，全体的に明るく穏やかであり，これらの作品群をアール・イマキュレと名付ける」とある[3)]．筆者も公共図書館で展示されていた，のびやかなタッチの絵に目を見張った経験がある．美しい絵・本物の絵を見せることは，ゆたかな感性を育むだろう．

④ ダウン症がテーマの本

ダウン症の告知を受けた保護者は心理面で危機的状況にある．このとき絵本や手記のようにナラティブな情報が非常に効果的である．最初にお勧めしたい資料．保護者や当事者だけでなく，周囲に広く知ってもらうためにも役立つので，公共図書館や学校図書館にもお勧めする．

(4)『あいちゃんのひみつ ダウン症をもつ，あいちゃんのママからのおてがみ』

（竹山美奈子，文．えがしらみちこ，絵．東京：岩崎書店；2020.）

小学校のお友達に向けてあいちゃんのママが，ダウン症について説明する筋書きで，巻末にダウン症の主な特徴が記載されとても良い．当院外来に設置し好評である．

JCOPY 498-14563

(5)『スマッジがいるから』（ナン・グレゴリー，作．ロン・ライトバーン，絵．岩元　綾，訳．東京：あかね書房；2001.）

主人公シンディは（文中に明記はないが）ダウン症．捨て犬スマッジを拾ったことから物語が展開する．実は翻訳した岩元綾氏がダウン症であることを伝えると，誰もが驚く[4]．彼女と両親が綴った手記も出版されている．「母は私たちの21番目の1本多い染色体にはやさしさと可能性がいっぱい詰まっているというのです」[5]（p.14より）

(6)『アイちゃんのいる教室』（高倉正樹．東京：偕成社；2013. 図5）

(7)『アイちゃんのいる教室 3年1組』（高倉正樹．東京：偕成社；2015.）

(8)『アイちゃんのいる教室 6年1組にじ色クラス』（高倉正樹．東京：偕成社；2017.）

ダウン症のアイちゃんが入学したクラス（普通学級）を取材したドキュメンタリー写真本．1年生アイちゃんの口癖は「あしたもがんばっていいですか」．しかし，成長につれ同級生とのぶつかり合いや，葛藤も増えてくる．最後の同級生36人の言葉は必読．

(9)『ユンタのゆっくり成長記 ダウン症児を育てています』

（たちばなかおる．東京：双葉社；2013. 図6）

(10)『たちばなさんちの長男坊 ユンタのゆっくり成長記』

（たちばなかおる．東京：双葉社；2014.）

(11)『ダウン症児の母親です！ 毎日の生活と支援，こうなってる』

（たちばなかおる．東京：双葉社；2014.）

(12)『しつけはどうする？ 将来どうなる？ ダウン症児を育てるってこんなこと』

（たちばなかおる．東京：双葉社；2016.）

漫画家の著者が等身大の育児を描く笑いと共感の本．当室でも保護者の支持を集めている．ピアカウンセリングの役割も果たす本．

(13)『ふしぎだね!? 新版ダウン症のおともだち』

（玉井邦夫，監修．京都：ミネルヴァ書房；2019. 図7）

周囲の人，特に同級生に向けて書かれた本．ダウン症の特性やどんな付き合い方をしたらよいか，具体的なシーンで示している．イラストが豊富なので小学生でも可，大人の入門書としてもよい．2007年の改訂版．

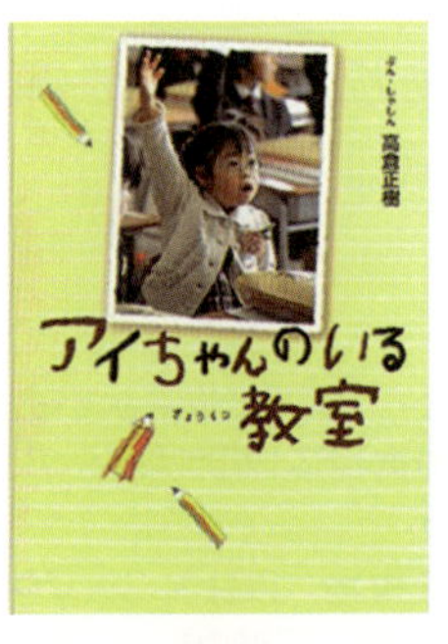

図5

図6

図7

⑤ その他役立つ本と情報など

(14)『ダウン症のある赤ちゃんのための子育て手帳「＋Happy しあわせのたね」』

（日本ダウン症協会．http://www.jdss.or.jp/tane2017/#）

日本ダウン症協会が 2017 年に作成したダウン症の子のための母子手帳．ダウン症児の身体成長曲線など，ゆるやかな成長に合わせて記録できるような工夫が随所にある．協会サイトで全文ダウンロード可.「手帳を開くこと．たったこれだけのことなのに，きっと少しだけ勇気が必要だったのではないでしょうか.」（裏表紙より）

(15)『ダウン症のあるくらし』

（近藤寛子．石上志保．一般社団法人ヨコハマプロジェクト発行；2019）

(16)『ダウン症のあるヨコハマのくらし』

（近藤寛子．石上志保．一般社団法人ヨコハマプロジェクト発行；2020）

2 冊ともヨコハマプロジェクト（https://yokohamapj.org/）に申し込むと購入できる．生き生きとした写真と文がすばらしい．

(14)『ダウン症児の赤ちゃん体操 親子で楽しむふれあいケア』

（藤田弘子．大阪：メディカ出版；2000.）

筋緊張の弱さに対し工夫された赤ちゃん体操．運動発達の促進，全身の健康増進，さらには親子のコミュニケーションにもよい．図と写真で丁寧に解説されている．

(15)『ウィンダーズ先生のダウン症のある子どものための身体づくりガイド おうちでできる練習 BOOK 原著第 2 版』（Patricia C. Winders．原著，真野英寿．秋田可奈子．監訳，佐藤あずさ．訳，東京：三輪書店；2020.）

動ける筋力を付けるための遊びの教科書．保護者に好評だが￥5000 とやや高価．

(16)『ダウン症者の思春期と性』

（カナダ・ダウン症協会，編．阿部順子，訳．飯沼和三，監修．東京：同成社；2004.）

(17)『イラスト版 発達に遅れのある子と学ぶ性のはなし』

（伊藤修毅，編著．東京：合同出版；2013.）

思春期になれば必ず通るセクシュアリティの課題．自分を尊重し相手も尊重するために．どうやって教えたらよいか悩む保護者や教師にもよい．

(18)『まんがと図解でわかる障害のある子の将来のお金と生活』

（渡部 伸，東京：自由国民社；2020.）

“親なきあと障害があっても安心”できるよう，就労，福祉，住まい，年金の情報を，当事者の親でもあるファイナンシャルプランナーが解説する．

【参考文献】

1) 飯沼和三．ダウン症児の言葉を発達させるうえで，具体的に最もいいとすすめられることとして何がありますか？ In: Q&A ダウン症児の療育相談 専門医からのアドバイス．東京：大月書店；1997. p.144-5.
2) 泰羅雅登．読み聞かせは「心の脳」に届く．歯科衛生士．2011; 35: 70-4.
3) 佐久間寛厚．制作現場から見たダウン症の人たちの世界．日ダウン症療育研．2013; 6: 41-3.
4) 岩元 綾．みんな同じ人間同じ命：命の重さに変わりはない―Down 症本人の立場から．小児診療．2004; 67: 243-7.
5) 岩元 綾．21 番目のやさしさに―ダウン症のわたしから．京都：かもがわ出版；2008.

〈塚田薫代〉

JCOPY 498-14563

18

音楽療法

ポイント

1…子どものおかれた環境の活用

2…微細運動や粗大運動，視知覚の発達をサポートする楽器の活用

3…発声を促し，言語の発達をサポートする音楽の活用

4…かかわりあい，場の拡がりをサポートする音楽療法

21 トリソミー児・者が「多くの音楽活動の場面で，音楽を感じ，身体全体で表現することを楽しむ姿」からは，音楽との親和の高さがみてとれる．

音楽は，誰もが楽しめるものとして私たちの生活に根を張っているが，音楽療法（日本音楽療法学会による定義は http//www.jmta.jp/ 参照）はその音楽のもつ働き（生理的，心理的，社会的）を用いて，患者の抱える不安や障害ができるだけよい方向へ変化することを目指すアプローチである．

方法は「きく（受動的 / 受容的）」，「する（能動的）」の２つ．疾患の特徴や病態を踏まえ目的を明確にしたうえで，「個人」，「グループ」の形態と合わせて選択したい．また，使用する音楽はリズム，メロディー，ハーモニーを基本としながら随所に工夫を要することから音楽療法士（MT．日本音楽療法学会認定音楽療法士について詳しくは前掲アドレス参照）が関わることが望ましい．

生涯共存していく疾患ゆえ，未就学の時期から生活のなかで音楽に慣れ親しむ環境をもつことは，心身の発達に有用だけでなく，移行期医療の観点からも役立つと考える．

①「在宅」という場

音楽療法を受けるときは，障害のある子どもが医療機関や福祉施設，学校などの場所に足を運ぶことが多いが，MT が在宅に出向くこともある．

たとえば，A くん（開始時 1 歳，男児）の場合は，18 トリソミーのお兄ちゃんとの時間を大切にするため，普段生活している部屋を音楽療法の場とした．

在宅で行う利点は，子どもと養育者の移動にかかる負担の軽減や，子どもが環境の変化に対して抱く心理的負担の軽減があげられる．

今一つは，自分の部屋が日常とは異なる空間に変化するところから体験できる点にある．音楽療法には〈活動内における場面の切り替わり．始まりのうたで開始し，おしまいのうたで終了．曲の演奏にある「始め－終わり」〉といった区切りを利用した時間知覚への働きかけが含まれているが，在宅ならば〈MT の車が庭に止まる → 窓が開き外

の空気が部屋に流れ込む → 荷物（楽器）が運び込まれる → セッションの開始と終了 → MT が帰りいつもの部屋に戻る〉のように，生活につなげた時間知覚への働きかけが行える．

このような「いま・ここで」の経験を積み重ねることは，自己意識や他者と関わる力の発達を支える．

また，視覚を通した働きかけとして，空間を次のように活用することもお勧めである．

- 自然な流れでお友達も一緒にスカーフの下に入り空間の共有ができる 図1．
- 季節に合わせた飾りに音楽演奏を加えることでイメージの喚起や飾りに向かって手を伸ばすという動きの誘発が得られる 図2．

図2

② 楽器を使うこと

楽器のもつ形や色，材質による触覚や発音される音の違いに示す子どもの興味を起点に，発達を促すことができる．

たとえば，図3 は音楽療法を見学に訪れたときの様子である．A くんは，MT が置いた「ボンゴ」という楽器に興味をもった．誰が教えるでもなく，自然に両方の太鼓の面に手を乗せ，指先をくしゃくしゃ動かし皮の感触を感じている．図4 は A くんの部屋でセッションが開始した後の様子である．「自ら腕を大きく振り上げ，左右交互に面を叩く」という行動がみられた．回を重ねると，発せられる音も大きくなり，リズムらしい音に聴こえるようにもなった．また，お兄ちゃんの好きなギターを演奏する MT を「見る」，演奏を「聴く」を重ねるうちに，ギターを「触る」という行動が現れた．

A くんの行動に動かされ，MT は 図5 のようにコードを押さえ，A くんは弦を上から下に向かって何度もなでるという仕方で一緒に演奏した．

キーボードに興味をもった A くんを膝にのせると，叩く，押す，そして鍵盤の低音域から高音域まで使って音を出すなどさまざまな弾き方が飛び出した．音を出すことを覚えると，テーブルにつかまって立ちあがりキーボードに触ろうとする．背伸びをすれ

JCOPY 498-14563

ば鍵盤に手が届くことに気づいた．鍵盤を押すと音が出ることがわかると，もっと弾きたくなり椅子によじ登って手を伸ばすなど，キーボードに近づく方法の探索もみられた．

そのような行動を経て 図6 のように隣に並んで一緒に弾くようにもなった．

鈴やマラカスは振ると音が出る楽器である．容易に音が鳴るため頻繁に使われる．Aくんの場合，鈴は両手首を素早く器用に回し鳴らし，部屋のなかではお尻を軸に回転しながら音楽に合わせ移動もする．

マラカスは，体幹を軸に腕を左右に大きく動かして鳴らす．野外では，大勢の他者と一緒に音楽に合わせ音楽性を発揮した 図7 ．

ここまで紹介してきたような，聴覚や視覚，触覚などの感覚刺激を通して表出したAくんの行動は，山下の述べる「からだ力，かんかく力」[2] の発達として理解することができる．また，楽器は子どもが「現在できること」，「将来できるようになると予測されること」などを理解するためにも有用である．身近にあるものを使い 図8 のような楽器を手作りする時や，使用楽器を選択する時は， 表1 [3] のような発音原理による分類を参考にするとわかりやすい．

図3 10 カ月

図4 1 歳 6 カ月

図5 2 歳 4 カ月

図6 2 歳 4 カ月

図7
お庭コンサート
1 歳 11 カ月

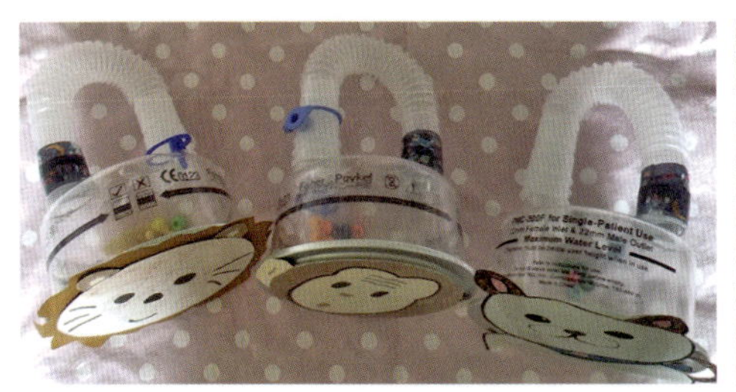

図8 医療的ケアの道具チェンバーを利用した振奏楽器

表1 音楽に使われる音のつくり方（仁科エミ，他．音楽・情報・脳．放送大学教育振興会；2013. p.96）[3]

発音原理	代表的な楽器群	具体例
打つ・たたく	打奏楽器	太鼓，銅鑼，シンバル，カスタネット，ガムラン，木琴，鉄琴など
	打弦楽器	楽弓，ピアノ，サントゥールなど
振る・ゆする	振奏楽器	鈴，マラカス，オーシャンドラム，ヴィブラスラップ，アンクルンなど
はじく	摘奏楽器	カリンバ，口琴，ラチェット，オルゴールなど
	撥弦楽器	ギター，琴，チェンバロなど
こする	掻擦奏楽器	すりざさら，グィロなど
	擦弦楽器	ヴァイオリン，サーランギ，ルバブ，胡弓，胡琴，馬頭琴など
	擦奏楽器	シンギングボウル，グラスハーモニカ，龍鍋など
吹く	管楽器，多管楽器など	ほら貝，各種の笛，各種のオルガンなど
歌う	人体，およびそれと結びついた一部の楽器など	各種の歌唱

③ 声を出すこと

A くんの場合，MT とギターを対面で弾く，キーボードを一緒に弾くなどの三項関係が成立すると,「あー」の声を出すようになった．一緒に演奏ができたことを曲の終わった瞬間にほめれば「だーっ！」と喜びの表現をし，ボンゴでリズムを提示しながらうたえば，抑揚のあるさまざまな「あー」の表現が表出した．また，歌うことは聴覚だけでなく，歌詞を視覚から提示することでことばの意味が理解しやすくなる利点がある．例えば,「おまんはみんな」に登場する動物を音のでる楽器 図9 にして，それを実際に動かしながら歌うという工夫ができる．楽器を介すことは子どもの他者に対する心理的負担の軽減となることも押さえておきたい．

「言語の習得とは子どもにとって身体全体を巻き込んで行う営み」[4] であるため，MT とともに音楽のもつテンポ，リズム，高低，強弱などを身体で感じながら言語の発達を促す 1 つのアプローチとして有用である．

JCOPY 498-14563

図9

④ かかわりあい

音楽療法は，相互作用を大切にするというユニークな特性をもつため，実践する空間が子どもにとって有用な場に変化すると，MT の内面にも変化を起す．たとえば，A くんきょうだいとのかかわりあいからは，MT の内面の表現として 図10 のような曲が生まれた．音楽療法で使用される音楽は，このように創作された曲に限らず，既成曲であっても時間経過の中で起こるできごとの特定を可能とさせる．また，きょうだいとのセッションでは，A くんの生活する部屋に近隣の子どもたちが集まり音楽のある場を共有した．

音楽療法は，障害のある子どもの発達をサポートするだけでなく，場の共有を起点に人とのつながりの輪を広げていくことにも有用である．

⑤「場」の拡がり

子どもの成長にともない生活環境は変化する．A くんの場合，きょうだいの就学により在宅音楽療法が終結したことで，音楽と関わる場が保育園や児童発達支援，言語訓練など公的資源の利用先へと移行した．

A くんが就学準備を迎えた年，再び音楽療法の介入を検討した．保育園での観察や，在宅におけるアセスメントセッションから理解されたことは，障害児支援を考えるためには，障害児の有り様は多義的であり，環境や個人特性といった関係性のなかで可変である[5]という見方の大切さである．

そこで，ブロンフェンブレンナーの生態学的な考えを含んだ音楽療法[6]をお勧めしたい．生活の場をベースに，すこしずつ家庭の外に場を拡げることが社会性の発達を促すには望ましい．ダウン症児の特性，こだわりがあり融通がきかない，集団遊びが苦手，等々を視野に入れながら地域の中で個々の実情に合わせた実施ができるよう MT に相談されたい．

いつしょにおどろう

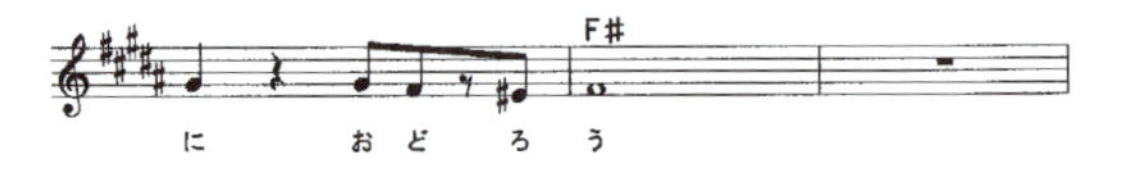

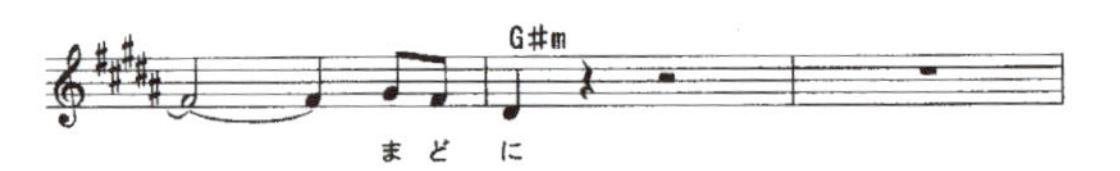

図10

JCOPY 498-14563

【参考文献】

1) 山村健一郎. 移行期医療. 日小児循環器会雑誌. 2017; 33: 281-6.
2) 未来プロジェクト. 日野原重明, 監修. 音楽療法ハンドブック一看護と福祉領域のための. 星雲社; 2015. p.25-34.
3) 仁科エミ, 河合徳枝. 音楽・情報・脳. 放送大学教育振興会; 2013. p.96.
4) 正高信男. 子どもはことばをからだで覚える一メロディから意味の世界へ. 中公新書; 2001. p.172.
5) 田中真理. 障害児支援を考えるモノサシとは: 多義性と合理的配慮. 発達心理学研究. 2016; 27: 312-21.
6) ブリュンユルフ・スティーゲ. 第4章 文化活動としてのコミュニティ音楽療法, 第5章 生態学的音楽療法と媒体学習. In: 文化中心音楽療法. 東京: 音楽之友社; 2008. p.183-203.

〈勝山真弓〉

19

保育について ― 生活習慣と遊び

ポイント

1…疾患特性に応じた子育て，保育はその子らしい発達を促すことができる．

2…発達を促す子育て・保育はスモールステップからはじめる．

3…「できた」という体験を多くし，その場で褒める，褒める子育て，保育を．

4…遊びは，個々の子どもの成長発達段階を理解，考慮して実践する．

ダウン症児のもつさまざまな特性に応じた子育て，保育は，身体の発達や言葉の発達に応じた配慮点を理解したうえで行う．発達や行動は1人1人に違いがあることから，その子にあった子育て，保育を行うことが，その子らしくのびのびと育つことにつながる．疾患特性から発達は緩やかな児が多いが，個々の発達を理解したうえで子育て，保育を実践することで，その子らしい発達を促すことになる．

① 保育のポイント

(1) 生活習慣

食事，睡眠，排泄，着脱（更衣や靴の脱ぎ履き），清潔などの基本的な生活習慣は，子どもの成長に合わせて身につけることが大切である．成長発達に応じた援助が，子どもの自立につながっていく．

(2) 遊び

子どもの遊びには，発達に合わせた遊び，身体の発達に合わせた遊び，社会性を伸ばす遊び，会話を伸ばす遊び，病気や病状を考慮した遊びがある．

(3) ごっこ遊び

遊びの発達に重要な象徴遊び（ごっこ遊び）は，観察力，記憶力，想像力，創造力，空想力，コミュニケーション能力，社会性，言葉能力，表現力などが身につく．

ダウン症児の一般的な発達や保育上の配慮点，また具体的な遊びの方法について 表1，表2 にまとめた．子どもの成長発達段階を理解，考慮したうえで保育の実践につながるとよい．

JCOPY 498-14563

表1 基本的生活習慣自立の援助と配慮点

生活習慣	発達の状況	問題点	配慮点
食事・栄養 1歳頃～	● コップをもって自分で飲むことができ，2歳頃までにはスプーンを使って自分で食べるようになる	● 偏食と過食に注意 摂食機能の遅れから離乳食の開始や進行が遅れるため，子どもにできるだけたくさん食べさせたいという親の思いから子どもの好むものだけ与え，いつまでも親が介助してしまう．また，食べものを噛まずに飲み込むことが多く，食事量が多くなり，運動量が少ないなどから肥満になりやすい	● 問題点を考慮し食生活の管理をする ● 甘いものの摂取を控え，子どもの運動量に合わせた摂取量と工夫した献立内容にする ● 子どもが使う容器やスプーンは握りやすいもの，カップなどは持ちやすいものを選ぶ（子どもの手の大きさに合った形状，重さ，材質，長さ，持ちやすさ，量，好みの色など）
睡眠 乳児・幼児期	● 月齢の平均睡眠時間より長い時間眠っていることがある．身体の発育が未熟なためであり，心配はない ● 覚醒しても泣かないでおとなしくしているときは声がけする ● 睡眠のリズムを作る	● 眠りが浅い ● 夜泣き，夜と昼間を取り違える	● 深くぐっすり眠ることができる環境を整える ● 子どもの睡眠パターンを知る ● 寝室を決め，適度な温かさや涼しさを保つ ● 生活の流れのなかで睡眠時間を一定にし，規則的な生活習慣のリズムを崩さないようにする
排泄 2～3歳頃 (重度の障害や合併症がある場合を除く)	● トイレットトレーニング開始する．排泄時間が一定してきたら，時間を決めておまるに座らせる習慣をつける	● 遅くとも4～5歳までに開始したい．遅れるとおむつへの排泄が固定してしまう	● 筋の低緊張から便秘になりやすいため，繊維質の多い食物や水分の摂取に心がける ● 腹部のマッサージ，運動を心がける ● 時間をかけて，また一定の時間に排便を促すことが大切である ● スモールステップがよい 「パンツを下げる→トイレットペーパーで拭く→パンツをはく→水を流す→手を洗う」など，一つひとつの行動を確認し，身につけられるように援助する ● 小学校へ上がる前までに完了するような目標を立てるとよい
清潔 1歳頃～	● 歯が生え始めたら歯磨きを開始する．家族や母親が後磨き（きれいに磨く）を行う ● 自分で歯ブラシがもてるようになったら，自分で口のなかに入れる習慣を身につける	● 感染症にかかりやすい ● 虫歯や歯肉炎になりやすい	● 手を洗う習慣は食事，排泄の後，遊びの後など，その場に応じて行うようにする ● 歯磨きは，模倣能力が優れている特性を活かし，周りの人と一緒に行うようにする ● 子どもが磨いた後には，家族や母親が後磨きを行う ● 好きな音楽を聴きながら楽しい時間となるように心がける ● 定期的に歯科受診するようにする

衣服や靴の着脱 5～6歳でできる子もいる	● 自分で全てができるようになるには時間がかかる．6歳になってもできない子がいる ● ボタンがけや紐結び（靴）は学童期になっても継続してみていく	● 手指の巧緻性に欠ける	● 無理強いをしないで動きに対応した声かけをし，スモールステップで行う ● 用意する服などは，緩めのものを選び，「できた」という体験を多くする ● 靴はデザイン性より子どもの足に合った形や大きさを選ぶ ● 着脱（脱ぎ履き）が容易にできるサイズを選び，足を守るものがよい

表2 具体的な遊びと配慮点

遊び	具体的な内容	配慮点
五感で楽しむ	● 見る，触れる，聴く，嗅ぐ，味わうなどの五感を楽しむため，感覚機能や運動機能を使ったり，刺激したりする遊びを一緒に楽しむ ● 物を見たり，聴いたり，触れたり，育児する人の優しい匂いのなかで，安心時間を楽しむようにする ● 赤ちゃん体操（全身の体操）を行う	● 子どもの発達に合わせ，子どもの表情を見ながら無理しないテンポで行う ● 優しく言葉をかけながら，しっかり抱きしめたり，頬ずりをしたり楽しい歌や美しい音楽を聞かせる〔赤ちゃんの五感（視覚，聴覚，触覚，嗅覚，味覚）に，心地良い刺激を与える〕
読み聞かせ	● 言語や認知発達に大きな効果が期待できる ● リズミカルに，ときに歌が入るような本を選ぶ．簡単な赤ちゃん用の絵本，紙芝居，素話，パネルシアター，ペープサート，エプロンシアターなどを使用する	● ゆっくり，はっきり，わかりやすく，感情豊かに，子どもにあわせた流れを多く作る ● 子どもが集中できる時間を把握し，楽しめる範囲で行う（日々の生活に取り入れて行うことでことばを増やすことができる） ● 一方的な読み聞かせにならないように一緒に楽しむ ● 根気よく何度も機会を捉え，たくさんの話を繰り返し聞かせる
リズム遊び	● リズムに合わせて遊ぶ 手遊び，身体を揺らす，くすぐり，物まね，やさしくタッチ，歌を歌う，打楽器を使って音を楽しむ，歌遊び（子どもに合わせた即興曲で子どもと触れ合う）など，リズムを取り入れながら遊ぶ	● 子どもの発達に合わせた楽器を用意する ● 楽器は子どもがもつことのできる重さや形，安全な材質，好みの音や色を選ぶ ● みんなと楽しめる時間を設定する
絵描き	● 画用紙やボードにクレヨンやペンを使って描く ● 手を使って絵を描くフィンガーペイント，筆や刷毛，スポンジを使って絵を描く．ハンコを使って描く ● 折り紙，包装紙，新聞紙をちぎって描く ● マーブリング（水に絵の具を浮かべて遊ぶ）や吹き絵を楽しむ	● 絵を描くとき，子どもの把持機能（握る段階や発達，能力）を理解し，子どもにあった太さや重さ，長さ，材質などを考慮する ● 吹き絵は子どもの吹く力で絵が変化するため，吹くことや吹くことによる絵の変化，流れを楽しむ
貼り絵	● シール貼り，ちぎり絵 セロハンテープや新聞紙，折り紙，紐，布などを台紙に貼って楽しむ ● マグネット板の貼り絵を楽しむ	● 貼る，ちぎる，破る，めくる，引っぱる，折る力には個人差があることを理解する ● 子どもの状態を判断し，必要なものを用意する ● 楽しむことでまたやりたいという意欲がもてるような材料，方法を選ぶ

JCOPY 498-14563

玩具で遊ぶ	● 軽い素材の積み木，マジックテープを使ったマッチング，簡単なパズル，布絵本を使用する．ボタンがけやチャック使い，紐結び，ままごと，粘土，ぬいぐるみ，ボール，風船，音の出る玩具（引く，押す，叩く，入れる，出す，流す，転がす，並べる，回すなど）などを使う ● ペットボトル利用のボーリング遊び	● 目で変化が確認できるような玩具を用意する ● 材質を楽しむ玩具を用意する ● ボーリング遊びは遊びながら数に対するおおよその理解ができるようになる
ことば遊び	● 言葉や動作を用いて遊ぶ かくれんぼ（いない，いない，ばー），これはなあに（オウム返しを楽しむ），まねっこ遊び，指人形で遊ぶ，ままごと遊び，電車ごっこ，お医者さんごっこ，お店屋さんごっこ，だるまさんが転んだ，じゃんけん遊び，電話で遊ぶ，腹話術などを用いる	● ゆったりした雰囲気のなかで楽しみながら，ことばのやり取りを繰り返し行うことで，ことば数を増やす ● 簡単なことばで遊ぶ ● 2 語文のやり取りでは，リズミカルに行うとよい ● 褒めることばや認めることばかけを忘れないようにする ● わかりやすいことばを使い，子どもとことばのやりとりを楽しむようにする

【参考文献】

1) 大場幸夫，柴崎正行，編．障害児保育．京都：ミネルヴァ書房；2011.
2) 丹羽淑子，編著．ダウン症児の家庭教育．東京：学苑社；1985.
3) 藤田弘子，大橋博文，編著．ダウン症児すこやかノート．大阪：メディカ出版；2009.
4) 石井哲夫，編著．改訂 保育所保育指針 Q&A 70―2000 年実施 改訂保育所保育指針理解のために．大阪：ひかりのくに；2000.

〈山本和子〉

20

学校・就労サポートについて

ポイント

1…正しい情報を得て，各自に適した就学，就労先を選ぶ．

学校のサポートは障害種を問わず，以下のような制度や手続きに沿って行われる．

① 特別支援教育をめぐる制度について

「平成 19 年 4 月に特別支援教育への移行ということで，児童生徒の個々のニーズに柔軟に対応し，適切な指導及び支援を行う観点から複数の障害種別に対応した教育を実施することができる特別支援学校の制度が創設されるとともに，各学校における「特別支援教育」の推進が学校教育法上に位置づけられました．」（国立特別支援教育総合研究所のホームページ http://www.nise.go.jp/cms/ より）

養護学校が特別支援学校に改名したのも，制度の創設によったもので，複数の障害種別に対応した教育を実施するセンター的な学校に変化していった．

② 就学に関する手続きについて

「平成 25 年 9 月に障害のある児童生徒の就学先決定の仕組みについて，「特別支援学校への就学を原則とし，例外的に小中学校へ就学することも可能」としていた従前の規定が改められ，個々の児童生徒について，市町村の教育委員会が，その障害の状態を踏まえた総合的な観点から就学先を決定する仕組みとすることなどが規定されました．」（国立特別支援教育総合研究所のホームページ http://www.nise.go.jp/cms/ より）

ある市の就学支援を例に紹介する．障害のある幼児，児童および生徒に対する，障害の種類，程度に応じた就学に係る支援（就学支援）をより適切に行うため，ある市の就学支援委員会（委員会）を設置している．

委員会では，（1）幼稚園，保育所，認定こども園，小学校または中学校からの依頼に基づく障害のある幼児，児童および生徒の適切な就学先に係る審議，（2）就学支援に必要な諸問題の調査および研究，（3）就学支援に必要な幼稚園，保育所，認定こども園，小学校または中学校との連絡調整，（4）（1）～（3）の目的を達成するために必要な事務を行う．委員は，教育学，医学，心理学その他障害のある幼児・児童および生徒の就学に関する専門的知識を有する者で構成されている．

1 年間の就学支援の手続きの流れは，5 月，9 月，11 月の 3 回以下の通り調査，研究，

JCOPY 498-14563

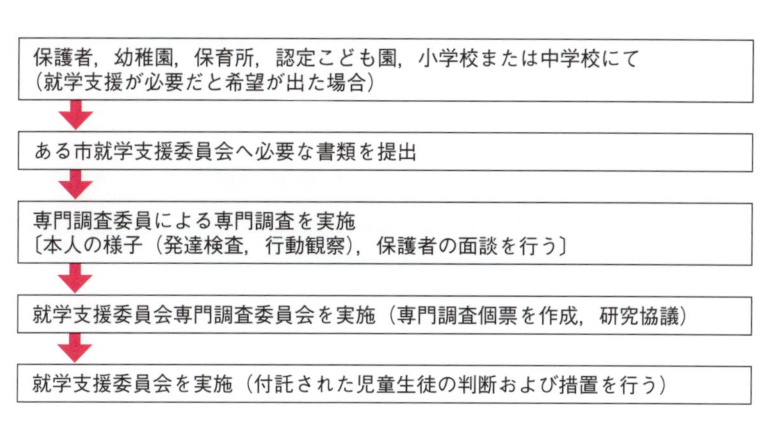

図1

委員会が実施される．

③ 通常学級，通級指導教室，特別支援学級について

通常学級とは，小・中学校で通常の授業を行う学級のことを言う．

「通常の教育（普通教育）とは，通例，全国民に共通の，一般的・基礎的な，職業的・専門的でない教育を指すとされ，義務教育と密接な関連がある．」（文部科学省教育基本法資料室ホームページ http://www.mext.go.jp/b_menu/kihon/ より）

通級指導教室（通級）とは，通常の学級に在籍する比較的軽度の障害のある児童生徒に対して，障害の状態に応じて特別な指導を行うための教室である．障害の状態を改善・克服するための自立活動を中心に，必要に応じて各教科の補充指導を行う．特別支援学級・特別支援学校に在籍する児童生徒は対象外である．通常の学級に籍があり，通級指導の時間のみ通級指導教室に通う．通級指導教室がない学校の場合は，通級指導教室のある他の学校に指導時間のみ通う．

特別支援学級とは，障害のある子ども一人ひとりに応じた教育を行うために，小・中

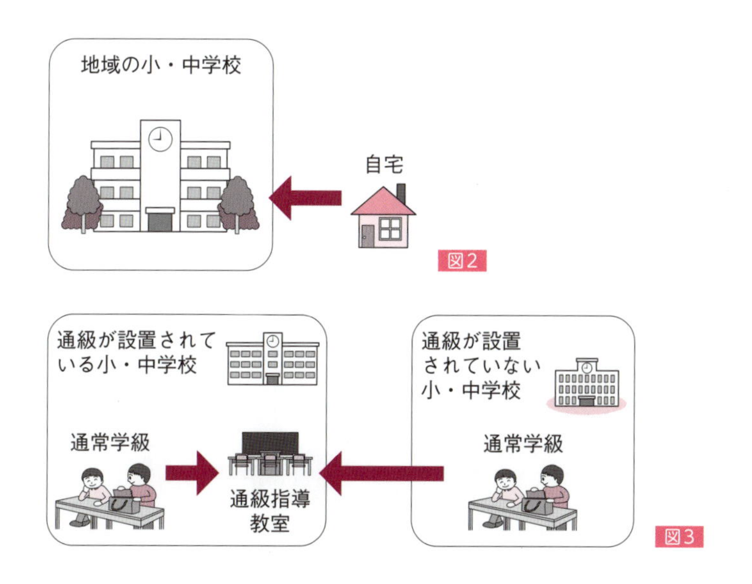

図2

図3

学校に設置された障害種別ごとに編成された少人数学級のことである．特別支援学級の障害種別は，知的障害，肢体不自由，病弱・身体虚弱，弱視，難聴，言語障害，情緒障害と7種別ある．しかし，7種類すべてを設置しているわけではなく，都道府県，政令指定都市によって該当の児童生徒がいる場合に設置される．そのため，設置されていない学級も多くある．全国的な数を確認すると知的障害，肢体不自由，自閉・情緒障害の支援学級が設置されているところが多い．

特別支援学級が設置されている学校に籍を置く．基本的には特別支援学級で授業を受けるが，体育や図画工作，給食などは通常学級で過ごすこともある．

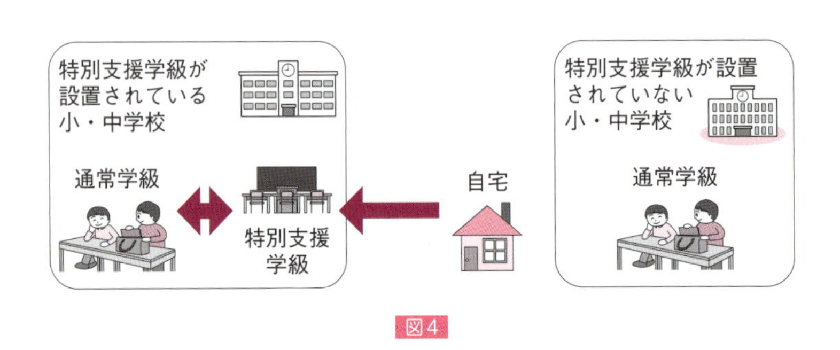

図4

④ 特別支援学校について（現行の学習指導要領による）

（文部科学省ホームページ http://www.mext.go.jp/　静岡県総合教育センターあすなろホームページ http://www.center.shizuoka-c.ed.jp/ より）

特別支援学校とは，視覚障害，聴覚障害，知的障害，肢体不自由または病弱の教育の対象として幼稚部，小学部，中学部，高等部の別がある．

見ることや聴くことが不自由である，知的発達に遅れがある，運動・動作が不自由である，体が弱い状態や病気などの理由で，教育上の配慮が必要な子どもたちがいる．このような子どもたちが自立し，社会参加するために必要な力を培うため，子ども一人ひとりの教育的ニーズを把握し，その可能性を最大限に伸ばし，生活や学習上の困難を改善または克服するため，適切な指導および支援を行うのが特別支援教育である．

その一つの教育の場である特別支援学校は，障害の程度が比較的重い子どもを対象として専門性の高い教育を行う学校である．特別支援学校では，幼稚園，小学校，中学校または高等学校などに準ずる教育を施すとともに，障害による学習上または生活上の困難を克服し自立を図るために必要な知識技能を授けることを目的に，子どもたちそれぞれに応じた教育課程を編成し，教材・教具を工夫し専門的で細やかな指導を通して一人

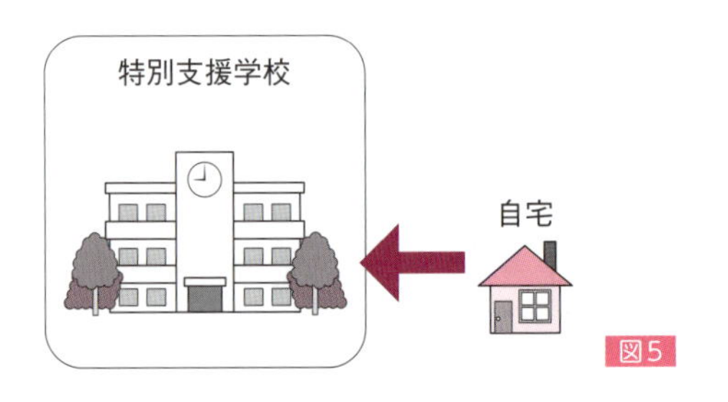

図5

JCOPY 498-14563

ひとりの自立と自己実現を目指した教育をしている.

A. 知的障害を対象とした特別支援学校における指導

知的発達の遅滞があり，他人との意思疎通が困難で日常生活を営むのに頻繁に援助を必要とする程度のものおよび知的発達の遅滞の程度がその程度に達しない子ども達のなかで，社会生活への適応が著しく困難なものを対象に教育を行う.

小学部では基本的な生活習慣や身辺自立，日常生活に必要な言葉の指導など，中学部ではそれらを一層発展させるとともに，集団生活や円滑な対人関係，職業生活についての基礎的な事柄の指導などが行われている．高等部においては，家庭生活，職業生活，社会生活に必要な知識，技能，態度などの指導を中心とし，たとえば，木工，農園芸，食品加工，ビルクリーニングなどの作業学習を実施し，特に職業教育の充実を図っている.

B. 知的障害を対象とした特別支援学校の教育課程

小学部では，各教科，特別の教科である道徳，特別活動ならびに自立活動，中学部では，各教科，特別の教科である道徳，総合的な学習の時間，特別活動ならびに自立活動，高等部では各教科，法令に規定するこれら以外の教科および道徳，総合的な学習の時間，特別活動ならびに自立活動によって教育課程を編成する（小学部における外国語活動と中学部における外国語科については，児童・生徒や学校の実態を考慮し，必要に応じて設けることができる）．そして，一人ひとりの言語面，運動面，知識面などの発達の状態や社会性などを充分把握したうえで，生活に役立つ内容を実際の体験を重視しながら，個に応じた指導や集団での指導を進めている．学校によって，教科・領域別の指導を中心にした日課を編成している場合と各教科などを合わせた指導（日常生活の指導，遊びの指導，生活単元学習，作業学習）を中心にした日課を編成している場合がある.

C. 知的障害を対象とした特別支援学校における各教科

- 小学部：生活，国語，算数，音楽，図画工作，体育
- 中学部：国語，社会，数学，理科，音楽，美術，保健体育，職業・家庭，外国語
- 高等部：国語，社会，数学，理科，音楽，美術，保健体育，職業，家庭，外国語，情報
- 主として専門学科において開設される各教科：家政，農業，工業，流通・サービス，福祉

D. 自立活動

障害による学習上または生活上の困難を改善・克服し，社会参加する資質を養うため，学校の教育活動全体を通じて適切に行われる．自立活動の指導計画は個別に作成することが基本であり，最初から集団で指導することを前提とするものではない．個別の指導計画に基づく自立活動の指導は，個別指導の形態で行われることもあり，指導の目標を達成するうえで効果的である場合には，集団を活用して指導することもある.

内容は「健康の保持」，「心理的な安定」，「環境の把握」，「身体の動き」，「コミュニケーション」，「人間関係の形成」6 区分 27 項目に分類・整理される．指導においては，全

ての内容を取り上げるということではなく，個々の幼児児童生徒の障害の状況や程度などに応じて，必要な項目を選定し，それらを相互に関連づけて設定する．

知的障害を対象とした特別支援学校では，全般的な知的発達の程度や適応行動の状態に比較して言語，運動，情緒，行動などの特定の分野に顕著な発達の遅れや特に配慮を必要とするさまざまな状態が知的障害に随伴してみられるため，そのような障害の状態による困難の改善などを図るため自立活動の指導を効果的に行う．知的発達の遅れや適応行動の困難に応じた各教科が設けられているが，児童生徒の知的障害の状態などに即した指導を進めるため，各教科，道徳，特別活動および自立活動を合わせて指導を行う場合と，自立活動の時間を設けて指導を行う場合がある．

E. 各教科などを合わせた指導

日常生活の指導

幼児児童生徒の日常生活が充実し，高まるように日常生活の諸活動を適切に指導するものである．指導内容は，生活科の内容だけでなく道徳や特別活動を始め，各教科などに関わる広範囲の内容が扱われる．たとえば，衣服の着脱，食事，排泄，身の回りの整理などの基本的生活習慣の内容，健康管理，危険防止などの健康・安全の内容，挨拶，言葉遣い，礼儀作法，時間を守るなど日常生活や社会生活において必要で基本的な内容などがあげられる．

遊びの指導

遊びを学習活動の中心に据えて取り組み，身体活動を活発にし，仲間との関わりを促し，意欲的な活動をはぐくみ，心身の発達を促していくものである．大人や友達との関わりのなかで，意欲的・主体的に興味や関心をもち，体を働かせて周囲の環境や文化に関わり，活動を創造し，展開する．生活科の内容を始め，各教科などに関わる広範囲の内容が扱われる．

生活単元学習

児童生徒が生活上の目標を達成したり課題を解決したりするためにテーマに沿った一連の活動を行い，実際的・総合的に学ぶ学習である．具体的には，学校行事や季節の生活に関する活動，制作や飼育活動などを単元としてまとめて授業を展開する．

作業学習

中学部の職業・家庭や高等部の職業および家庭などの内容だけでなく，各教科等の広範囲の内容が取り扱われる．作業活動を学習活動の中心にしながら，生徒の働く意欲を培い，将来の職業生活や社会自立に必要な事柄を総合的に学ぶ．職業生活および家庭生活に必要な基礎的・基本的な知識と技能を習得させ，勤労を重んずる実践的な態度を養い，進んで社会生活に参加していく能力を養うことを目指している．

自主生産作業や委託加工作業，校内作業や地域作業，産業現場等における実習など，多様な形態で実施される．取り上げる作業種目についても，製造業や流通業，サービス業，農林水産業など幅広く設定されるようになった．

JCOPY 498-14563

ある特別支援学校の場合

学校教育目標

個人差と特性に応じて，社会自立に必要な知識，技能，態度を育成し，その可能性を伸ばし，一人ひとりの自己実現を支援する．

小学部の目標

- 身の回りのことが自分でできる子
- 仲間と仲よく関わることができる子
- 明るく元気に活動できる子
- 人や物に興味をもち自分の気持ちを表現できる子

小学部では，主に身の回りのことをできるようにしていくこと，周りの人との関わり方を学ぶこと，毎日学校に通って，1 日活動できる体力をつけること，自分の思いを伝えられることなどの力を身につけたいと考えている．そのために，学習は毎日同じ流れで行い，次に何をやるのかわかりやすくしている．安心して学校生活が送れることで，気持ちが安定し，興味関心の幅が広がり，自分一人でできることを発見することができる．

中学部の目標

- 自分のことは自分でする生徒
- 仲間と協力して集団生活ができる生徒
- 最後までやりぬく根気強さや体力をもって，活動できる生徒
- 活動に集中して取り組む生徒
- まわりの人や物事に自分から関わり，自分で考えて活動できる生徒

中学部の 3 年間を，心も体も大きく成長し子どもから大人へと一歩ずつ近づいていく時期と捉え「仲間と協力 仲間のために」を合言葉に学習に取り組んでいる．生徒と教師がその時期の生活のテーマ（目的）に向かって，学級や学部，学校のために働く委員会活動や日々の係活動，校内の販売会や受注販売などを目標にした物作りを中心とした作業学習などを通じて，集団のなかでの役割意識を高め，進んで活動する人，働く人を目指していく．

高等部の目標

- 規律ある生活をする生徒
- 思いやりと仲間意識をもった生徒
- 自分の生き方を真摯に考え，物事を見出したり，表現したりすることに喜びをもつ生徒
- 最後までやり抜く，根気強さと体力のある生徒
- 精一杯働くことに喜びをもつ生徒

高等部の 3 年間を，社会参加を目指し，生涯学習の基礎を築く時期と捉え，「自分のことは自分でやろう」，「人の役に立とう」を合言葉に学習に取り組んでいる．健康的な生活，好ましい人間関係を構築するための日常生活技能や意欲・態度，日常生活や社会生活に必要な基礎的基本的な知識や技能，態度・習慣などを身につけながら，さまざまな生活場面（家庭生活や学校生活，地域生活，将来的な職業生活）において役割を遂行

する人を目指していく.

⑤ 進路指導について

進路について考えるということは，卒業後の生活における役割の遂行について考えることである.「自分のことは自分でやる」ことと「人の役に立つ」ことを実践しながら「豊かな生活を過ごすには，どのようにしていけばよいのか」を考えることである.

進路については，「高等部になってから」と考えることもあるかと思われる．しかし，実際には，高等部では「進路」＝「企業や福祉施設などの選択・決定」という現実的な取り組みが大きな位置を占めてしまう．そうした「進路選択」は，進路指導の一つの側面に違いはないが，すべてではない.

「卒業後の生活のあり方や生活の場，就労の場」について，早い時期からよく知ったうえで，「生徒の日常的な生活課題」を捉え，「卒業後の生活を踏まえた現在の支援」を考えていくことが大切だと考えられる.

特別支援学校で現在行っている指導・支援が，小学部から中学部へ，中学部から高等部へ，高等部から社会へというように，それぞれが結びついていることを教師も本人・保護者も理解し，さらに，卒業後の長い人生をどう生きるかという長期的な視点でも進路を捉え，年齢や発達段階に合った指導・支援の内容や方法を考えていくことが重要である.

また，本人に対する障害者差別禁止法や障害者雇用促進法による合理的配慮の提供についても，個別の指導計画や実習評価などを踏まえ，本人がどんな配慮をしてほしいか具体的に説明できることも重要である．学校生活や実習での姿から自分自身を知り，伝えられるようにしていくことも重要である.

ある特別支援学校の場合

進路指導の実際

- 進路懇談と相談

学部，学年ごと懇談会や学習会を実施し，情報提供を行うとともに，必要な児童生徒に対して個別の進路相談を行う.

- 進路先見学

本人・保護者が希望する実習先で見学や体験を行う.

- 進路希望調査

高等部では，定期的に本人・保護者が希望する進路先についてアンケート調査を行う.

- 理解啓発活動

進路担当者連絡協議会を主催し，高等部を設置する特別支援学校間で連携して関係機関や企業，福祉施設に対して在籍生徒の進路希望や各校の実習計画などの情報提供を行い，協力を仰ぐとともに，進路指導に係る連絡調整を行う.

進路学習について

高等部では将来の社会生活に備え，作業学習を中心に位置づけながら，3年間にわた

JCOPY 498-14563

る学校生活全般で「働く力」を高めることに取り組んでいる 別紙1～3参照．

産業現場などにおける実習

高等部では，自分の適性や良さ，課題について知ることや，必要な知識，技能態度を身につけ，社会人になる気持ちを高めるために企業や福祉事業所で2週間を基本（福祉事業所の場合1年生は1週間）に3年間で5回の実習を実施している．

実習期間中は学校を離れ，実際に仕事や生活を経験し，現場の方々から良さと課題を評価いただくことで，どんな仕事や事業所を選択することが卒業後の豊かな生活につながっていくかを現実的に考えることができる．学校職員が実習先を巡回し，現場で課題となることがあれば解消できるよう実習先の協力を得たうえで，手立てを講じたりアドバイスをしたりしている．

⑥ 移行・定着支援について

ある市の取り組み

移行支援会議を実施し，関係機関の役割を本人，保護者が知るとともに，本人について情報共有することで，職場定着や諸問題の解決などに関係機関が連携して対応できるようにしている．

卒業後の相談先としては，企業就労している場合は，障害者就業･生活支援センター，福祉事業所を利用している場合は，相談支援事業所が主な相談窓口になることが多い．

就職後のジョブコーチ制度の活用については，県・国のジョブコーチともに定着支援の要望に応じていただいている(高等部3年の就労につながる実習では,県のジョブコーチ制度のみ活用が可能)．

学校生活から社会生活への移行は大きな変化を伴う．本人が社会人として円滑にスタートができるよう，家庭の支援と関係機関の連携は非常に重要となる．本人，家庭の課題について関係機関に具体的に伝えることが重要である 別紙4, 5参照．

別紙1 高等部1年 進路指導・進路学習について

【4月 作業学習】

- 作業学習とは
- 作業見学（校内の作業班，先輩の働く様子）
- 希望3班の作業体験

【4～5月 進路学習～働く人になるためにⅠ～】

- 誕生～中学生～高校生～働く大人へ
- 将来の夢（働くこと・暮らすこと・楽しむこと）
  個別の教育支援計画（本人の願い）の記入
- 働くことの基本
  『働くための5か条』
  『働く力の6つの要素』
- 所属作業班発表・個人目標決め ⇒ 作業学習スタート

☆ 進路に関する希望調査実施（卒業後の進路希望の記入）
☆ 職場実習許可証伝達式（3年）に出席

<働くための5か条>
①自分から挨拶・返事・報告をします．
②時間を守ります．ルールを守ります．
③身だしなみを整えます．
④手を休めず，正確に仕事をします．
⑤相手の目を見て，最後まで話を聞きます．

<働く力の6つの要素>
①物事に取り組む姿勢 ②体力・気力
③知識・技能 ④生活習慣
⑤対人関係 ⑥社会生活

【6月 進路学習～働く人になるためにⅡ～】

- 進路決定に向けて（集中作業や職場実習）
- 世の中の様々な仕事
- 集中作業（3年）の見学
- 進路先見学
  実際の先輩の職場実習先，進路先

☆ 職場実習許可証伝達式（2年）に出席
☆ 職場実習報告会（2年・3年）に出席

【10月 進路学習～働く人になるためにⅢ～】

- 様々な職場（先輩の職場実習先）
- 集中作業，職場実習について
- 作業体験（3日間）
  様々な職種の体験，自己の適性の検討

☆ 職場実習報告会（3年）に出席
☆ 進路に関する希望調査実施（職場実習先の希望の記入）
☆ 職場実習報告会（2年）・職場実習報告会（2年）に出席

<職場実習許可証伝達式>
職場実習に出発する前に，許可証をもらい，職場実習先や個人目標などを友達に発表することで，その決意を新たにする式
<職場実習報告会>
職場実習を終えての取組の成果や今後の課題などを友達に発表し，これからの生活に向けてスタートを切る式

⇒1年生は両方の式において，先輩たちの立派な姿を見，その発表から様々な職場実習先や仕事内容があることを知る機会．
また，職場実習に関して知りたいことや聞きたいことを先輩に質問をすることも経験．

【1～3月 進路学習～働く人になるためにⅣ～】

- 職場実習に向けて（スケジュール・ルールやマナー）
- 個人目標決め ⇒ 集中作業日誌，職場実習日誌作成
- 集中作業

☆ 職場実習許可証伝達式（1年）の実施

- 職場実習
- 職場実習のまとめ（個人目標の反省，お礼状作成）

☆ 職場実習報告会（1年）の実施
☆ 進路に関する希望調査実施（職場実習の評価，今後の希望の記入）

【1～2月 作業学習】

- 学校祭にて，作業発表
- 作業納め（作業班解散）

【3月 作業学習】

- 希望3班の作業体験（3日間） ⇒ 次年度，所属作業班決定

JCOPY 498-14563

別紙2 高等部2年 進路指導・進路学習について

【4月　作業学習】
- 作業始め
- ☆　進路に関する希望調査の実施
  （第2回職場実習先希望，卒業後の進路先希望の記入）

＜4月当初＞
学級活動の中で，個別の教育支援計画（本人の願い）を使い，卒業後の生活の希望を記入する

【5～7月　進路学習～働く人になるためにⅤ～】
- 働くことについて考える
  これからの進路学習・進路選択の流れについて知る
- 第2回職場実習に向けて
  働くことの基本
  『働くための5か条』『働く力の6つの要素』
  3年生の集中作業見学
  個人目標決め　⇒　集中作業日誌・職場実習日誌の作成
- ☆　職場実習許可証伝達式（3年）に出席
- ☆　職場実習報告会（3年）に出席
- 集中作業
- ☆　職場実習許可証伝達式（2年）の実施
- 第2回職場実習
  校内実習（U作業所）の実施
- 第2回職場実習のまとめ（個人目標の反省，礼状作成）
- ☆　職場実習報告会（2年）の実施
- ☆　進路に関する希望調査の実施
  （職場実習の評価，今後の希望の記入）

【集中作業】
- 長時間働く体力づくり
- 責任感の育成
- 働く意欲の向上
- 作業遂行能力の向上
- 物流の理解
- 自己の適性の理解
- コミュニケーション力の向上
- 働く生活習慣づくり

【10～11月　進路学習～働く人になるためにⅥ～】
- 第3回職場実習に向けて
  働くことの基本
  『働くための5か条』『働く力の6つの要素』
  個人目標決め　⇒　集中作業日誌・職場実習日誌の作成
- ☆　職場実習報告会（3年）に出席
- 集中作業
- ☆　職場実習許可証伝達式（2年）の実施
- 第3回職場実習
  校内実習（U作業所）の実施
- 第2回職場実習のまとめ（個人目標の反省，礼状作成）
- ☆　職場実習報告会（2年）の実施
- ☆　進路に関する希望調査実施
  （職場実習の評価，今後の希望の記入）
- ☆　職場実習許可証伝達式（1年）に出席 ･･･2月
- ☆　職場実習報告会（1年）に出席 ･･･3月

卒業後に就労継続支援B型事業所の利用を希望する場合，職場実習期間中に実習先でのアセスメントを実施する．

3回の職場実習の経験を経て，進路選択の方向性を固めていく非常に重要な時期．

【1～3月　作業学習】
- 学校祭にて，作業製品発表
- 作業納め（作業班解散）

【3月　作業学習】
- 希望3班の作業体験（3日間）　⇒　次年度，所属作業班決定

【3月　進路学習～働く人になるためにⅦ～】
- 働く生活，進路選択に向けて大切なことの再確認
- 3年の職場実習に向けての確認　「職場実習＝就職試験」

別紙3 高等部3年 進路指導・進路学習について

【4月　作業学習】

- ●作業始め
- ☆　進路に関する希望調査の実施（第4回職場実習先希望，卒業後の進路先希望の記入）

【4～6月　進路学習～働く人になるためにⅧ～】

- ●移行支援会議Ⅰに向けて
  - 個別の教育支援計画（本人の願い）の記入
  - 卒業後の進路希望を各関係機関に伝える
- ●第4回職場実習に向けて
  - 働くことの基本『働くための5か条』『働く力の6つの要素』の押さえ
  - 個人目標決め，集中作業日誌・職場実習日誌の作成
- ●集中作業の実施
- ☆　職場実習許可証伝達式（3年）の実施
- ●第4回職場実習の実施
- ●第4回職場実習のまとめ（個人目標の反省，礼状作成）
- ☆　職場実習報告会（3年）の実施

<高3時の職場実習>
2年時までの職場実習と異なり，「採用試験」の意味合いを持つ重要な実習となる．本人の評価のみならず，保護者の姿勢や対応力も評価される

【7～10月　進路学習～働く人になるためにⅨ～】

- ☆　進路に関する希望調査の実施（第5回職場実習先希望，卒業後の進路先希望の記入）
- ☆　職場実習許可証伝達式（2年），職場実習報告会（2年）に出席
- ●求職者登録及び重度判定手続き（夏季休業中に該当者のみ）
- ●第5回職場実習に向けて
  - 働くことの基本『働くための5か条』『働く力の6つの要素』の押さえ
  - 個人目標決め，集中作業日誌・職場実習日誌の作成
- ●集中作業の実施
- ☆　職場実習許可証伝達（3年）の実施
- ●第5回職場実習の実施
- ●第5回職場実習のまとめ（個人目標の反省，礼状作成）
- ☆　職場実習報告会（3年）の実施
- ☆　進路に関する希望調査実施（卒業後の進路先希望の記入）

【11～12月　進路学習～働く人になるためにⅩ～】

- ●追加実習の実施（該当者のみ）
- ●求人票の確認，履歴書の作成（企業）
- ☆　職場実習報告会（2年），職場実習報告会（2年）に出席
- ●障害福祉サービス事業所利用希望調査及び利用希望の郵送（12月1日消印で郵送）

<進路先の決定に向けて>
希望する進路先（企業，障害福祉サービス事業所，その他）によって，採用決定に至るまでの手続き等が異なってくるため，個々での進行状況となっていく．

【1～2月　作業学習】

- ●学校祭にて，作業製品販売・発表
- ●作業納め（作業班解散）

【1～3月　進路学習～働く人になるためにⅪ～】

- ●利用受入の回答確認（就労移行支援事業所，就労継続支援A型・B型事業所，生活介護事業所）
- ●求人票の確認，履歴書の作成（就労継続支援A型事業所）
- ●サポートブックの作成
- ●各種諸制度，卒業後の相談機関等について知る
- ●消費者教育の実施
- ☆　職場実習許可証伝達式（1年），職場実習報告会（1年）に出席
- ●移行支援会議Ⅱに向けて
  - 卒業後の進路先や必要とする支援場面，方法等を各関係機関に伝える

<移行支援会議Ⅱ>
本人・家族に関わる，「労働」「福祉」「医療」「保健」「教育」の各関係機関が一同に介し，卒業後の進路先の確認や支援内容・方法の引継ぎ，各関係機関が果たす役割等について確認し合う場である．

JCOPY 498-14563

別紙4 福祉事業所利用に向けての流れと関係機関との連携（高等部３年）
生活介護，就労継続支援Ａ型・Ｂ型，就労移行支援，自立訓練，地域活動支援センター

時期	項目	内容	関係機関
4月	移行支援会議Ⅰ	本人が関係機関の担当者と面接をすることで，卒業後の進路について具体的に考える契機とする．	居住区障害者支援課 学校
随時 誕生日前後	障害支援区分認定	生活介護利用希望者は 18 歳誕生日前後で障害支援区分の認定が必要 ※生活介護利用の場合は区分３以上が必要 ※ただし，誕生日が１月～３月の方は前倒し実施可	居住区障害者支援課
6月～7月	産業現場等における実習	本人が希望する事業所で，翌年の４月からの採用を踏まえた実習を行う．	事業所（実習期間は２週間）
	※Ｂ型利用に係るアセスメント（未実施者のみ）	卒業後Ｂ型利用希望者が，実習時に３日間のアセスメントを実施する．	居住区障害者支援課 就労移行支援事業所 実習先Ｂ型事業所
実習終了後	面談	実習先からいただいた評価と課題から，次回実習先について希望確認をする．	学校
9月～10月	産業現場等における実習	本人が希望する事業所で，来年の４月からの採用を踏まえた実習を行う．	事業所（実習期間は２週間）
	※Ｂ型利用に係るアセスメント（未実施者のみ）	卒業後Ｂ型利用希望者が，実習時に３日間のアセスメントを実施する．	居住区障害者支援課 就労移行支援事業所 実習先Ｂ型事業所
※随時	（追加実習）	必要に応じて追加実習を行う	事業所
実習終了後	面談	これまでの実習先からの評価を踏まえ，利用希望事業所の確認をする．	学校
11月	利用希望事業所の確認	書面にて第２希望までを学校に提出する．	保護者→学校
12月1日	利用希望発送	確認した第１希望事業所へ利用希望を学校から発送する．※圏域５校共通	学校→事業所
～1月上旬	結果通知の受け取り（利用可否）	事業所より学校宛に４月からの利用可否について文書で回答． →学校より保護者宛に結果通知を渡す	事業所→学校
1月以降	利用に向けた手続き	４月からの利用に向けた手続きを行う ● 区役所でサービス利用申請 ● 相談支援事業所と契約 ● 「障害福祉サービス受給者証」の発行 ● サービス利用計画の提出 ● 事業所と利用契約	相談支援事業所（利用計画） 居住区障害者支援課 事業所
3月	移行支援会議Ⅱ	関係機関が一同に会し，本人に関する情報を共有することで，卒業後の連絡，相談，協力等が円滑に行えるようにする．	事業所，公共職業安定所，就業・生活支援センター，生活支援課，学校等
3月	オリエンテーション	事業所は入所オリエンテーションを実施する．学校が同席する場合もある． 採寸・契約等，事業所からの求めに応じ実施	事業所
	利用開始		

A 型事業所希望者は以下の手続き等も必要となる

8月	求職者登録 ※A 型希望者のみ	本人・保護者がハローワークへ行き障害者求職申込書を記入・登録する.	ハローワーク
	重度判定申込 ※A 型希望者のみ	本人・保護者がハローワークにて重度判定についての説明を受け，手続き書類を記入し，提出する.	
10月〜	重度判定の実施 ※A 型希望者のみ	重度判定を障害者職業センターで行う. ※重度判定は，雇用に伴う諸制度を企業が利用するために必要.	障害者職業センター
利用希望回答後	求人票の発行（学校指名求人）	A 型事業所は雇用契約を結ぶため，「利用可」通知の生徒向けに求人票（学校指名求人）を発行する. →本人は学校を通じて応募書類を提出する. ※履歴書：本人が作成　調査書：学校が作成	A 型事業所 ハローワーク 学校
	選考	必要に応じて，A 型事業所が定める選考試験・面接を本人が受ける.	A 型事業所
	内定通知書の発行	選考結果（内定）を学校を通じて本人に通知する.	A 型事業所
	関係書類等の提出	事業所への事前提出書類，健康診断書等を求められる場合もある.	A 型事業所
	労働契約	労働契約を結ぶ.	A 型事業所

卒業後の定着支援の仕組み（1 年目〜 3 年目）

時期	項目	内容	関係機関
7月〜8月 2月〜3月	定着支援	出身校が事業所に連絡・訪問する．訪問した際には，事業所及び本人に対して 4 月からの様子について聞き取りをする．事業所もしくは本人が困っていることがあれば関係機関と連携をして，解決できる方法を検討し，実行する.	事業所 出身校 相談支援事業所等

※必要に応じて，3 年目以降も関係機関と連携を図りながら支援をする.

JCOPY 498-14563

別紙5 雇用に向けての流れと関係機関との連携

時期	項目	内容	関係機関
4月	移行支援会議Ⅰ	本人が関係機関の担当者と面接をすることで，卒業後の進路について具体的に考える契機とする．	ハローワーク，就業・生活支援センター，学校
6月～7月	産業現場等における実習	本人が希望する企業で，翌年の4月からの採用（利用）を踏まえた実習を行う．	企業
8月	求職者登録	本人・保護者がハローワークへ行き障害者求職申込書を記入・登録する．	ハローワーク
	重度判定申込	本人・保護者がハローワークにて重度判定についての説明を受け，手続き書類を記入し，提出する．	
（10月～）	重度判定の実施	重度判定を障害者職業センターで行う． ※重度判定は，雇用に伴う諸制度を企業が利用するために必要．	障害者職業センター
9月～10月	産業現場等における実習	本人が希望する企業で，翌年の4月からの採用（利用）を踏まえた実習を行う．	企業

採用が決定後の流れ
※ハローワーク『学卒求人のしおり』も参照のこと

実習終了後（10月～）	学卒求人票（学校指名求人）の提出	企業は採用を考えている生徒向けに求人票（学校指名求人）を作成し，新卒応援ハローワークに提出する．受理後，該当校進路指導主事に連絡．学校から該当生徒に通知する．	企業 ハローワーク
求人票受け取り後速やかに	応募書類（履歴書・調査書）を企業に提出	本人･保護者が求人票の内容を確認する．求人票の内容を承諾する場合は，学校を通じて企業に応募書類を提出する． 履歴書：本人が作成　調査書：学校が作成	本人 学校
応募書類受け取り後速やかに	選考	必要に応じて，企業が定める選考試験・面接を本人が受ける．	企業
	内定通知書の発行	選考結果（内定）を学校を通じて本人に通知する．	企業
	入社関係書類等の提出	入社に係る事前提出書類，健康診断書等を必要とする場合には学校に知らせる．	企業
	労働契約	本人と企業は入社決定の後，労働契約書を交わす．労働契約書の発行が雇用開始初日になる場合には，雇入通知書を発行する．	本人 企業
3月	オリエンテーション	オリエンテーションを実施する．学校が同席する場合もある．	企業，本人
3月	移行支援会議Ⅱ	関係機関が一同に会し，本人に関する情報を共有することで，卒業後の連絡，相談，協力等が円滑に行えるようにする．	企業，学校，ハローワーク，就業・生活支援センター
3月～4月	入社式	必要に応じて，企業が主催する入社式に本人が出席する．	企業

ジョブコーチ制度

- 高等部 3 年の就労につながる実習において，県のジョブコーチについては利用可能である.
- 雇用後は県のジョブコーチおよび国のジョブコーチの利用が可能である.

卒業後の定着支援の仕組み

（1 年目）

時期	項目	内容	関係機関
5 月～ 8 月	定着支援	出身校，ハローワーク，就業・生活支援センターが企業を訪問し事業所及び本人に対して雇用後の様子について聞き取りをする．企業もしくは本人が困っていることがあれば関係機関が連携して，解決できるよう方策を検討・実行する.	企業 出身校，ハローワーク，就業・生活支援センター等
2 ～ 3 月	定着支援	必要に応じて，出身校及び就業・生活支援センターが事業所を訪問する.	企業，出身校，就業・生活支援センター等

（2・3 年目）

時期	項目	内容	関係機関
7 ～ 8 月頃 2 ～ 3 月頃	定着支援	出身校は事業所に連絡・訪問する. 必要に応じて，就業・生活支援センターも訪問（同行）する.	企業 出身校 就業・生活支援センター等

※必要に応じて，3 年目以降も関係機関と連携を図りながら支援をする.

〈貞森保秀　徳増五郎　池上千穂〉

JCOPY 498-14563

21

妊娠・出産について

ポイント

1…ダウン症候群の女性の50%以上は妊娠可能である．

2…男性は不妊症が多いとされるが，妊娠の報告はある．

3…流早産や難産が多いといわれている．

4…妊娠を望まない場合には適切な避妊が必要である．

① 妊娠について

A. 女性

ダウン症候群の女性では二次性徴の発現は遅いと考えられていたが，最近の研究で，多くは正常であることが明らかとなった[1,2]．初潮は平均12.6歳でみられ，ダウン症候群でない女性と同時期である．ダウン症候群は肥満の傾向があり，そのためむしろ一般女性よりも早く月経が発来することがある．月経周期や月経随伴症状も一般女性と大きな違いはないといわれている．10～27歳のダウン症候群を対象とした調査では[3]，生理周期は25～30日，生理期間は4日で，76%は月経周期が順調であった．さらに，約90%は基礎体温が二相性であり，排卵していることが示唆された．

二次性徴は正常で，多くの女性が月経時に排卵していることを考えると，ダウン症候群の女性は妊娠が充分に可能であると思われる．妊娠することはとてもまれであるといわれているが，50%以上のダウン症候群の女性は妊孕性があると考えられ，実際に妊娠し出産した例がいくつか報告されている．

B. 男性

ダウン症候群の女性は妊娠可能であるといわれているが，男性は不妊であると報告されている[4]．ダウン症候群の男性は停留精巣や小陰茎，精巣発育不全などを合併することがよくみられ，精子減少症もみられる．性器の異常や精巣機能の低下により充分に配偶子を作れないことが不妊と関連する可能性が考えられている．また，性行為に関する知識が少ないことも要因の1つかもしれない．一方で，思春期の発達は正常で，精巣の大きさや陰茎の長さ，性ホルモン値などは一般の男性と比較して正常であるとの報告もある．さらなる統計学的な検討が必要であるが，妊娠する可能性は充分考慮しておく必要があると思われる．

② 出産について

一般女性とダウン症候群の男性の間で妊娠が成立し，正常な児を出産したという報告がいくつかあるが，いずれの症例も妊娠，分娩経過は順調であった．

一方，ダウン症候群の女性が妊娠した場合には流早産や難産がしばしばみられる[5)]．妊娠報告 31 例のうち，13 例は正常な妊娠経過で健常児を出産し，10 例はダウン症候群の児を出産した．児に染色体異常は認めなかったが構造異常や精神発達遅滞などを合併した症例が 5 例あった．2 例は流産，1 例は死産となった．症例が少ないため，ダウン症候群の女性の流早産率や難産の頻度などは明らかではないが，慎重な周産期管理が必要であると思われる．

親のどちらかがダウン症候群の場合，児がダウン症候群である確率は 50％である 図1 ．ダウン症候群の妊娠では，希望があれば絨毛検査や羊水検査などを施行し，出生前に胎児の染色体を調べることが可能である．胎児がダウン症候群の場合には，発育が悪いことがあるので注意が必要である．また，心奇形や十二指腸閉鎖などを合併することがあるので，超音波検査による胎児精査を行う．

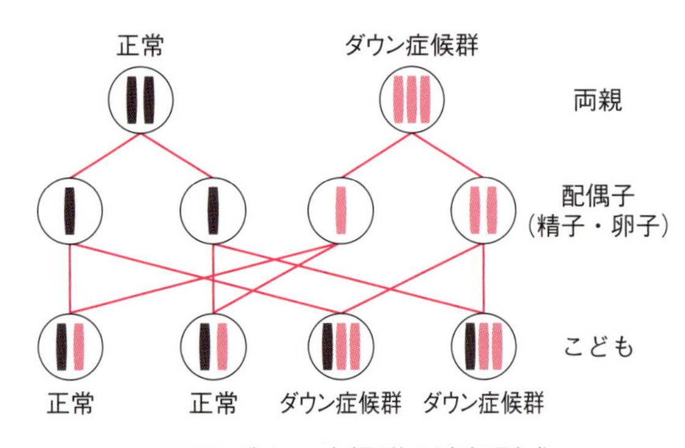

図1 ダウン症候群の遺伝形式

③ 避妊について

前述のとおり，頻度は明らかではないが，ダウン症候群の女性が妊娠する可能性は充分あり，妊娠を望まない場合には適切な避妊を行う必要がある．また，一般の思春期の男女と同様に，性感染症などを含めた性教育の場がダウン症候群の若者にも必要である．

【参考文献】

1) Pachajoa H, Riascos AJ, Castro D, et al. Down syndrome passed from mother to child. Biomedica. 2014; 34: 326-9.
2) Hunter AGW. Down syndrome. In: Cassidy BC, Allanson JE, editors. Management of genetic syndromes. 3rd ed. USA: Wiley-Blackwell; 2010. p.309-35.
3) Scola PS, Pueschel SM. Menstural cycles and basal body temperature curves in women with Down syndrome. Obstet Gynecol. 1992; 79: 91-4.
4) Pradhan M, Dalal A, Khan F, et al. Fertility in men with Down syndrome: a case report. Fertil Steril. 2006; 86: 1765. e1-3.
5) Kaushal M, Baxi A, Kadi P, et al. Woman with Down syndrome delivered a normal child. Int J Infertility Fetal Med. 2010; 1: 45-7.

〈大西庸子〉

JCOPY 498-14563

III

ダウン症候群
研究最前線 2020

III

ダウン症候群　研究最前線 2020

ポイント

1 …21 番染色体シークエンス情報の解明やモデルマウス研究とともに，iPS 細胞作製やゲノム編集の技術を用いた病態解明や治療研究が大幅に進歩してきた．

2 …*DYRK1A* や *RCAN1* などの主要遺伝子群 1.5 倍感受性による直接的な影響だけでなく，トリソミー染色体共通の誘導性ストレスとの相互作用が表現型に寄与していると考えられている．

3 …*XIST* 導入による過剰 21 番染色体の修正や，特定化合物による *DYRK1A* 発現抑制による神経症状改善の知見などの根本的治療研究が進んできた半面，ダウン症候群の存在否定につながりかねないとの警鐘も鳴らされており，生命倫理の面からの議論も必要不可欠である．

① 背景

1866 年の John Langton Down による初報告以降，1959 年の Jérôme Lejeune による 21 番染色体トリソミーの原因判明後，自然歴の知見と画期的な健康管理ガイドラインの実践につながってきたが，その遺伝学的原因や病態メカニズムの詳細は長らく未解明であり，根本的な治療アプローチは困難というのがコンセンサスであった．しかしながら，2000 年代に入りヒトゲノム計画により解読された 21 番染色体のシークエンス情報[1]を皮切りに，ダウン症候群の表現型に起因する責任領域，候補遺伝子や病態メカニズムが徐々に明らかになってきた．同時に iPS 細胞の作製やゲノム編集技術といった遺伝医学のブレイクスルーとともにこれらの知見や技術を用いた治療研究が近年目覚ましい進歩を遂げてきている[2]．本稿では主としてダウン症候群の研究最前線として，神経所見を中心とした主な表現型に対する病因や治療に関連した基礎研究における近年の知見を紹介する．

② 病態解明の進歩

国際ゲノムコンソーシアム（Genome Reference Consortium: GRC）において 2019 年 3 月 1 日に公開された最新のヒトゲノム参照配列 GRCh38.p13（https://www.ncbi.nlm.nih.gov/grc/human/data）によると，ヒトゲノム全長 3,088,268,932bp（約 30 億 8800 万塩基）のうち 21 番染色体全長は 46,709,983bp（約 467 万塩基）と約 1.2％

JCOPY 498-14563

に分配される最小の染色体である．このなかに約250の蛋白をコードする遺伝子と発現を調節する約350の非コードRNAを含んでいる．このようなゲノム配列全体の知見の進歩とともに，ダウン症候群の表現型を引き起こす病因として論じられている，大別して2つの知見が重要と考えられる．1つは21番染色体内の主要な遺伝子量が過剰になる，すなわち発現量が1.5倍になることで当該遺伝子機能が障害され症状発現にいたるメカニズムであり，もう1つは染色体が1本多いという構造変化により当該染色体以外の領域も含め種々のホメオスターシスに影響する，あるいはトリソミー誘導ストレスとも呼ばれるより広範囲のメカニズムによるものである[3,4]．

遺伝子量効果においては，過剰21番染色体中のうち特に症状発現に重要な領域や遺伝子（群）はDSCR（Down syndrome critical region）と呼ばれ，歴史的にはコピー数解析の進歩に伴い，21番染色体長腕の様々な領域の部分トリソミーをもちダウン症候群の表現型をもつ症例の蓄積による遺伝型–表現型の相関研究により21q22.1–q22.3領域まで絞られてきた[5]．臨床的には，特徴的顔貌と発達遅滞を有しダウン症候群の臨床診断可能な最小欠失例（22q22.13–q22.2の4.5Mb）も報告された[6]．これらの知見とほぼ同時期に，DSCRに含まれる候補遺伝子*DYRK1A*，*RCAN1*（*DSCR1*）を中心としたダウン症発症機構の基盤となる重要なモデルが示された．トリソミー21細胞においては転写因子NFATの不活性化が胚発生期の組織形成に必要な遺伝子発現の抑制につながっている．DYRK1A蛋白がNFATの核外移行によるリン酸化を促進し，DSCR1（RCAN1）蛋白は核内移行による脱リン酸化・活性化を促進するカルシニューリンの機能を抑制することにより，これら2つの蛋白量が1.5倍になることで結果的にNFATのリン酸化・不活性化を促進すると考えられた[7]．また，血管内皮細胞増殖因子（VEGF）シグナルは，カルシニューリンを活性化することによりNFATの活性化を引き起こし，血管内皮細胞の増殖や炎症・血管新生につながるが，*DSCR1*の発現過剰がカルシニューリンを抑制することにより，血管新生や内皮細胞増殖のブレーキになることが判明した[8]．さらにはマウスにおける*Dscr-1*の安定的な発現は，悪玉コレステロール（LDL）による酸化や角膜混濁を抑制することも報告され[9]，これらの病態メカニズムが，以前より知られていたダウン症候群の固形腫瘍や動脈硬化などの発症率低下の原因として示されたことは，より普遍的な生活習慣病発症予防へのアプローチにもつながりうる画期的知見である．一方，近年のダウン症候群モデルマウスおける大脳皮質細胞数低下を引き起こす病態研究として，トリソミー領域内の*Erg*遺伝子を正常化することにより炎症性細胞と免疫細胞の均衡不全や神経細胞低下の改善が示された．*ERG*は胚発生の主要な調節を担う転写因子をコードしており，ヒトにおいてはDSCR内21q22.2領域に存在し，脳形成異常に重要であることを示唆する知見につながった[10]．

また近年では，ダウン症モデルマウス研究に並行して，iPS細胞作製やゲノム編集といった長足の技術進歩により，侵襲なくダウン症候群患者由来iPS細胞を樹立することだけでなく，迅速かつ効率的な遺伝子改変も可能となってきた[11]．これらの技術を用いて病態モデルの構築の幅が拡大してきた一例として，一過性骨髄増殖症（transient abnormal myelopoiesis: TAM）に注目し，iPS細胞とCRISPER/Cas9システムによるゲノム編集技術を組み合わせることにより構築されたTAM細胞モデルによる研究があげられる．21 番染色体上の 4Mb の重要領域とこの領域内に包含される TAM 発症候補遺伝子 *RUNX1*，*ETS2*，*ERG* の 3 遺伝子が同定されることで，*GATA1* 遺伝子短縮型変異の発現増加とこれに続く造血異常の要因となることが報告された [12]．

一方で，染色体特異的な主要遺伝子の量効果だけでは説明できない，染色体異数性そのものが引き起こす，生物種の成長や発達における共通の病態生理の存在も推測されており，異数性細胞が有する細胞増殖能の低下，異数性特異的細胞死，蛋白産生バランス異常による蛋白質毒性ストレス，乳酸や活性酸素の産生増加による代謝変化によるエネルギーストレス環境などが報告されている [4]．またダウン症候群，13 トリソミー，18 トリソミー患者における皮膚線維芽細胞や iPS 細胞の研究からは，これらのトリソミー細胞に共通した細胞増殖の障害や早期の細胞老化とともに異常な蛋白質の集積や恒常性（ホメオスターシス）異常を伴っているとの報告もある [13]．すなわちダウン症候群で認める神経症状や身体合併症は，21 トリソミー特異的な主要遺伝子の 1.5 倍感受性による直接的な影響と，トリソミー共通の誘導性ストレスとの相互作用が関連しているという考え方が明らかになってきた [11]．

③ 創薬・治療研究

上述してきた病態研究と並行して，近年創薬や治療研究におけるエポックメイキングな目覚ましい知見の進歩も認めており，このうちわが国の研究者から発信された社会的インパクトの強い重要知見も少なくない．これらの代表的な研究のトピックをとりあげ，その概要を述べる．

A. 過剰 21 番染色体の修正

ダウン症候群の病態の本質がトリソミー 21 であり，過剰なトリソミー染色体そのものの修正は根本的なアプローチと考えられ，これらの研究が進んできている．2012 年には，ダウン症者より提供された線維芽細胞より作成された iPS 細胞にアデノ随伴ウィルスベクターを用いて新たな遺伝子を導入，培養による 21 番染色体自然喪失現象の利用と合わせて細胞死を制御することで遺伝子操作されていない 21 ダイソミー細胞の選択を可能にし，トリソミー細胞と比較して増殖が速いことが示された [14]．2013 年には，X 染色体の不活化における主要な役割を担っている非コード RNA 遺伝子である *XIST* に注目し，ダウン症者から培養された iPS 細胞が持つ過剰 21 番染色体の 1 本に *XIST* を導入することで当該染色体中の遺伝子発現が抑制され，細胞増殖能や神経分化能を正常細胞に近いレベルに回復可能にするという画期的な知見が報告された [15]．さらには，遺伝子導入などの人工的操作を用いず，21 トリソミーの羊水細胞から作成された iPS 細胞を長期培養することにより 20％程度の細胞がレスキューされダイソミー細胞に復帰することが確認され，これらの細胞における遺伝子発現の正常化も判明した．一方でこれらのトリソミーレスキューは組織の環境に依存することも示された [16]．これらの知見は少なくとも in vitro においてトリソミー細胞を正常化することが実行可能になったことを示すものであり，今後 in vivo を含めたさらなる研究の発展が予測される．

JCOPY 498-14563

B. 主要遺伝子への作用

ダウン症候群責任領域（DSCR）における主たる神経症状に寄与する主要遺伝子の1つであるチロシンリン酸化キナーゼ（*DYRK1A*）の抑制がターゲットになっている治療や創薬研究が複数報告されている．緑茶は，その一成分であるエピガロカテキンガレート（epigallocatechin-3-gallate: EGCG）に *DYRK1A* 阻害作用があり，EGCG が投与されたダウン症候群マウスモデルにおいて認知機能や脳機能が改善したり[17]，1年間の臨床試験において，緑茶サプリの服用と認知訓練を受けた若年成人ダウン症者が，プラセボ使用群と比べ認知行動面のいくつかの項目において有意に評価が高かった[18]といったように，EGCG の有用性を示す報告が近年明らかになってきているが，その効果の証明にはまだ不十分な点もある．緑茶はわが国の生活に非常になじみがあり，その主成分である EGCG の摂取しやすさもあることから，さらなる知見の蓄積が待たれる．また別研究においては，*DYRK1A* 抑制作用のある新規化合物をダウン症候群 iPS 細胞に加えると神経幹細胞の増殖が促され，アルジャーノン（ALGERNON: altered generation of neuron）と命名された．またこの化合物を妊娠マウスに投与したところ，仔マウスの大脳皮質形成異常や学習行動低下の改善を認めたことから，発生期への治療介入の可能性といった新たな知見を提示している[19]．

C. 神経伝達物質へのアプローチ

ダウン症候群の中枢神経系では多様な神経伝達物質の異常を引き起こすことが知られており，これらの神経伝達システムの病態生理に応じた治療アプローチの報告がある．このうちコリン作動性低下においては，これまでダウン症者の急激退行様症状や認知症状に対してアセチルコリンエステラーゼ阻害薬である塩酸ドネペジル使用に関する様々な報告がなされているが，現時点でその有効性は明確になっていない[20,21]．しかしながら，少なくとも急激な日常生活の活動性低下をきたす患者の一部や排尿障害を有する患者には有効と考えられている[22]．これら以外にも興奮性グルタミン酸神経伝達物質の上昇，GABA システム上昇，セロトニンシステム低下，ノルアドレナリンシステム低下など，各々の神経伝達物質異常に応じた薬物療法の研究もなされており，これらを加味した多面的アプローチが重要と考えられている[23]．

最後に

これまで述べてきたダウン症候群における病態メカニズムや治療における基礎研究はまだ始まったばかりともいえる．今後はこれらの基礎研究の知見を通じて，ダウン症児・者の豊かな生活に寄与するための実践診療への橋渡しが行われていくことが期待されている．しかしながら，一方で神経所見や認知機能を改善させるアプローチや，そもそも過剰な21番を修正するといった根本的アプローチは，ダウン症候群の存在を否定することにはならないかといった問題提起がある．ダウン症候群は疾患としての一面的な認識だけではなく，全人的な特性といった捉え方をされることも多く，特に豊かな感情や幸福感が大きいことなど[24]，その存在としての魅力が述べられることも少なくない．このため，知的な側面を治療対象にするべきではないとする考えもある．前述した治療研究[19]において，*DYRK1A* の過剰発現を抑制し神経幹細胞の増殖を促す ALGERNON と名付けられた化合物には，本研究の意義だけでなくこれがはらむ問題点も示唆されていることが推察される．さらには，ダウン症候群に対してだけではなく，認知エンハンスメントと呼ばれる通常以上の知性の獲得が望まれるようにならないかといった新たな問題も起こりうる．基礎研究の知見から生じうる生命倫理の問題について，様々な分野から継続して議論を行うことは必要不可欠であり，より成熟した臨床応用につながると考えられる．

【参考文献】

1) Hattori M, Fujiyama A, Tylor TD, et al. The DNA sequence of human chromosome 21. Nature. 2000; 405: 311-9.
2) Rondal JA. Down syndrome: A curative prospect? AIMS Neurosci. 2020; 7: 168-93.
3) Rachidi M, Lopes C. Mental retardation in Down syndrome: from gene dosage imbalance to molecular and cellular mechanisms. Neurosci Res. 2007; 59: 349-69.
4) Siegel JJ, Amon A. New insights into the troubles of aneuploidy. Annu Rev Cell Dev Biol. 2012; 28: 189-214.
5) Korenberg JR, Chen XN, Schipper R, et al. Down syndrome phenotypes: the consequences of chromosomal imbalance. Proc Natl Acad Sci U S A. 1994; 91: 4997-5001.
6) Ronan A, Fagana K, Christie L, et al. Familial 4.3Mb duplication of 21q22 sheds new light on the Down syndrome critical region. J Med Genet. 2007; 44: 448-51.
7) Arron JR, Windslow MM, Polleri A, et al. NFAT dysregulation by increased dosage of DSCR1 and DYRK1A on chromosome 21. Nature. 2006; 441: 595-600.
8) Baek KH, Zaslavsky A, Lynch RC, et al. Down's syndrome suppression of tumor growth and the role of he calcineurin inhibitor DSCR1. Nature. 2009; 459: 1126-30.
9) Muramatsu M, Nakagawa S, Osawa T, et al. Loss of Down syndrome critical region-1 mediated hypercholesterolemia accelerates corneal opacity via pathological neovessel formation. Arterioscler Thromb Vasc Biol. 2020; 40: 2425-39.
10) Ishikawa K, Shimizu R, Tnaka K, et al. Pertubation of the immune cell and prenatal neurogenesisi by the triplication of the Erg gene in mouse model of Down syndrome. Brain Pathol. 2020; 30: 75-91.
11) 北畠康司．ダウン症候群の治療薬開発に向けた取り組み．プレシジョンメディシン．2019; 2: 1240-3.
12) Banno K, Omori S, Hirata K, et al. Systematic cellular disease models reveal synergistic interaction of trisomy 21 and GATA1 mutations in hematopoietic abnormalities. Cell Rep. 2016; 15: 1228-41.
13) Nawa N, Hirata K, Kawatani K, et al. Elimination of protein aggregates prevents premature senescence in human trisomy 21 fibroblasts. PLoS One. 2019; 14: e0219592.
14) Li LB, Change KH, Wang RR, et al. Trisomy correction in Down syndrome induced pluriopotent stem cells. Cell Stem Cell. 2012; 11: 615-9.
15) Jiang J, Jing Y, Cost GJ, et al. Translating dosage compensation to trisomy 21. Nature. 2013; 500: 296-300.
16) Inoue M, Kajiwara K, Yamaguchi A, et al. Autonomous trisomic rescue of Down syndrome cells. Lab Invest. 2019; 99: 885-97.
17) Guedj F, Sébrié C, Rivals I, et al. Green tea polyphenols rescue of brain defects

JCOPY 498-14563

induced by overexpression of DYRK1A. PLoS One. 2009; 4: e4606.
18) de la Torre R, de Sola S, Hernandez G, et al. Safety and efficacy of cognitive training plus epigallocatechin-3-gallate in young adults with Down's syndrome (TESDAD): a double-blind, randomized, placebo-controlled, phase 2 trial. Lancet Neurol. 2016; 15: 801-10.
19) Nakano-Kobayashi A, Kii I, Sumida Y, et al. Prenatal neurogenesis induction therapy normalizes brain structure and function in Down syndrome mice. Proc Natl Acad Sci U S A. 2017; 114: 10268-73.
20) Kondoh T, Amamoto N, Doi T, et al. Dramatic improvement in Down syndrome-associated cognitive impairment with donepezil. Ann Pharmacother. 2005; 39: 563-6.
21) Kishnani P, Sommer B, Handen B, et al. The efficacy, safety, and tolerability of donepezil for the treatment of young adults with Down syndrome. Am J Med Genet. 2009; 149A: 1641-54.
22) 近藤達郎. 成人期のDown症候群の退行様症状―外来での患者への接し方のコツも含めて. 小児内科. 2019; 51: 875-9.
23) Das D, Phillips C, Hsieh W, et al. Neurotransmitter-based strategies for the treatment of cognitive dysfunction in Down syndrome. Prog Neuropsychopharmacol Biol Psychiatry. 2014; 54: 140-8.
24) Wakai M, Takahashi R, Higashigawa S, et al. Self-perceptions from people with Down syndrome in Japan. J Hum Genet. 2018; 63: 669-72.

〈清水健司〉

医療費助成制度・福祉制度

医療費助成制度

乳幼児医療・子ども医療費助成制度

乳幼児期の医療費を助成する制度のこと．中学生や高校生まで対象とするところもある．同じ都道府県でも居住している市区町村によって，年齢や自己負担，所得制限などの違いがある．

自立支援医療（育成医療）

18 歳未満の障害児で，その身体障害を除去，軽減する手術などの治療によって確実に効果が期待できる者の医療費の自己負担分を助成する．人工透析療法，中心静脈栄養法や移植後（心臓，腎臓，肝臓）の抗免疫療法なども対象となる．

自立支援医療（更生医療）

18 歳以上で身体障害者福祉法第 4 条に規定する身体障害者で，その障害を除去・軽減する手術などの治療によって確実に効果が期待できる者の医療費の自己負担分を助成する．人工透析療法，中心静脈栄養法や移植後（心臓，腎臓，肝臓）の抗免疫療法なども対象となる．

自立支援医療（精神通院）

統合失調症，精神作用物質による急性中毒，その他の精神疾患（てんかんを含む）を有する者で，通院による精神医療を継続的に要する病状にある者に対し，その通院医療にかかわる医療費の自己負担分の一部を助成する制度．

小児慢性特定疾病の医療費助成

国が指定する疾病，かつ各疾病の対象基準を満たしている 18 歳未満の児童の医療費の自己負担分の一部を助成する制度．18 歳以上の新規申請はできないが，18 歳未満から継続している方は 20 歳未満までは対象となる．

難病法による医療費助成

「指定難病」と診断され，「重症度分類等」に照らして病状の程度が一定程度以上の場合，医療費の自己負担分の一部を助成する制度．対象疾病の診断基準とそれぞれの疾病の特性に応じた重症度分類などが設定されている．症状の程度が疾病ごとの重症度分類等に該当しない軽症者でも，高額な医療を継続することが必要な人（軽症高額該当）は対象となる．

重度障害者（児）医療費助成

主に障害者手帳を所持している方の医療費の自己負担分を助成する制度．すべての都道府県でこの制度があるが，住所地によって対象者や助成の方法などが異なっている．

手帳の制度

身体障害者手帳

身体に障害がある方に対して相談や支援を行うとともに，各種の福祉サービスを受けやすくするために手帳を交付する制度．視覚・聴覚 / 平衡・音声 / 言語 / そしゃく・肢体不自由・心臓・じん臓・呼吸器・ぼうこうまたは直腸・小腸・HIV による免疫・肝臓に障害がある場合，かつ一定の基準を満たす方が対象となる．

療育手帳

知的障害児・者への一貫した指導・相談を行うとともに，これらの者に対して各種の援助措置を受けやすくするため，児童相談所または知的障害者更生相談所において知的障害と判定された者に対して，都道府県知事または指定都市市長が交付する手帳．居住する住所地によっては,「愛護手帳」,「みどりの手帳」,「愛の手帳」などの療育手帳とは異なった名称を使っている場合もある．

精神保健福祉手帳

精神障害やてんかんのある方で基準を満たした方が対象となる．

手当・年金の制度

特別児童扶養手当

精神または身体に障害のある 20 歳未満の児童を養育している保護者への手当を給付する制度．1 級（重度）と 2 級（中等度）に分かれている．所得制限がある．

障害児福祉手当

20 歳未満の在宅の障害児のなかでも，特に重症で常時介護が必要な子どもに支給される．所得制限がある．

障害基礎年金

一定の障害の状態である場合に対象となる．先天性疾患などで基準を満たす場合は，申請することで 20 歳の誕生日から障害基礎年金が支給される．

特別障害者手当

20 歳以上の重度障害があるために，日常生活において常時介護を必要とする状態にある場合に支給される．

その他のサービスについて

お住まいの都道府県または市区町村によっては，ここで提示したもの以外にも医療費助成や社会福祉にかかわるサービスを行っている場合がある．居住地の市区町村役場の社会福祉の窓口，かかりつけの病院の医療スタッフに確認するとよい．

※ここで提示しているものは 2020 年 4 月現在のもの．

〈城戸貴史〉

JCOPY 498-14563

在宅支援に関連したもの ― 子どもの場合

療育に関わるサービスがいろいろある．住所地の市区町村役場の社会福祉の窓口，かかりつけの病院の医療スタッフ，地区の保健師，患者・家族会など，いろいろな相談先を知っておくとスムーズである．

相談できるところ

かかりつけの病院の医療スタッフたち

病院には医師だけではなく，理学療法士，作業療法士，言語聴覚士などのリハビリの専門職や退院・在宅支援を専門に行う看護師，医療ソーシャルワーカーなどが勤務しているところがある．

保健福祉センター

健康づくりのための各種事業を実施するとともに，保健，福祉，医療にかかわる総合相談を行い，必要に応じて他の機関と連携を図った支援を行っている．

患者・家族会

各地域にダウン症の患者・家族会がある．主治医や医療スタッフ，保健福祉センターやインターネットなどで住まいの地域の患者・家族会を確認できる．

計画相談支援・障害児相談支援

サービスなど利用計画についての相談および作成などの支援が必要と認められる場合に，障害者（児）の自立した生活を支え，障害者（児）の抱える課題の解決や適切なサービス利用に向けて，ケアマネジメントによりきめ細かく支援するものである．居住地の市区町村窓口で確認できる．

発達を支援するところ

福祉型児童発達支援センター

児童発達支援

日常生活における基本的な動作の指導，知識技能の付与，集団生活への適応訓練などの支援を行っている．

放課後等デイサービス

授業の終了後や学校の休みの日などに，生活能力の向上のための訓練，社会との交流の促進支援を行う．

保育所等訪問支援

保育所など児童が集団生活を営む施設等に通う障害児につき，その施設を訪問し，その施設における障害児以外の児童との集団生活への適応のための専門的な支援などを行う．

医療型児童発達支援センター

上肢，下肢または体幹の機能の障害のある児童に対する児童発達支援に加えて，医療提供も行う．

障害児入所施設（福祉型・医療型）

障害のある児童を入所させて，保護，日常生活の指導および自活に必要な知識や技能の付与を行う施設．福祉型と医療型がある．

訪問系サービス

訪問看護

看護師が在宅へ訪問し，看護ケアを提供するサービス．事業所によっては，訪問リハビリを行うことができる事業所もある．医療保険や介護保険法のサービスである．

訪問介護

在宅での入浴，排せつ，食事の介護を行うサービス．障害者総合支援法や介護保険法のサービスとなる．地域によっては，子育て支援を目的としたサービスとして利用できるところもある．

短期入所（ショートステイ）

短期間，施設で本人を預かって，入浴，排せつ，食事の介護などを行う．

その他のサービス

地域によっては，ここで提示したもの以外のサービスもある．住所地の市区町村役場の社会福祉の窓口，かかりつけの病院の医療スタッフ，地区の保健福祉センターなどで利用できるサービスを確認してほしい．

※ここで提示しているものは 2020 年 4 月現在のもの．

〈城戸貴史〉

JCOPY 498-14563

ダウン症児の母となって

親がこどもを受け入れて愛していれば，こどもは自然とすくすくと育っていくものだ．親はこどものためにいろいろな情報を収集し，こどもにとって一番幸せな生き方は何だろうと模索していく．

療育や学校については専門の先生方にお譲りするとして，本稿では，どうしてもこどもの障がいを受け入れられなかった親の，出産から現在に至るまでの心の変化を綴っていきたいと思う．

現在小学生の娘が，私のお腹のなかにいたとき，私は幸せの絶頂にいた．産まれてくるこどもは可愛くて，きっと希望に満ちあふれた毎日を送っていくだろうと何の疑いも持っていなかった．

ところが，出産して 1 週間経過後，先生から告げられた言葉は「この子はダウン症です」というものであった．

その言葉を聞き，目の前が真っ暗になり「どうしてこんな子を産んでしまったのだろう」，「出生前診断を受ければよかった」，「何で産婦人科の先生は出生前診断のことを教えてくれなかったのか！」と悲しみ，不安，怒りなどが一気に押し寄せてきた．

出産とともに引っ越しをしたため，知っている人もいない，住み慣れない場所で初めての育児というストレスも加わり，毎日失意のどん底にいて，こどもも全く可愛く思えず，むしろ自分の人生の邪魔な存在として，育児も義務感で仕方なくやっているような状態が続いた．

そのようななか，娘の心臓に欠陥が見つかったこともあり，こども病院の循環器科の A 先生の診察を受けた際に，私の状態を見るに見かねたのだろう，障害の専門である B 先生を紹介してくださった．

B 先生は，こどもを診るというより，親の様子を見てアドバイスをするという感じで，こどもと 2 人で診察に行っても，主に親である私の話をよく聞いてくれた．

生後 1 年以上経っているにもかかわらず，私が相変わらず「子育てに希望がない」，「こどもを育てる意味がわからない」，「産まなければよかった」とグズグズ言っていると，先生がふと「自分がどう考えるのか，どう感じるのかは自分で選択できるんですよ」とつぶやくように言った．

「考えは自分で選べる」……えっ，でも，障がいがあったら不幸に決まってる，こんなこども可愛いわけがない．先生何言っているんだろう？　なぜかその言葉が心にひっかかり，次の診察のときに，その疑問をぶつけると，B 先生は私に「認知療法の講座があるから行ってみたら」と勧めてくださった．

半信半疑ながらも，B 先生が勧めるならと，紹介された講座に通い始めた．専門の先生が認知療法を一から丁寧に教えてくれて，少人数で一人一人が実践していくものであった．

認知療法とは，釈迦に説法だと思うが，「上司に怒られる」という状況に遭遇したときのことを例にあげると，「怒られるなんて私は価値のない人間だ」という考えもあるし「たまたま上司は機嫌が悪かっただけかもしれない」，「上司は私に見込みがあると思っているから，わざわざ時間を作って指導してくれているんだ．ありがたいな」という考えもある．どの考え方をするかで，落ち込んだり，気にならなかったり，感謝したり，と感情が変わってくる．

私の場合，「障がい児の母は不幸に決まってる」と思う根拠を書き出し，次にその根拠が事実であるか検討し，いろいろな角度から他の考え方ができないかを探す．他の考えが思い浮かばないときは，「障がいのあるこどもを可愛がっているママは，どんな気持ちなんだろう」，「自分の友達が，今の私にアドバイスするとしたら何と言うだろう？」，「マザーテレサだったら，何て思うだろう？」などと想像した．

そうすると，次のような考えや事実が思い浮かんできた．

「愛情を注げる存在がいるだけでありがたい」

「こどもはこども，私は私．自分の好きなことをやって，楽しく過ごせばいい」

「こどもが産まれることによって，自分が親になることができた」

「障がい児の母になるのは，自分が成長できるいい経験だ」

「こどものおかげで，たくさんの優しい人と出会うことができた」

「健常で産まれたからといって，必ずしも幸せな人生をおくることができるとは限らない」

「どのような人間だって生きている価値がある」

このような考えを書き出し，自分で読み返し，書き直したり書き足したり，また読む……という作業を繰り返す．こう聞くと，とても理屈っぽい療法のように感じるかもしれないが，いわゆるポジティブシンキングとも違い，ただむやみに「大丈夫だから」と「明るく行こう」と自分に言い聞かせるのではなく，自分自身が納得できる答えを自分で探していく作業となるので，自分の腑に落ちるというか，身にしみてくるのである．

その講座を半年間受け，家では認知療法の表を自分で埋めていく……そんなことを繰り返していくうちに，だんだん「障がいがある → 不幸に決まっている」という考えから，「障がいがあるからといって，不幸とは限らない．何か問題が起きたらそのとき一番いい解決法を探せばいいし，そもそも自分が心配していることが現実に起きるとは限らない．今を楽しんでいればいい」という考えに徐々に変わっていった．

これは普通に考えれば出てくる当たり前の答えと思われるかもしれないが，偏った思い込みがある状態では，なかなか自分で納得ができない答えである．そして，それにつれてこどもが可愛く思えてきた．

また，療法を進めていくうちに，だんだん自分の根底にある固定観念が浮き彫りになってきた．自分の心の底にあったものは「できる人間でないと生きている価値がない」という思い込みであった．それにたどり着いたとき，自分も肩の力が抜けた．自分自身，これまで生きてきたなかで，「できる人間でないといけない！」という思い込みから，ときに理想が高すぎて逆に自分を苦しめてきた経験が数多くあったことに気がついたからだ．

この考え方のクセ（思い込み）は，おそらく障がいのあるこどもが産まれなければ，とても治らない強固なものであったし，そのクセ自体に気がつかなかったと思う．しかし，自分のこどもは，親の凝り固まっていた思い込みを見事に破壊してくれる存在であった．

自分の考え方自体が大きく変わり，こども以外のことでも「こうに決まっている」という決めつけがなくなり，柔軟性のある考え方ができるようになった．

現在は，出産前よりも，いろいろな面で幸せないい気分を感じることが俄然多くなった．

JCOPY 498-14563

そして不思議なことに，いい気分で毎日を過ごしていると，現実に楽しい出来事が起きたり，困った問題が自然と解決したりするようになったと感じる．

今では，娘は私を幸せにしてくれるために産まれてきてくれたのかなと，ふと思ったりする．今は本当に心から娘に伝えることができる．

「産まれてきてくれて，ありがとう．愛しているよ」

〈M.Y.〉

索引

あ

アーチサポート 192
アイゼンメンジャー化 105
アイゼンメンジャー症候群 50, 73, 99
アセチルコリンエステラーゼ阻害薬 307
アセトアミノフェン 143
遊び 248, 282
遊びと配慮点 284
遊びの指導 290
アミロイドβの沈着 225
アミロイド前駆体蛋白 222
アルジャーノン 220, 307
アンプラッツァー閉鎖栓 51, 59

い

胃管 258
育児 315
移行・定着支援 293
移行型 AVSD 86
移行期医療 43, 275
位相差コントラスト法 58
一次孔欠損 57
一過性骨髄異常増殖症 204
一酸化窒素 105
遺伝カウンセリング 28, 43
遺伝子量効果 305
いびき音 148
いま・ここで 276
医療ネグレクト 105
医療費助成制度 311
インフルエンザウイルス 155

う

ウエスト症候群 223
右左短絡 56
右室流出路再建術 83
う蝕 232
右心室 46
右心房 46
運動機能 188
運動発達 33

え

エピガロカテキンガレート 307
絵本 271
円錐角膜 177

お

オクルテック閉鎖栓 59
オセルタミビル 155
折れ耳 228

か

介護者調節鎮痛法 243
外反扁平足 192, 263
解剖学的バランス 235
カウンセリング 20
蛙様姿勢 261
下気道炎 147
学習 266
確定的検査 22
確定的診断法 19
過食 258
ガス交換 119
下大静脈 47
楽器 276
カルシニューリン 305
感音難聴 179
感覚刺激 277
眼瞼贅皮 174
眼瞼裂斜上 5, 173
看護師調節鎮痛法 243
環軸椎亜脱臼 167, 188, 244
患者自己調節鎮痛法 243
緩徐導入 104
眼振 176, 223
感性 272
肝線維症 207
完全型 AVSD 85, 88, 92
環椎歯突起間距離 188
陥没呼吸 157

き

記憶力 35
着替え 266
気管外ステント術 163
気管気管支 164
気管支炎 148
気管スライド形成術 171
気管切開 170
木靴心 76
聴こえ 270
キシロカイン 168
気道異物 169
気道開通体位 167
気道狭窄 145
気道デバイス 166
気道閉塞 241
吸気性喘鳴 147
吸気努力 147
急激退行 7
急性呼吸窮迫症候群 149, 151
急性骨髄性白血病 194
急性中耳炎 181, 183
急性リンパ性白血病 194
胸腔鏡下動脈管閉鎖術 50
胸膝位 80
行政 260
共通房室管 84
共通房室弁 90
胸部 X 線 89
巨舌 5
筋緊張低下 5, 258

く

クアトロマーカー 17
区域麻酔 140
腔水症 27
屈折異常 175
クレフト 90

け

経カテーテル的閉鎖術 51, 59
脛側弓状紋 5
頸椎不安定性 244
血管輪 53
血清マーカー 15, 16
ゲノム編集 226
ゲノム編集技術 304
言語聴覚士 259
言語発達 35, 268

検査鎮静 239
犬吠様咳嗽 147

こ

コイル 51
恒久性・習慣性膝蓋骨脱臼 191
口腔機能 269
後頸部透過 18
甲状腺機能 257
甲状腺機能低下症 214
口唇 234
口唇口蓋裂 229
喉頭蓋 160
喉頭気管部分切除術 162
喉頭気管分離手術 172
喉頭形成術 170
喉頭痙攣 169
硬膜外ブロック 141
肛門形成術 130
高流量鼻カニュラ酸素療法 149
誤嚥 234
五感 284
呼気延長 147
呼気努力 148
呼吸器感染症 145
呼吸仕事量 147
呼吸理学療法 152
骨髄穿刺 212
言葉 268
児の最善の利益 28
コミュニケーション 248, 255
コミュニケーション能力 268
コミュニティ 260
コンソーシアム 18

さ

座位 33
細気管支炎 148
在宅 275
作業学習 290, 294, 295, 296
作業療法 264
作業療法士 259
鎖肛 128
左心室 46
左心房 46
嗄声 147
左右短絡 55, 98
猿線 5
三項関係 278
三尖弁 47
酸素供給 108
酸素需要 108

し

耳介低位 228
耳介変形 228
次子再発率 12
歯周疾患 232
指掌紋の特徴 5
次世代シーケンサー 206
自然歴 39
持続的血液濾過透析 153
舌 234
膝関節屈曲拘縮 191
シナジス® 154
自閉スペクトラム症 37
尺側蹄状紋 5
若年期発症てんかん 225
斜視 176
シャフリング 262
就学 36
就学支援委員会 286, 287
就学に関する手続き 286
習慣性股関節脱臼 190
十二指腸狭窄症 123
十二指腸閉鎖 24, 26, 123
重複弁口 95
絨毛検査 20
就労 36, 266
術後鎮静 239
術後鎮痛 242
出生前診断 15, 22, 257
術前管理 93
寿命 31
上気道炎 147
上気道狭窄 102, 258
上気道閉塞 235, 238
上大静脈 47
小児白血病・リンパ腫診療
ガイドライン 202
静脈洞欠損 57
睫毛内反症 174, 227
食事 264
食道閉鎖 25
処置室 212
徐脈 238
自立活動 289
視力 176
歯列不正 232
心エコー 67, 100
新型コロナウイルス感染症 149
心筋 46
心筋保護液 120
神経性調節 235
人工肛門造設術 130
人工呼吸管理 149
人工呼吸器関連肺炎 150
人工呼吸器関連肺損傷 150
人工心肺 61, 117
人工心肺回路 119
人工肺 119
心室中隔欠損 24, 64
人獣共通感染症 250
真珠腫性中耳炎 182, 183
滲出性中耳炎 181, 182, 258
心臓 MRI 58
心臓カテーテル検査 100
心電図 89, 100
心内シャント 103
心内修復術 93
心内膜床欠損 84
心囊水 46
心房中隔欠損 24, 55
心膜 46
進路学習 294, 295, 296
進路指導 292, 294, 295, 296

す

髄液採取 212
睡眠時ポリグラフィー 185
睡眠時無呼吸 238, 258
睡眠時無呼吸症候群 241, 246
睡眠パターン 283
ストライダー 147
ストレス 247
スモールステップ 282, 283
スライド気管形成術 164

せ

生活習慣 282
生活単元学習 290
成功体験 269
精神年齢 34
精神発達遅滞 190, 246
成人病 258
声帯 161
生態学的な考え 279

正中位保持 262
成長曲線 31, 258
成長発達 247
青年期急激退行 222
喘鳴 157
生命予後 257
声門開大術 170
声門上デバイス 167, 212
脊髄くも膜下ブロック 142
脊柱側弯症 188, 189
舌根沈下 102
舌根部 161
セボフルラン 168
セロトニンニューロン 221
前屈 193
染色体分析 30
染色体マイクロアレイ検査 20
仙椎椎間硬膜外ブロック 141
先天性気管狭窄症 171
先天性心疾患 46
前投薬 103, 166

そ

造影 CT 159
早期療育 259, 262
造血幹細胞移植 201
送血ポンプ 118
相互作用 279
僧帽弁 47
側臥位 192, 212
咀嚼 258
粗大運動 258
粗大運動発達 261
ソフトマーカー 18

た

ダイアモンド吻合 124
体位固定 192
体位変換 192
体外式膜型人工肺 153, 154
体外循環 61
退行様症状 42
胎児心エコー検査 26
胎児診断 22
胎児水腫 27, 205
体重増加不良 258
胎児由来 DNA 断片 15
対処能力 249
大動脈 47
大動脈弓離断 53
大動脈遮断 121
大動脈縮窄 53
大動脈吊り上げ術 163
大動脈弁 47
ダウン症候群特異的顔貌 230
多孔性 57
多母指症 229
タミフル® 155

ち

チアノーゼ 75
知育玩具 269
知的障害を対象とした特別支援学校 289
知能指数 34
遅発性ミオクローヌスてんかん 225
チャイルド・ライフ・スペシャリスト 247
注意欠如多動症 37
中間型 AVSD 86
中耳炎 179, 181
チューブエクスチェンジャー 171
腸炎 132
超音波ソフトマーカー 16
聴診所見 67
調節 176
直腸肛門奇形 128
鎮静 212
鎮静薬 212

つ

椎弓根スクリュー 190
通級指導教室 287

て

低緊張 261
定頸 33
定着支援 300
笛声音 148
デクスメデトミジン 143, 239, 241
デルマトーム 142
伝音難聴 179
転座型 9

と

トイレットトレーニング 283
糖尿病 258
動物介在活動 252
動物介在療法 252
動物福祉の国際基準 250
動脈管 49
動脈管開存症 49
トータルケア 39
特異顔貌 5
特別支援学級 287
特別支援学校 288
独歩 258
トリソミー型 9
トリソミー誘導ストレス 305

な

内眼角贅皮 5, 174
ナトリウム利尿ペプチド 47
喃語 259
難聴 179, 258

に

21 番染色体の挿入 10
II 音の亢進 99
二期的手術 103
肉芽焼灼 169
二次孔欠損 57
二次性徴 301
日常生活動作 264, 269
日本小児がん研究グループ 201
日本小児白血病リンパ腫研究グループ 207
乳児スパスムス 223
認知エンハンスメント 308
認知活動 262
認知療法 315
妊孕性 301

は

肺血管拡張剤 101
肺血管抵抗 65, 97, 103
肺血管病変 98
肺血管閉塞性病変 66
肺血流量 103
肺高血圧 97, 103
肺高血圧クライシス 104, 108
肺高血圧発作 154
肺静脈 47
排泄 266
肺体血流比 58

肺動脈　47
肺動脈圧　103
肺動脈絞扼術　72, 93, 95, 101
肺動脈弁　47
排便管理　130
排便障害　132
肺リクルートメント　168
白内障　177
バセドウ病　215
発音原理　277
抜管　105
バッグマスク　212
発達援助　261
発達障害　242
発達予後　257
パラシュート房室弁　95
パリビズマブ　154
半覚醒　193
反張膝　263
ハンドラー　250

ひ

非確定的検査　22
ビガバトリン　224
非言語能力　253, 269
鼻根部平低　5
膝くずれ　191
微小残存病変　199
非侵襲的換気法　149
非侵襲的出生前遺伝学的検査　17
非心臓手術　105
ビデオ喉頭鏡　193
ヒトゲノム参照配列　304
ヒプスアリスミア　223
肥満　258
標準型　9
鼻涙管閉塞　177
ヒルシュスプルング病　24, 132
披裂部　160

ふ

ファイバースコピー　158
ファシリティドッグ　250
ファロー四徴　24, 75, 87
　心内修復術　81
　体肺動脈短絡術　81
不安　248
フェンタニル　143
不完全型房室中隔欠損　26, 86, 88, 92
不器用さ　266
不均衡相互転座　10
腹臥位　192, 212
不妊　301
ブピバカイン　143
プリパレーション　248, 254
フルルビプロフェン　143
プロポフォール　168
分子標的薬　202

へ

閉鎖栓　51
閉塞性睡眠時無呼吸症候群　185
変形性股関節症　191
便秘　132, 137

ほ

保育士　259
包括的診療連携　42
房室中隔　84
房室中隔欠損　24, 84, 90
歩行　33
保護伸展反応　262
哺乳　258

ま

マイルストーン　259
マススクリーニング　258
末梢神経ブロック　143
マルク　212
慢性中耳炎　182, 183

み

右鎖骨下動脈起始異常　53
ミダゾラム　167

む

無酸素発作　76, 112

め

メタボリックシンドローム　218
目と手の協応　269
メラトニン　222

も

モザイク型　9

よ

羊水過多　26
羊水検査　20
四つ這い　33

ら

卵円孔開存　55

り

理学療法士　259
リズミカル　285
離乳食　233, 258
硫酸アトロピン　238
両眼隔離症　174
両大血管右室起始　87
緑内障　178
輪状軟骨　162

る

類鼾音　148
涙道　177
ルンバール　212

ろ

老化　36
肋軟骨移植術　162
ロバートソン転座　9
ロピバカイン　141, 143

欧文

AADI（anterior atlantodental interval）　245
ADHD　221
ADI（atlanto-dental interval）　188
ADO　51
ADO-Ⅱ　52
ALGERNON　220, 307
ALL　194
AML　194
anoxic spell　76
ARDS　149, 151
ASD（atrial septal defect）　56, 221
ASD 閉鎖法　62
ASO（Amplatzer septal occluder）　59
CAT-T 細胞療法　202

CCA（caregiver-controlled analgesia） 243
cfDNA（cell-free DNA） 15
CHDF 153
CLS（Child Life Specialist） 247
coarse crackle 148
combined test 17
COVID-19 149
cribriform 57
double babble sign 26
DSCR（Down syndrome critical region） 305
Duhamel 法 135
DYRK1A 305
DYRK1A（dual-specificity tyrosine-(Y)-phosphorylation-regulated kinase 1A） 220
ECMO 153, 154
epigallocatechin-3-gallate 220
ERG 305
FACES スケール 242
FLACC スケール 242
FSO（Occlutech Figulla Flex Ⅱ septal occluder） 59
GATA1 196, 204, 306
HFNC 149
iPS 細胞 304
JCCG 201
JPLSG 207
Kirklin 分類 64
Life Threatening Symptom 210
L-カルニチン 222
ML-DS 197, 205
modified single patch 法 94
MRD 199
multifenestrated 57
multimodal analgesia 241
nasal CPAP（nasal continuous positive airway pressure） 105
NCA（nurse-controlled analgesia） 243
NGS 206
NIPT（non-invasive prenatal genetic testing） 17
NIV 149
NT（nuchal translucency） 18
OSA 185
ostium primum defect 57
overlapping finger 19
PCA（patient-controlled analgesia） 243
PDA 49
PFO（patent foramen ovale） 55
PH crisis（pulmonary hypertensive crisis） 108, 114
Piccolo occluder 52
PSG 185
Rastelli 分類 85
RCAN1 305
rhonchus 148
rocker-bottom foot 19
RS ウイルス 148, 154
RS ウイルス感染 71
sandal gap 19
scooping 91
SCT 201
simian line 5
Soave 法 135
stridor 147
Swenson 法 135
TAM 197, 204
tibial arch 5
two patch 法 94
ulnar loop 5
VAP 150
VAS 242
VATS-PDA 50
VILI 150
VSD 72
VSD 閉鎖法 73
wheeze 148
WHO 分類 197
XIST 306

ダウン症（しょう）のすべて ©

発　行	2018年 8 月 30 日	1版1刷
	2021年 4 月 20 日	2版1刷
	2022年 10 月 20 日	2版2刷

編著者　諏訪（すわ）まゆみ

発行者　株式会社　中外医学社
代表取締役　青木　滋
〒162-0805 東京都新宿区矢来町62
電　話　(03) 3268-2701 (代)
振替口座　00190-1-98814番

印刷・製本／三和印刷（株）　＜MS・YT＞
ISBN 978-4-498-14563-4　Printed in Japan

JCOPY ＜(株)出版者著作権管理機構 委託出版物＞

本書の無断複製は著作権法上での例外を除き禁じられています．複製される場合は，そのつど事前に，(社)出版者著作権管理機構（電話 03-5244-5088，FAX 03-5244-5089，e-mail: info@jcopy.or.jp）の許諾を得てください．